Ofimática y Proceso de la Información

Pilar Caballero

César Mena

José Murillo

Dispones de archivos en el CD *Recursos* para aquellas actividades con este icono:

MACMILLAN Profesional

ÍNDICE

ÍNDICE

u n i d a d **1**

Sistemas informáticos. Trabajo en red

SUMARIO

- Equipos informáticos
- Puertos de comunicación
- Sistema operativo
- Trabajo en red
- Seguridad

OBJETIVOS

- Identificar los elementos software y hardware más comunes.
- Manejar las funciones básicas de los sistemas operativos Windows y Linux.
- Identificar los elementos necesarios de un sistema en red.
- Configurar y manejar de forma general un sistema en red.
- Compartir información y recursos con otros usuarios.
- Aplicar medidas de seguridad utilizando cortafuegos y antivirus.

1 >> Equipos informáticos

En la actualidad se habla indistintamente de ordenadores, PC, terminales informáticos, equipos y otros términos semejantes, los cuales pueden ser considerados como sinónimos.

Un equipo informático es una máquina capaz de insertar en su sistema un conjunto de datos, operar con ellos en función de unas instrucciones almacenadas y devolver los resultados de esas operaciones.

Cualquier equipo informático consta de dos partes diferenciadas: el software y el hardware.

1.1 > Elementos software

Software es el conjunto de programas que permite trabajar con el ordenador.

1.1. Componentes del ordenador.

Siempre se habla del software como la parte lógica del equipo, la que no se puede tocar. En otras palabras, los programas que están instalados en el ordenador y que permiten gestionar el sistema informático.

De entre todo el software, de entre todos los programas instalados en el equipo, destaca el sistema operativo.

El sistema operativo es el software que gestiona la interacción de todos los componentes de un sistema informático, tanto de las aplicaciones como del hardware y permite que el usuario se comunique con el equipo.

El sistema operativo proporciona una interfaz cuya misión es facilitarle al usuario un modo de gestionar todo el equipo de manera transparente: este se encargará de guardar sus archivos sin preocuparse de lo que internamente sucede en el hardware del ordenador.

Entre los sistemas operativos más utilizados actualmente destacan Windows Vista, Windows 7, Unix y las distintas distribuciones Linux de licencia libre como Ubuntu, Max, LinEx, etc.

El resto del software de un equipo informático depende del uso que se le vaya a dar al equipo y puede abarcar desde programas tan frecuentes como paquetes ofimáticos, antivirus, compresores de archivos, etc., hasta aplicaciones de gestión de la información más especilizadas como programas de contabilidad, nóminas, diseño gráfico, maquetación de vídeos, etc.

1.2 > Elementos hardware

Frente al software, cuando hablamos de hardware nos referimos a la parte física de un ordenador, lo que se puede tocar de un sistema informático.

Hardware es el conjunto de componentes o elementos físicos del ordenador: CPU (unidad central de proceso), discos duros, memoria RAM, placa base, periféricos, etc.

Entre los componentes de un ordenador hay algunos que son fundamentales para el funcionamiento de la máquina.

Veamos algunos de estos elementos físicos:

- **Placa base.** Es la parte del equipo donde se conectan todos los demás componentes, como la memoria RAM, el procesador, la tarjeta de vídeo, tarjeta de red, etc.
- **Procesador.** También llamado unidad central de proceso, se encarga de detectar el estado de los componentes físicos del ordenador y de interpretar y ejecutar instrucciones. Las operaciones de cálculo con las que se procesa la información del ordenador también se realizan en esta unidad, es el "cerebro" del ordenador.
- **Memoria RAM.** Es la memoria que el ordenador usa para almacenar datos e instrucciones temporalmente mientras se están utilizando. Esta memoria es volátil, es decir, cuando se apaga el ordenador desaparece su contenido.
- **Discos duros.** Son los dispositivos de almacenamiento de datos, software y sistema operativo.
- **La BIOS.** Es un circuito integrado en la placa base. Entre sus funciones está controlar que todos los dispositivos estén conectados correctamente y cargar el sistema operativo.
- **Los buses.** Son los cables (físicos o serigrafiados en la placa) por los que circulan las señales entre los elementos de la CPU.
- **Tarjetas de expansión.** Son elementos hardware que se conectan en la placa base para agregar funciones al ordenador (tarjeta de red) o mejorar las que existen (tarjeta de vídeo).

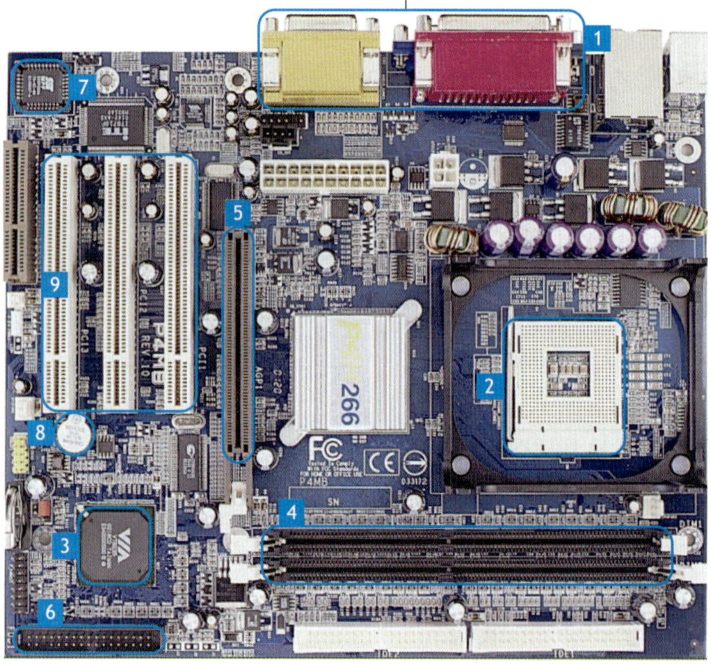

1.2. Placa base.

1 Puertos de componentes periféricos. Panel lateral

2 *Socket* del procesador

3 *Chipset*

4 Ranuras de memoria RAM

5 Conector de la tarjeta gráfica

6 Conector del cable IDE

7 BIOS

8 Pila

9 Ranura de expansión

Para utilizar un equipo informático, no basta con los anteriores componentes. Además, se utilizan distintos periféricos que hacen posible el flujo de datos de entrada y salida en un equipo informático.

Los elementos periféricos de un ordenador se pueden dividir en:

- **Periféricos de entrada.** Son aquellos que tienen la capacidad de introducir información en el ordenador. Destacamos el teclado, el ratón, el lector de código de barras, el escáner óptico, etc.
- **Periféricos de salida.** Su función es mostrar información de salida de las distintas operaciones realizadas en el ordenador. Son periféricos de salida: el monitor, los altavoces, la impresora, el plóter, etc.
- **Periféricos de entrada/salida.** Son capaces tanto de introducir información en el sistema como de recuperarla, por ejemplo, una memoria extraíble o un disquete. Las impresoras que incorporan dispositivos de escaneo de imágenes y las pantallas táctiles podrían considerarse hardware de entrada y salida de datos.
- **Periféricos de comunicación.** Conectan nuestro ordenador con los de otros usuarios y el mundo exterior. Entre los más importantes por su funcionalidad están el *hub, el swicth y el router.*

2 >> Puertos de comunicación

La unidad central de proceso (CPU), lo que comúnmente llamamos ordenador, no puede trabajar si no es conjuntamente con los dispositivos periféricos. De poco serviría una información bien gestionada si no es posible verla en un monitor o enviarla a través de una red. Para la comunicación con el exterior de la CPU, los equipos informáticos utilizan puertos.

Un puerto de comunicación es una salida que tiene el equipo informático y que permite intercambiar datos con un dispositivo hardware.

Muchos de los fallos de un sistema informático provienen de errores físicos, por ello, al realizar pruebas de funcionamiento en un ordenador hay que asegurarse de que las conexiones en los puertos son las correctas.

Los puertos, también llamados salidas, generalmente están en la parte trasera del ordenador aunque en la actualidad la mayoría de los equipos incluyen puertos USB y salidas de audio en la parte delantera. Todos los puertos tienen como interfaz al exterior un conector. Algunos equipos llevan integradas en su placa base las salidas de vídeo, red y audio, mientras que en otros es necesario añadir tarjetas de expansión con estas conexiones.

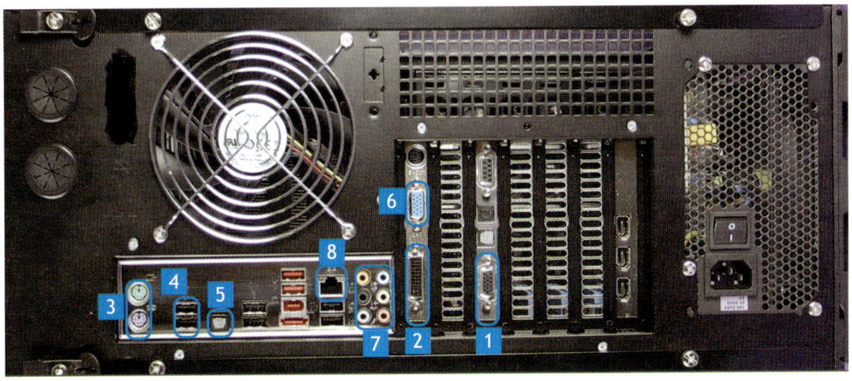

1 Puerto serie
2 Puerto paralelo
3 Puerto PS/2
4 Puerto USB
5 Puerto FireWire
6 Puerto de vídeo
7 Puerto de audio
8 Puertos de comunicación externa

1.3. Puertos de comunicación.

2.1 > Puerto serie

Se caracteriza porque envía y recibe un bit detrás de otro y cada cierto intervalo de tiempo.

En la actualidad ha sido desbancado por el puerto serie universal, USB, sobre todo por sus mejoras en cuanto a velocidad de transmisión, pero podemos encontrarlo todavía integrado en algunas placas base. Aún así, ya no se venden periféricos para uso domésticon con esta interfaz de comunicación.

2.2 > Puerto paralelo

Se caracteriza porque envía y recibe un grupo de bits a la vez, cada cierto intervalo de tiempo.

Se le conoce como puerto de impresión porque se limitó básicamente a la comunicación con la impresora. Actualmente también ha sido desbancado por el puerto USB.

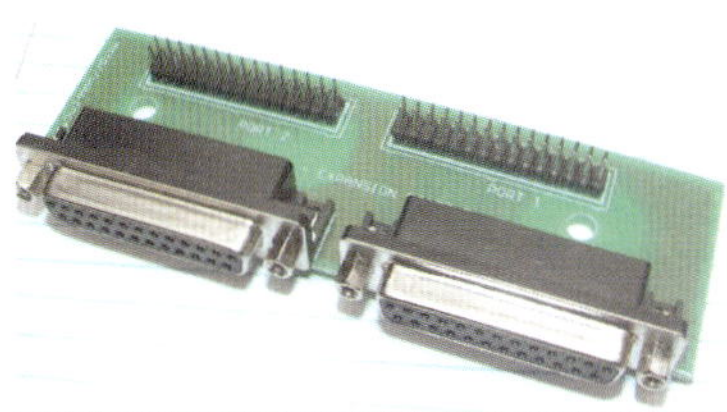

1.4. Puertos paralelos.

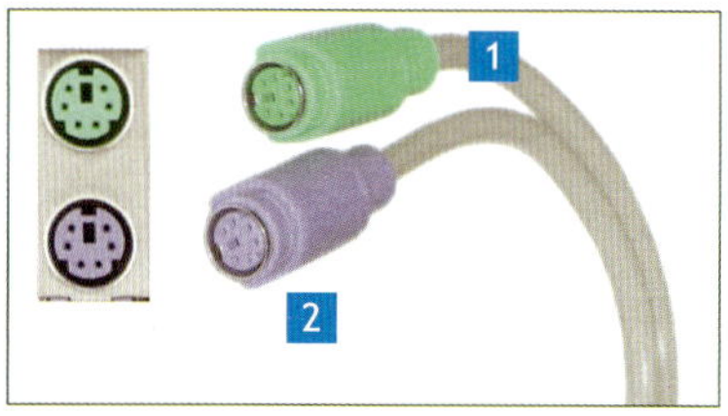

1 Conector para el ratón

2 Conector para el teclado

Conectores USB

Existen 3 tipos de conectores USB:

USB tipo A, hembra y macho.

USB tipo B, hembra y macho.

Mini USB.

4 RJ11, hembra y macho.

RJ45.

2.3 > Puerto PS/2

Sirve para conectar el teclado y el ratón al equipo informático.

La mayoría de los ordenadores cuentan con dos conectores PS/2 idénticos que se diferencian por su color. Es importante conectar el ratón en el conector verde y el teclado en el conector lila, ya que de otra forma no funcionarían. La conexión solo es posible en una posición de la clavija que haga coincidir hembra y macho (nunca forzar la conexiones).

Actualmente también está siendo desbancado por el puerto USB.

2.4 > Puerto serie universal - USB

El puerto USB es el más extendido actualmente para la conexión de periféricos al ordenador (teclados, ratones, impresoras, escáneres, cámaras, dispositivos de almacenamiento, etc.).

Entre las principales ventajas están la velocidad de transmisión, el uso de dispositivos sin necesidad de instalar *drivers* y el trabajo con la tecnología *plug and play* (enchufar y listo) entre otras.

2.5 > Puerto FireWire

Su nombre técnico es IEEE 1394. Se trata de un puerto serie que realiza comunicaciones a gran velocidad.

En esta tecnología no es necesario un ordenador de intermediario para la comunicación entre dispositivos. Podemos encontrarlo en cámaras de vídeo digital y discos duros externos.

2.6 > Puertos de audio y vídeo

Para la conexión de vídeo, el ordenador cuenta con el conector VGA hembra en la placa base o en la tarjeta de expansión conectada en la placa base. Este conector permite una comunicación analógica.

En el caso de monitores digitales se utiliza el conector DVI, que consigue una mayor calidad de imagen.

Para las salidas de audio contamos con tres conectores ***mini-jack*** identificados por sus colores: azul (entrada de audio), verde (salida de audio) y rosa (micrófono).

2.7 > Puertos de comunicación externa

Para la comunicación de nuestro ordenador con otros equipos contamos con dos salidas incorporadas en algunas placas pero sobre todo en las tarjetas de red.

La salida RJ45 nos permite enchufar cables de red de área local. Estos cables conectan nuestro ordenador con el resto de equipos de la oficina o del aula, así como con el dispositivo que nos permite la salida a Internet.

Ante un fallo de comunicación, lo primero que habría que comprobar es si el cable y la conexión son correctos.

La salida RJ11 se usa para conectar el cable de telefonía fija.

3 >> Funciones básicas del sistema operativo

Ya hemos visto que el sistema operativo es el software más importante de un equipo informático. Hoy en día existen en el mercado dos grandes vertientes en cuanto al sistema operativo: los sistemas con licencia Windows y los sistemas de software libre Linux y sus derivados.

Entre las funciones de un sistema operativo están:

- Coordinar el funcionamiento de todo el equipo y gestionar sus componentes hardware.
- Proporcionar al usuario una interfaz de comunicación con el ordenador fácil y transparente.
- Proporcionar el soporte para el resto de aplicaciones instaladas.
- Gestionar la memoria.

Vamos a ver en primer lugar algunas de las partes más importantes de Windows.

Tipos de sistemas operativos

Monousuario: una sola persona en un solo equipo (MS-DOS).

Multiusuario: ideados para trabajar en redes de ordenadores (sistemas Windows, Unix y Linux y sus derivados).

Monotarea: sistemas que ejecutan una sola tarea a la vez.

Multitarea: sistemas que pueden ejecutar varias tareas a la vez.

3.1 > Botón de Inicio de Windows

Este botón abre un menú que nos da acceso directo, o a través de submenús, a las aplicaciones instaladas en nuestro ordenador. Además, nos permite acceder de forma rápida a las carpetas más utilizadas de nuestro equipo (*Documentos, Imágenes, Música,* etc.) así como a la parte de gestión del ordenador (*Equipo, Panel de control, Ayuda y soporte técnico*, etc.) y el apagado del mismo.

En las ultimas versiones del sistema operativo, el botón de Inicio incluye un cuadro de texto dispuesto para buscar un archivo o carpeta. Bastará con teclear su nombre completo o utilizar comodines (*). Por ejemplo, para archivos que contengan la palabra "finanzas": **finanzas**.

Al ir escribiendo, el panel va cambiando, adaptándose al criterio de búsqueda y mostrando las primeras coincidencias.

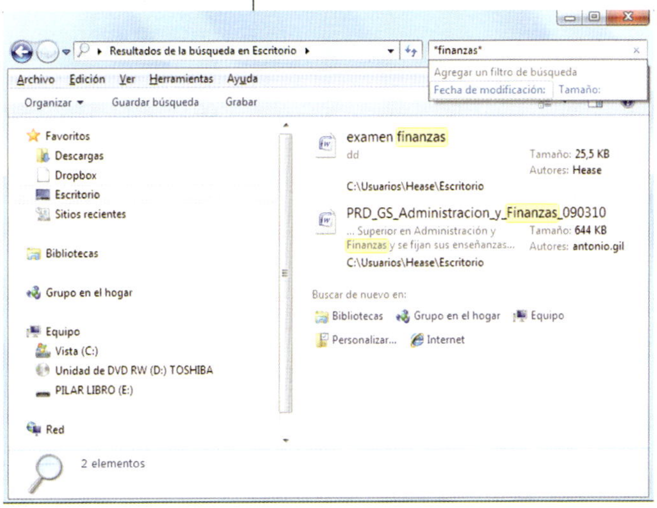

1.5. Cuadro de diálogo del motor de búsqueda.

No obstante, el cuadro de diálogo del motor de búsqueda nos permite modificar el texto del archivo a buscar, seleccionar el directorio de búsqueda y agregar filtros como la fecha de modificación para acotar la búsqueda tal y como se observa en la imagen.

3.2 > La barra de tareas de Windows

Es una zona que se encuentra normalmente en la parte inferior de la pantalla. Haciendo clic con el botón derecho sobre la parte vacía central accederemos a sus propiedades y podremos configurar tanto la barra de tareas como el menú *Inicio,* la acción del botón de encendido, las barras de herramientas disponibles en la barra de tareas, etc.

Área de notificación

El icono del área de notificación abre la opción de ver más iconos y personalizar este área.

Con estas opciones podemos controlar los comportamientos de cada uno de los iconos.

Gadgets

Son pequeñas funciones con una utilidad concreta, práctica y novedosa.

Al hacer doble clic sobre cualquiera de ellos, aparecerán en la parte derecha del Escritorio.

En la parte izquierda de la barra de tareas aparece el botón de Inicio visto anteriormente. Inmediatamente a la derecha, contamos con el área de inicio rápido, que son pequeños iconos que nos permiten acceder de forma inmediata a ciertas aplicaciones como el explorador de archivos e Internet Explorer. A continuación, aparecen los iconos de las aplicaciones con las que estemos trabajando, permitiendo pasar de unas a otras y visualizarlas fácilmente con la tecnología de vista previa disponible al deslizar el ratón sobre ellas.

En la parte derecha de la barra de tareas nos encontramos las barras de herramientas que tengamos abiertas como la barra de *Idioma*. Seguidamente aparece el área de notificación, constituida por una serie de iconos que nos muestran información rápida acerca de la conexión de red, el control del volumen, si tenemos un *pendrive* conectado, si el antivirus está activo, etc.

Finalmente contamos con la fecha y hora del sistema. Hacer clic sobre esta zona nos permite configurarla.

3.3 > El Escritorio de Windows

El Escritorio es la mesa de trabajo. En ella tenemos iconos que representan las herramientas que utilizamos más frecuentemente con el fin de tener un acceso rápido a ellas. Lo propio es que cada usuario personalice el Escritorio añadiendo accesos directos de los programas, lo que le facilitará el trabajo diario.

Haciendo doble clic sobre cualquier icono se abrirá el archivo, carpeta o aplicación al que representa. Con el botón derecho se nos mostrará el menú contextual que nos permite realizar operaciones como abrir, explorar, buscar, cambiar de nombre, cortar, eliminar, etc.

Para crear un acceso directo en el Escritorio desplegaremos la lista de *Todos los programas* del botón de Inicio y, accediendo al menú del botón derecho del ratón, seleccionamos *Enviar a / Escritorio (crear acceso directo).*

Otra de las opciones interesantes del Escritorio es acceder a su menú contextual, donde encontramos las siguientes opciones:

- Ver y ordenar los iconos dentro del Escritorio.
- Crear nuevos documentos, carpetas, etc.
- Sincronización de la carpeta de Groove (aplicación incluida en Office que permite la compartición avanzada de carpetas entre distintos usuarios de una red o por Internet).
- Modificar la resolución de la pantalla.
- Colocar *gadgets.*
- Personalizar el Escritorio (cambiar los iconos, la imagen del ratón y de la cuenta de usuario, etc.).

Las personalizaciones del Escritorio y otras acciones dependen de la versión del sistema operativo que tengamos instalado. Por ejemplo, la versión Windows 7 Starter no permite muchas de las variaciones de configuración, ya que se trata de una versión restringida.

Este sistema lo encontramos instalado en la mayoría de los ordenadores Netbook, ya que consume menos recursos.

3.4 > Las ventanas y cuadros de diálogo

Las ventanas y cuadros de diálogo constituyen la interfaz gráfica con las que el sistema operativo interactúa con el usuario.

Podemos tener tantas ventanas abiertas como el ordenador sea capaz de soportar pero, en el caso de los cuadros de diálogo, generalmente hay que cerrar el cuadro aceptando o cancelando el mismo, para continuar con el trabajo en una misma aplicación aunque sí permite pasar a otra distinta.

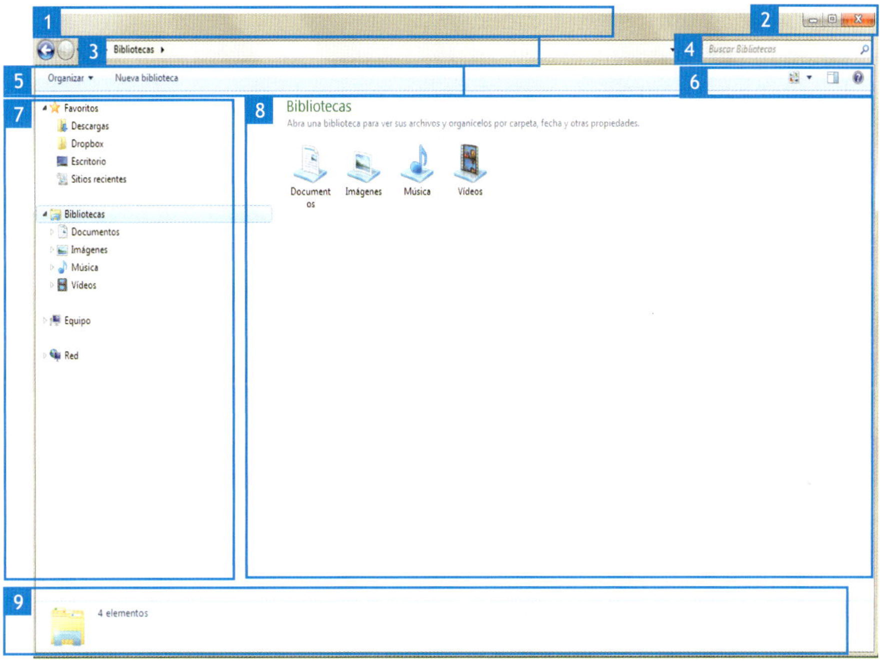

1.6. Interfaz gráfica.

1 Barra de título
2 Cuadro de control
3 Barra de direcciones
4 Cuadro de búsqueda
5 Barra de menú
6 Barra de herramientas
7 Panel de navegación
8 Panel de vista previa
9 Barra de estado

- **Barra de título:** algunas ventanas están identificadas por el nombre que aparece en esta parte. Esta barra contiene, a su derecha, el cuadro de control, que permite minimizar, restaurar, maximizar y cerrar la ventana.
- **Barra de direcciones y cuadro de búsqueda:** esta barra que contienen algunas ventanas permite que nos desplacemos por los directorios de forma cómoda. El cuadro de búsqueda funciona del mismo modo que el visto dentro del panel de Inicio de Windows.
- **Barra de menú:** contiene todas las opciones de la aplicación; algunas abren submenús y otras cuadros de diálogo.
- **Barra de herramientas:** contiene las opciones más utilizadas de la aplicación.
- **Panel de navegación y de vista previa:** este espacio depende de la aplicación. En algunas áreas de trabajo se escribe, en otras se dibuja y en otras, como la de este ejemplo, se seleccionan los enlaces.

Cuadros de diálogo

Los cuadros de diálogo permiten al usuario introducir distintas opciones a través de sus cuadros de texto, desplegables, casillas, etc.

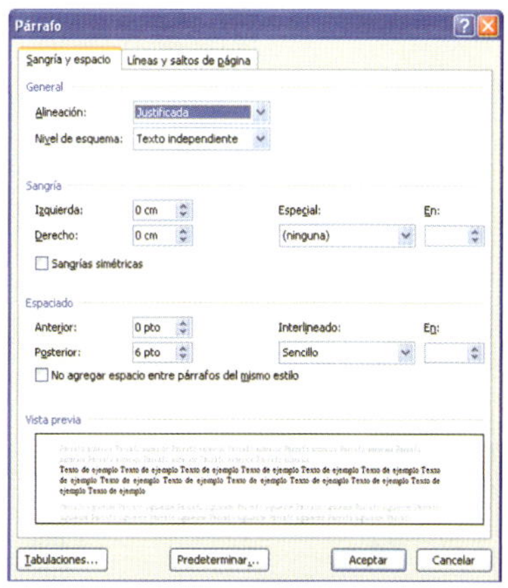

Actividades propuestas

1·· Conecta un *pendrive* a tu ordenador: crea en él una carpeta con el nombre *Música de muestra* y copia el contenido de la biblioteca *Música* dentro de ella. Comprueba que la copia se ha realizado correctamente.

Accesorios en Windows

Desde el botón de Office / *Inicio* / *Todos los programas* / *Accesorios.*

Accedemos a utilidades del sistema operativo como la Calculadora, el Bloc de notas, el Paint y Herramientas del sistema como el Desfragmentador de disco, útil para mejorar el rendimiento de nuestro equipo.

3.5 > Gestión de archivos y carpetas en Windows

Una de la cosas que un usuario debe tener más clara en el uso de su ordenador es el manejo del explorador de Windows. Saber moverse por los distintos directorios, y organizar los archivos y carpetas es fundamental para mantener ordenado el trabajo.

Tenemos varias opciones para llegar a la ventana que nos permite gestionar nuestros archivos y carpetas de forma cómoda. Entre otras:

- Menú *Inicio* y abrir el explorador.
- Botón Inicio / *Documentos.*
- Botón Inicio / *Equipo.*
- Barra de incio rápido / botón de carpeta.

La diferencia entre acceder de una u otra forma está en el enlace que aparece abierto en la parte derecha de la ventana; una vez dentro, nos moveremos haciendo clic en las alternativas que ofrece.

Las *Bibliotecas* ofrecen cuatro de las carpetas más utilizadas por el usuario. Por otro lado, está la opción *Equipo,* que nos muestra las unidades de disco y dispositivos de almacenamiento. El resto de los enlaces abren el contenido de cada directorio.

En cualquier directorio podemos seleccionar uno o varios documentos (haciendo clic o <Ctrl> + clic), eliminarlos (<Supr>), moverlos (pinchar y arrastrar) y otras alternativas disponibles desde el menú contextual del botón derecho del ratón sobre el archivo o carpeta.

3.6 > Panel de control de Windows

El Panel de control es una parte del sistema operativo destinada a cambiar la configuración del propio sistema, desde algo tan básico como la hora o la configuración del ratón a algo tan avanzado como crear y administrar usuarios o configurar la red (Figura 1.7).

Accedemos desde el botón de Office / *Panel de control:*

- ***Sistema y seguridad:*** revisa el estado del equipo controlando los antivirus y las actualizaciones automáticas, permite realizar y recuperar copias de seguridad del equipo. Busca y corrige problemas básicos como la configuración de dispositivos o realiza tareas de mantenimiento.
- ***Redes e Internet:*** permite gestionar la configuración de red e Internet del equipo, como veremos más adelante.
- ***Hardware y sonido:*** controlar todo lo referente al hardware, agregar un dispositivo o impresora, cambiar la configuración del ratón, elegir la configuración predeterminada en la reproducción automática de ciertos medios o dispositivos, gestionar el volumen y los dispositivos de audio, configurar opciones de la pantalla y de energía como la batería de un portátil o el brillo, reanudar con contraseñas, etc.

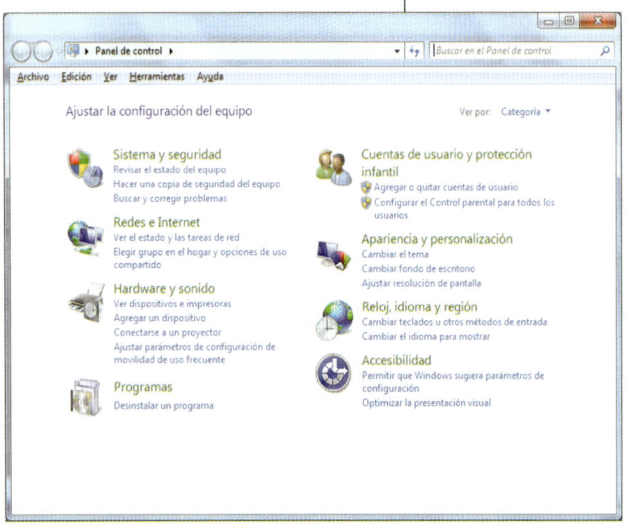

1.7. Panel de control de Windows.

- *Programas:* permite instalar, desinstalar y actualizar programas, así como ver actualizaciones, establecer programas predetermiandos, manejar *gadgets,* etc.
- *Cuentas de usuario y protección infantil:* crear perfiles de usuario para controlar el modo en que cada uno accede al equipo. Es posible instalar programas para mantener el control e informar de la navegación web.
- *Apariencia y personalización:* permite personalizar el Escritorio, las ventanas, la pantalla, el menú de *Inicio,* barra de tareas, *gadgets,* opciones de carpetas, efectos de sonido, etc., a gusto del usuario.
- *Reloj, idioma y región:* permite controlar la fecha y hora, así como la configuración regional del idioma.
- *Accesibilidad:* permite configurar ciertos parámetros visuales y sonoros para adaptarlos a usuario con deficiencias.

Casos prácticos 1

Organizar la carpeta *Documentos*

•• Organiza el contenido de la carpeta *Documentos* en la ventana *Equipo*, de manera que aparezcan las vistas en miniatura y ordenadas alfabéticamente.

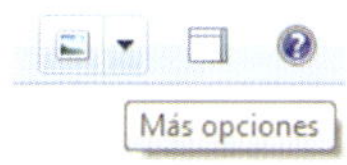

Solución ••

- Haz clic en botón de Inicio / *Equipo*. Selecciona en enlace *Documentos* para abrir ese directorio.
- Haz clic en la barra de herramientas sobre el botón *Cambie la Vista / Más opciones / Detalles.*
- Para ordenarlos alfabéticamente, haz clic en el desplegable *Organizar por / Nombre.*

Casos prácticos 2

Desfragmentar el disco duro

•• Reorganiza los elementos del disco duro (desfragmentar) para hacer que los programas se ejecuten más rápidamente.

Solución ••

- Abre el panel de control y haz clic en *Sistema y seguridad.*
- En el bloque *Herramientas administrativas,* hacemos clic en *Desfragmentar el disco duro.*

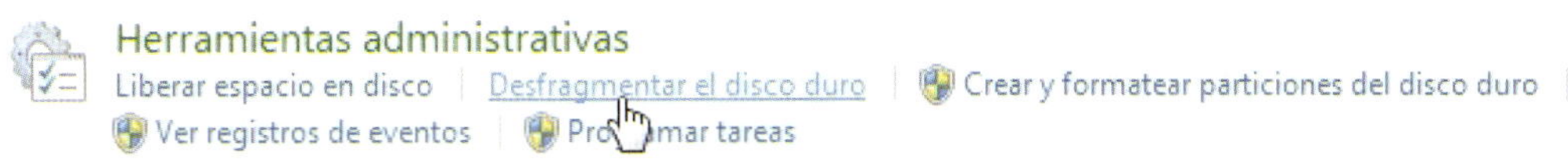

- Aparecerá un cuadro de diálogo en el que seleccionaremos el disco duro (C:). Y, al hacer clic en el botón *Desfragmentar disco,* empezará el proceso de análisis y posterior desfragmentación.

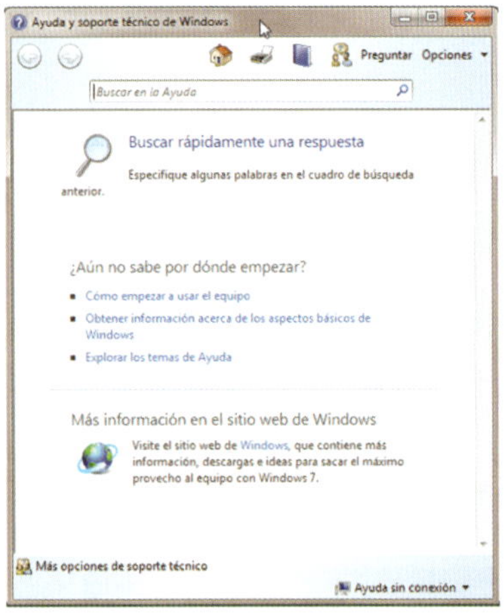

1.8. Ayuda y soporte técnico de Windows.

3.7 > El sistema de ayuda de Windows

Windows incluye en su software un sistema de ayuda que permite buscar información útil a la hora de solucionar problemas o ampliar conocimientos para realizar algún tipo de tarea.

La búsqueda de información la podemos hacer tanto en la base de datos almacenada en el ordenador con el propio sistema como en línea en la página web de Microsoft.

Para abrir el sistema de ayuda, hacemos clic en el botón de Inicio de Windows y a continuación en el enlace *Ayuda y soporte técnico* (Figura 1.8).

Para utilizar el sistema de ayuda escribiremos en el cuadro de texto una frase o palabra que nos ayude a encontrar la solución que buscamos, por ejemplo, al escribir *desfragmentar disco* aparecerá una lista de enlaces a posibles soluciones y temas relacionados.

Esta ventana ofrece, mediante el enlace *Más opciones de soporte técnico,* la posiblidad de activar la asistencia remota y visitar el sitio web Microsoft Answers para solucionar problemas *on line.*

Casos prácticos 3

Crear una cuenta con contraseña

•• Crea una cuenta de usuario estándar y otra de administrador, ambas con contraseña. Elige la imagen que desees para el icono.

Solución •• Desde el panel de control accedemos a la opción *Agregar o quitar* y hacemos clic en el enlace *Crear una nueva cuenta.*

En la nueva ventana que se nos muestra, escribimos el nombre que tendrá la cuenta y dejamos seleccionado *Usuario estándar.*

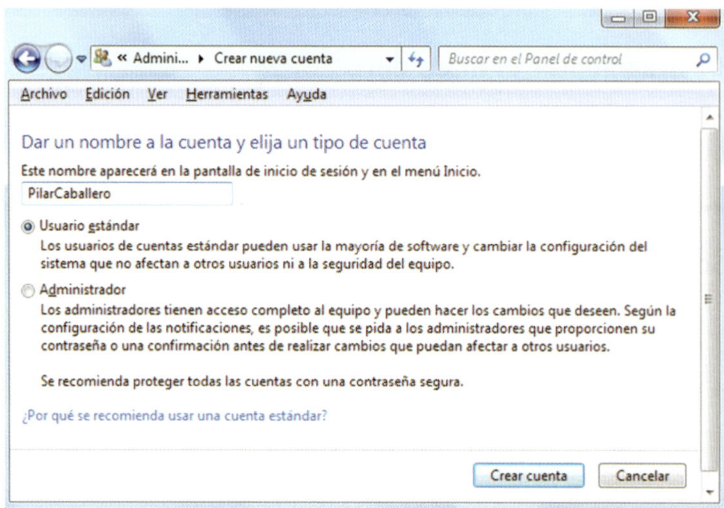

Esta cuenta tendrá limitado el acceso a ciertos recursos del equipo, como por ejemplo instalar o desinstalar programas. Tecleamos el nombre y hacemos clic en el botón *Crear cuenta.*

Repetimos el proceso, esta vez seleccionando *Administrador,* y tecleamos de nombre, por ejemplo, *Profesor* y volvemos a hacer clic en *Crear cuenta.*

En la ventana *Administrar cuentas* aparecerá un icono por cada una de las cuentas que acabamos de crear.

Seleccionando cualquiera de ellas aparecerán los cambios posibles a realizar.

3

Hacemos clic sobre la cuenta *Profesor* para entrar en la configuración de este perfil.

Al seleccionar *Crear una contraseña*, podremos insertar la contraseña que queramos asignar a la cuenta y, con el enlace *Cambiar la imagen*, elegiremos la imagen asociada que más nos guste.

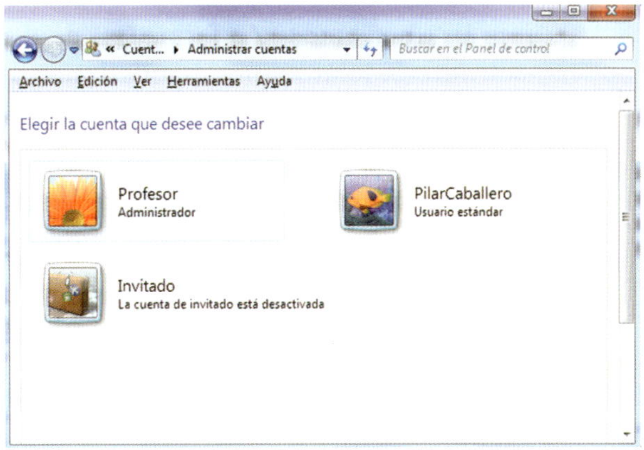

El enlace *Administrar otra cuenta* nos permite volver a la ventana principal y repetir el proceso con la cuenta de usuario estándar.

Finalmente, reiniciaremos el ordenador para ver el resultado del ejercicio.

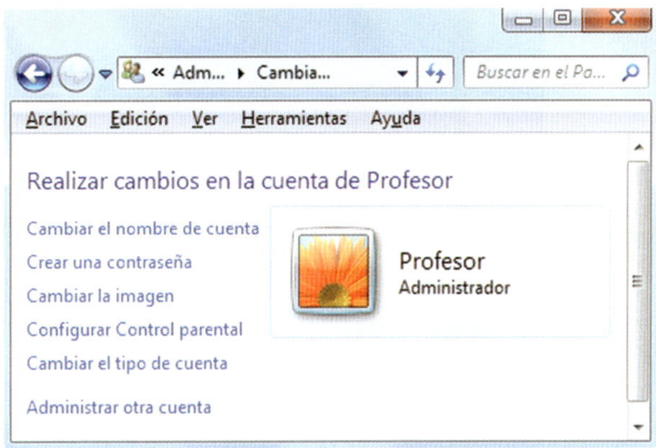

Actividades propuestas

2·· Configura el Escritorio cambiando el fondo, el protector de pantalla y la resolución.

3·· Personaliza un icono cualquiera del Escritorio cambiando su imagen.

4·· Realiza una copia de seguridad de toda la unidad C:\ en un dispositivo de almacenamiento externo.

5·· Elimina las cuentas de usuario creadas en el caso práctico anterior.

6·· Crea un punto de restauración al que volver en caso de mal funcionamiento del equipo.

7·· Restaura el equipo al punto creado en la actividad anterior.

4 >> El sistema operativo Linux

Linux es un sistema operativo libre, es decir, es posible utilizarlo, modificarlo y redistribuirlo libremente. Todas las modificaciones del sistema operativo base se denominan distribuciones y cualquiera de ellas queda acogida a la misma licencia, generalmente un tipo de licencia denominada *GNU General Public Licence.*

Las distribuciones están formadas por el propio sistema operativo más un sotfware general y una serie de programas específicos sobre educación, música, etc. Así el usuario puede elegir la distribución que mejor se adapte a sus necesidades.

Cada vez se está extendiendo más el hecho de que cada Comunidad Autónoma desarrolle y distribuya su propio software como MAX (Comunidad de Madrid), Molinux (Castilla La-Mancha), etc.

4.1 > El entorno de trabajo Ubuntu

Ubuntu es una de las distribuciones más extendidas y populares. Su interfaz gráfica se basa en la pantalla principal o Escritorio, así como en un conjunto de ventanas, menús y cuadros de diálogo que funcionan de forma similar a Windows.

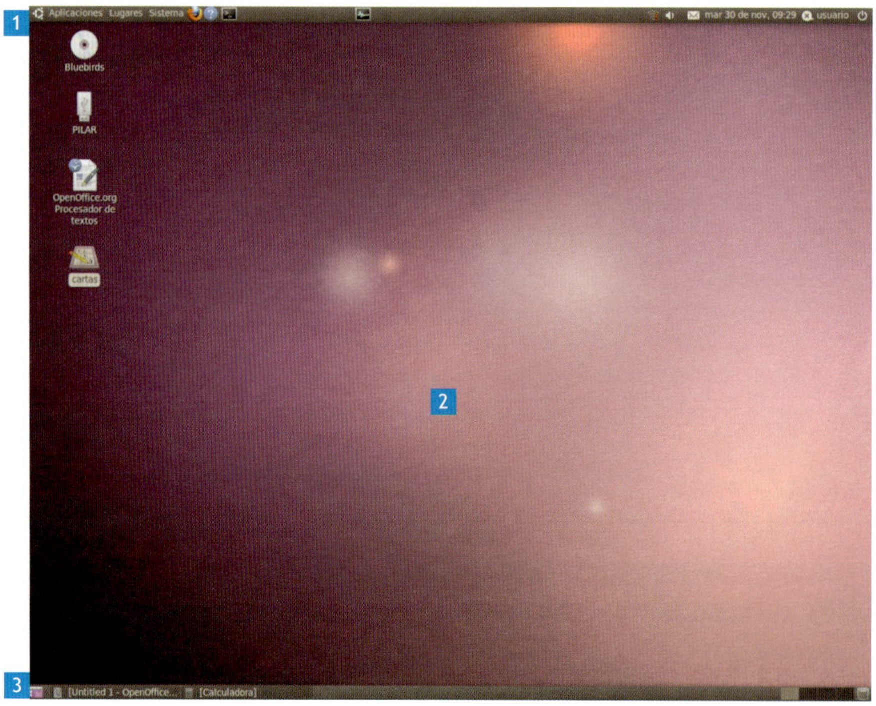

1 Panel superior
2 Venana principal
3 Panel inferior

1.9. Interfaz gráfica de Ubuntu.

Como se observa en la imagen, la estética está muy próxima a la interfaz de Windows: iconos, menús, botones, etc. Y la forma de trabajar a nivel usuario sobre el sistema operativo también es muy parecida.

El Escritorio de Ubuntu se divide en tres partes: panel superior, panel inferior y ventana principal.

Panel superior

Es una barra situada en la parte superior del Escritorio y que equivale a la barra de tareas de Windows.

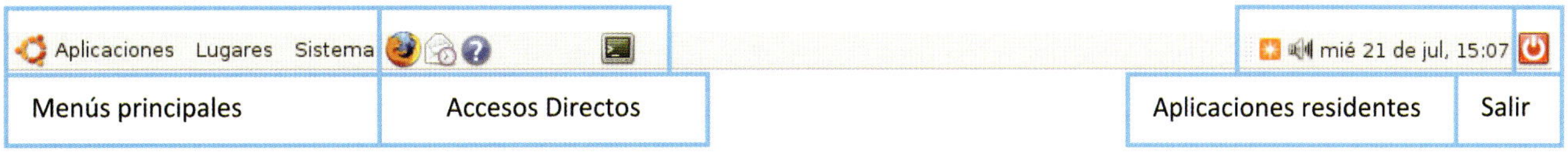

Ventana principal

- **Menú *Aplicaciones:*** equivale a la opción *Todos los programas de Windows,* solo que los programas están organizados por categorías.
- **Menú *Lugares:*** equivale al menú *Equipo* de Windows.
- **Menú *Sistema:*** ofrece la configuración y administración del equipo. Es similar al *Panel de control* de Windows.
- **Accesos directos**: equivale a la barra de inicio rápido de Windows.
- **Aplicaciones residentes**: accesos directos a utilidades y aplicaciones tales como el sonido, la fecha, actualizaciones disponibles, etc.
- **Salir**: controla el apagado del equipo y el cambio de usuario, además del bloqueo de la pantalla.

Panel inferior

Se trata de una barra situada en la parte inferior del Escritorio. Al igual que en la barra de tareas de Windows, en la parte central irán apareciendo accesos a las aplicaciones abiertas.

Una diferencia respecto a Windows es el *Intercambiador de Escritorio,* que permite abrir un escritorio nuevo en la ventana principal y trabajar en cada uno con distintas aplicaciones.

La papelera está incluida en el panel inferior en lugar de ser un icono como en Windows.

Ventana principal

Es el área central del Escritorio, que ocupan todas las aplicaciones abiertas. Cuando no hay ninguna aplicación abierta, se muestra el fondo del escritorio.

Al igual que ocurría en Windows, es personalizable mediante el menú contextual. Por ejemplo, para cambiarlo, haríamos clic con el botón derecho del ratón sobre el Escritorio y elegiríamos *Cambiar el fondo de Escritorio.*

En la ventana principal, aparecen distintos iconos como archivadores (archivos comprimidos), carpetas (directorios), enlaces (accesos directos), lanzadores (para ejecutar comandos) e iconos de archivos.

Añadir y configurar paneles

Abre el menú contextual sobre el panel y elige la opción correspondiente.

Casos prácticos 4

Crear un lanzador

•• Partiendo de que el paquete *OpenOffice* está instalado en el equipo, crea un lanzador al procesador *Writer* en el Escritorio y en el panel superior. Crea otro lanzador al juego *Sudoku*.

Solución ••

- Abrimos el menú principal *Aplicaciones / Oficina* y hacemos clic con el botón derecho del ratón sobre *OpenOffice - Procesador de textos* y elegimos *Añadir este lanzador al escritorio*.
- Repetimos el proceso eligiendo ahora *Añadir este lanzador al panel*.

Para acceder a los juegos, debemos tener en cuenta que el software se instala en el directorio */usr*.

- Hacemos clic con el botón derecho del ratón sobre el escritorio y elegimos *Crear un lanzador*.

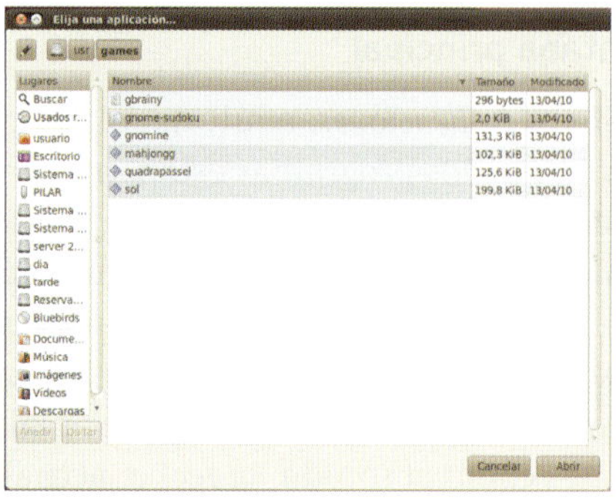

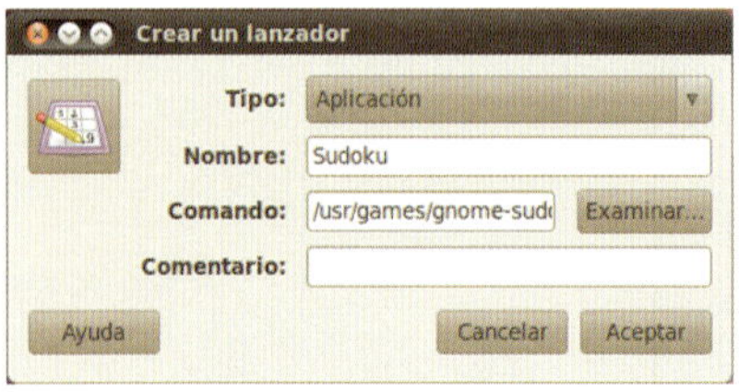

- En la ventana que nos aparece, rellenamos *Tipo: Aplicación; Nombre: Cartas* y hacemos clic en el botón *Examinar*. Sobre la lista *Lugares*, hacemos doble clic en *Sistema de archivos* y vamos abriendo la ruta */usr/games* hasta dejar seleccionado *Sudoku*.
- Hacemos clic en *Abrir / Aceptar*.

4.2 > Las ventanas en Ubuntu

Si abrimos la ventana *Navegador de archivos* desde el menú *Lugares / Equipo* tenemos:

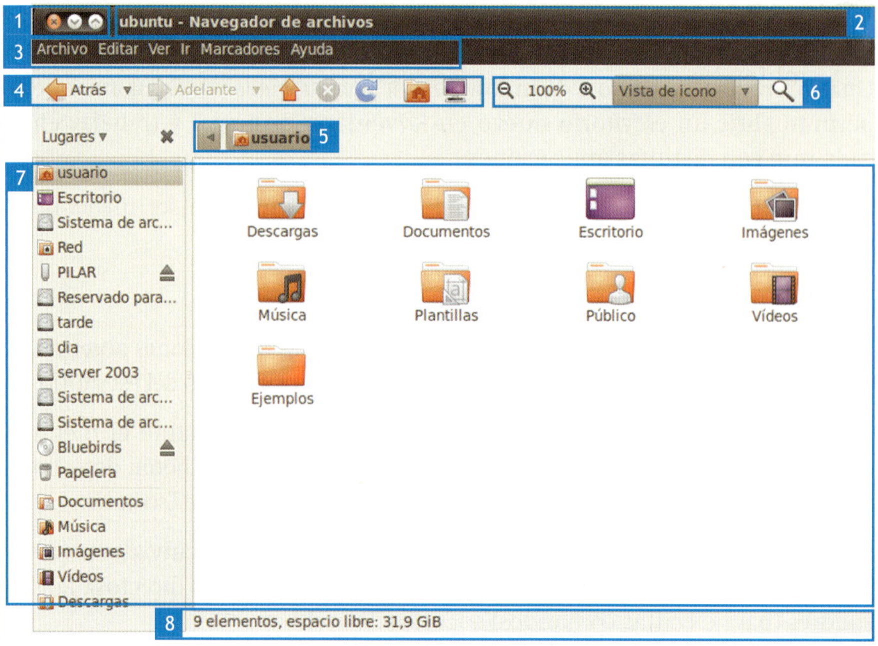

1 Barra de título
2 Cuadro de control
3 Barra de menú
4 Barra de herramientas
5 Barra de dirección lugar
6 Zoom y pistas
7 Área de trabajo
8 Barra de estado

4.3 > Gestión de archivos y carpetas

La gestión de archivos y carpetas es similar a la que se utiliza en Windows y prácticamente se pueden hacer todas las operaciones vistas desde el menú contextual o desde la barra de menú del *Navegador de archivos.*

A diferencia de Windows, Ubuntu distingue entre mayúsculas y minúsculas, por lo que *Archivo* y *archivo* son elementos distintos.

Estructura de ficheros y directorios

Todos los sistemas Linux utilizan un sistema de archivos cuya principal diferencia con Windows es que no existen letras para identificar a las unidades (CD, DVD, *pendrive,* etc.).

Los directorios son carpetas lógicas en las que se guardan los archivos. En Linux todo depende de la raíz del árbol de directorio llamado *root directory* e identificado con la barra inclinada. A partir de este, todas las unidades, incluidos los dispositivos hardware, son considerados carpetas.

Los directorios principales son:

- ***/bin:*** contiene los archivos básicos del sistema.
- ***/boot:*** contiene el software necesario para el arranque del sistema.
- ***/dev:*** contiene los *drivers* de los dispositivos del equipo. Así, */dev/hda* es el primer disco, */dev/hdb* el segundo, */dev/hd0* la disquetera, etc.
- ***/etc:*** contiene los archivos de configuración del sistema.
- ***/home:*** contiene los archivos y carpetas privados de cada usuario, incluyendo sus archivos de configuración. El usuario tiene todos los permisos sobre este directorio.
- ***/media:*** contiene las unidades montadas en el equipo.
- ***/root:*** directorio de trabajo del superusuario.
- ***/usr:*** contiene una carpeta por cada programa instalado en el equipo.

Menú contextual sobre una carpeta

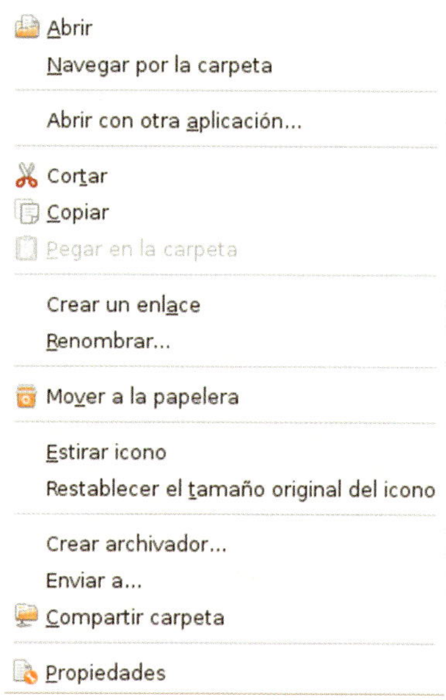

Casos prácticos 5

Cambiar los permisos de una carpeta

•• En Ubuntu se aplican permisos para el propietario del elemento, para el grupo al que pertenece el usuario y para el resto.

Crea una carpeta y modifica sus permisos del siguiente modo:

- Propietario: *Crear y borrar archivos (*lectura, escritura y ejecución).
- Grupo: *Acceder a archivos* (lectura y ejecución).
- Resto: *Solo listar archivos* (solo ver los nombres de los archivos).

Solución ••

- Haz clic con el botón derecho del ratón sobre la carpeta y selecciona la opción *Propiedades.*
- Abre la ficha *Permisos* y deja las opciones tal y como observas en la imagen.
- Haz clic en *Cerrar.*

4.4 > Administración del sistema

La adminsitración es una tarea exclusiva del usuario root, aunque es posible que algunos usuarios tengan permisos de administrador con el fin de que puedan ejecutar determinadas aplicaciones.

Por motivos de seguridad, a veces es necesario que el usuario introduzca su contraseña. Las opciones de administración del sistema están disponibles desde el menú del panel superior, haciendo clic en *Sistema / Administración.*

Usuarios y grupos

De entre todos los usuarios del sistema siempre existe uno creado en todas las instalaciones de Linux: el superusuario o root. Este usuario tiene todos los derechos sobre cualquier parte del sistema para poder desempeñar tareas de administración.

Hay que tener cuidado y utilizar el sistema como root solo cuando sea estrictamente necesario porque se pueden realizar acciones érroneas irreversibles. No obstante, es posible crear usuarios con permisos de administración para el uso de ciertas aplicaciones.

Para simplificar la tarea de la asignación de permisos, es posible la creación de grupos. Los permisos se concederán al grupo y después se añadirán los usuarios al mismo. Así, un usuario pertenercerá a uno o varios grupos.

Menú administración

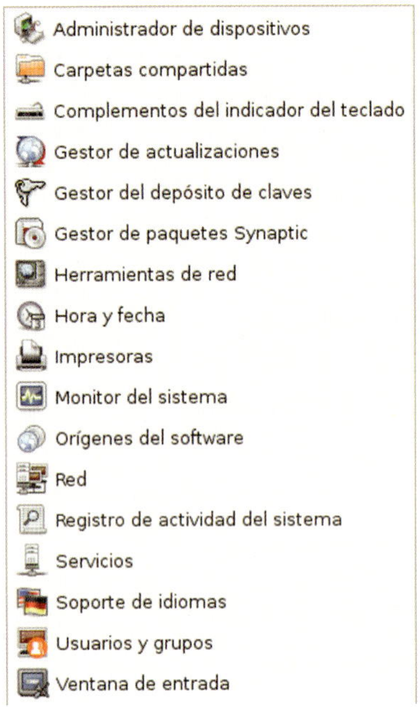

4.5 > Búsqueda de archivos en Ubuntu

El sistema de búsqueda se realiza de la misma forma que en Windows, mediante la utilización de comodines (*) y distintos criterios: texto que contiene el nombre del archivo a buscar, directorio en el que buscar, texto que contiene el propio archivo, fechas de modificación, etc.

Desde el panel superior accedemos al menú *Lugares / Buscar archivos* para abrir la ventana que gestiona el sistema de búsqueda. Con los botones de *Añadir* y *Quitar* se van añadiendo criterios a la búsqueda.

El sistema de ayuda

Funciona igual que el sistema de ayuda de Windows, proporcionando documentación o asistencia en línea.

Se accede a través del menú *Sistema / Ayuda* o bien mediante el acceso directo *Ayuda* del panel superior.

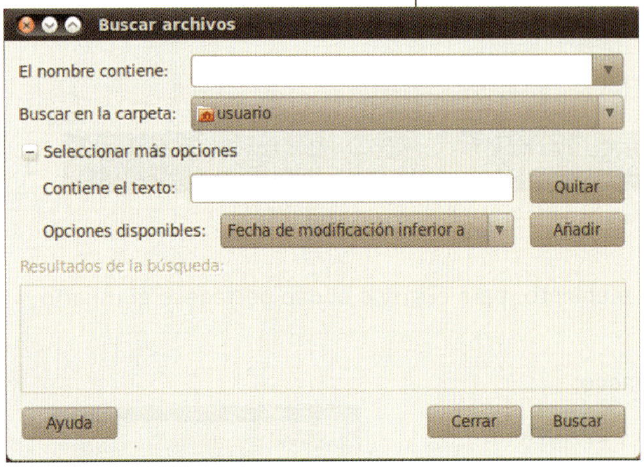

1.10. Búsqueda de archivos en Ubuntu.

Actividades propuestas

8·· Cambia el tapiz del escritorio a una imagen personalizada tuya y modifica el tamaño de algún icono del escritorio.

9·· Describe los pasos a seguir para cambiar el idioma de tu equipo.

5 >> Trabajo en red

Una red de ordenadores es un conjunto de equipos interconectados entre sí mediante cables u ondas.

La finalidad de una red es compartir información, recursos y servicios entre todos los ordenadores que la componen, optimizando los recursos humanos y económicos de la entidad propietaria de la red.

Hoy en día el abaratamiento de los dispositivos hardware necesarios para construir una red, la alta velocidad de transmisión y la baja tasa de errores hace que las redes sean ideales tanto para los particulares como para las empresas. Así, por ejemplo, la red de una empresa podría compartir la base de datos de personal, una impresora y el acceso a Internet. De esta manera, se ahorraría tiempo en el acceso a los datos y dinero en la compra de hardware y la contratación de servicios de Internet.

Las redes locales también son llamadas redes LAN *(Local Area Network)*, si la comunicación es mediante cableado, o redes WLAN *(Wireless Local Area Network)*, si su tecnología de comunicación es inalámbrica. Tienen un alcance físico limitado a un edificio y aún utilizando repetidores la distancia máxima está en torno a 1 km.

Según su alcance, las redes se clasifican en:

- Red local (LAN y WLAN): limitado a 1 km.
- Red metropolitana (MAN): menor de 100 km.
- Red de área extensa (WAN): superior a 100 Km.

5.1 > Componentes de un sistema en red

Las redes de área local están compuestas por los siguientes componentes:

- **Servidores:** son ordenadores de la red con características físicas de alto nivel y controlados por el personal administrador de la red. Llevan instalado un software específico para centralizar y controlar la red y están configurados para prestar servicios tales como controlar el acceso a Internet, la seguridad de los ficheros, manejar sistemas de cuentas y contraseñas para limitar el acceso a usuarios no autorizados, etc.
- **Estaciones de trabajo:** son los equipos informáticos utilizados por los usuarios de la red. Las señales, y por tanto la información, llegan de una estación a otra a través los medios de transmisión.
- **Medios de transmisión:** es la forma de comunicación de la red (cableado u ondas).
- **Dispositivos de conexión:** son elementos hardware que permiten componer la red y distribuir las señales.
- **Software de la red:** programa instalado con el sistema operativo que permite configurar los parámetros necesarios para el funcionamiento de la red. El usuario accede a las distintas estaciones de trabajo a través del software de red de una manera transparente.

Además, en una red se cuenta con periféricos que se comunican con todas las estaciones de trabajo para economizar recursos. Este es el caso de impresoras, escáneres, etc.

Topología de redes

Las estaciones de trabajo de las redes cableadas pueden adoptar distintas formas de conexión. Entre ellas varía el coste, el rendimiento y la integridad.

Topología en bus 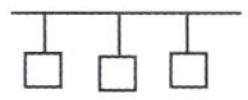

Topología en estrella 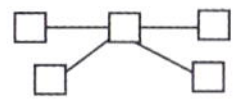

Topología en anillo 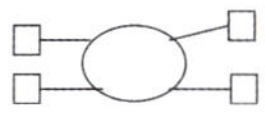

Cable de par trenzado

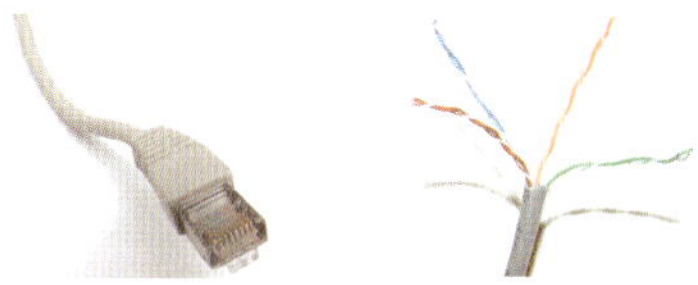

Es el medio de transmisión más común. Está compuesto por cuatro pares de hilos trenzados para reducir las interferencias.

Los hilos se insertan en el conector RJ45 siguiendo una secuencia concreta de colores.

5.2 > Redes locales en Windows

El sistema operativo tiene incorporado todo el software necesario para trabajar en red. Dependiendo de la versión de Windows que se tenga instalada, el sistema estará más orientado al trabajo como servidor o como cliente.

Una vez instalada la red físicamente (topología, cableado, puntos inalámbricos, tarjetas de red, dispositivos de comunicación, etc.), debemos pasar a configurar los parámetros para establecer el protocolo de comunicación de forma correcta.

Protocolo de comunicación

El sistema operativo incluye en su instalación el software necesario para configurar la red. Entre este software está incorporada la instalación del protocolo TCP/IP. Para el funcionamiento correcto de la red únicamente habría que configurar los parámetros de este protocolo y dar nombre tanto al equipo como al grupo de trabajo. Todas las estaciones de trabajo de una red de área local deben tener un nombre único que las identifique dentro de la red. Igualmente, se debe poner nombre al conjunto de estaciones (grupo de trabajo) para facilitar el trabajo en red.

Protocolo de comunicación

Es un conjunto de reglas que se utiliza como *idioma* para comunicación entre dos equipos.

El protocolo **TCP/IP** o Protocolo de control de transmisión/Protocolo de Internet es el más extendido en el mundo y el utilizado por el estándar de redes llamadas Ethernet.

5.3 > Compartir recursos

Como hemos comentado anteriormente, la finalidad de las redes locales es compartir datos y recursos para ahorrar tiempo y dinero.

Un ejemplo muy claro del ahorro de tiempo es poder acceder a datos de otros equipos de la red y traerlos a nuestro ordenador sin necesidad de ir físicamente con un dispositivo de almacenamiento extraíble al equipo que contiene la información necesitada.

Respecto a la idea de ahorrar dinero, un ejemplo muy claro de compartir recursos es que todos los equipos de un red utilicen la misma impresora.

Casos prácticos 6

Cambios en el dominio

·· Renombra tu equipo con el nombre *pc01* y hazle pertenecer al grupo de trabajo *aula2*.

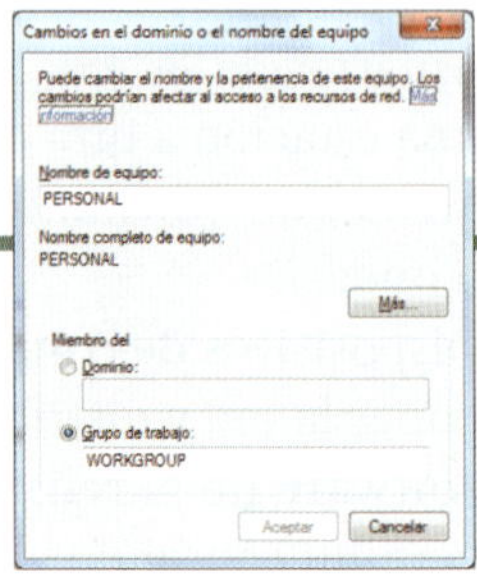

Solución ··

- Hacemos clic en el botón de Inicio / *Equipo* y, con el botón derecho del ratón, accedemos a las propiedades del equipo.
- Otra forma de acceder a la misma ventana es a través de *Panel de control / Sistema y seguridad / Sistema*. Una vez abierta la ventana, accedemos al enlace señalado *Cambiar configuración*.
- Para cambiar el nombre del equipo, hacemos clic en el botón *Cambiar* y, en la nueva ventana, modificamos el nombre del equipo a *pc01* y el nombre de grupo de trabajo a *aula2*.
- Aceptamos todas las ventanas y reiniciamos el equipo.

Casos prácticos 7

Conexión de red: protocolo TCP/IP

•• Configura la conexión de red: protocolo TCP/IP.

Solución ••

- Accedemos al botón de Inicio / *Panel de control* / *Redes e Internet* / *Ver el estado y las tareas de red* y hacemos clic en el enlace de la parte izquierda de la ventana: *Cambiar configuración del adaptador.*
- También podemos llegar a las propiedades de la conexión haciendo clic con el botón derecho del ratón sobre la conexión deseada y eligiendo *Propiedades.*
- En la ventana *Propiedades de Conexión,* observamos que la conexión se hace usando el adaptador de red conectado en nuestro ordenador.
- Seleccionamos *Protocolo de Internet versión 4* como sistema de comunicación de la red y accedemos a sus propiedades haciendo clic en el botón del mismo nombre.

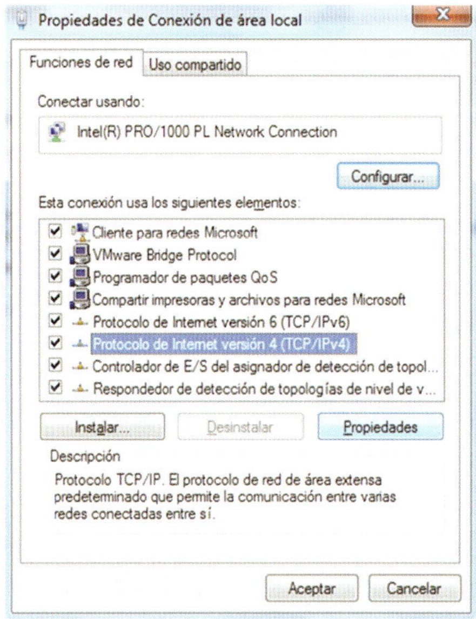

Todas las estaciones de trabajo deben tener una dirección única que las identifique dentro de la red llamada **dirección IP.** Esta dirección está compuesta por cuatro números de rango comprendido entre 0 y 255.

La dirección IP puede ser fija, facilitada por el personal administrador de la red, o automática si los dispositivos de comunicación están configurados para ello.

En la ventana *Propiedades del protocolo de Internet* debemos configurar una serie de datos facilitados por el personal administrador de la red:

- Si la dirección IP es automática o fija.
- En caso de ser fija, rellenaremos la dirección IP, máscara y puerta de enlace con los datos facilitados por el administrador de la red.
- Dirección automática o fija del servidor DNS (servidores que transforman direcciones de tipo URL en direcciones IP).

Para terminar, aceptaremos todas las ventanas.

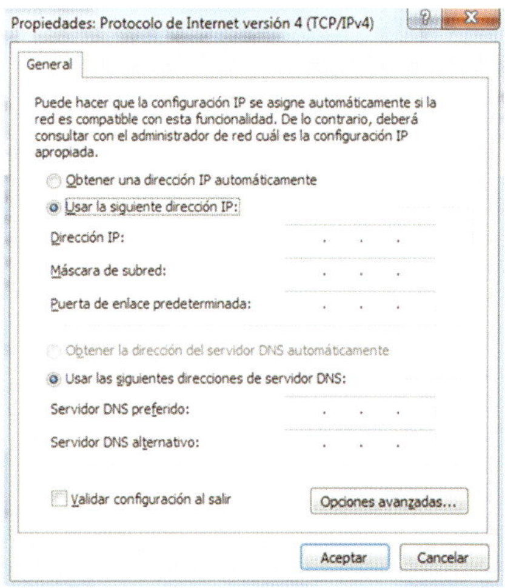

Actividades propuestas

10•• Amplía tus conocimientos buscando en Internet las distintas clasificaciones de redes que existen en función de la zona geográfica que abarcan, según el sistema de red utilizado y según la propiedad de las líneas.

11•• Amplía tus conocimientos buscando en Internet otros tipos de cable utilizado en el montaje de redes.

Casos prácticos 8

Compartir una carpeta en red

•• Comparte una carpeta en red y accede a la carpeta compartida desde otro equipo.

Solución ••

Buscamos la carpeta que queramos compartir a través del explorador (Botón de Inicio / *Equipo)* y hacemos clic con el botón derecho del ratón escogiendo *Propiedades / Compartir.*

Una vez en esa ventana, hacemos clic en el botón *Uso compartido avanzado*. En la nueva ventana, pondremos el nombre con el que se verá la carpeta en la red y, haciendo clic en el botón *Permisos*, activamos el tipo de permiso que tendrán los usuarios sobre el recurso compartido (control total, solo lectura o modificación). Aceptamos todas las ventanas.

Al volver a la ventana de propiedades de la carpeta, aparecerá la ruta que habrá que seguir desde el explorador para llegar a la carpeta compartida.

Otra posibilidad para compartir una carpeta es acceder al menú contextual sobre la carpeta y seleccionar *Compartir con*. En el desplegable que se nos muestra, procederemos de una forma similar a la anterior.

Para acceder desde un equipo de la red a la nueva carpeta compartida abriremos el explorador de Windows (Botón de Inicio / *Equipo)* y accederemos a *Red* para ver los equipos de la red a los que tenemos acceso. A partir de ahí, haciendo doble clic en el nombre del equipo que contiene el recurso compartido accederemos a las carpetas que dicho equipo tenga compartidas.

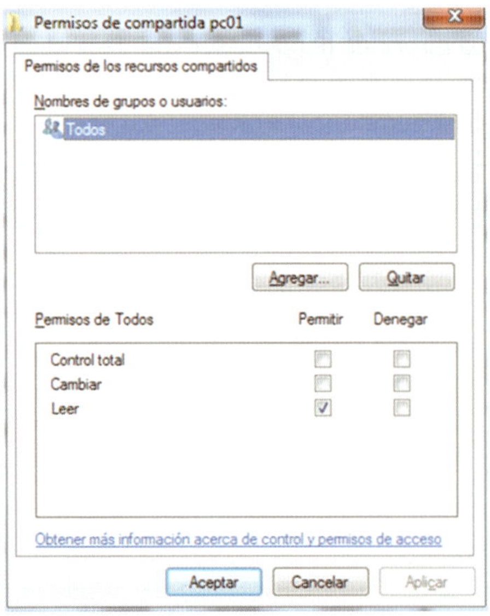

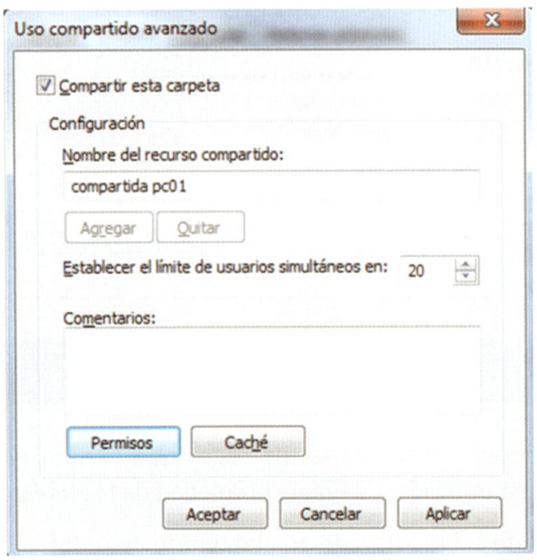

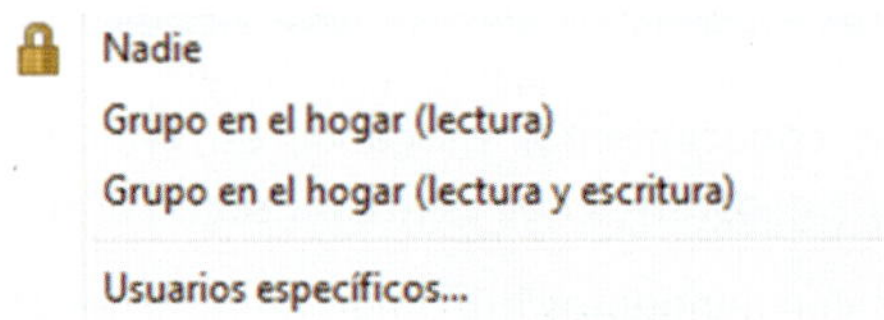

6 >> Seguridad

En la sociedad en la que estamos, que cada vez son más utilizados los recursos económicos a través de Internet, la seguridad es uno de los puntos fundamentales en nuestros sistemas.

Existen programas como los antivirus o herramientas y utilidades propias del sistema operativo, como el *Firewall* de Windows, destinados a este fin. Incluso Internet Explorer permite una configuración personalizada para garantizar una mayor seguridad. A su vez, el propio software que utlizamos a través de Internet como el portal de correo electrónico o el portal de una caja o banco inlcuyen sus propias medidas de seguridad.

Firewall de Windows es una aplicación, incluida en el sistema, cuya misión es evitar la entrada de software malicioso en nuestro ordenador mediante el control de los puertos software que permanecen abiertos al conectarnos a una red. Generalmente está activado por defecto, pero podemos asegurarnos desde el botón *Inicio / Panel de control / Sistema y seguridad / Revisar el estado del equipo.*

Cortafuegos

Un cortafuegos o *firewall* (en inglés) es un sistema cuya función es bloquear el acceso no autorizado a un equipo, y en particular desde Internet.

Los cortafuegos más conocidos son: *Norton Antivirus, Kaspersky, McAfee, Avast!...*

Antivirus

El principal objetivo de los **antivirus** es detectar la mayor cantidad de amenazas informáticas que puedan afectar un ordenador y bloquearlas antes de que las mismas puedan infectar un equipo o eliminarlas si ya estamos infectados.

Los antivirus tienen uno o varios componentes que se encargan de analizar y verificar todos los archivos abiertos, creados, modificados, etc., mientras el ordenador está en uso.

Los virus ocasionan problemas como la pérdida de productividad, bajada del rendimiento del equipo, cortes en los sistemas de información o daños a nivel de datos. Las redes ayudan a dicha propagación. Las formas de infección más frecuentes suelen ser:

- Mensajes como: "Ejecute este programa y gane un premio".
- Entrada de información desde equipos de otros usuarios infectados.
- Instalación de software que pueda contener uno o varios programas maliciosos.
- Archivos extraíbles de almacenamiento USB.
- Mensajes que ejecutan automáticamente programas (como el correo electrónico cuando está configurado para abrir directamente los archivos adjuntos).

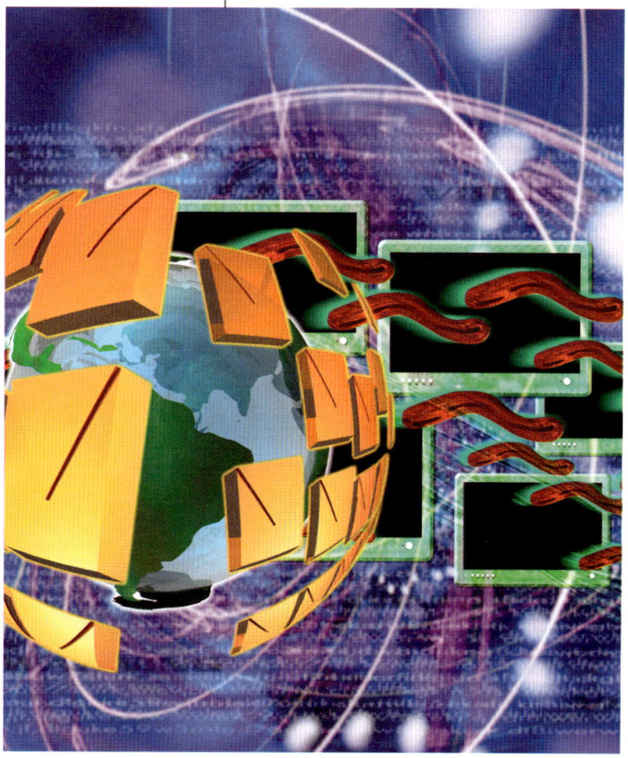

En el mercado existen multitud de antivirus, algunos de ellos bajo la licencia de software libre.

Podemos instalar de forma gratuita cualquiera de ellos, e incluso actualizar periódicamente la base de datos de antivirus desde sus páginas web. Por ejemplo, avast!: www.avast.com.

Caso final 9

Adaptador de red en LINUX

·· Configura el adaptador de red en un entorno LINUX.

Solución ··

La configuración del adaptador de red en Ubuntu es similar a Windows ya que, al seguir el protocolo de comunicación TCP/IP, hay que configurar los mismos parámetros.

1. En el panel superior accedemos al menú *Sistema / Administración / Herramientas de Red* y se abrirá una ventana en la que tendremos información sobre nuestra conexión de red.

Desde esta ventana es posible realizar ciertas operaciones vinculadas a la conexión de área local que se escapan al contenido de este libro.

2. Para la configuración de la red hacemos clic con el botón derecho del ratón sobre el icono correspondiente a la red en la barra superior del escritorio. El icono puede tener cualquiera de los siguientes aspectos según cuál sea el estado de la conexión:

9

Hacemos clic con el botón derecho sobre el icono y seleccionamos *Editar las conexiones* para abrir la ventana *Conexiones de red.*

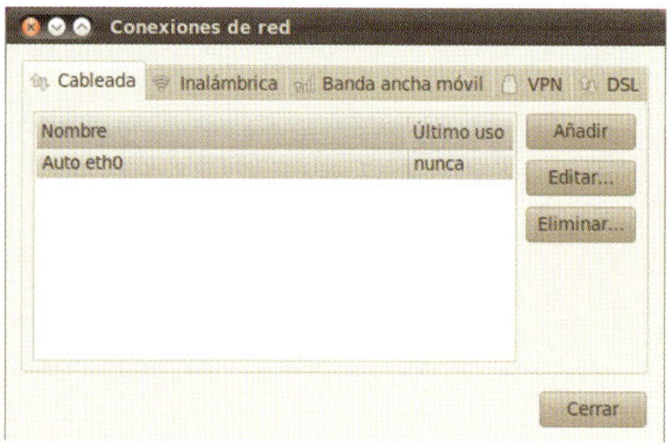

En esta ventana tenemos la posibilidad de configurar tanto la conexión por cable como la conexión inalámbrica, si es que disponemos de ella. En este caso práctico, vamos a configurar la conexión por cable.

3. En la ventana anterior y desde la pestaña *Cableada* seleccionamos la conexión eth0 y hacemos clic en el botón *Editar* para configurar sus parámetros.

4. Desde la pestaña *Ajustes de IPv4* (actual protocolo-lenguaje que maneja la red) podemos seleccionar el método de configuración: manual o automático.

   Si nuestro *router* permite la configuración automática, podemos seleccionar el desplegable *Método* y cambiar la opción a *Automático;* en este caso el resto de valores de la ventana permanecerán vacíos y será el *router* el encargado de asignar las direcciones correspondientes.

   Si por el contrario queremos configurar una conexión manual de la red deberemos ponernos en contacto con el administrador de nuestra red para que nos facilite los datos: dirección IP estática de nuestro ordenador (sería como el DNI de nuestro ordenador dentro de la red), máscara de red y puerta de enlace (dirección del ordenador que nos permite la salida a Internet).

5. Rellenaremos los datos que nos ha facilitado el administrador de nuestra red haciendo doble clic en su lugar correspondiente: la dirección IP, máscara de red y dirección de la puerta de enlace.

6. Posteriormente pediremos al administrador la dirección del servidor DNS que nos corresponda (ordenador externo a nuestra red que nos permite navegar por Internet) y la añadiremos. Aplicaremos los cambios.

Ideas clave

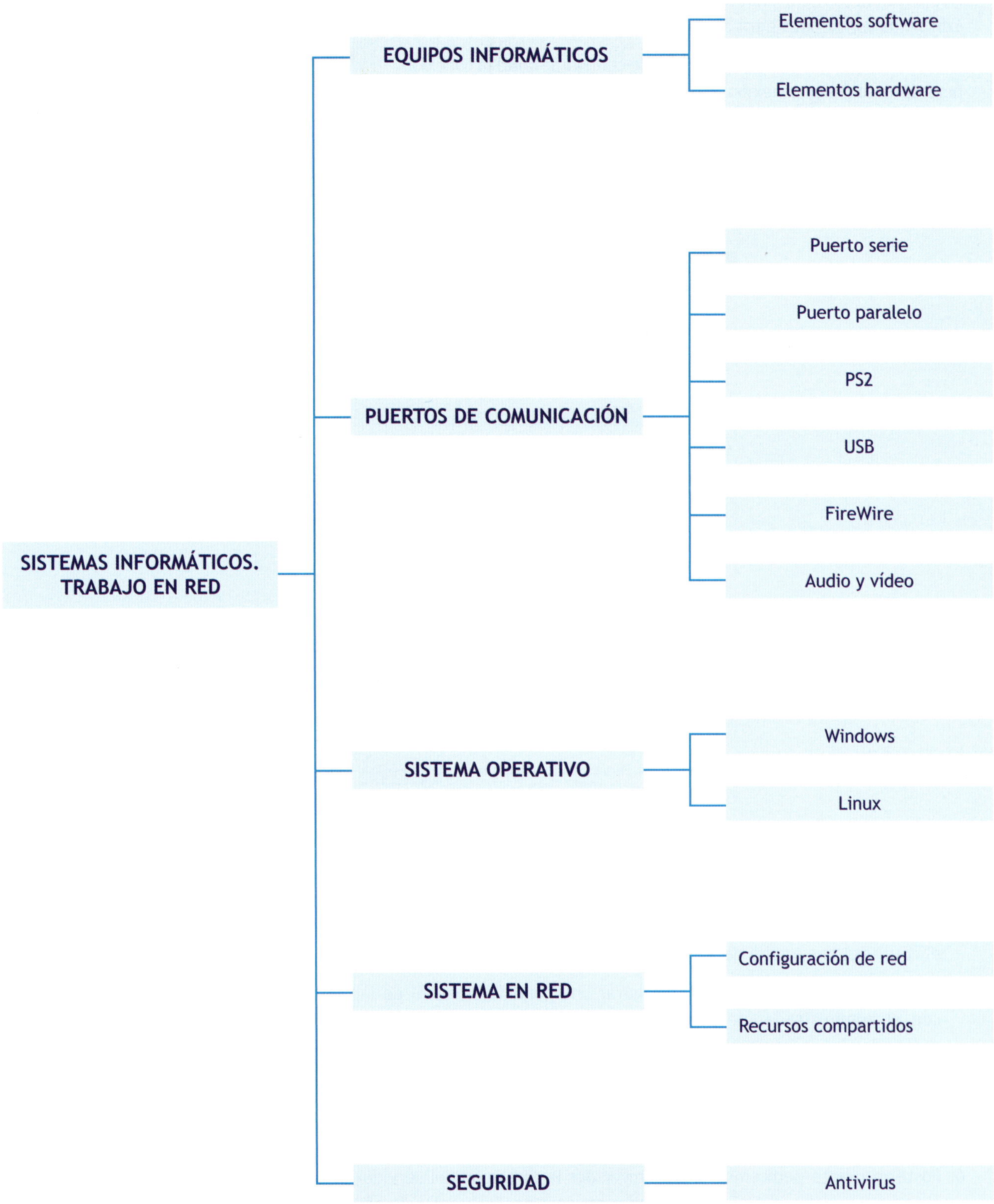
SISTEMAS INFORMÁTICOS. TRABAJO EN RED
EQUIPOS INFORMÁTICOS
Elementos software
Elementos hardware
PUERTOS DE COMUNICACIÓN
Puerto serie
Puerto paralelo
PS2
USB
FireWire
Audio y vídeo
SISTEMA OPERATIVO
Windows
Linux
SISTEMA EN RED
Configuración de red
Recursos compartidos
SEGURIDAD
Antivirus

Todo lo que necesitas saber sobre los códigos QR

¿Qué son esos recuadros negros que parecen códigos de barras cuadrados? ¿Sirven para algo? ¿Cómo puedo interpretarlos? Si todavía no sabes que son "esos extraños recuadros negros" que puedes ver en cualquier sitio, desde revistas hasta latas de refrescos, en este artículo te explicamos todo lo que necesitas saber sobre los cada vez más populares códigos QR.

Por Jordi Bollet

¿Qué son los códigos QR?

Básicamente, los códigos QR (Quick Response Barcode) son una evolución del popular código de barras. Un estándar que permite representar en un gráfico bidimensional más de 4 000 caracteres alfanuméricos.

¿Para qué se usan?

Inicialmente, los códigos QR eran utilizados por los fabricantes de automóviles para la administración y el control de inventarios. Actualmente, son muchos los sectores que los utilizan para compartir información de una manera visual: empresas IT, desarrolladores de software, agencias de publicidad, prensa, entre otros.

¿Cómo se leen?

Para leer o interpretar un código QR es necesario un dispositivo con cámara de fotos y un lector compatible. Ahora, gracias a la nueva generación de teléfonos móviles, gran parte de la población cumple con los requisitos, de ahí que, en los últimos meses, su popularidad haya crecido de forma exponencial.

¿Cómo se crean?

Crear un código QR es muy sencillo.
Únicamente necesitas un generador de códigos QR. Existen aplicaciones para Windows, Linux y Mac; pero lo más rápido y sencillo es utilizar servicios en línea como los ofrecidos por Kaywa, MSkyNet o invx. Basta con seleccionar el tipo de información que vas a introducir (por ejemplo, una URL), introducir el texto y pulsar generar. Así de simple.

¿Qué programa utilizo para leer códigos QR?

Actualmente, en Internet puedes encontrar decenas de lectores capaces de leer e interpretar estos códigos. Todo depende del sistema operativo de tu teléfono móvil y poco más. Los más relevantes son:

- Lector de códigos QR para Android: Barcode Scanner.
- Lector de códigos QR para iPhone: i-nigma.
- Lector de códigos QR para Symbian: Barcode Reader.
- Lector de códigos QR para BlackBerry: Beetagg.
- Lector de códigos QR para Windows Mobile: i-nigma.

unidad **2**

Proceso de textos alfanuméricos

SUMARIO

- Requisitos básicos ante un terminal
- Colocación de los dedos
- Corrección de errores
- Práctica de mecanografía

OBJETIVOS

- Saber mantener la postura corporal correcta.
- Aplicar los métodos de escritura al tacto.
- Localizar y corregir los errores mecanográficos.
- Instalación y utilización del programa informático MecaNet.

1 >> Requisitos básicos ante un terminal

En los puestos de trabajo en que se utilice el ordenador, se deben tener en cuenta varios requisitos básicos para evitar sufrir alteraciones del trabajador como son la fatiga visual, la fatiga física y la fatiga mental o psicológica.

Estos requisitos básicos se refieren a la distancia visual, el ángulo visual óptimo, el asiento, el teclado, la pantalla, la posición de los documentos en papel, la iluminación, el ruido, el ambiente térmico y las radiaciones, así como la electricidad estática.

La vista se puede proteger con protectores de pantalla, regulando correctamente el brillo y contraste o utilizando buenos monitores (LCD-cristal líquido o TFT-cristal líquido de alta velocidad).

Es fundamental adquirir una **postura corporal** correcta a la hora de trabajar delante de un ordenador. El cansancio físico provocado por el agarrotamiento muscular solo puede prevenirse con una buena postura corporal.

A pesar de que la musculatura del cuerpo debe estar relajada, es importante intentar mantener el cuerpo en la siguiente postura:

- La espalda debe mantenerse recta y apoyada en el respaldo del asiento.
- No se deben cruzar las piernas.
- Los codos deben estar próximos al cuerpo. Los antebrazos y el cuerpo deben formar, aproximadamente, un ángulo de 90°.
- Las manos y los dedos deben estar relajados evitando la rigidez muscular.
- El movimiento se centrará en las muñecas y los dedos, evitando que se desplacen los brazos.

También hay que prestar atención a la **colocación del terminal**:

- El monitor y el teclado deben estar situados lo más de frente posible al usuario, para evitar tensión en la zona alta de la espalda y el cuello.
- Colocar el teclado a una altura que evite tener que bajar o elevar demasiado los brazos y permita que estén apoyados.

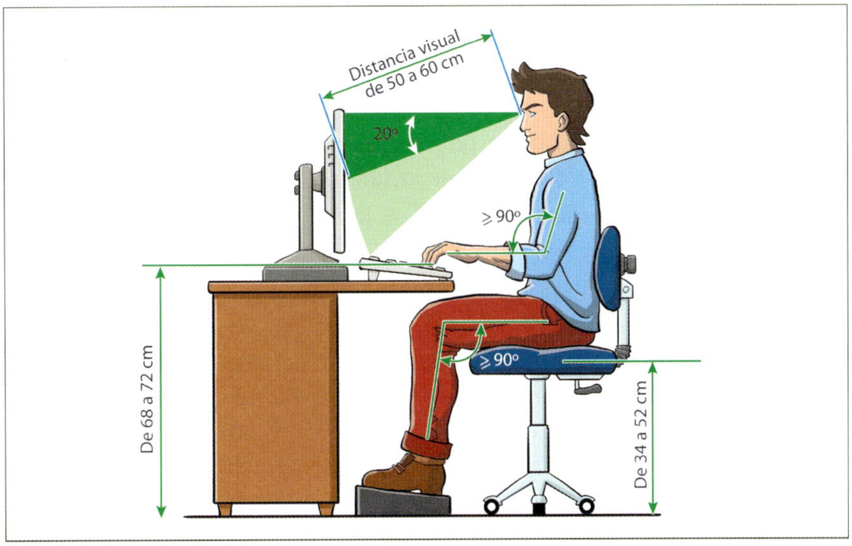

2.1. Características de la postura corporal correcta en el puesto de trabajo.

Normas técnicas de prevención

Algunas normas técnicas de prevención de riesgos laborales referentes al puesto de trabajo son:

- NTP 134: Asiento anatómico.
- NTP 139: El trabajo con pantallas de visualización.
- NTP 226: Mandos: ergonomía de diseño y accesibilidad.
- NTP 241: Mandos y señales: ergonomía de percepción.
- NTP 242: Ergonomía: análisis ergonómico de los espacios de trabajo en oficinas.
- NTP 387: Evaluación de las condiciones de trabajo: método del análisis ergonómico del puesto de trabajo.

2 >> El teclado

Entre los diversos periféricos de entrada, vamos a ver con más atención el **teclado**, que es una parte importante de esta unidad.

A lo largo de esta unidad trabajaremos con el teclado convencional, Qwerty para el entorno Windows. Los teclados para entorno Mac (Macintosh), por ejemplo, tienen distinta distribución.

En la siguiente ilustración se muestra un teclado alfanumérico extendido:

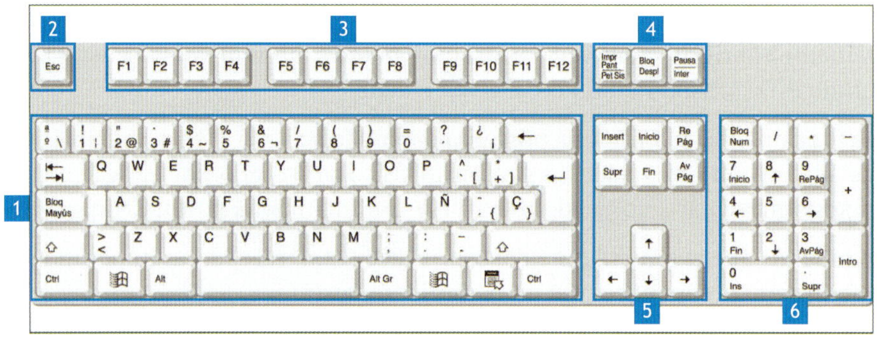

2.2. Teclado alfanumérico extendido.

1 Teclado alfanumérico
2 Tecla escape
3 Teclado de funciones
4 Teclas especiales
5 Teclado de edición
6 Teclado numérico

Los distintos grupos de teclas del teclado alfanumérico extendido son:

- **Teclado alfanumérico.** Formado por cuatro filas principales de teclas con números, letras y símbolos, además de una quinta fila, con la barra espaciadora y las teclas modificadoras o de comandos.
  - **Fila numérica.** Consta de catorce teclas, trece con números y diversos signos especiales, más la tecla de retroceso, <←>.
  - **Fila superior.** Formada de doce teclas de letras y símbolos, más la tecla de tabulador y la parte superior de la tecla <Intro>.
  - **Fila normal.** En esta fila hay doce teclas de letras y símbolos, más la tecla de bloqueo de mayúsculas, <Bloq Mayús>, y termina con la parte inferior de la tecla <Intro>.
  - **Fila inferior.** Contiene once teclas de letras y símbolos, precedidas de la tecla Mayúsculas izquierda, y termina la fila con la tecla Mayúsculas derecha.
  - **Quinta fila.** Está formada por las teclas <Ctrl>, tecla Windows izquierda < >, <Alt>, barra espaciadora, <Alt Gr>, tecla Windows derecha, la tecla aplicación < > y la tecla <Ctrl> derecha.
- **Tecla escape, <Esc>.** Se utiliza para cancelar procesos en progreso, como salir de alguna aplicación. También sirve para cerrar cuadros de diálogo o ventanas.
- **Teclado de funciones.** Aparecen en la parte superior del teclado. Van desde <F1> a < F12>. Suelen tener mucha utilidad cuando se inicia el ordenador o se busca alguna funcionalidad especial.
  Algunas de estas teclas tienen usos comunes en varios programas, por ejemplo, con <F1> se obtiene la ayuda de la aplicación, con <F10> se accede a la barra de menús de la aplicación en curso y con <F4>, pulsada con <Alt>, se cierra la aplicación.

Clasificación de los teclados

Los teclados pueden clasificarse según la distribución de las teclas:

- **Teclados convencionales.** Las teclas van todas seguidas y en la misma línea.
- **Teclados ergonómicos.** Las teclas que se pulsan con la mano derecha están separadas de las que se pulsan con la mano izquierda.

Según la disposición de las letras en el teclado se clasifican en:

- **Teclados Qwerty.** Son los que se utilizan habitualmente. Su nombre se debe a que estas son las letras de las primeras teclas de la fila alfabética superior.
- **Teclados Dvorak.** Es una variante del teclado Qwerty, donde la colocación de las letras en el teclado es diferente. Las vocales se encuentran donde actualmente se encuentran las letras ASDFG, con lo que la mano izquierda se encarga ella sola prácticamente de escribir las vocales. Además, las cinco consonantes más usadas también se encuentran agrupadas, evitando así tener que irse a la otra punta del teclado.

– **Teclas especiales.** Son tres teclas: <Impr Pant>, <Bloq Despl> y <Pausa>. Trabajando en Windows, <Impr Pant>, copia como una imagen lo que hay en pantalla en ese momento y se guarda en el portapapeles.

  Las otras dos teclas de este grupo se utilizan bajo el sistema operativo MSDOS.

– **Teclado de edición.** En este grupo de teclas están las que se utilizan en la edición de textos: <Insert>, <Supr>, <Inicio>, <Fin>, <Re Pág>, <Av Pág> y las cuatro teclas de desplazamiento del cursor.

  Al pulsar la tecla <Insert>, se activa el modo de sobreescritura del texto. La tecla <Supr> sirve para borrar, tanto caracteres en textos como elementos, por ejemplo, un documento de la cola de impresión.

  Si se pulsa <Supr> junto a las teclas <Ctrl> y <Alt>, aparece la ventana *Seguridad de Windows,* en la que se puede acceder a las opciones: *Bloquear equipo, Cerrar sesión, Apagar, Cambiar contraseña, Administrador de tareas* y *Cancelar.*

  Las teclas restantes son las teclas de desplazamiento del cursor, que mueven el cursor una posición en las cuatro direcciones que indican las flechas de las teclas. Con las teclas <Inicio> y <Fin>, se mueve el cursor al principio o al final de la línea en la que estemos; y con las teclas <Re Pág> y <Av Pág>, se mueve una página de edición hacia delante o hacia atrás.

– **Teclado numérico.** Es el grupo de teclas que aparecen a la derecha del teclado. Incluye los números y las teclas de operaciones algebraicas, suma, resta, multiplicación y división.

Teclas modificadoras o de comandos

Están en torno a la barra espaciadora y son: salto de línea, tecla Windows, la tecla aplicación, <Bloq Mayús>, <Intro>, <Mayús>, <Ctrl>, <Alt>, <Alt Gr> y <Mayús>.

– La tecla <Ctrl> se utiliza en combinación con otras teclas para activar algunas funciones mediante atajos de teclado.

– Con las teclas <Alt> y <Alt Gr>, en combinación con otras teclas, se obtienen caracteres especiales como @, #, ~, etc.

– Las teclas de mayúsculas, derecha e izquierda, también se llaman <Shift> y se representan con una flecha hacia arriba. Pulsando <Mayus> mientras se teclea, se escribe en mayúsculas.

– La tecla <Intro> funciona como un salto de línea en un editor de texto. Además, sirve para utilizar distintas opciones de los programas.

Atajos de teclado

<Ctrl>+<C>	Copia al portapapeles el elemento seleccionado.
<Ctrl>+<X>	Corta el elemento seleccionado.
<Ctrl>+<V>	Pega, en donde esté ubicado el cursor, lo que esté en el portapapeles.
<Ctrl>+<G>	Guarda el archivo abierto.
<Ctrl>+<A>	Abre un archivo.
<Ctrl>+<P>	Ingresa el menú de impresión.
<Ctrl>+<Z>	Deshace.
<Ctrl>+<Y>	Rehace.
<Ctrl>+<B>	Busca palabras.

Actividades propuestas

1·· Busca en Internet la historia y evolución de los distintos tipos de teclados y razona con tus compañeros por qué hoy en día el más extendido es el teclado Qwerty.

2·· Busca en el ordenador del aula los periféricos existentes, tanto de entrada como de salida. ¿De qué tipo son los teclados? ¿Hay *router* en tu aula?

3 >> Colocación de los dedos en el teclado

La mecanografía al tacto es el arte de localizar cada símbolo del teclado sin mirarlo.

Lo que se pretende con la mecanografía al tacto es adquirir el hábito de pulsar cada tecla con el dedo correcto y conseguir habilidad, destreza y sobre todo velocidad al escribir sin mirar al teclado.

La habilidad y destreza para mecanografiar suele medirse por la velocidad con la que se consigue hacerlo. Se miden las pulsaciones por minuto que se es capaz de alcanzar.

Así, se pueden encontrar prácticas y ejercicios para conseguir 100 pulsaciones por minuto, 150 pulsaciones por minuto e, incluso, llegar a 500 pulsaciones de media en adelante.

El aprendizaje se realiza con la práctica y la constancia y, sobre todo, con un método de trabajo basado en la repetición, ya que la habilidad de mecanografiar se adquiere practicando.

Del teclado debemos conocer:

- La posición exacta que ocupa cada letra o símbolo dentro del teclado alfanumérico.
- La posición en la que debemos colocar las manos sobre cada fila del teclado, es decir, con qué dedo debemos pulsar cada tecla o, lo que es lo mismo, qué grupo de letras corresponde a cada dedo. En la Figura 2.3 se muestra el teclado con los grupos de teclas señalados.

A partir de este punto, se deberá comenzar por escribir despacio pulsando las teclas con decisión pero suavemente y la propia práctica acabará logrando que nuestros movimientos sean rápidos y precisos.

No se debe olvidar que la constancia es la base del aprendizaje y, sobre todo, que es fundamental tener la voluntad de **no mirar al teclado**, ya que aunque al principio parezca muy complicado, con el paso del tiempo se irá logrando escribir de forma automática sin necesidad de mirar el teclado y casi sin darse cuenta.

1 Dedo meñique izquierdo
2 Dedo anular izquierdo
3 Dedo corazón izquierdo
4 Dedo índice izquierdo
5 Dedo índice derecho
6 Dedo corazón derecho
7 Dedo anular derecho
8 Dedo meñique derecho
9 Cualquiera de los dos pulgares

2.3. Teclado alfanumérico, con los grupos de teclas señalados según el dedo con el que se pulsa.

Fila normal

A la hora de escribir, generalmente se parte de la fila normal. Los dedos se colocan sobre la fila normal de forma relajada. Para pulsar una tecla cualquiera, el dedo correspondiente se desplazará a la fila que contenga la tecla y después volverá a su lugar correspondiente en la fila normal, en posición de reposo.

Cuando se alcance velocidad, conseguiremos un baile de dedos que buscarán las teclas en las filas correspondientes y retornarán a su posición de reposo inicial en la fila normal, para seguidamente buscar la siguiente tecla y así sucesivamente.

La fila normal está compuesta por las teclas de la Figura 2.4:

2.4. Fila normal de un teclado alfanumérico Qwerty.

La situación inicial de partida en esta fila consiste en colocar las manos de forma que los dedos de la mano izquierda se sitúen sobre las teclas del siguiente modo:

- Dedo meñique sobre la tecla <A>.
- Dedo anular sobre la <S>.
- Dedo corazón sobre la <D>.
- Dedo índice sobre la <F>. Para pulsar la tecla <G>, el dedo índice se desplazará desde su posición sobre la <F>.

De la misma forma, se colocarán los dedos de la mano derecha:

- Dedo meñique sobre la <Ñ>.
- Dedo anular sobre la <L>.
- Dedo corazón sobre la <K>.
- Dedo índice sobre la <J>. Para pulsar la tecla <H>, el dedo índice se desplazará desde su posición sobre la <J>.

Una tecla muy utilizada en esta fila es la que contiene la **tilde** y la **diéresis.**

La pulsación de la tilde y de la diéresis dependerá del teclado que estemos utilizando, aunque en todos ellos habrá que pulsar la tilde o la diéresis antes que la vocal a la que acompaña.

La tecla de la tilde está a la derecha de la tecla <Ñ>, así que para utilizarla hay que pulsarla con el dedo meñique de la mano derecha.

La diéresis está en la parte superior de la tecla de la tilde. Para utilizarla se pulsa la tecla mayúscula de la parte izquierda del teclado, fila inferior, con el dedo meñique de la mano izquierda y, sin soltarla, se pulsa la tecla de la diéresis con el dedo meñique de la mano derecha. Hay que tener cuidado de no soltar la tecla mayúsculas antes de pulsar la tecla de diéresis.

La barra espaciadora

La barra espaciadora se pulsa con el pulgar de la mano contraria que hemos utilizado para pulsar la última tecla.

Escritura de números

Para escribir los números, los dedos también parten de su colocación en la fila normal. Se escribirán con la mano izquierda del 1 al 5 y con la mano derecha del 6 al 0.

Suele existir un teclado numérico a la derecha como alternativa a la fila numérica.

Hasta que no se pulse la vocal sobre la que se quiere situar la tilde o diéresis, no se verá reflejada en el documento en pantalla. En ese momento aparecerá la letra pulsada junto con su tilde o diéresis.

Fila superior

La fila superior está compuesta por las teclas de la Figura 2.5.

2.5. Fila superior de un teclado alfanumérico Qwerty.

Las manos se colocarán en la fila central, de forma que los dedos de la mano izquierda se desplacen hacia las siguientes teclas:

- Dedo meñique hacia la tecla <Q>.
- Dedo anular hacia la <W>.
- Dedo corazón hacia la <E>.
- Dedo índice hacia la <R>. Para pulsar la tecla <T>, el dedo índice se desplazará desde su posición sobre la <F>.

Los dedos de la mano derecha se colocan de la siguiente forma:

- Dedo meñique hacia la tecla <P>.
- Dedo anular hacia la <O>.
- Dedo corazón hacia la <I>.
- Dedo índice hacia la <U>. Para pulsar la tecla <Y>, el dedo índice se desplazará desde su posición sobre la <J>.

Fila inferior

La fila inferior está compuesta por:

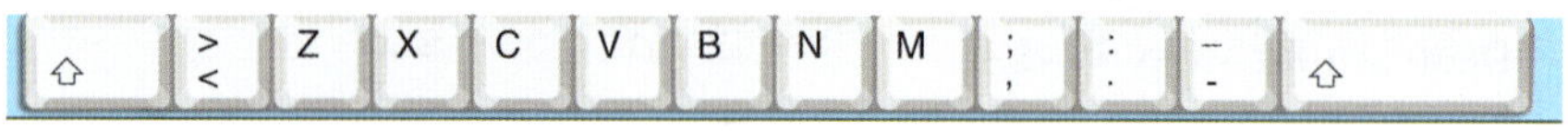

2.6. Fila inferior de un teclado alfanumérico Qwerty.

Los dedos de la mano izquierda se desplazarán hacia esta fila de esta forma:

- Dedo meñique hacia la tecla <Z>.
- Dedo anular hacia la <X>.
- Dedo corazón hacia la <C>.
- Dedo índice hacia la <V>. Para pulsar la tecla <B>, el dedo índice se desplazará desde su posición sobre la <F>.

Los dedos de la mano derecha se colocan de la siguiente forma:

- Dedo meñique hacia la tecla <->.
- Dedo anular hacia la <.>.
- Dedo corazón hacia la <,>.
- Dedo índice hacia la <M>. Para pulsar la tecla <N>, el dedo índice se desplazará desde su posición sobre la <J>.

En esta fila inferior, está la tecla para escribir texto en **mayúsculas**.

Teclas dobles

Para acceder a un carácter de la parte superior de una de las teclas dobles, hay que mantener pulsada la tecla <Alt> o <Alt Gr>, a la vez que se pulsa la tecla donde está el carácter.

Tabulación

La tecla de tabulación se pulsará también con el dedo meñique izquierdo.

Mayúsculas

Para escribir una letra en mayúscula, se mantiene pulsada con el meñique la tecla mayúscula de la parte contraria del teclado al lugar donde esté la tecla de la letra que se quiera escribir en mayúsculas a la vez que, con la otra mano, se pulsa la tecla que irá en mayúscula.

4 >> Destreza mecánica: MecaNet

El programa que vamos a utilizar para practicar la destreza mecánica con el teclado es el MecaNet. Se trata de un programa con licencia de software libre.

4.1 > Instalación de MecaNet

Se puede descargar libremente entrando en la página de su autor y siguiendo las indicaciones para descargarlo.

El programa también se incluye en el CD *Recursos* que acompaña al libro. En ese caso, copia el archivo ejecutable en tu ordenador y ejecútalo.

Cuando se registra el primer usuario, el programa crea un archivo de registro, MecaNet.dat, para ir almacenando los avances de cada uno de los usuarios que utilicen el programa.

4.2 > Abrir MecaNet. Pasos iniciales

Para abrir el programa se debe hacer un doble clic sobre el archivo *MecaNet.exe.*

Se puede crear un acceso directo para ejecutarlo de manera más cómoda, e incluso copiar ese acceso directo al botón inicio de Windows, para que quede organizado junto con el resto de los programas.

El aspecto que tiene MecaNet al abrir el programa en pantalla es el que aparece en la figura 2.7.

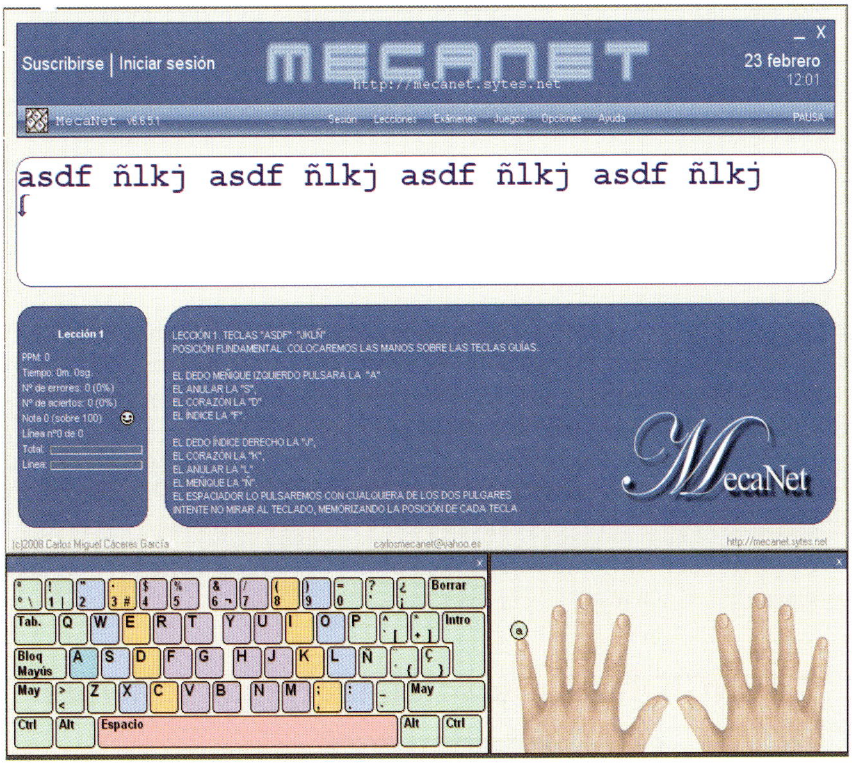

2.7. Interfaz del programa MecaNet.

La pantalla de MecaNet se divide en las siguientes zonas:

- **Zona de escritura.** Es donde se ven las letras que se deben pulsar o, en lecciones más avanzadas, los textos que se deben escribir. También se muestran los mensajes de error cuando no se pulsa la tecla adecuada.
- **Explicación de las lecciones.** En esta zona se muestra una breve explicación inicial de cada lección, que debe leerse antes de comenzar a practicar cada lección.
- **Panel de resultados.** Durante el transcurso del ejercicio se muestran los resultados que va obteniendo el alumno: pulsaciones por minuto, tiempo transcurrido de ejercicio, número de errores y aciertos y los respectivos porcentajes, la nota obtenida y el indicador, en forma de barra de progreso, mostrando cuánto se ha completado de lección y de línea.
- **Ventana teclado.** Muestra la disposición de las teclas dentro del teclado, así como el dedo que debe pulsar cada una de ellas. En cada tecla aparece un color, que indica el dedo con el que pulsar esa tecla. Comenzando por la mano izquierda: verde, meñique izquierdo; azul, anular izquierdo; amarillo, corazón izquierdo, etc. Durante el desarrollo de cada lección, la tecla que se deba pulsar se volverá intermitente y de color azul celeste.

2.8. Ventana teclado.

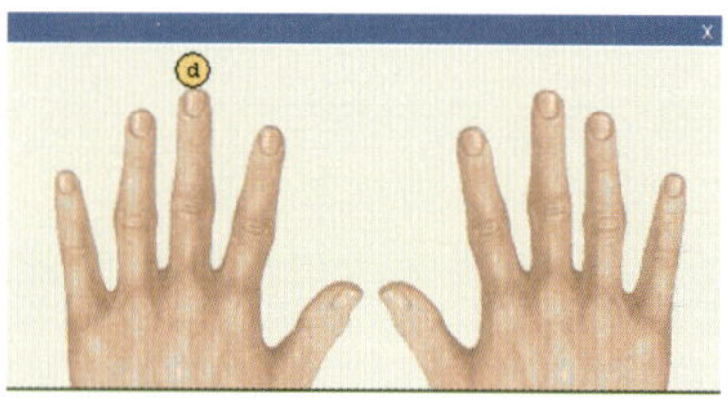

2.9. Ventana manos.

- **Ventana manos.** Está situada a la derecha del teclado. Muestra el dedo que debe ir pulsando cada tecla, así como el nombre de la tecla y su color, para relacionarla con la ventana teclado.

Estas dos últimas ventanas, la ventana de teclado y la de manos, se pueden situar en la parte de la pantalla que se desee, así como cerrarlas si no se van a utilizar. Basta con arrastrar desde la barra de título de la ventana y moverlas o bien pulsar el botón *cerrar,* a la derecha de esa barra.

Es muy importante tener en cuenta la siguiente indicación antes de comenzar a trabajar:

Lo recomendable es ir a la página del autor a descargarse una versión más moderna.

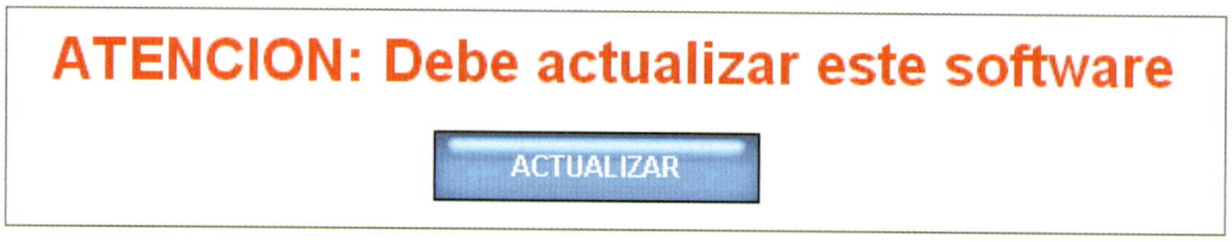

Simplemente, haz clic en *Actualizar* y sigue los pasos indicados.

El programa nos dirige a la página del autor donde existen varias versiones del mismo programa y ejercicios adicionales para descargar.

El siguiente paso para iniciar una sesión es ir a la barra de menús, *Sesión / Registrar nuevo usuario.* Se escribe el nombre y la clave del usuario nuevo y quedará registrado. De este modo, si varias personas utilizan el mismo programa, cada uno puede tener su propio usuario con un registro de lecciones superadas, etc.

Al crear el usuario, automáticamente se inicia una sesión y se puede comenzar a trabajar. Si no es la primera vez que abrimos el programa, hay que hacer clic en *Sesión / Iniciar sesión de usuario.* La ventana muestra un desplegable con los nombres de los usuarios registrados y un campo para escribir la contraseña. En cualquiera de los dos casos, el nombre del usuario activo se puede comprobar dentro de la ventana principal, en el panel de resultados.

Para terminar la sesión de trabajo del usuario activo, se hace clic en el menú *Sesión* y, después, en *Cerrar sesión de usuario*.

Dentro de ese mismo menú se incluyen otras opciones como la posibilidad de dar de baja a un usuario, o grabar los avances del usuario y ver un informe de los mismos.

4.3 > Comenzar a trabajar con MecaNet

Como es la primera vez que utilizamos el programa, la lección 1 ya está abierta y se puede comenzar directamente a practicar. Las lecciones están ordenadas en su menú correspondiente, el menú *Lecciones.*

En la zona de escritura se observan una serie de letras, ASDF ÑLKJ; la primera de ellas tiene una flecha debajo. Cuando pulsemos la <A>, la flecha avanza a la siguiente letra, en este caso a la <S>, mientras suena el clásico sonido de una máquina de escribir. En caso de cometer un error, el sonido es distinto, el programa nos avisa con un mensaje, indicando qué tecla hemos pulsado erróneamente.

En la ventana manos, se va mostrando en tiempo real la letra que debe ser pulsada, dibujada sobre el dedo que debe pulsarla. A su vez, en la ventana teclado, se muestra intermitente la situación de dicha tecla en el teclado.

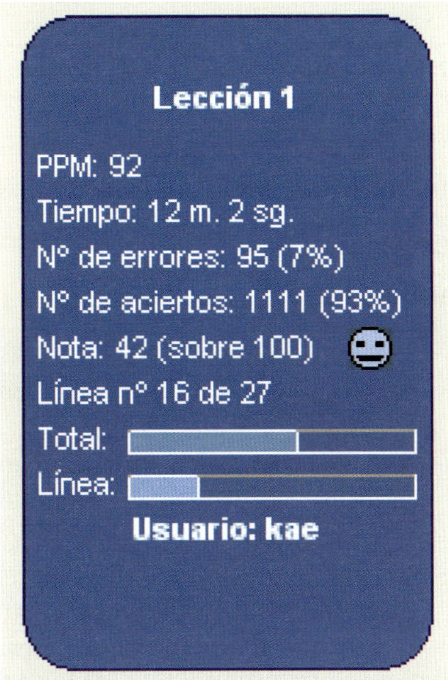

2.10. Lección 1 de MecaNet.

Como puedes ver en la Figura 2.11, en el panel resultados, se pueden ir observando los resultados obtenidos durante el transcurso de la lección.

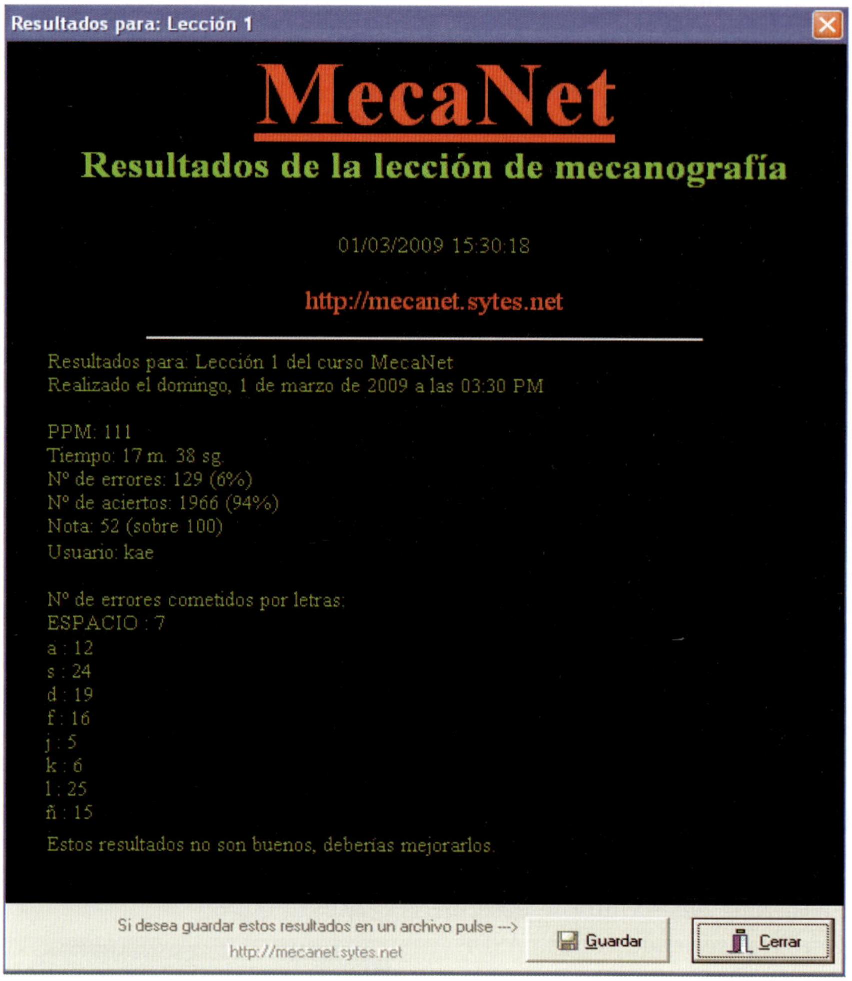

2.11. Resultados de la lección de mecanografía.

Una vez terminada la lección, el programa muestra una pantalla con los resultados obtenidos en la misma, dejándolos memorizados.

Lecciones

Vamos a ver algunos contenidos de las lecciones del programa:

- Lección 1: comienza por las teclas más simples del teclado. Se trata de las letras ASDF ÑLKJ, correspondientes a cada uno de los dedos, colocados sobre la fila normal.
- Lección 2: continúa con esa misma fila, pero haciendo hincapié sobre las teclas <G> y <H>. Las siguientes lecciones pasan a la fila superior y a la fila inferior.
- Lección 18: combina todo lo aprendido en las lecciones anteriores, escribiendo el abecedario para ganar soltura según toda la mecánica aprendida en lecciones anteriores.
- Lección 19: trabaja el uso de la tilde, la coma, el punto y las mayúsculas.
- Lección 20: practica el uso de los números y los símbolos.

Cada una de las lecciones tarda en realizarse más de un cuarto de hora. Cuando se hayan superado todas, o bien se haya practicado algún aspecto en particular, se pueden descargar lecciones extra de la página del autor, desde el menú *Opciones / Descargar lecciones extras.*

También se pueden añadir lecciones desde archivos de texto generados por nosotros mismos o extraídos de cualquier lugar. Esto se hace desde el menú *Opciones / Abrir archivo .txt con su propia lección.*

Exámenes

En el menú *Exámenes,* se ofrece la posibilidad de realizar pruebas para comprobar la destreza.

En estos casos, la tecla retroceso no funciona y cuando se produce un fallo no puede ser rectificado sino que el cursor salta a la siguiente posición. Se trata de evaluar en vez de simplemente practicar.

Juegos

Esta parte del programa está pensada para practicar y aprender a utilizar el teclado de una forma amena y divertida.

El programa incluye tres juegos:

- **El juego de la letra escurridiza.** Las letras van apareciendo en la pantalla y hay que teclearlas antes de que desaparezcan. La dificultad aumenta cuantos más puntos se consiguen.
- **El juego de la letra navegante.** Las letras hacen un *scroll* desde la derecha. Hay que teclear la letra correcta antes de que llegue a la parte izquierda de la pantalla.
- **Lluvia de letras.** Desde la parte superior van cayendo varios grupos de letras simultáneamente que deben ser tecleados antes de que lleguen a la parte inferior de la pantalla. El número y la extensión de los grupos es configurable.

Opciones

El menú *Opciones* es el menú donde se configuran diversas opciones del programa, como sonidos, utilización de teclas, etc.

Ayuda

El menú *Ayuda* incluye tanto la ayuda propia del programa como consejos posturales bastante interesantes durante la utilización del teclado.

Practicar con textos en inglés

Una vez se haya avanzado en la práctica de lecciones con textos en castellano, se podrá desarrollar la práctica con textos en inglés.

Para ello, se ofrece la posibilidad de practicar con textos extraídos de Internet o desde archivos de texto generados por nosotros mismos. Se realizará desde el menú *Lecciones / Descargar Lecciones Extras desde la WEB.*

Es muy **importante** no mirar al teclado mientras escribes. Además, se debe repetir cada lección al menos dos veces y solo hay que pasar a la siguiente si se ha obtenido un buen resultado.

Caso final 1

MecaNet

•• Escribe los textos que aparecen a continuación para practicar la destreza mecánica con el teclado. Para ello, utiliza el programa de MecaNet. Dispones de los archivos de texto en el CD *Recursos*.

Expertos internacionales debaten el futuro de la banda ancha en la UPCT

Los investigadores proceden fundamentalmente de universidades de Estados Unidos, Japón y Europa.

Unos 80 investigadores en redes de comunicaciones de banda ancha de todo el mundo se darán cita el próximo mes en la Escuela de Telecomunicación de la UPCT en el congreso internacional '12th IEEE Conference in High Performance Switching and Routing', que versará sobre conmutación y encaminamiento en redes de alta velocidad.

Los investigadores proceden fundamentalmente de universidades de Estados Unidos, Japón y Europa. También asisten expertos de empresas americanas y europeas como Alcatel-Lucent, Oracle, Cisco o Bell Labs, entre otras.

Los expertos abordarán nuevos diseños de nodos de altas prestaciones para la red Internet, que son capaces de procesar del orden de miles de millones de paquetes de datos por segundo, según señala el organizador del congreso, Pablo Pavón.

La ponencia inaugural la pronunciará el profesor Biswanath Mukherjee, de la Universidad de California, que es uno de los mayores expertos del mundo en redes de fibra óptica.

La fibra óptica es el principal medio de transmisión en redes de datos en Internet, el único medio que permite transmitir datos a gran distancia y a velocidades de Terabits por segundo: es decir, de millones de megabits por segundo.

Pablo Pavón, profesor del Grupo de Ingeniería Telemática, señala que se ha conseguido reunir en Cartagena a destacados ponentes en redes de banda ancha, que darán un visión de los avances tecnológicos en este campo.

MURCIA, 13 (EUROPA PRESS)

1

The Future of the Internet and How to Stop It

IN HIS NEW BOOK, cyber law expert Jonathan Zittrain says that the traditional PC and the Internet will possibly be *victims* of their own success, The PC is a fantastic invention. It is easy to configure and you can install all kinds of different programs. When connected to the Internet, it gives access to a global source of information, opinion, music and video. Unfortunately, this freedom is under attack because of security issues and the amount of 'bad' software circulating as viruses and malware.

Because of these threats, Zittrain says there is a real danger that the Internet will become much *more* controlled. This control that will block innovation and kill creativity.

When users aCCidentally infect their computers, the results are often disastrous *for* them and others. As a result, with time people will start to avoid systems that allow them to make these mistakes. They will choose 'sterile' products which do not expose them to these risks. They will sacrifice freedom for reliability.

The i Phone and Xbox are examples of this. Zittrain says they represent the first generation of Internet-centered products that only the manufacturer can modify, and not the owner. You cannot program the device *or* down load third-party software to install. It's *safer for* the user but you are in the hands of the supplier.

Another example are the new 'Web 2.0' applications and services provided by Google and Facebook. They do not depend on software installed on your PC. The supplier can always monitor and control these applications *from* a central source. They can also choose to eliminate services *or* start charging *for* them without any warning. Zittrain says that this is worrying because it will limit the development of potentially useful innovations.

According to Zittrain, saving the Internet lies in the hands of its millions of users. In collaboration with others he has set, up badsoftware.org. The aim of the site is to help users work, together in creating a database of software and sites to avoid.

In his book, he gives Wikipedia as an example of a community that has survived through the collaboration of its users without giving up control to a central authority.

Fuente: *in company Macmillan*

Ideas clave

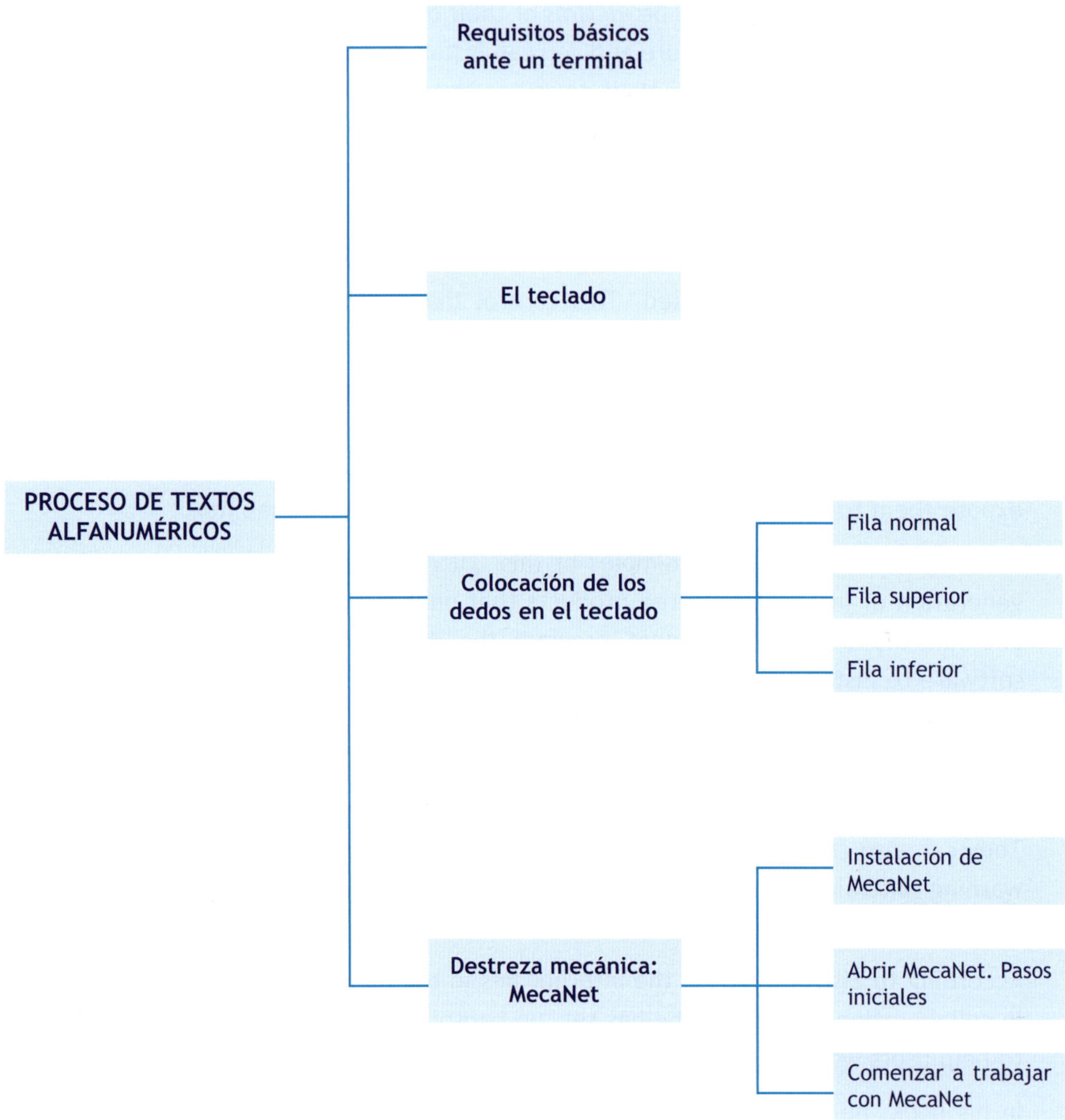
PROCESO DE TEXTOS ALFANUMÉRICOS
Requisitos básicos ante un terminal
El teclado
Colocación de los dedos en el teclado
Fila normal
Fila superior
Fila inferior
Destreza mecánica: MecaNet
Instalación de MecaNet
Abrir MecaNet. Pasos iniciales
Comenzar a trabajar con MecaNet

El guante Fingual lleva el lenguaje de signos a tu ordenador

España.- Ya hemos visto en Gizmodo varios guantes de escritura sin teclado que se basan en multitud de terminales en diferentes partes de la mano, de manera que al conectar dos de ellos se producen señales diferentes en función de cuáles hayan sido.

Pues bien, el guante Fingual, aunque algo parecido, utiliza una tecnología totalmente diferente que hace posible el reconocimiento de gestos sin cámara. Descúbrelo en el vídeo a continuación.

El sistema, creado por investigadores de las universidades de Osaka y Shinshu, utiliza imanes en la punta de los dedos y un sensor capaz de detectar los cambios en el campo magnético en función de los movimientos que se hagan con los dedos.

De esta manera, los campos característicos de cada gesto del lenguaje de signos se reinterpretan como letras con una precisión del 90% en el caso de utilizar valores creados por ti y entre un 80 y un 90% para gestos genéricos creados por otros.

Para activar la detección de gestos, se usa un sensor de proximidad, por lo que tan solo debemos acercarlo al cuerpo o pasar nuestra otra mano por la muñeca.

Puede que por ahora los otros sistemas sean más rápidos, pero el verdadero potencial de Fingual es poder algún día utilizar los gestos para controlar el ordenador en lugar de solo escribir y que dichos gestos puedan ser dinámicos.

6 de abril, 2011 *Agencias / España*

DIGINFO. TV Japón

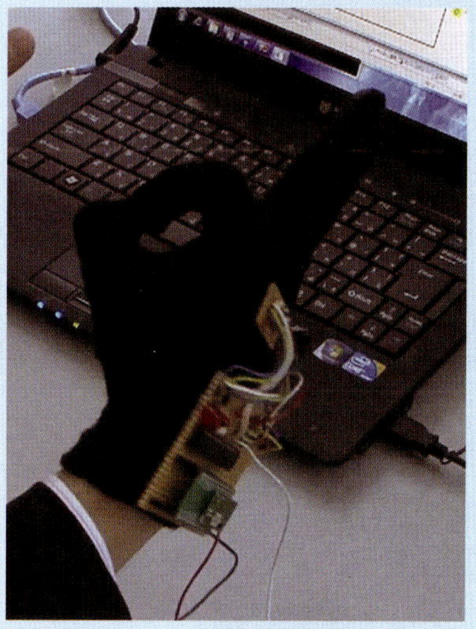

unidad **3**

Gestión de archivos y búsqueda de información

SUMARIO

- Origen de Internet y navegadores
- Buscadores de información
- Compresión y descompresión de archivos
- Descargas de Internet
- Organización de archivos en el PC

OBJETIVOS

- Conocer las funciones de Internet y los distintos navegadores.
- Saber realizar una búsqueda eficaz de información en Internet.
- Aprender a comprimir y descomprimir archivos.
- Realizar descargas de Internet de forma segura.
- Organizar archivos en el PC.

1 >> Internet y navegadores

Orígenes

Lo que hoy en día conocemos como "Internet" es una red de comunicaciones que se creó originalmente en Estados Unidos con fines militares. Es muy útil saber cómo se fundó para poder entender cómo es actualmente y de donde vienen sus ventajas y sus inconvenientes.

En plena Guerra Fría entre Estados Unidos y la Unión Soviética, se necesitaba un medio de comunicación militar que tuviese una serie de características, entre las que destacaba la necesidad de crear una red que distribuyese la información de forma descentralizada. Surgió así la red ARPA (Figura 3.1), cuyas principales características eran que no tenía nodos críticos y que la información se dividía en pequeños paquetes, se transmitía, y luego se volvía a montar en el destino.

Desde 1959, Paul Baran estaba trabajando en RAND, desarrollando redes seguras para el ejército. Pero la primera comunicación entre dos nodos, reconocida oficialmente, se produce el 29 de Octubre de 1969. Es el día que se considera que nació Internet.

Cada nodo podía comunicarse con el resto independientemente de que uno de ellos pudiera ser inutilizado. La información viajaba a través de un protocolo de comunicación que dividía la información en pequeños paquetes, que una vez en el destino, se ordenaban de nuevo para recomponer el archivo original. Sin embargo, la ventaja de "dividir" la información dificultaba la interceptación de esta, ya que no todos los paquetes debían seguir obligatoriamente la misma ruta. En el caso de que existiese un error de comunicación y un paquete llegase corrupto al destino, se podía solicitar al nodo de origen únicamente ese paquete y no era necesario volver a transmitir el archivo completo.

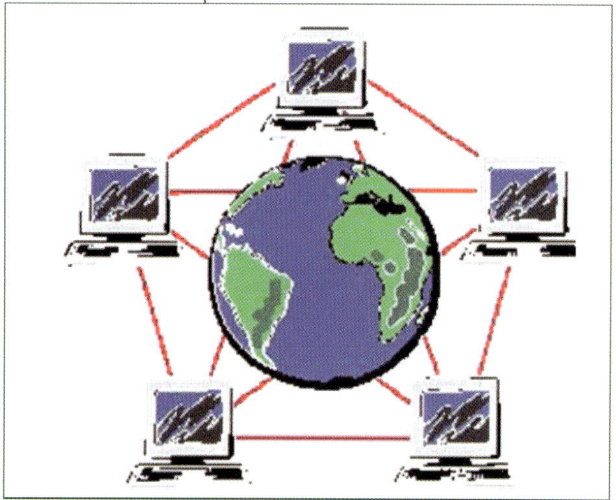

3.1. Red ARPA.

Una vez terminada la guerra fría, ArpaNet pasó a depender de las autoridades civiles y se fueron agregando nodos nuevos al sistema descentralizado de comunicación. Si bien en un primer momento tenía una espina dorsal localizada y controlable, más tarde la propia manera en que se expandió "desorganizó" la red. En un punto geográfico se podían unir por ejemplo, tres universidades, en otro un hospital, y a este dos colegios, convirtiéndose cada vez en una red más y más desorganizada.

Poco a poco fue creciendo hasta ser lo que conocemos hoy, y de hecho sigue expandiéndose de manera exponencial. Cualquier estimación para conocer la cifra de personas conectadas, o de páginas web existentes en un año, se quedaba obsoleta en unas semanas. No obstante, las características originales de Arpa se siguen manteniendo, lo cual nos proporciona enormes ventajas, pero también desventajas.

Actividades propuestas

1·· Enumera diversas ventajas y desventajas que tiene Internet en la actualidad y piensa cómo pueden estar relacionadas con las características expuestas.

Actualidad

Hoy en día, Internet nos proporciona una fuente inagotable de contenidos; un medio de comunicación y expresión sin límites, un espacio interminable donde alojar archivos, un canal comercial imprescindible para las empresas, un sistema ideal para control de dispositivos a distancia, y según pasan los días, muchas más innovaciones. ¿Quién iba a imaginar hace solo unos años que existirían redes sociales como *Tuenti* o *Facebook*?

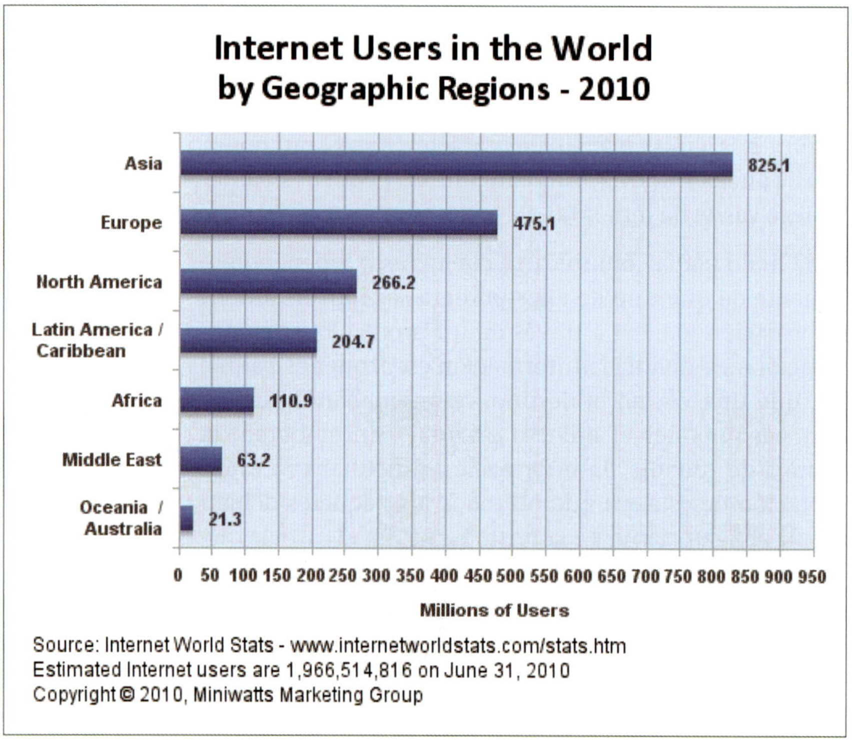

Si nos centramos en los contenidos que podemos consultar, observamos que es tan extenso y desorganizado que no se puede estimar la cantidad de datos almacenados. Internet fue creciendo desorganizada e incontroladamente, por lo que localizar algo es una tarea realmente ardua.

Otro problema es estimar la fiabilidad de la información hallada. El hecho de encontrar algo en Internet no presupone que el contenido sea verídico.

Los navegadores más conocidos son: Netscape (inventor del lenguaje HTML), Internet Explorer (de Microsoft), Opera, Mozilla y Google Chrome.

Navegadores

> **Un navegador es un programa cliente instalado en el ordenador del usuario que le permite acceder a un servicio remoto. En este caso, a una fuente de información e interpretar el lenguaje HTML para mostrar su contenido. Esa información se localiza en servidores que proporcionan alojamiento a los creadores de las páginas web.**

Cuando nosotros escribimos una dirección en el navegador y pulsamos <Intro>, este programa lanza una petición a través de la red para acceder al servidor que contiene dicha página. Ese servidor nos envía la página a nuestro ordenador y entonces la visualizamos en el navegador.

Todos los navegadores que existen funcionan de esta manera, lo que los diferencia es el manejo, la fiabilidad o la capacidad para visualizar contenido multimedia.

Existen otros programas clientes que acceden a contenidos o servicios de Internet. El Messenger es un programa de Microsoft que accede a través de Internet a un servidor donde se ofrece el servicio de chat. Outlook y Outlook Express son programas que acceden al servicio de correo electrónico y gestionan los mensajes directamente en el ordenador cliente.

Internet Explorer

Es el navegador de Microsoft y viene incluido de forma gratuita con Windows. Esto garantiza que esté presente en el 90% de los ordenadores del mundo.

Las nuevas versiones se van descargando a través de las actualizaciones automáticas del sistema operativo.

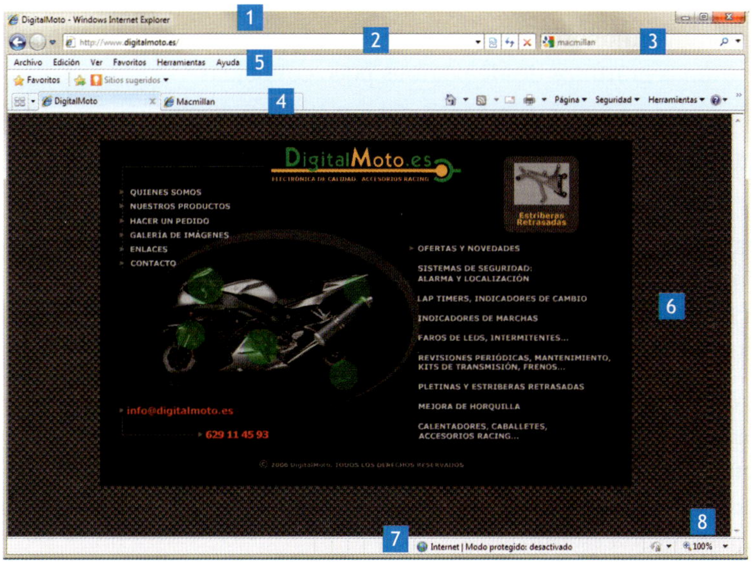

3.2. Internet Explorer.

1 Barra de título.

2 Barra de direcciones.

3 Barra de búsqueda de Google (instalada aparte).

4 Pestañas.

5 Menús.

6 Contenido.

7 Barra de estado.

8 Zoom.

Cargar una página

Para acceder a una página se escribe la URL (www...) en la barra de direcciones y se hace clic en <Intro>, o bien en el botón de la flecha azul. Para cancelar la carga de una página en curso, se hace clic en el aspa roja 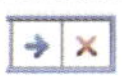.

Ayudas del navegador para cargar páginas

El navegador va memorizando las páginas a las que accede el usuario, así es más fácil volver a una página visitada anteriormente. Cuando se está escribiendo la URL en la barra de direcciones se muestra un desplegable con las páginas memorizadas que coinciden con lo que se va tecleando.

También existe el botón *Favoritos*, a la izquierda de las pestañas, desde donde se accede a las páginas que memoriza el usuario como favoritas y al historial de navegación clasificado por días y semanas (Figura 3.3).

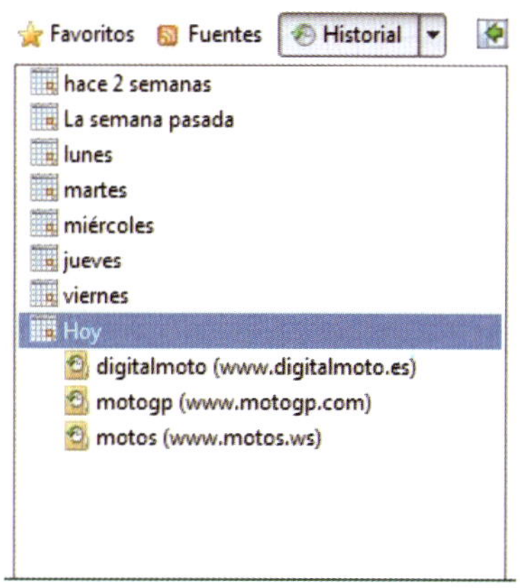

3.3. Historial de navegación.

El navegador proporciona una ventana de búsqueda situada a la derecha de la barra de direcciones. Se puede seleccionar el buscador deseado, aunque el predeterminado sea Microsoft Live Search. De todas formas, siempre es mucho más interesante instalar una barra de herramientas adicional de búsqueda. (En la imagen anterior aparece la de Google, pero existen muchas más y suelen ser gratuitas). Estas barras ofrecen muchas más posibilidades de búsqueda y ayuda a la navegación con accesos directos a determinada información, utilidades para bloquear la publicidad que aparece como pop-ups, traductores, opciones de seguridad...

Seguridad

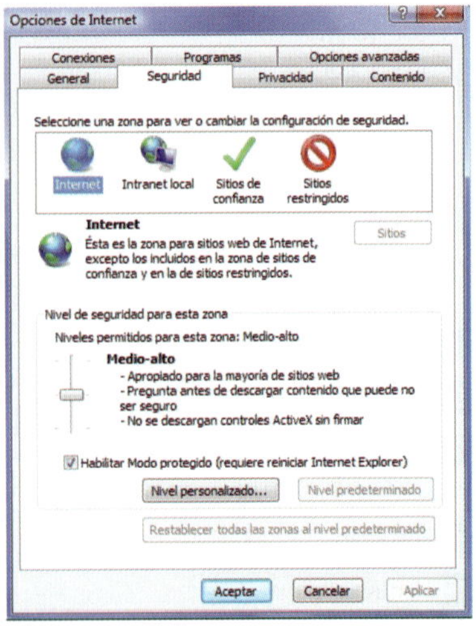

Configuración de seguridad en Internet Explorer.

La seguridad en Internet es un tema tan importante y extenso, que podríamos dedicarle un libro entero. En este epígrafe vamos a tratar la seguridad que se puede configurar desde el navegador, pero debemos saber que no solo con esto el ordenador queda totalmente protegido. Además, es fundamental no navegar por páginas sospechosas o desconocidas como programas P2P tipo Emule, cuyos contenidos suelen estar plagados de virus. Hay que ser muy cauteloso a la hora de instalar en el navegador complementos y programas gratuitos desde páginas poco conocidas.

La configuración de seguridad en Internet Explorer se realiza desde el menú *Herramientas* / *Opciones de Internet* / pestañas *Seguridad* y *Privacidad*:

- En la primera de ellas se selecciona uno de los niveles de seguridad, cuanto más alto, más restrictivo será. Existe un botón para personalizar con más detalle cada nivel como se observa en la imagen.
- En la pestaña *Privacidad,* se elige de manera similar qué *cookies* se quieren permitir entrar al equipo y cuáles no.

Una *cookie* es un pequeño fichero que una Web almacena en nuestro ordenador, dicho fichero incluye información sobre nosotros, nuestra ubicación, el nombre, datos personales, contraseña..., que previamente le hemos facilitado a esa página. De esta forma, al volver a acceder a dicha página no hay que volver a escribirlos.

Este fichero no contiene ningún código, por lo que no es peligroso. Lo peligroso sería que una tercera persona pudiera entrar a leerla y vulnerase nuestra intimidad conociendo datos privados o contraseñas. Para eliminar estos archivos, así como otros archivos temporales que se han ido quedando almacenados en nuestro equipo al navegar, se accede al menú *Herramientas* / *Opciones de Internet* / ficha *General* / botón *Eliminar*.

Actividades propuestas

2·· Busca en Internet la traducción de la palabra *Cookie* y una explicación convincente de su significado.

3·· Elimina las *cookies* y todos los archivos temporales de tu equipo, así como los datos de los formularios y las contraseñas.

4·· Busca en Internet información sobre las funcionalidades que añade la barra de herramientas de Google al navegador de Internet. Busca también información sobre otras barras de herramientas y compáralas.

2 >> Buscadores de información

Un buscador sirve para encontrar las páginas que contienen una determinada información, pero de las cuales no conocemos su dirección.

La información en Internet está dispersa y desordenada, no existe una jerarquía ni un sistema organizado de clasificación donde se pueda buscar, como sucede, por ejemplo, en una biblioteca.

Es por eso que la utilización de buscadores se hace prácticamente imprescindible, tanto que ya se encuentran integrados en los propios navegadores.

Originalmente existían dos tipos de buscadores muy diferentes: los que eran del tipo "categorías", también conocidos como "directorio", por ejemplo, AltaVista; y los que eran del tipo "palabra clave", como Terra, Yahoo, Ozú, Google...

3.4. Buscador de información Altavista.

Los primeros tenían un árbol formado por categorías que a su vez se iban dividiendo en subcategorías, y así sucesivamente.

Para encontrar una página se entraba en una categoría, se seleccionaba la subcategoría deseada, etc... hasta encontrar la página buscada. Hoy en día está prácticamente en desuso.

Los segundos buscan las páginas en función de una o varias palabras clave introducidas por el usuario. Los resultados de la búsqueda son páginas que incluyen esas palabras clave en su texto. Su máximo exponente es Google.

Google posee un buscador muy rápido y fácil de usar. Intenta transmitirlo al usuario mostrando una página con fondo blanco y visualmente limpia. Además, nos indica el tiempo invertido en realizar nuestra búsqueda.

Poco a poco Google ha ido añadiendo funcionalidades al buscador, como traductor, mail, blogs, documentos, noticias, mapas, navegador propio, un sistema operativo, e incluso comercializa un teléfono móvil.

El futuro pasa por una utilización del ordenador más "en la nube", lo que apunta a Google como líder del sector.

Google nació en 1998 como una tesis doctoral de dos estudiantes de la Universidad de Stamford. La ventaja competitiva se basa en el motor de búsqueda o "araña". Es un programa que automáticamente recorre Internet buscando páginas para añadirlas a su base de datos.

2.1 > Buscar con Google

Cuando se realiza una búsqueda en Google, se introducen las palabras que pensamos que contienen la página que deseamos encontrar. Así, si escribimos "hacienda", en los resultados aparecerán la página del Ministerio de Hacienda, pero también todas las páginas que contengan esa palabra. Google realiza esa búsqueda en las tablas de su base de datos que van siendo alimentadas con la araña que recorre continuamente Internet para actualizar el contenido.

Google ordena los resultados según unos algoritmos propios para estimar la relevancia de cada resultado, basándose sobre todo en el "PageRank". Este método puntúa las páginas web en función de los enlaces encontrados hacia ellas en otras páginas. Además, cuando ese enlace se encuentra en una página que ya tiene un "PageRank" alto, el peso de esa puntuación es mayor. Teniendo instalada la barra de búsquedas de Google en el navegador se puede observar el "PageRank" de la página que estamos visitando.

Para realizar búsquedas correctamente, lo mejor es restringir los resultados utilizando varios criterios. Lo más recomendable siempre, es utilizar más de una palabra clave a la hora de buscar.

Operadores y consejos	
AND	Este operador es predeterminado. Si en la búsqueda se incluyen varias palabras, los resultados deben contener todas.
OR	Si se desean resultados que incluyan al menos ALGUNA de las palabras clave, hay que indicar al operador OR, entre las palabras.
-	Excluye de los resultados la palabra que se encuentra a continuación sin separación, es decir, las páginas que se muestran como resultados no pueden contenerla.
" "	Si las palabras clave se encasillan entre comillas los resultados deberán contener la cadena de caracteres íntegra, en vez de utilizarse el comando AND. Es útil para expresiones o frases hechas.
SITE:	Restringe la búsqueda a una página concreta.
DEFINE	Restringe la búsqueda a definiciones de esa palabra.
FILETYPE	Restringe la búsqueda a archivos de un tipo determinado.
ALLINURL:	Solamente encuentra las páginas que contengan las palabras clave en su dirección o URL.
ALLINTITLE:	Solamente encuentra las páginas que contengan las palabras clave en su título.
Palabras superfluas	Google no tiene en cuenta las palabras superfluas como artículos o preposiciones. Si se desean incluir hay que utilizar las comillas.
Búsquedas parciales	Google no permite búsquedas parciales, por ejemplo singulares y plurales. La única solución es hacer dos búsquedas sucesivas.
Mayúsculas / Minúsculas	El resultado será el mismo al escribir las palabras clave en mayúsculas o minúsculas.

Ejemplos

Búsqueda con Google

Se quiere buscar información para adquirir un coche de segunda mano en Zaragoza. Realizar una búsqueda con la palabra "coche" no es buena idea porque el resultado estará formado por más de veinte millones de páginas. Será más adecuado realizar la búsqueda siguiente:

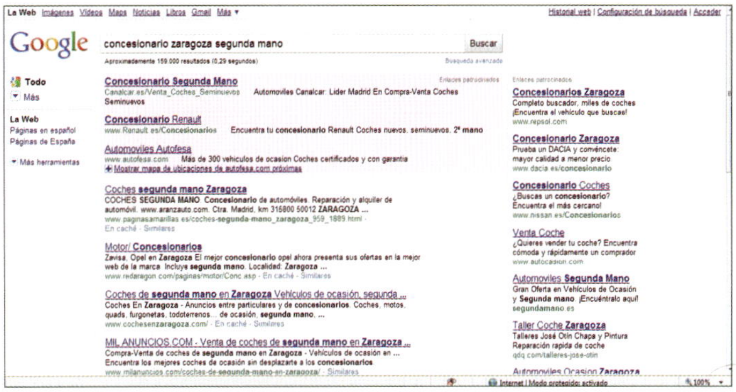

2.2 > Publicidad en Google

Google se configura como el perfecto soporte publicitario, tiene un número interminable de usuarios que se segmentan en función de las palabras clave que utilizan. De esta forma el anuncio lo visualizan únicamente los usuarios interesados.

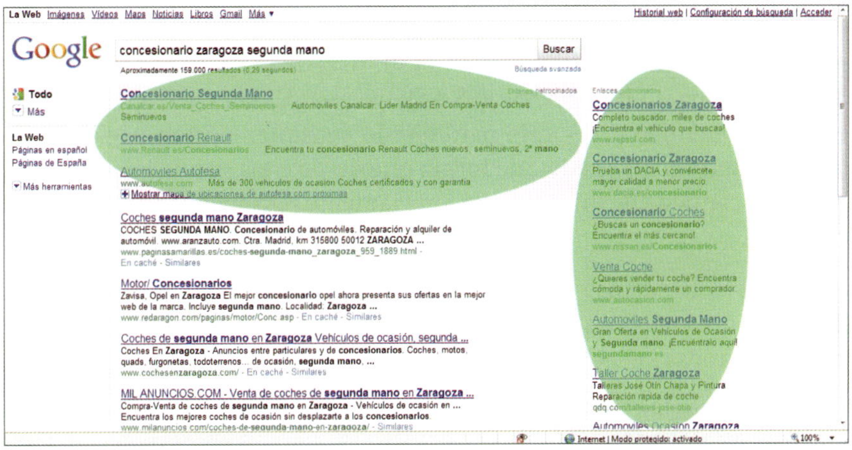

Premium Sponsorship

Aparecen en la parte superior del área de resultados, se muestran dos por cada página de resultados, lo que asegura una rentabilidad mayor. En los primeros 18 meses de funcionamiento, Google contaba con 10 000 anunciantes.

AdWords

Aparecen en la parte derecha de la página de resultados. El anunciante gestiona sus propios anuncios. Se trata de "comprar palabras", cada vez que un usuario teclea esa palabra, aparece el anuncio. Es una forma más económica de anunciarse ya que el precio de cada palabra varía en función de la cantidad de anunciantes que la hayan comprado. Además, existe la posibilidad de pagar solamente cuando los usuarios hagan clic sobre el enlace.

A los autores de los blogs se les conoce con el nombre de *blogueros* o *bloggers*.

3 >> Web 2.0. Blogs, wikis y redes sociales

Un blog es una página web en la que su autor publica artículos, noticas u opiniones suyas, o permite que otros las expresen, y que se actualiza continuamente.

El término blog viene de la contracción de las palabras inglesas *web-log* (registro o diario en Internet). En español existe un término más descriptivo para nombrarlo que es *Bitácora*, que hace referencia a los cuadernos de bitácora que se utilizan en los barcos, y donde el capitán va anotando todo lo que sucede a bordo.

A los autores de los blogs se les conoce con el nombre de *blogueros* o *bloggers*.

A cada opinión, mensaje o post que se publica se le llama "entrada" y suele existir un formulario para que los internautas que lo visitan realicen comentarios o publiquen opiniones al respecto. Una de las características más llamativas de los blogs es la velocidad a los que se actualizan y se añaden nuevos contenidos o comentarios. Es por eso que para poder seguir las novedades se están popularizando redifusiones mediante formatos como el RSS.

3.5. Logotipo de RSS.

Really Simple Syndication es un formato de redifusión que, de una forma muy sencilla para el usuario permite estar al tanto de lo que sucede en multitud de páginas webs (blogs o no) sin necesidad de visitarlas todos los días una a una. Con un lector RSS es la propia página web la que avisa y envía el contenido al usuario para que lo consulte. Existen páginas web con lectores RSS integrados, de forma que desde ellas se pueden consultar una gran cantidad de información, previamente personalizada por el usuario.

Por ejemplo, la página configurable de Google permite recibir fuentes RSS de forma que cada vez que abramos nuestro i-google tendremos conocimiento de todas las novedades en los blogs que nos interesen.

Los blogs se suelen agrupar por comunidades, que además de hacer un directorio de lo que existe dentro y unos rankings semanales o diarios, ofrecen útiles herramientas para crear y mantener un blog. Un ejemplo es blogspot.

Actividades propuestas

5·· Busca un blog de cada uno de los siguientes temas:

- MotoGP
- Bolsa. Análisis técnico.
- Vivencias personales.
- Actualidad.

Haz un comentario al menos en alguno de ellos en el que expliques que estás aprendiendo sobre blogs y has encontrado el suyo.

Wikis

Las wikis son un tipo de páginas que se han ido popularizando cada vez más. Sucede, como en el caso de los blogs, que Internet no tiene sentido como un simple canal de información rígido y regulado, sino como un canal de comunicación bidireccional y de libre acceso para todos. Por eso las ideas que acaban triunfando y popularizándose son las que permiten una mayor libertad de expresión a los internautas.

Un wiki es una página que permite la edición por varios usuarios, generalmente por cualquier persona que la visite.

Este tipo de páginas permite encontrar información que es alimentada por una gran grupo de personas que no tienen por qué conocerse y que entre todos crean los contenidos. El mayor exponente es la Wikipedia.

La Wikipedia es una enciclopedia libre, políglota y mundial, que tiene cerca de 18 millones de artículos. Aunque todo el mundo puede participar, está estructurada con distintos niveles de usuarios (wikipedistas) para que el contenido publicado siempre sea fiable.

Los usuarios registrados en la Wikipedia española son cerca de dos millones, pero solo una pequeña parte son habitualmente activos. Según estudios sociológicos el concepto de que sea de libre edición es algo muy valorado, pero a la hora de participar solamente cerca de mil personas aportan su granito de arena.

Otro de los exponentes por lo que se ha llamado Web 2.0 son las redes sociales. Al final de lo que se trata es de que la web no sea algo estático, sino una serie de servicios en los que el usuario interactúa, ya sea para comunicarse, compartir, integrarse...

Uno de los servicios más populares en Internet es el que permite comunicarse entre las personas. De hecho el primer servicio que existió fue el correo electrónico. La forma de comunicarse ha ido evolucionando con el paso del tiempo hasta llegar a las redes sociales.

3.6. Logos de redes sociales.

Aunque las redes sociales existen desde hace siglos, es a mediados del siglo XX cuando se empieza a utilizar ese término. Las redes sociales a través de Internet comenzaron en el año 2002 con la aparición de MySpace. Todas las redes sociales de Internet se apoyan en la teoría de los seis grados de separación, según la cual, todos los habitantes del planeta están relacionados entre sí a través de cadenas de 6 enlaces de largo.

Los servicios más importantes que ofrece *Facebook* son los siguientes:

- Muro: Espacio donde los amigos de un usuario pueden dejar mensajes, fotos e incluso vídeos que pueden ser vistos por los amigos de este.
- Lista de amigos: Listado de los amigos de un usuario, a los que este les envía una invitación y es aceptada.
- Fotos: *Facebook* se ha convertido en una de las mejores formas para compartir y mostrar fotos. Se calcula que contiene más de 200 terabytes en fotos.

También tiene otros servicios como regalos, juegos, aplicaciones...

3.7. *Facebook.*

Cada vez más empresas y organismos quieren estar presentes en *Facebook,* a través de páginas institucionales, cada vez son más los *grupos* que se están creando.

Un grupo es una forma de reunir personas con intereses comunes o ideas similares. Suelen incluir un foro de discusión para que los usuarios que se suscriben al grupo puedan opinar.

Servicios de alojamientos de vídeos e imágenes

Posiblemente se trate de uno de los servicios más demandados por los usuarios, no solo por tratarse de un espacio cedido por el proveedor para almacenar archivos, sino, por la facilidad que ofrecen estos servicios para poder compartir dichos archivos con otros usuarios.

Los proveedores de este tipo de alojamientos suelen ofrecer un servicio gratuito con ciertas limitaciones y un servicio de pago con menos restricciones o ninguna. Dado que la mayor parte de los usuarios optan por la cuenta gratuita, la mayor fuente de ingresos de este tipo de sitios proviene de la publicidad contenida en sus páginas.

Los servidores de hosting de imágenes más conocidos son:

flickr® de YAHOO!	Pertenece al grupo Yahoo. Es el servicio más utilizado de todos los existentes. Ofrece una gran cantidad de opciones y servicios añadidos. Permite subir hasta 300 Mb en fotos al mes en el tipo de cuenta gratuita y espacio ilimitado en el tipo de cuenta de pago.
Picasa™ álbumes web	Pertenece al grupo Google. Está en continúo auge, como todos los servicios pertenecientes a Google, teniendo cada vez más servicios añadidos. Se gestiona con un programa gratuito del mismo nombre que se instala en el equipo de usuario. Tiene límite de 1GB de espacio.
photobucket	Ofrece un servicio de alojamiento de imágenes y videos. Se suele utilizar para álbumes de fotografía privados, que pueden ser compartidos o públicos. El espacio está limitado a 1GB en las cuentas gratuitas, e ilimitado en las de pago. Ofrece soporte para todos los sistemas operativos móviles.

4 >> Descarga e instalación de aplicaciones

Internet es una fuente inmensa de contenidos entre los cuales hay algunos que pueden ser descargados en nuestro ordenador. Principalmente se puede tratar de programas, documentos o contenidos multimedia.

Para descargar y guardar en nuestro equipo un archivo, lo primero es hacer clic sobre el enlace.

Según cuál sea el navegador instalado y cómo esté configurado, es posible que se disponga a abrir el enlace, o bien que empiece el proceso de guardado, o sino que pregunte al usuario con un cuadro de diálogo qué opción es la que prefiere (Figura 3.8).

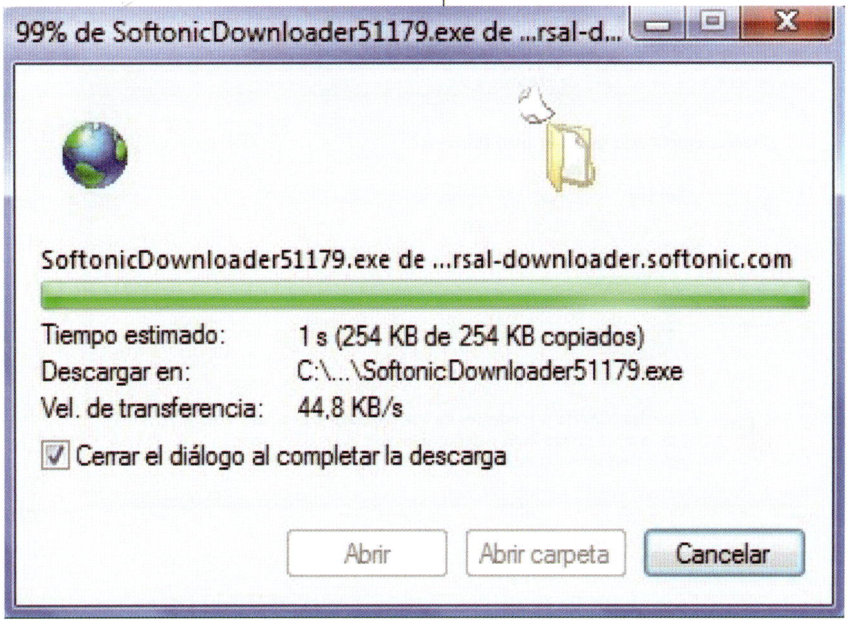

3.8. Cuadro de diálogo de descarga.

En cualquier caso, si se hace clic sobre el enlace con el botón derecho, siempre estaremos seguros de seleccionar la opción deseada del menú contextual.

Una vez terminada la descarga, el archivo ya está en nuestro ordenador. Si es un documento, o un archivo multimedia, lo podremos visualizar si tenemos el programa adecuado (Word, Adobe Acrobat, Windows Media...). Si el archivo descargado se trata de un programa, hay que hacer doble clic sobre él para iniciar la instalación. Es importante leer todos los pasos y entender el tipo de licencia y condiciones que aceptamos al instalarlo.

Ejemplos

Descargar un programa

A la hora de descargar programas, para evitar problemas de seguridad, es aconsejable hacerlo desde sitios de confianza. Entra en la página www.softonic.com y busca el programa *"CCleaner"* para PC.

Asegúrate de estar en la pestaña de *"Windows"*, escribe *"CCleaner"* en el cajetín y haz clic en el botón de *Buscar*.

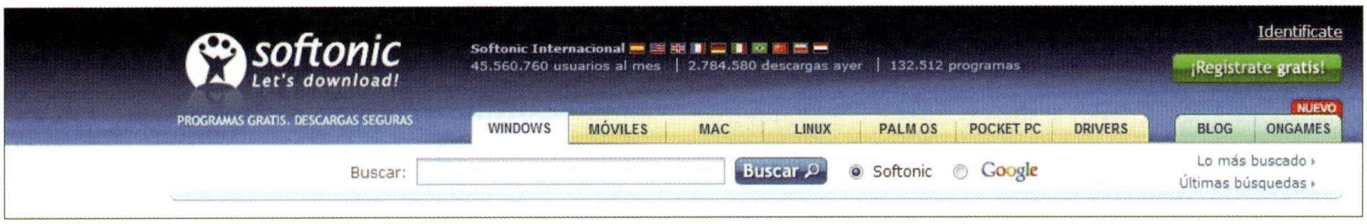

>>

Selecciona la versión más moderna de este programa y fíjate bien en el tipo de licencia que tiene, escoge uno que sea gratuito y haz clic en *Descargar*. Softonic te ofrece dos tipos de descargas; una garantizada desde sus propios servidores, previo pago de una cantidad de dinero por SMS, y otra gratuita. Escoge la que prefieras.

La descarga de *SoftonicDownloader* comenzará en cuanto aceptes la advertencia de seguridad de tu sistema operativo. Windows reconoce una descarga que pretende instalarse en el equipo y avisa con una ventana para que el usuario acepte, o no, dicha intrusión.

Haz clic en *Ejecutar*, de esta forma se descarga el *Downloader* en una carpeta temporal y una vez terminada la descarga, se ejecuta. El sistema operativo vuelve a pedir confirmación cuando el programa pretende ejecutarse. Haz clic en *Aceptar*.

Es ahora cuando ese Downloader de Softonic comienza la descarga del software, en este caso, *CCleaner*.

Lee la licencia con detenimiento y haz clic en *Aceptar*. Esta licencia es el contrato de descarga de software desde Softonic y el hecho de aceptarlo es como firmarlo.

En los siguientes pasos se ofrecerá el software gratuito para descargar junto con el programa deseado, como por ejemplo, barras de herramientas para el navegador, exploradores gratuitos de Internet, etc...

Una vez que comienza la instalación de nuestro CCleaner, se solicita el idioma, selecciona *Español*. Haz clic en *Siguiente* y lee con detenimiento el acuerdo de licencia de CCleaner.

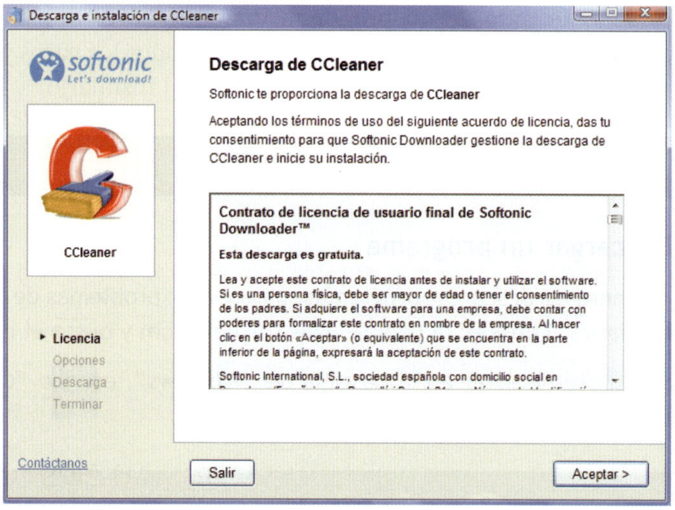

Cuando aceptes, te pedirá la ruta de instalación, se trata de la carpeta donde quieres instalar el software, la predeterminada suele ser adecuada.

Por último, selecciona las opciones de instalación, si quieres icono en el escritorio, en la barra de tareas, etc...

Una vez instalado el programa, está listo para utilizarlo. Ya puedes utilizar CCleaner, un limpiador de archivos temporales que hace que nuestro ordenador vaya más rápido y fluido.

Existen otras versiones de este programa, como por ejemplo la "Portable", o "live". Se trata de un CCleaner que no precisa instalación, simplemente se descarga, lo puedes guardar en el pendrive y ejecutarlo en tantos ordenadores como te interese.

5 >> Compresión y descompresión de archivos

Comprimir un archivo es almacenarlo en un formato distinto para que ocupe menos que el archivo original.

A finales de los 80 existían dos formatos distintos: ZIP y RAR, incompatibles entre sí.

Hoy en día los compresores pueden gestionar esos formatos y algunos otros de forma indistinta.

Es conveniente ahorrar espacio para archivar información, pero sobre todo para enviar o colgar información en Internet. El ancho de banda de las conexiones es limitado y, aunque se ha mejorado mucho, sigue siendo lento tanto enviar como recibir. Si los archivos a transmitir son más pequeños, el envío y la recepción son más rápidos.

Los compresores y descompresores de archivos permiten, además, opciones como poder añadir varios archivos en un único archivo comprimido. Así, aparte de ahorrar espacio, también se pueden enviar varios archivos de manera cómoda.

Otra opción es poder partir un archivo comprimido en varios volúmenes que se deben unir a la hora de descomprimirlo. Originalmente se utilizaba para almacenar un solo archivo en varios disquetes (tenían una capacidad de 1,44 MB) pero ahora es muy útil para transferir a través de Internet el archivo fragmentado, lo cual es más eficiente.

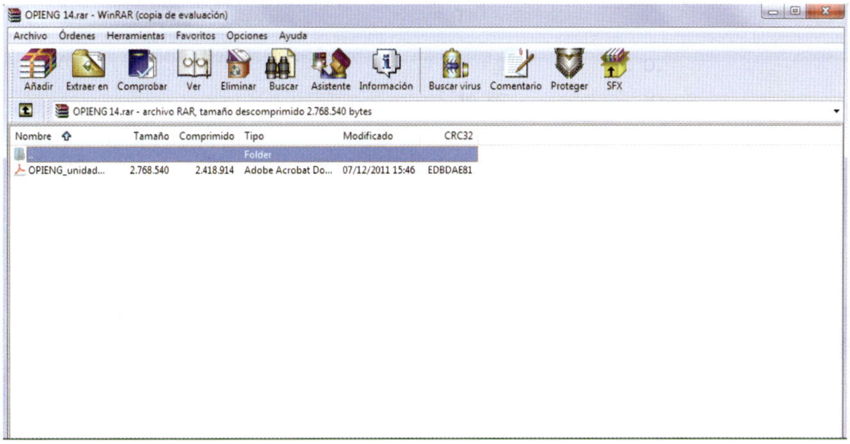

3.9. Descompresión de archivos.

Actividades propuestas

6•• Busca en el CD *Recursos* e instala la aplicación WinRAR.

Crea un archivo comprimido y añade los documentos que tengas en la carpeta *Mis Documentos*. Compara el tamaño original de esos archivos con el tamaño del archivo comprimido.

Cambia las opciones de compresión y los formatos soportados para comparar los resultados. ¿Por qué no se utiliza siempre la opción de mejor compresión?

Tipos de archivo. Extensiones

Cada aplicación tiene un tipo de archivo asociado. El tipo de archivo viene definido por el formato en que dicha aplicación almacena los datos en los ficheros. Así un fichero que almacene un documento de Word tiene un formato distinto que un fichero que almacene un libro de Excel.

Los ficheros se distinguen por la "extensión". Se trata del final del nombre, que está precedida por un punto. Originalmente, en MS-DOS solo podían tener 3 caracteres de largo, pero desde el Windows 95 esa limitación no existe, aunque la gran mayoría de extensiones siguen teniendo una longitud corta. El sistema operativo Windows generalmente oculta la extensión y muestra un icono distinto para cada una de ellas, así en los archivos de Word muestra una W azul y en Excel una X verde.

Ejemplos de extensiones de archivo:

Tipo	Word 2003	Word 2007	Excel 2003	Excel 2007	Access 2003	Access 2007
Icono						
Extensión	.doc	.docx	.xls	.xlsx	.mdb	.accdb

Casos prácticos 1

Carpeta *Mis documentos*

•• Averigua qué extensiones tienen los archivos que guardas en la carpeta *Mis Documentos*.

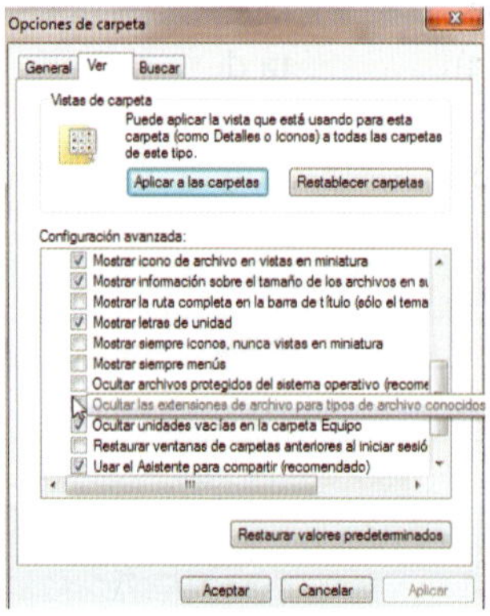

Solución ••

Windows no muestra de manera predeterminada la extensión de los archivos almacenados en las carpetas. Para poder verla hay que ir al menú *Herramientas / Opciones de carpeta /* ficha *Ver / Opciones avanzadas* y desmarcar la opción *Ocultar las extensiones de archivo para tipos de archivos conocidos*.

Importación y exportación de archivos

Cada tipo de archivo se puede abrir solo por la aplicación que tiene asociada, que es la que conoce y entiende el formato para poder abrirlo. Cuando se necesita pasar información de una aplicación a otra hay que importar (para traer) o exportar (para llevar) la información.

Por ejemplo, en Access se pueden importar tablas de Excel, para convertirlas al formato de tablas de base de datos, o bien se puede exportar una consulta como tabla de Excel. Todo esto se hace desde las opciones de *Importar* y *Exportar* que permiten algunos programas, como en este caso Access.

Existe una posibilidad mucho más extendida y sencilla dentro de Windows, algo tan intuitivo que parece hasta obvio, se trata de la posibilidad de copiar y pegar.

Esta opción tan simple para importar un tipo de dato en otro archivo se basa en el estándar *OLE* (object linked and embebed). Es un estándar creado por Microsoft que permite tanto relacionar un archivo con otro para compartir datos, como incrustar información de un archivo dentro de otro. Por ejemplo, una tabla realizada en Excel dentro de un archivo de Word, siguiendo el método de seleccionar, copiar, ir al destino y pegar.

Todos los archivos de formatos habituales cumplen el estándar, de forma que se pueden insertar imágenes, sonidos, vídeos, archivos de office, etc....

El archivo informático. Organización de la información

Los datos dentro del ordenador deben estar *organizados* del mismo modo que los organizamos en un archivo físico. Cuando almacenamos documentos en un ordenador utilizamos carpetas, que a su vez contienen otras carpetas, de forma similar a un armario que contiene archivadores, carpetas y subcarpetas, en el mundo físico.

Desde que apareció Windows 95, la estructura de organización de los ficheros dentro del disco duro del ordenador sigue unas pautas muy intuitivas. Se parte del *Escritorio*, el resto de información está dentro de él como si se tratase del escritorio de nuestra mesa. Encima del *Escritorio* podemos tener documentos que estemos manejando frecuentemente, una carpeta con subcarpetas o documentos, tu equipo, una papelera...

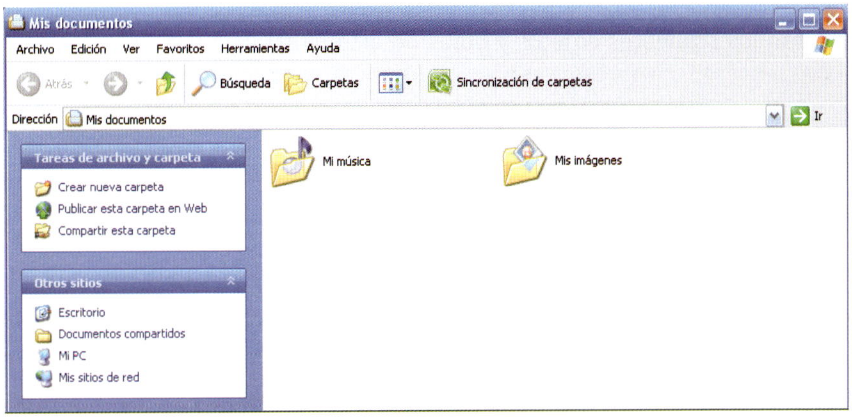

3.10. Carpeta *Mis Documentos.*

Si nos fijamos en el escritorio de Windows veremos que tiene todos estos elementos.

La carpeta donde debes almacenar tus archivos dentro del equipo puede llamarse "Documentos" o "Mis Documentos" según el sistema operativo que utilices.

Por ejemplo, Windows Vista utiliza la primera y Windows XP la segunda.

Los documentos que vamos guardando estarán dentro de la carpeta *Mis documentos* (Figura 3.10), a esta carpeta se llega desde el mismo *Escritorio* o desde el botón *Inicio*. Esta carpeta debe tener una organización lógica por nuestra parte.

Dentro de *Mis Documentos* existen varias carpetas, ya creadas por Microsoft, que nos ayudan a organizar la información, además de otras que pueden ir creando los programas que se encuentren instalados en nuestro ordenador.

No obstante, podemos y debemos crear las carpetas necesarias para que nuestros documentos queden perfectamente organizados. Se puede consultar un listado de todas las extensiones de archivo en: **www.fileinfo.com**

Actividades propuestas

7·· Organiza el interior de la carpeta Mis documentos como si fuese un archivo físico, por carpetas y subcarpetas, creando por ejemplo una carpeta para cada módulo, dentro del cual puedes crear a su vez carpetas por temas o evaluaciones. En el caso del módulo de aplicaciones deberás crear, mínimo, una para Word, otra para Excel y otra para Access.

8·· Realiza las siguientes búsquedas:

- Número de clavos que se utilizaron para construir la torre representativa de París.
- ¿Cuánto mide, pesa y de qué material estaba hecha la espada más famosa del CID?
- Definición de FIFO.
- Director, actores y argumento de "Apaga y vámonos", película española de los años 80.
- ¿Dónde está la cueva de los verdes y por qué se llama así?
- ¿Qué es un warrant PUT sobre Iberdrola?

9·· Averigua en qué museos se encuentran los siguientes objetos y obras de arte mostrando una imagen de los mismos:

a) Piedra Roseta
b) Dama de Elche
c) El nacimiento de Venus
d) El Guernica
e) Venus de Milo

10·· Busca en Internet el término wiki.

a) ¿Cuándo se comenzó con esta forma de crear webs?
b) ¿Qué origen tiene esta palabra?

Caso final 2

Descarga, instalación y utilización de una aplicación

•• Descarga la aplicación Feedreader, guarda el archivo descargado e instálalo en tu ordenador.

Una vez realizado el proceso, ejecútala y configúrala para que muestre automáticamente las novedades de *Hacienda* sin necesidad de entrar en la página www.aeat.es.

Solución ••

- Entra en la página de algún buscador, por ejemplo, www.google.es y busca el término *Feedreader*.

De las páginas que devuelve el buscador, la del autor debe estar entre las primeras. Pincha en el enlace y llegarás a dicha página.

El programa es gratuito, aunque el autor solicita donaciones que se pueden hacer de forma voluntaria vía paypal.

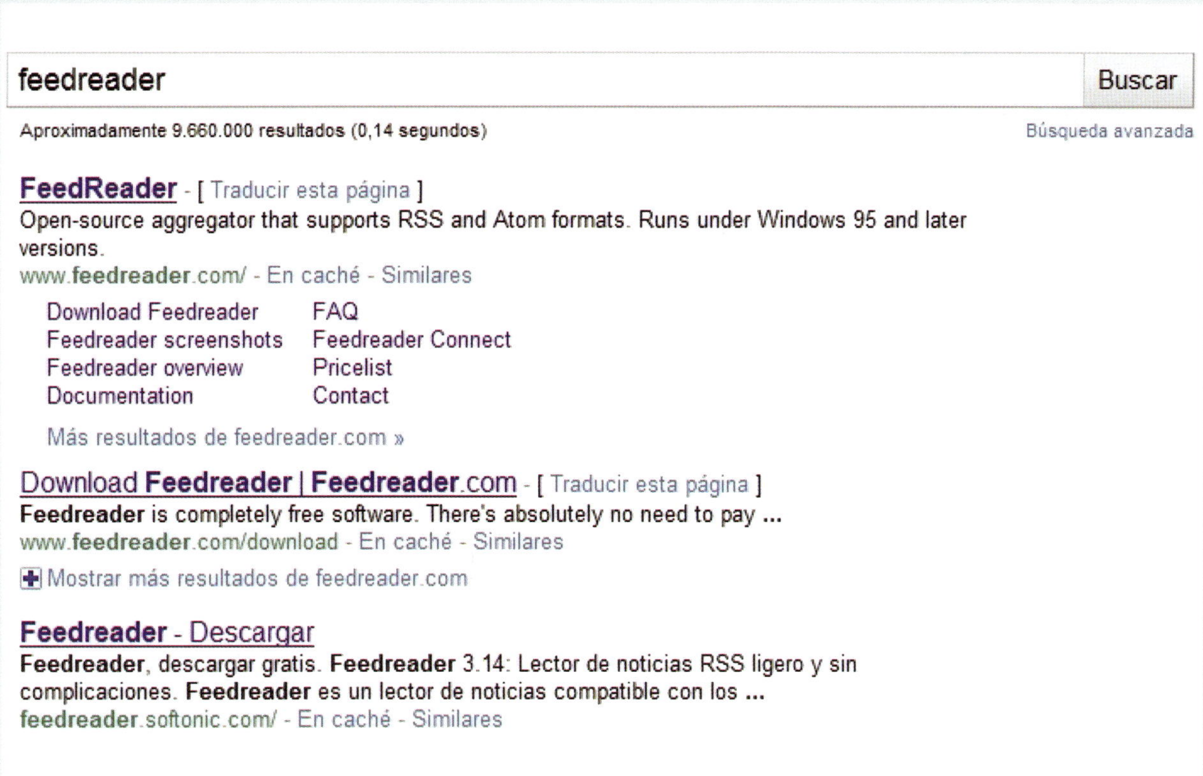

2

En la página de FeedReader hay un apartado de descargas que ofrece varias opciones a la hora de obtener el programa. Si eliges la opción de instalación, el programa quedará instalado en tu equipo, si eliges descargar en ZIP no hace falta instalación.

- En este caso, descarga el programa en formato comprimido ZIP, de esta forma lo puedes guardar y trasladar de una ubicación a otra. Una vez que se haya abierto el cuadro de diálogo de descarga, selecciona *Guardar* y elige la ruta adecuada para guardar el archivo. Guárdalo en la carpeta *Documentos*.

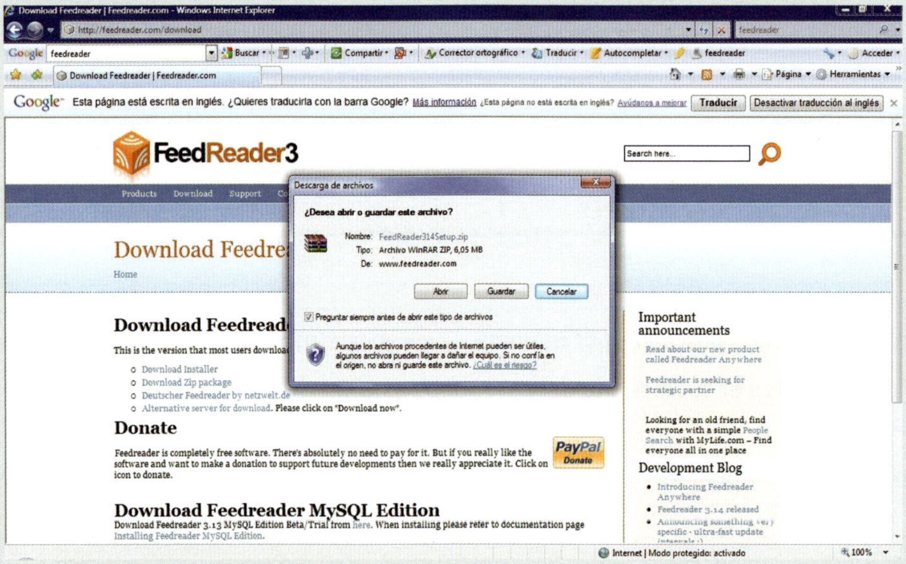

- A continuación entra en la carpeta *Documentos* y abre el archivo comprimido con el descompresor que tengas instalado en tu equipo. Probablemente sea WinZIP o WinRAR.
  Una vez descomprimido el contenido del archivo, el resultado será una carpeta con una serie de archivos.
- Ejecuta feedreader.exe.

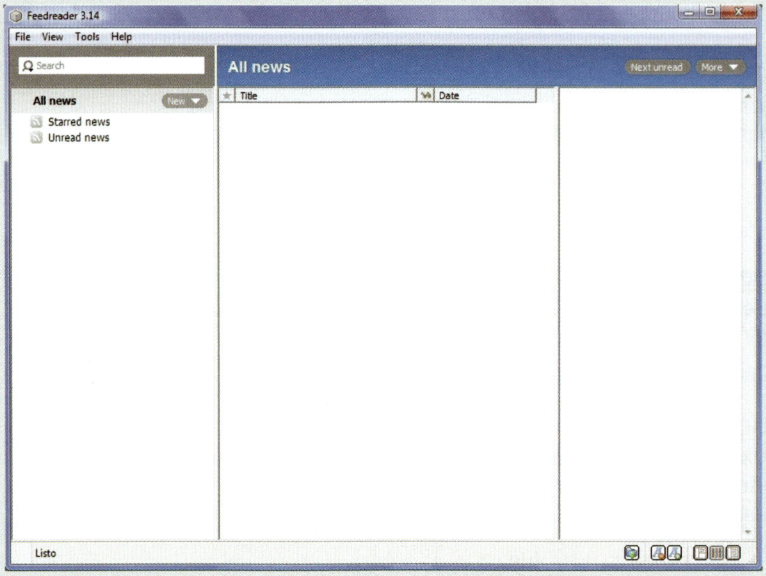

2

Este es el cliente RSS, en este programa se van añadiendo los enlaces y cuando estos se actualicen, avisan al programa. De esta manera se tendrás un listado con las novedades en todas las páginas de tu interés.

Ahora abre el navegador de Internet y teclea la dirección www.aeat.es.

- Pulsa en el enlace RSS que está arriba a la derecha.
  Esta página contiene Feeds que funcionan directamente con los clientes más habituales. Como Feedreader no está, directamente se toma la dirección web de la página.
- Haz clic en el campo *dirección* del navegador y copia el contenido pulsando el botón derecho del ratón, opción *copiar* o bien con la combinación de las teclas <Ctrl> + <C>.
- En el programa Feedreader selecciona *Archivo/Nuevo/Feed* o pulsa <F3>.

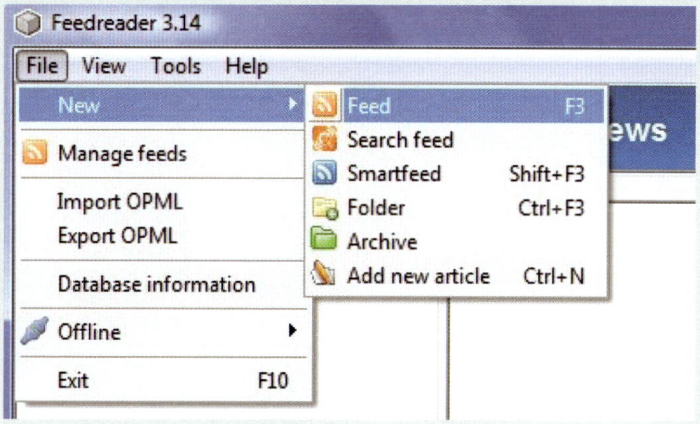

- En el campo *Add feed* es donde se pega el enlace de la página que contiene el enlace RSS.
  Una vez pegado, pulsa *OK*. El programa rastrea la página en busca de Feeds y los muestra en una lista para que selecciones el que te interesa.
  En este caso, selecciona "*Todas las Novedades*".

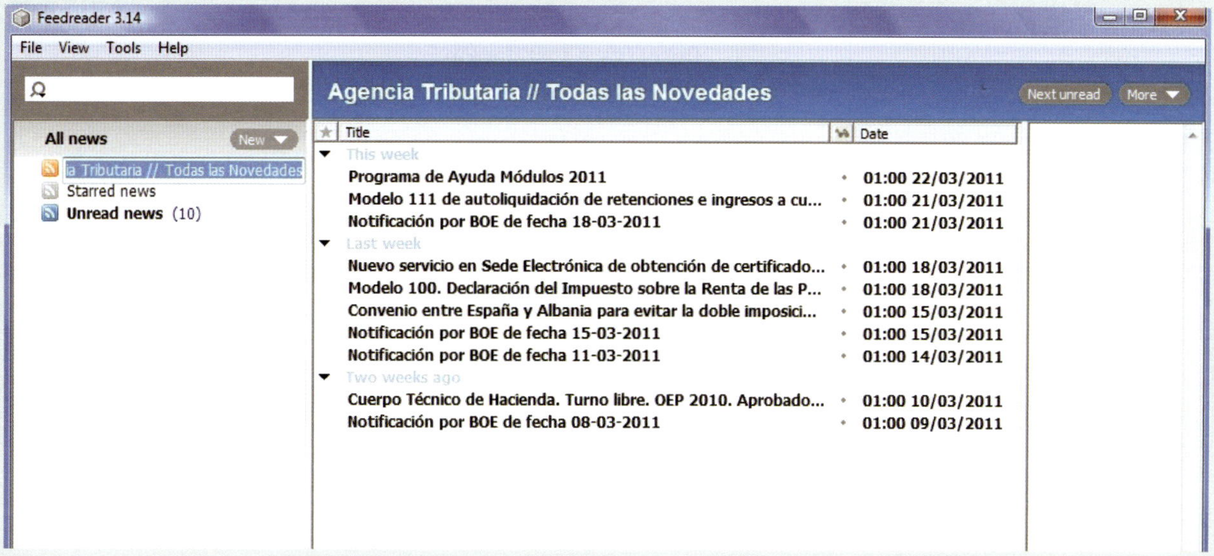

- Pulsando sobre cada novedad se abre una descripción, o directamente la página web en el panel derecho.

Ideas clave

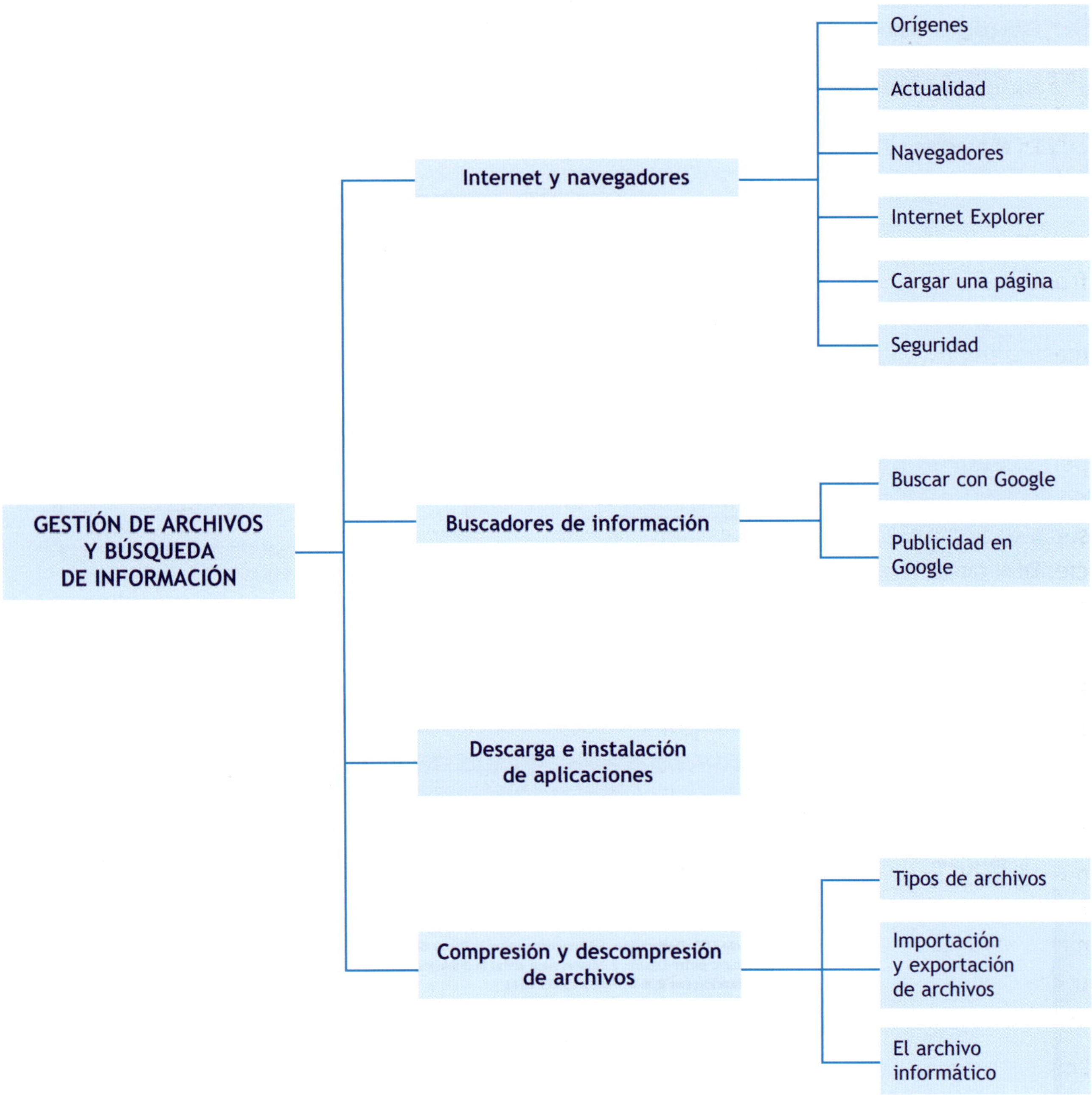
GESTIÓN DE ARCHIVOS Y BÚSQUEDA DE INFORMACIÓN
Internet y navegadores
Orígenes
Actualidad
Navegadores
Internet Explorer
Cargar una página
Seguridad
Buscadores de información
Buscar con Google
Publicidad en Google
Descarga e instalación de aplicaciones
Compresión y descompresión de archivos
Tipos de archivos
Importación y exportación de archivos
El archivo informático

Facebook sitúa más perfiles en Madrid que habitantes hay en la ciudad

***Facebook* cuenta con 5,95 millones de perfiles ubicados en Madrid, lo que supone una penetración del 116 por ciento, que sitúan a la capital de España como la décima ciudad a nivel mundial en lo que a perfiles en *Facebook* se refiere. El Top 25 de esta lista lo cierra Barcelona con casi 2,2 millones de perfiles.**

Que *Facebook* es un fenómeno que traspasa fronteras es algo que nadie discute. Y el hecho de que los usuarios se hayan lanzado en masa a las *redes sociales,* tampoco. Sin embargo, no deja de ser curioso que, según los datos de Social Bakers, en **Madrid** haya más perfiles que personas. Y es que en la capital de España se ubican 5 951 500 perfiles, lo que supone un ratio de penetración del 116 por ciento. ¿Le parece mucho? Pues no debería, porque en Caracas, por ejemplo, hay casi dos perfiles de *Facebook* por habitante.

En la clasificación de ciudades por perfiles de ***Facebook*,** Yakarta se sitúa en primer lugar con casi 17,5 millones de perfiles, cerca del doble que la segunda y la tercera de la lista, Estambul y Ciudad de México, respectivamente. Londres es la primera capital de la Europa Occidental y por detrás ya encontramos a **Madrid** en la lista, por delante de otras urbes más pobladas como Nueva York, París o Sao Paulo.

Los perfiles de ***Facebook*** en Barcelona se elevan hasta 2 181 000, con *un ratio de penetración* del 54 por ciento, lo que la coloca en la posición 25, por delante de Lisboa, por ejemplo, que apenas supera los 2 millones de perfiles.

A nivel de país, España se sitúa en 14ª posición, con 12 888 200 perfiles de ***Facebook*,** de los que el 46 por ciento están en **Madrid**, muy lejos de los más de 152 millones de perfiles de Estados Unidos, los más de 35 millones de Indonesia, o los casi 29 millones de Reino Unido. El índice de penetración en nuestro país es del 27,71 por ciento.

Autor: Miguel Ángel Gómez
21/03/2011
Copiado de idg.es

unidad **4**

Aplicaciones informáticas

SUMARIO

- Concepto de aplicaciones ofimáticas
- Instalación y funcionamiento de aplicaciones informáticas
- Componentes de Microsoft Office 2007

OBJETIVOS

- Destacar los distintos tipos de aplicaciones ofimáticas existentes.
- Conocer los requerimientos de las aplicaciones para ser instaladas.
- Saber diferenciar los elementos comunes de las aplicaciones de Office.
- Señalar las diferencias y mejoras entre Office 2007 y otras versiones anteriores.

1 >> Concepto de aplicaciones ofimáticas

La Real Academia Española define software del siguiente modo:

> **Software es el conjunto de programas, instrucciones y reglas informáticas para ejecutar ciertas tareas en una computadora.**

Las aplicaciones informáticas que estudiaremos en este libro son las aplicaciones ofimáticas, cuyo uso está enormemente extendido y resulta muy común en la tarea administrativa que realizarás al finalizar este ciclo formativo.

Actualmente no se entiende una empresa o actividad laboral que no esté soportada de algún modo por una o varias aplicaciones ofimáticas.

En sus orígenes, la palabra "ofimática" se refería a aplicaciones que resolvían problemas más o menos cotidianos dentro de una oficina o empresa, siendo las aplicaciones más comunes los procesadores de texto, las hojas de cálculo, los gestores de bases de datos, los gestores de presentaciones y, finalmente, los de correo electrónico.

Hay en el mercado una gran cantidad de soluciones para la empresa que incluyen en un gran producto a todas estas aplicaciones. Algunas de ellas pertenecen al ámbito del software libre, como OpenOffice, que es la versión gratuita de la solución StarOffice. Otro paquete de aplicaciones ofimáticas destacable es Lotus SmartSuite, que incluye las aplicaciones clásicas, además de un editor y organizador de páginas web.

La solución ofimática más extendida es, sin duda, Microsoft Office, que a lo largo del tiempo y de sus diferentes versiones se ha ido convirtiendo en un conjunto de aplicaciones que prácticamente pertenecen ya a la cultura popular y cuyo manejo es hoy en día imprescindible.

En este libro vamos a desarrollar estas aplicaciones de Microsof Office, en concreto la versión de 2007.

Existen otra serie de aplicaciones más especializadas que van más allá de los cometidos de un paquete ofimático. Son los ERP (*Enterprise Resource Planning*, es decir, sistema de gestión empresarial) y los CRM (*Customer Relationship Management,* gestión de relaciones con el cliente).

Hay una gran variedad de estas aplicaciones en el mercado. Su precio es elevado, pero también hay que reconocer que resultan imprescindibles hoy en día en muchas empresas.

La ventaja de estas aplicaciones, ERP y CRM, es su versatilidad. Son fácilmente parametrizables y adaptables a las necesidades concretas de cada cliente dependiendo del tipo de negocio.

Cuando una empresa realiza un proyecto informático para instalar este tipo de aplicaciones en una empresa cliente, existe todo un análisis previo de las necesidades a cubrir, así como un diseño detallado de las soluciones posibles que se le pueden ofrecer al cliente para posteriormente quedarse con la que mejor se adapta a sus necesidades.

Otras aplicaciones

Aplicacciones CRM y ERP como son: SAP, PeopleSoft o Siebel, con sus distintas soluciones y programas especializados en diferentes tipos de negocios (verticales), se convirtieron hace muchos años en aplicaciones muy reconocidas, además de muy solicitadas y difundidas, siendo hoy en día aplicaciones muy extendidas sobre todo en las grandes empresas.

2 >> Instalación y puesta en marcha de aplicaciones informáticas

Para realizar una buena gestión y efectividad del trabajo, surgen en las empresas ciertas necesidades que deben ser cubiertas por aplicaciones informáticas.

Las aplicaciones, a su vez, tienen otras necesidades para poder rendir adecuadamente.

2.1 > Necesidades de los entornos de explotación

En este epígrafe nos ocuparemos de las necesidades de las aplicaciones, es decir, de los entornos de explotación de las aplicaciones informáticas.

En cuanto a la detección de las necesidades de la empresa, es un trabajo complejo y, aunque no entra en el alcance de este curso, hay que tener en cuenta que se trata de un proceso largo que abarca desde el inicio de las entrevistas con la empresa cliente, hasta que se tiene una lista de todos los requerimientos de la aplicación necesaria y posteriormente, hasta que se implementa la aplicación informática.

Para saber cómo se debe comportar la aplicación es necesario analizar la información acerca de la empresa. Es importante conocer datos como:

- Los departamentos en los que está dividida la empresa.
- Las funciones que lleva a cabo cada departamento.
- Las políticas de seguridad que se llevarán a cabo en cuanto a protección física del hardware, copias de seguridad, etc., así como a la seguridad de contraseñas, usuarios, protección contra accesos no autorizados, etc. Esto es lo que se denomina seguridad lógica.
- Las necesidades de formación de los usuarios, que se tratarán más adelante.

4.1. *Racks* de ordenadores.

Las necesidades físicas de los entornos de explotación han cambiado notablemente en los últimos años. Antiguamente los grandes ordenadores podían llegar a ocupar habitaciones enteras. La estancia en la que estaban, debía cumplir una serie de normas respecto a ventilación de la habitación, aislamiento de interferencias magnéticas, accesibilidad del material informático, etc. Por el contrario, en la actualidad, estas condiciones han cambiado debido a la miniaturización de los componentes físicos de cualquier ordenador.

Ya no ocupan metros cuadrados, sino el interior de *racks* o armarios.

Empresa cliente

Una empresa cliente es aquella que adquiere licencias de una aplicación para cubrir sus necesidades informáticas de gestión.

En ocasiones, se necesita de otra empresa para que lleve a cabo la implementación de la aplicación informática.

2.2 > Requisitos mínimos del sistema

Antes instalar una aplicación en un ordenador, hay que comprobar que este cumple con los requisitos tanto de software como de hardware para que esta se pueda llevar a cabo.

De este modo, el comportamiento será el esperado y evitaremos fallos innecesarios que desembocarían en una instalación errónea o incompleta o incluso en la imposibilidad de instalación. Generalmente, si al instalarse, una aplicación no encuentra en el equipo lo que necesita, no finaliza esta.

Las características del ordenador a tener en cuenta al instalar una aplicación se pueden resumir en:

- Requerimientos de memoria RAM, procesador y espacio en disco duro.
- Necesidades de recursos gráficos, tarjeta de vídeo, etc. Existen aplicaciones que demandan mucho estos recursos. Por ejemplo, todas las relacionadas con el diseño gráfico profesional.
- Sistemas operativos con los que trabajan las aplicaciones.
- Determinar si la aplicación trabajará con múltiples usuarios o no.

Los requerimientos de las aplicaciones son muy variables y en la mayoría de los casos dependerán del tipo de aplicación. Unas aplicaciones requieren más memoria RAM, otras más procesador, recursos de vídeo (tarjeta gráfica, etc.) o más espacio libre en disco duro.

Vamos a ver, por ejemplo, los requerimientos de Office 2007. La instalación de Microsoft Office 2007 es sencilla y permite seleccionar qué aplicaciones del paquete se van a instalar. Los requisitos mínimos del sistema son:

- Equipo y procesador de 500 MHz o superior.
- Memoria 256 MB de RAM como mínimo.
- Disco duro 1,5 GB. Una parte de este espacio se liberará después de la instalación si se elimina del disco duro el paquete de descarga original.
- Unidad de CD-ROM o DVD.
- Monitor con una resolución de 1024 × 768 o superior.
- Sistema operativo Microsoft Windows XP con Service Pack (SP) 2, Windows

Server 2003 con SP1 o posterior.

Esta información técnica y otra información útil la puedes encontrar en la página web oficial de Microsoft.

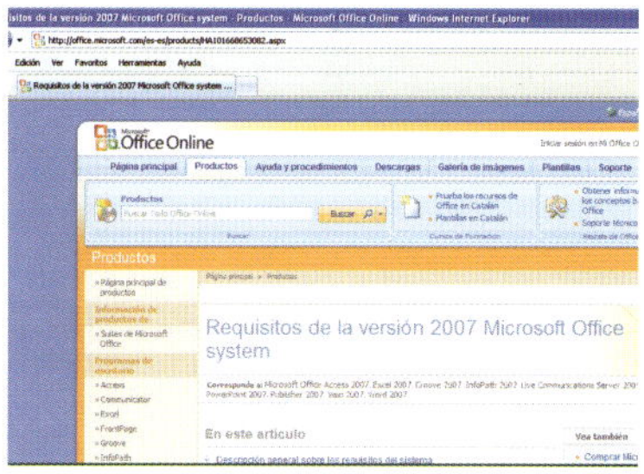

4.2. Instalación de Microsoft Office 2007.

Actividades propuestas

1·· Determina si es posible la instalación de Office 2007 en equipos que presenten las siguientes configuraciones. Razona tus respuestas.

a) Configuración del equipo 1: procesador de 500 Mhz, RAM de 1GB, espacio libre en disco duro de 51 GB, resolución de pantalla de 1152 × 864 y sistema operativo Windows Vista.
b) Configuración del equipo 2: procesador de 500 Mhz, RAM de 256 MB, espacio libre en disco duro de 20 GB, resolución de pantalla de 1024 × 768 y sistema operativo Windows Linux.
c) Configuración del equipo 3: procesador de 500 Mhz, RAM de 256 MB, espacio libre en disco duro de 10 GB, resolución de pantalla de 800 × 600 y sistema operativo Windows XP.

4.3. Propiedades del sistema.

2.3 > Procedimientos de instalación y configuración

La **instalación** de una aplicación supone actualmente un procedimiento sencillo, ya que suele ir guiado mediante asistentes. Antes de realizar la instalación de cualquier aplicación, es necesario evaluar el impacto que esta tendrá sobre el sistema donde se instalará. Esto es más que obligatorio cuando instalamos más de un sistema operativo en un mismo ordenador. En cuanto a Office 2007, no implica grandes cambios en el sistema, si bien es aconsejable desinstalar versiones anteriores.

Para instalar una aplicación, comprobamos que nuestro ordenador cumple los requisitos de los recursos. Basta con hacer clic con el botón derecho en el icono *Mi PC* del escritorio y luego en *Propiedades.* Aparecen las características técnicas de nuestro ordenador, como se ve en la Figura 4.3.

Para detallar el proceso de instalación de una aplicación nos basaremos en la instalación de Office 2007, siguiendo los siguientes pasos:

1. Desinstalar versiones previas de Office.
2. Insertar el DVD de instalación de Office 2007.
3. Seguir los pasos guiados de instalación, que serán los siguientes:
   - Insertar la clave del producto (el software no gratuito requiere clave para la instalación).
   - Establecer la ubicación en nuestro equipo de los archivos del programa, lo recomendable es que se dejen en la carpeta o ruta determinada por defecto en la instalación, que en este caso es: C:*\Archivos de programa\Microsoft Office*.
   - Elegir las aplicaciones y componentes de Office 2007 que se quieren instalar: Word, Excel, Access, PowerPoint y Outlook.
   - Desde este momento y hasta el final de la instalación responderemos a las preguntas que vayan surgiendo.
4. Reiniciar el ordenador cuando termine la instalación.

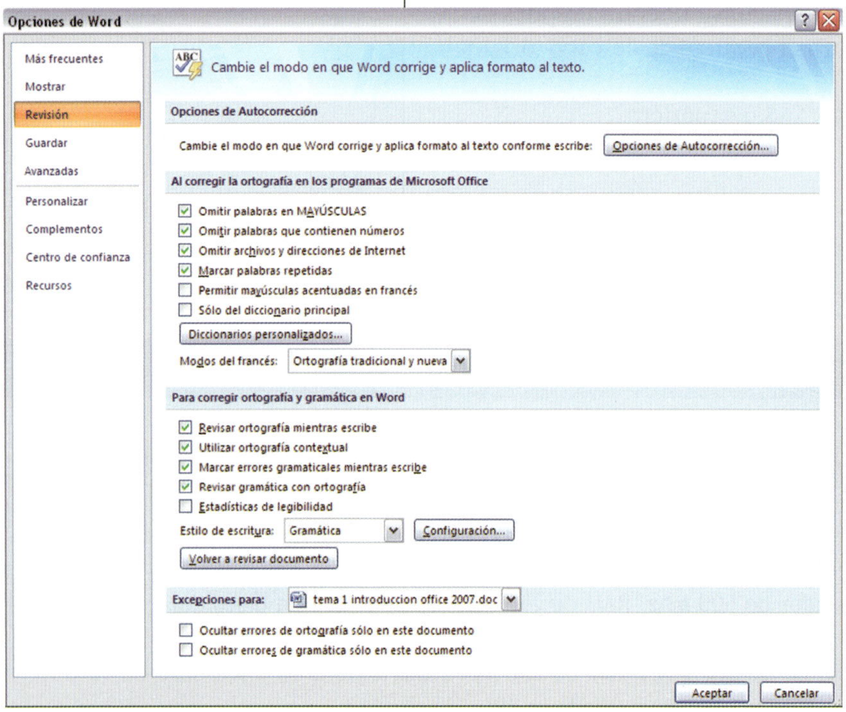

4.4. Opciones de Word.

En el menú *Inicio,* en la opción de *Todos los programas,* se habrá creado el grupo de iconos de Office 2007, donde pueden observarse todos los componentes de Office que se instalaron. Después de la instalación de una aplicación se puede realizar su configuración. Como puedes observar en la Figura 4.4, es posible configurar varias opciones de Word, como la autocorrección o la ortografía.

Cada aplicación de Office tiene su propio menú de *Propiedades* donde podemos ajustarlas según nuestras necesidades.

2.4 > Técnicas de asistencia al usuario

Una vez que el proyecto de programación, instalación y puesta en marcha de la aplicación está realizado, se deben impartir cursos a los futuros usuarios de la aplicación para que estos se adapten a ella. El fin que se pretende conseguir es que, entre los usuarios y la aplicación, se logre aumentar el rendimiento de la empresa, que en definitiva es de lo que se trata. Los cursos a los usuarios suelen ser impartidos por las mismas personas que han desarrollado la aplicación instalada.

Es necesario que la empresa encargada del desarrollo de la aplicación entregue al usuario una documentación donde buscar información sobre la instalación y puesta en marcha de la aplicación, que contenga indicaciones para actualizarla y detalle los servicios de postventa.

En el caso de estar trabajando con una aplicación realizada a medida para una empresa, también será necesario elaborar un manual de uso de la misma para el usuario, que deberá incluir información respecto a su utilización diaria.

Si la aplicación es compleja, o bien demasiado novedosa para los usuarios finales, es conveniente realizar un curso donde se impartan todos los conocimientos necesarios para el buen uso del software.

Un buen curso para usuarios de la aplicación debe cumplir estos requisitos:

- Identificar los tipos de usuarios que van a utilizar la aplicación.
- Detectar las necesidades de formación de los usuarios y segmentarlos en grupos según su perfil.
- Establecer los contenidos de formación de los niveles del curso.
- Organizar y evaluar el curso.

Cuando los usuarios ya están trabajando con la nueva aplicación, es normal que surjan incidencias o problemas derivados de un uso equivocado.

Para resolver estos problemas existe la **asistencia a las empresas clientes**, bien en forma de proyecto de mantenimiento que resuelva problemas de la aplicación, que les surjan a los usuarios, etc., o bien mediante asistencia telefónica para resolver problemas de menor envergadura. Si la aplicación informática ha sido el resultado de un análisis y desarrollo prolongado, se suele optar por proyectos de mantenimiento. En cambio, si la aplicación es una herramienta informática estándar, lo usual es recurrir a la asistencia telefónica o, si la incidencia es grave, a domicilio.

Actividades propuestas

2·· Realiza la instalación y desinstalación de Microsoft Office 2007 en tu equipo.

3·· Crea un documento que describa todos los pasos de la instalación y la desinstalación, y los posibles errores detectados en el proceso.

4·· Realiza la instalación del programa ***Contaplus***.

3 >> Componentes de Microsoft Office 2007

Las aplicaciones de Office 2007 presentan los siguientes elementos:

3.1 > Botón de Office

Uno de los nuevos elementos que aparecen en la versión Microsoft Office 2007 es el **botón de Office**, que se encuentra en la esquina superior izquierda de todas las aplicaciones. Haciendo clic sobre este botón se accede a los comandos básicos del antiguo menú *Archivo* como *Abrir, Guardar,* e *Imprimir,* y a otros nuevos como *Finalizar* o *Publicar.* Este botón aparece en los siguientes programas de Microsoft Office 2007: Word, Excel, PowerPoint y Access. Además, está disponible en las ventanas de los mensajes de correo electrónico de Microsoft Outlook 2007.

El botón de Office incluye los siguientes comandos:

- ***Nuevo.*** Crea un archivo nuevo.
- ***Abrir.*** Se abre en el Explorador la carpeta *Mis documentos*, donde podremos seleccionar el archivo con el que deseamos trabajar. Además, es posible seleccionar otras carpetas o decidir la vista con la que queremos ver el contenido de la carpeta que estamos explorando.
- ***Guardar.*** Cuando guardamos un archivo por primera vez, aparece la misma ventana que con el comando *Guardar como*. Cuando el archivo ha sido guardado previamente, lo que hace este botón es volver a almacenar el archivo con el mismo nombre, con lo que la versión anterior queda eliminada.

Dependiendo de la aplicación con la que estemos trabajando, al guardar se creará un archivo con la extensión .docx, .xlsx, .accdb, .pptx, que se corresponden con archivos de Word, Excel, Access o de PowerPoint respectivamente. Una opción destacable del menú *Guardar* es que nos permite decidir en qué tipo de archivo se va a salvar el documento, se hará con distintas extensiones de archivo dependiendo de la versión de Office. También es posible definir dónde se guardan los archivos y cada cuánto tiempo se salva información de autorecuperación.

- ***Guardar como.*** Este comando se utiliza si queremos guardar el archivo en una ubicación diferente de la original o en un formato diferente al de Office 2007, Así, por ejemplo, es posible que necesitemos en un momento dado guardar un documento con el formato de alguna versión anterior de Office. Después de seleccionar *Guardar como,* se abre una ventana. En la parte inferior izquierda de esta ventana se encuentra el botón *Herramientas,* que nos muestra las opciones que vemos en la Figura 4.6.

Entre otras cosas, nos permite conectarnos a una unidad de red. En *Opciones generales* podemos proteger el archivo con contraseñas de apertura o escritura.

Además, podemos comprimir el tamaño de las imágenes según la utilidad que vayamos a darle al documento: enviarlo por mail, utilizarlo en un proyector o visualizarlo por pantalla.

Archivos recientes

Observa que en la parte derecha del desplegable del botón Office aparecen los archivos recientemente abiertos por la aplicación.

También existen dos botones que veremos mas adelante:

- ***Opciones.***
- ***Salir.***

4.5. Botón de Office.

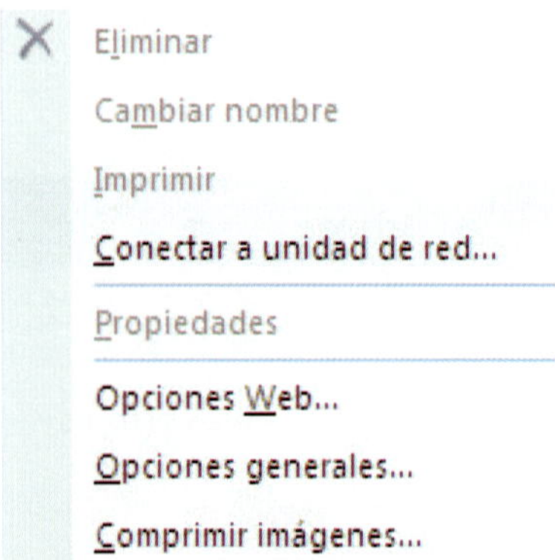

4.6. Opciones de herramientas.

El cuadro de diálogo de *Guardar como* es común en Word, Excel y PowerPoint. En Access solamente aparece a disposición del usuario el tipo de base de datos a guardar y otras posibilidades que veremos más en detalle en su momento.

- ***Imprimir.*** Al hacer clic en este comando, aparecen las siguientes opciones:
  - *Imprimir:* mediante el cuadro de diálogo que aparece, se puede seleccionar impresora, además de acceder a otras opciones de impresión como número de copias, páginas a imprimir, etc.
  - Impresión rápida: envía directamente el documento a la impresora predeterminada sin realizar ningún cambio.
  - Vista preliminar: muestra la previsualización de la página o páginas que deseamos imprimir.

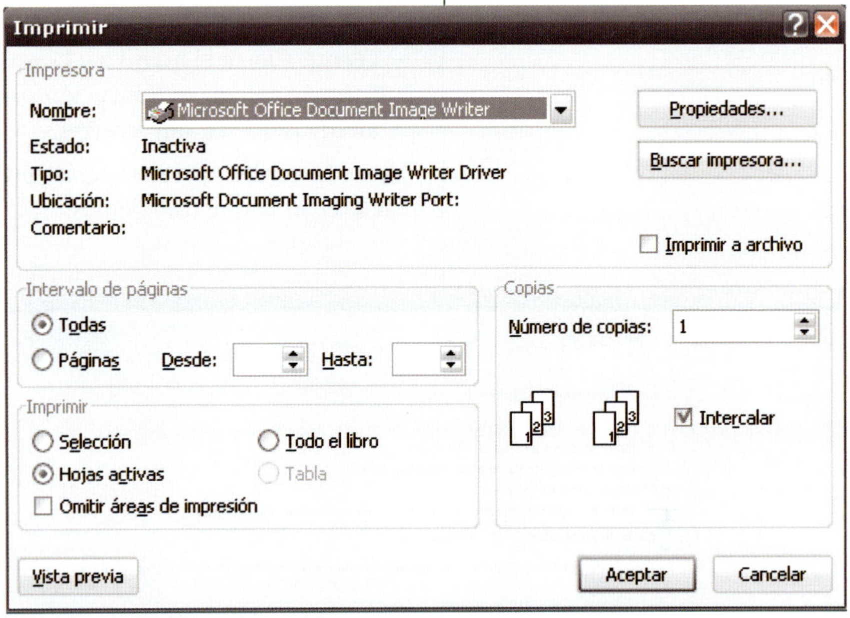

4.7. Cuadro de diálogo *Imprimir.*

- ***Preparar.*** Prepara el documento para su distribución. Es similar en Word, Excel y PowerPoint. Dispone de las siguientes opciones:
  - Propiedades: administra las propiedades del documento.
  - Inspeccionar documento: comprueba si hay información del usuario, texto oculto o metadatos en el documento.
  - Cifrar documento: se agrega seguridad añadiendo cifrado al archivo.
  - Restringir permiso: permisos de editar, copiar e imprimir restringidos dependiendo de la necesidad.
  - Agregar una firma digital: asegura la integridad del documento agregando una firma digital no visible.
  - Marcar como final: establece el documento como versión definitiva y de solo lectura.
  - Ejecutar comprobador de compatibilidad: se comprueba si se puede utilizar el archivo en versiones anteriores de Office.
- ***Enviar.*** Envía una copia del documento a otras personas. Es común para Word, Excel y PowerPoint.
  - Correo electrónico: envía directamente por mail el archivo abierto de la aplicación.
  - Fax de Internet: se envía el documento como si fuese un fax. Es necesario subscribirse al servicio de fax de Internet.
- ***Publicar.*** Prepara el documento para su distribución. Es común para Word y Excel. Tiene las siguientes opciones:
  - Blog: crea una nueva entrada de blog con el contenido del documento.

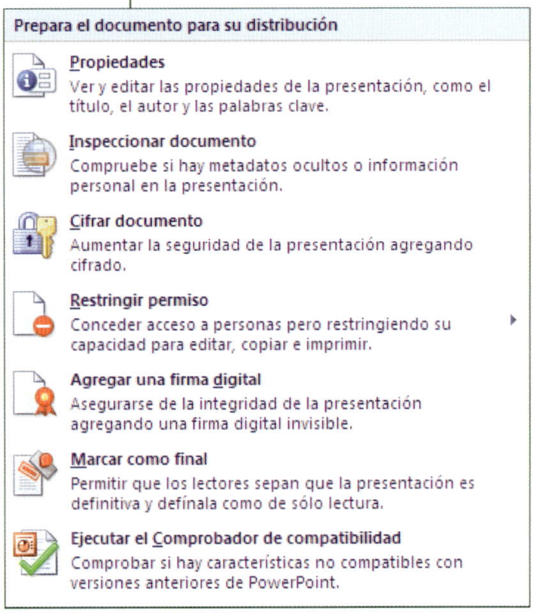

4.8. *Prepara el documento para su distribución.*

- Servidor de administración documental: se guarda el documento para ser compartido en un servidor de administración documental.
- Crear área de trabajo del documento: es muy útil para trabajar de modo compartido con un archivo y mantener una copia sincronizada.

– ***Cerrar.*** Cierra el archivo y la ventana de este.
– ***Salir.*** Se sale de la aplicación preguntándonos si queremos guardar los archivos que se van a cerrar.

Vamos a ver las opciones del botón de Office. Estas cambian según la aplicación con la que trabajemos.

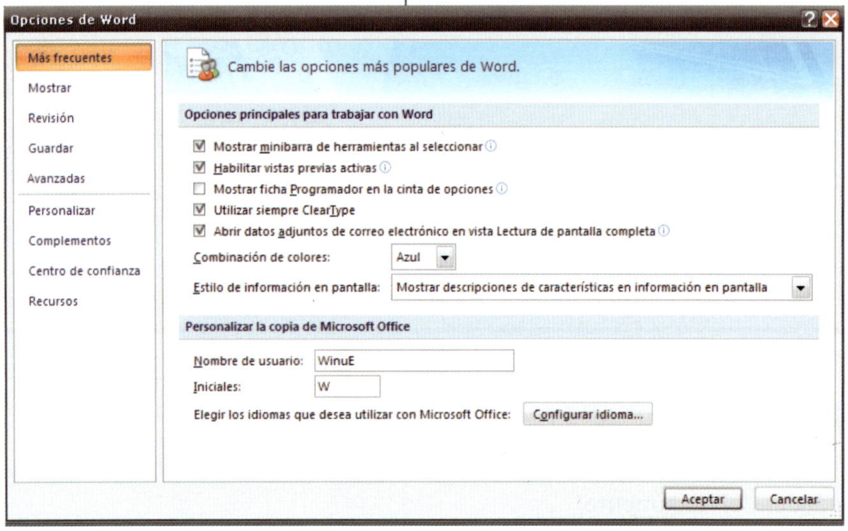

4.9. *Opciones de Word.*

Si haces clic en *Opciones de Word* dentro del botón de Office aparecen las opciones de esta aplicación divididas en distintas categorías.

En la Figura 4.9 puedes ver las opciones más comunes de Word.

Así, a través de este menú es posible:

– Mostrar la barra de herramientas.
– Habilitar vistas previas.
– Cambiar el color de la aplicación.
– Configurar el idioma. Con esta interesante opción, puede seleccionarse el idioma, lo cual determinará cuál será el corrector a aplicar en el texto además de otras características.

Entre las opciones del menú *Mostrar*, destaca la posibilidad de mostrar ciertas marcas de formato de las páginas y distintas opciones de impresión.

Finalmente, a través del menú *Personalizar* se determina qué elementos aparecen en la barra de herramientas de acceso rápido.

Otros menús, mucho más específicos, accesibles a través de *Opciones de Word* son *Complementos*, *Centro de confianza* y *Recursos*.

Actividades propuestas

5·· Utiliza las opciones de Word 2007 para conseguir que la aplicación tenga el siguiente comportamiento:

a) El color de la aplicación es Plata.
b) Entre los idiomas determinados se encuentra Inglés (Reino Unido).
c) Se guarda una copia del archivo cada tres minutos en un tipo de archivo compatible con Office 2003.
d) Los archivos se almacenan por defecto en una carpeta creada con tu nombre en Mis documentos.

6·· Compara las opciones de Word 2007 con las de Excel 2007.

3.2 > Barra de herramientas de acceso rápido

La barra de herramientas de acceso rápido aparece a la derecha del botón de Office. Se puede personalizar haciendo clic en la flecha que aparece a su derecha. Por defecto, aparecen los botones clásicos y más utilizados de Microsoft Office: *Nuevo, Abrir, Guardar, Vista preliminar*, etc.

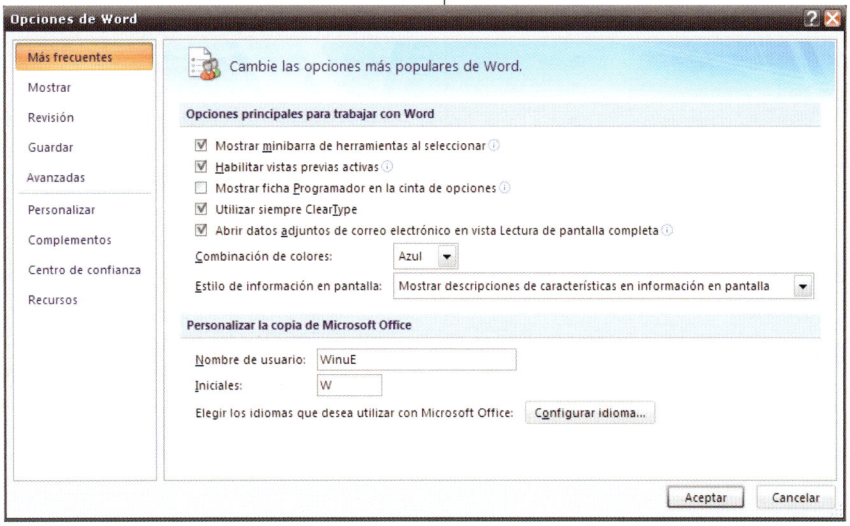

4.10. Personalizar los comandos de la barra de herramientas.

Si queremos añadir más comandos, podemos hacerlo seleccionando la opción *Más comandos.* Al seleccionar esta opción aparece el cuadro de diálogo mostrado en la Figura 4.10. Con la opción de *Minimizar la cinta de opciones,* logramos reducir esta a la mínima expresión, con un aspecto parecido a las versiones anteriores de Office. Además, puede situarse la barra de herramientas en distintas posiciones, encima o debajo de la cinta de opciones, haciendo clic sobre el respectivo comando: *Mostrar encima de la cinta de opciones* o *Mostrar debajo de la cinta de opciones.*

Casos prácticos 1

Personalizar la barra de herramientas de acceso rápido

•• Personaliza la barra de herramientas de acceso rápido de Word 2007, de modo que aparezcan los siguientes botones:

- *Nuevo, Abrir, Guardar, Correo electrónico, Impresión rápida, Ortografía y gramática, Vista preliminar, Deshacer, Rehacer, Dibujar tabla.*

Solución ••

Abrimos la aplicación Office 2007 y utilizamos la barra de herramientas de acceso rápido.

Personalizamos la barra como aparece en la figura y vamos seleccionando los distintos elementos que queremos que aparezcan. Las opciones seleccionadas aparecen, de una en una, directamente en la barra de herramientas.

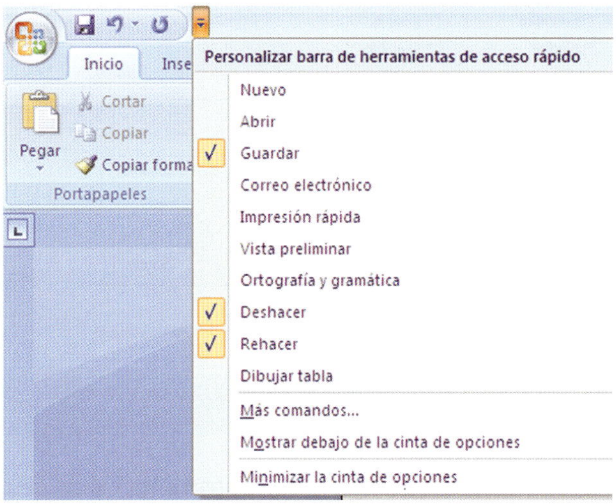

3.3 > Cinta de opciones

La cinta de opciones es una de las grandes novedades en el aspecto visual de Microsoft Office 2007 y sustituye a los menús y las barras de herramientas principales de Office 2003.

Esta cinta de opciones se halla en todas las aplicaciones de Office 2007 excepto en Outlook, donde solo aparece en las ventanas de redacción y lectura de un mensaje de correo electrónico, una tarea, un contacto o un elemento del calendario.

La distribución de la cinta de opciones es intuitiva y de fácil manejo. Como podemos ver en la Figura 4.11, la cinta de opciones presenta fichas, grupos de comandos dentro de cada ficha y la posibilidad de mostrar un cuadro de diálogo de cada uno de los comandos.

1 Ficha.

2 Opciones.

3 Mostrar cuadro de diálogo de la opción.

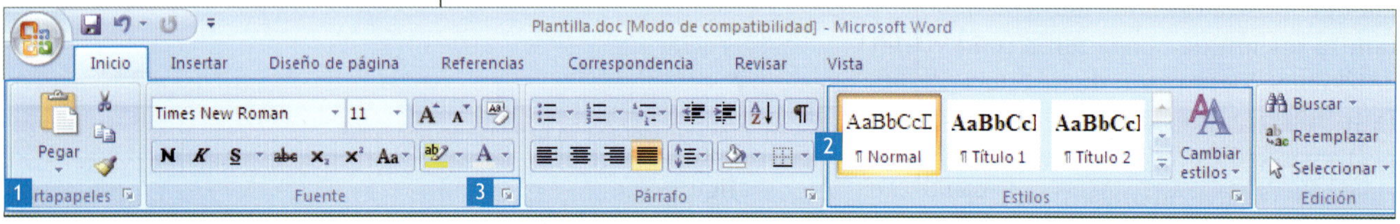

4.11. Cinta de opciones.

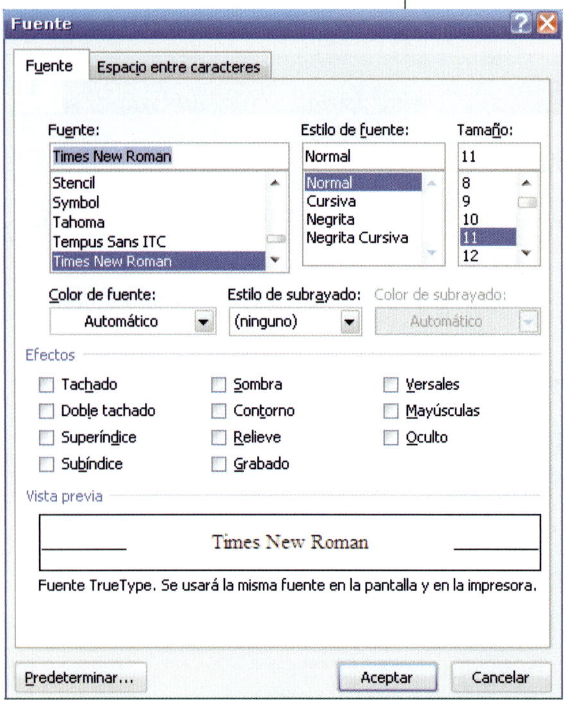

4.12. Fuente.

Entre las fichas que contiene la cinta de opciones destacan *Inicio, Insertar, Diseño de página,* etc.

Se visualizarán unas u otras dependiendo de la aplicación de Office 2007 con la que estemos trabajando, Word, Excel, PowerPoint, Access, etc., aunque muchas de ellas son comunes a todas.

Igualmente, observamos que, al pasar el ratón sobre cada una de las fichas, estas se remarcan.

También aparecen previsualizaciones de los formatos dados a la fuente de los textos sin necesidad de cerrar los cuadros de diálogos.

Observa en la Figura 4.12 el cuadro de diálogo que aparece al abrir la opción *Fuente* de la ficha *Inicio.*

Además de las fichas que se ven en la cinta de opciones cuando se inicia una aplicación, existen fichas que aparecen solo cuando se necesitan.

Estas fichas son las herramientas contextuales y las fichas de programas.

Actividades propuestas

7·· Busca similitudes y diferencias entre las cintas de opciones de Word, Excel y Access.

3.4 > Barra de estado

La barra de estado aparece en la parte inferior de las ventanas de las aplicaciones de Microsoft Office 2007.

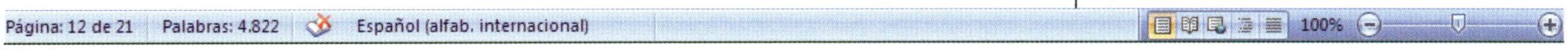

4.13. Barra de estado.

La barra de estado consta de las siguientes partes:

- **Barra de *Zoom*.** Aparece en el extremo derecho de la barra. Nos permite establecer el nivel del zoom con el que deseamos ver la presentación, documento de texto, hoja de cálculo, etc.
- Junto al control deslizante de zoom aparecen botones que nos muestran **distintos modos o vistas** del documento. En Word, las opciones de vista disponibles son *Lectura de pantalla completa, Diseño de impresión*, etc. En Excel, por su parte, tenemos *Vista previa, Diseño de página, Normal*, etc. Detallaremos esto más adelante cuando hablemos de cada aplicación.
- La barra de estado puede ser personalizada. Si hacemos clic con el botón derecho del ratón sobre ella, aparece un menú contextual con todas las posibilidades de personalización. En la figura 4.14 vemos el cuadro de diálogo ***Personalizar barra de estado*** de la aplicación Word 2007. Las opciones que aparecen marcadas son las que se visualizan en la barra de estado. Simplemente con marcar y desmarcar personalizaremos la barra.

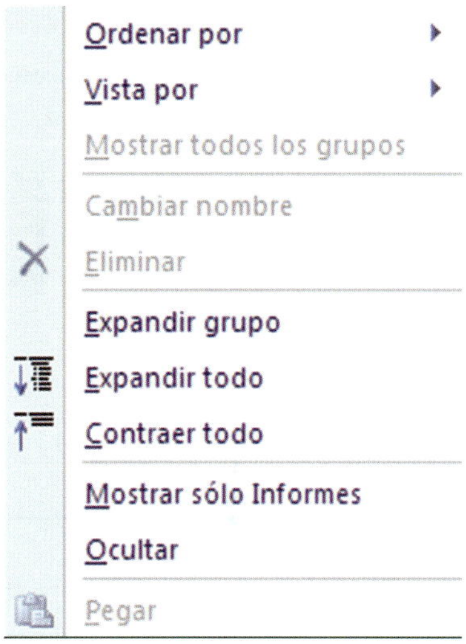

4.14. *Personalizar barra de estado.*

Estas opciones de la barra de estado varían según la aplicación de Office con la que estemos trabajando.

3.5 > Panel de exploración

El panel de exploración no aparece en todas las aplicaciones de Office 2007. En las que sí se utiliza este panel son: Access y PowerPoint, además de en Outlook.

Al abrir una de estas aplicaciones, este panel de exploración se halla a la izquierda de la pantalla. En el caso de Access, presenta los objetos que integran la base de datos: tablas, consultas, formularios, etc.

En el caso de PowerPoint, el panel de exploración presenta las distintas diapositivas que componen la aplicación.

En la Figura 4.15 se muestra el panel de exploración de Access, en el que podemos observar que nos da acceso a todos los objetos propios del programa. En este caso, están visualizándose los *Informes.*

Además, como casi todo en Microsoft Office, el panel de exploración también puede ser personalizado en función de las necesidades de cada usuario.

En la Figura 4.16 podemos observar cómo se personaliza el panel de exploración de Access. Solamente con hacer clic con el botón derecho sobre el panel aparece el siguiente menú contextual que nos permite optar entre las distintas posibilidades que ahí se muestran.

Trabajaremos más adelante con el panel de exploración en cada aplicación de Office 2007.

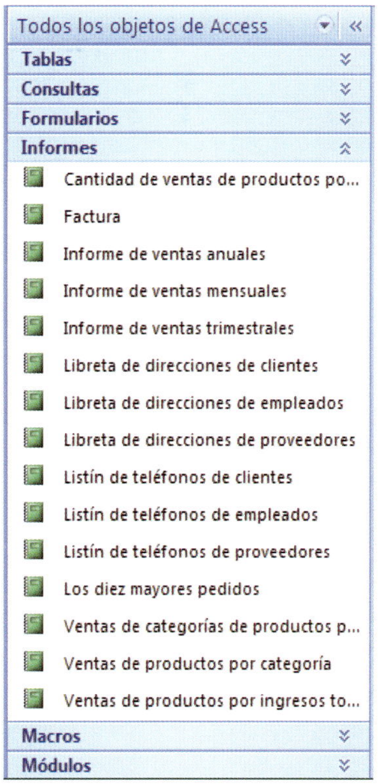

4.15. Panel de exploración.

Caso final 2

Descarga, instalación y desinstalación de Openoffice

•• Existen en el mercado múltiples conjuntos de aplicaciones ofimáticas, vamos a descargar e instalar OpenOffice.

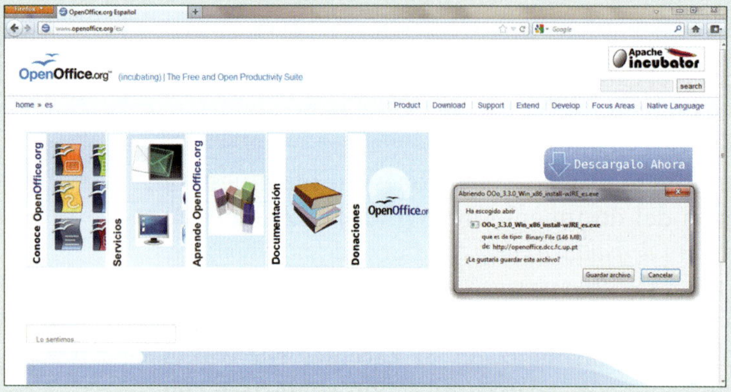

Solución •• Para ello, entramos en la página de OpenOffice: http://www.openoffice.org/es

Hacemos clic en el botón de descarga, apareciendo el cuadro de diálogo que se ve en la imagen. Descargamos archivo y lo ejecutamos.

Nos indica la ruta donde se van a descomprimir los archivos de instalación, podemos dejar esta por defecto.

Después de descomprimir, el asistente nos avisa que está listo para realizar la instalación del producto. Aceptamos seleccionando la configuración típica e instalamos con la opción escogida.

2

Aparece el típico cuadro de diálogo de proceso de la instalación.

Finalmente el asistente de instalación nos indica que esta se ha realizado satisfactoriamente.

Ejecutamos la aplicación para comprobar que así es:

Vamos a menú de Inicio y vemos las aplicaciones que se han instalado.

Cuando intentamos abrir una aplicación nos aparece un cuadro de diálogo para realizar el registro a OpenOffice.org.3.3. Aunque finalmente nos da la oportunidad de registrarnos, registrarnos más tarde, o no registrarnos.

Base es una aplicación de base de datos, Calc es una hoja de cálculo, Writer es un procesador de texto, etc.

Ahora procederemos a la desinstalación de OpenOffice.

Para ello, vamos a Panel de Control, y desde ahí 'Desinstalar programas'.

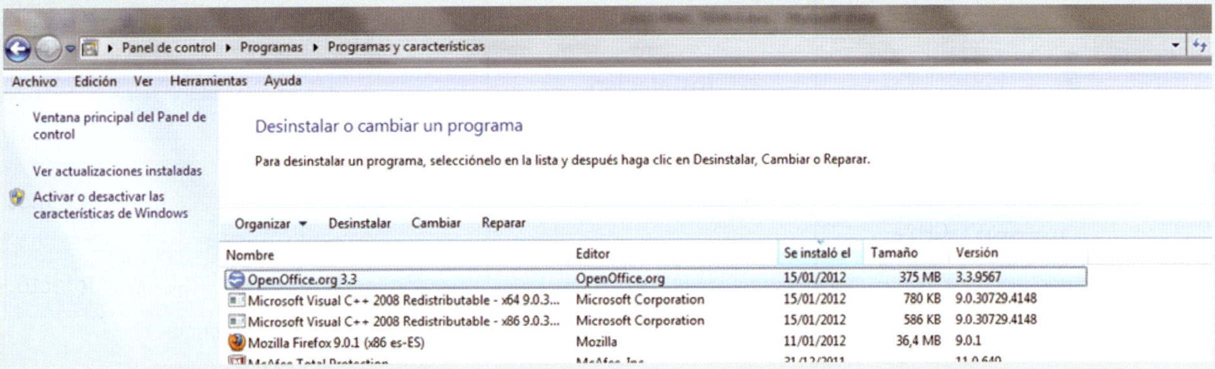

Seleccionamos OpenOffice y hacemos clic en *Desinstalar*.

Mientras se desinstala, el típico cuadro de diálogo nos informa del estado del proceso.

Cuando la desinstalación ha finalizado, se abre el explorador web determinado y nos envía a la página web de OpenOffice.

Podemos pensar que teniendo una aplicación gratuita no deberíamos optar por Microsoft Office. Todo depende de lo que se necesite, aunque claro está que, por ejemplo, las posibilidades y funcionalidad que ofrece Access 2007 están muy por encima de la base de datos de OpenOffice.

Cabe destacar que los archivos son compatibles (generalmente) aunque una vez abiertos con OpenOffice es aconsejable guardarlos con su formato.

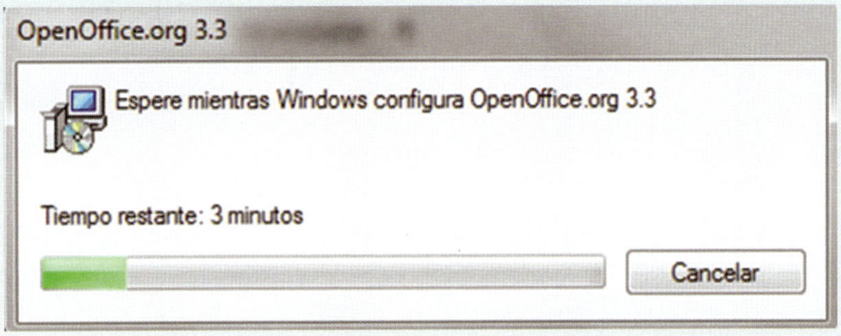

Ideas clave

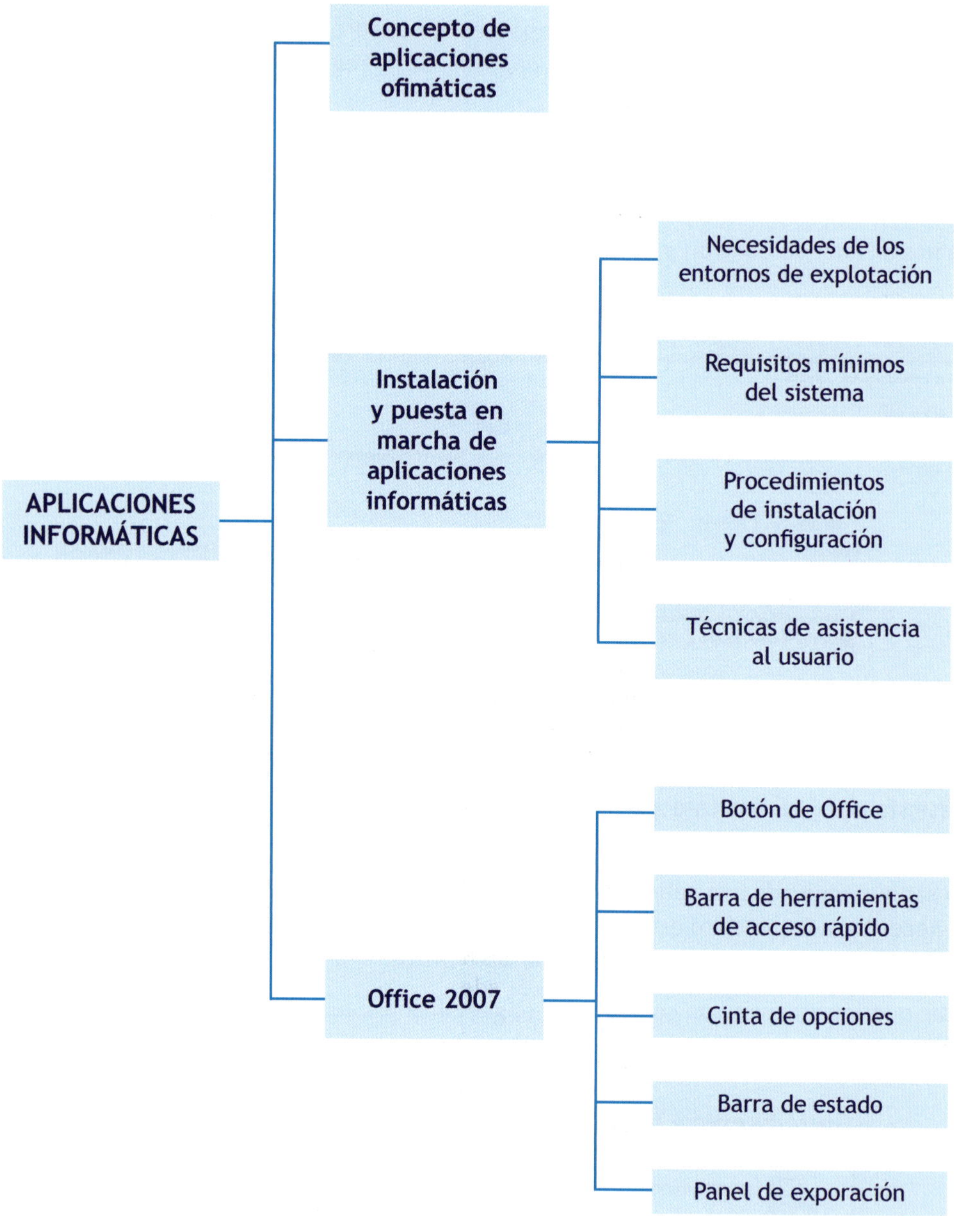
APLICACIONES INFORMÁTICAS
Concepto de aplicaciones ofimáticas
Instalación y puesta en marcha de aplicaciones informáticas
Necesidades de los entornos de explotación
Requisitos mínimos del sistema
Procedimientos de instalación y configuración
Técnicas de asistencia al usuario
Office 2007
Botón de Office
Barra de herramientas de acceso rápido
Cinta de opciones
Barra de estado
Panel de exporación

Integrar documentos MICROSOFT OFFICE con GOOGLE DOCS

Rioja 2.com por Juan Carlos Montejo

Por si no estuviese poco claro a estas alturas que la ofimática en la nube es el futuro, Google ha presentado una herramienta que va a darle un buen empujón a Google Docs y a seguirlo colocando como alternativa frente a **Microsoft Office.**

Se trata de Cloud Connect, una herramienta que permite la posibilidad de integrar de manera transparente en la nube los documentos de Microsoft Office en Google Docs.

El mero hecho de poder usar un documento y que también lo puedan hacer de manera simultánea y en la nube los usuarios de Office es algo que llevábamos esperando bastante tiempo.

Requisitos previos

Antes de utilizar este plugin es necesario tener instalado el paquete ofimático Microsoft Office y tener cuenta activa en Google Docs (si tienes correo Gmail o cuenta de Google su activación es inmediata).

Descarga e instalación

Para descargar este plugin hay que ir a la siguiente dirección .

Pulsamos en el botón, aceptamos el acuerdo de licencia y **comienza la descarga**.

Pulsamos en *Accept* y comienza la descarga e instalación del plugin.

Se está realizando la **inicialización del producto.**

Ya está instalado el **complemento.**

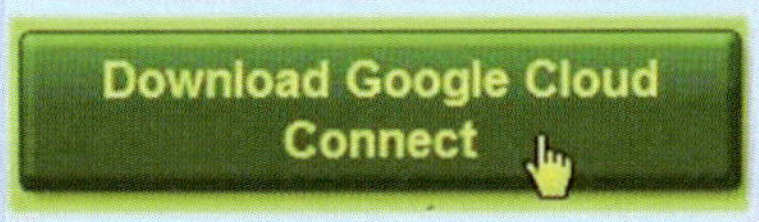

Utilización

En los programas de **Microsoft Office** aparece una barra para poder acceder a las funciones del producto y un botón **(Login)** para identificarnos en los servicios de Google.

A la derecha aparece el **botón Login**, ya que nos tenemos que identificar en los servicios de Google.

Pulsamos en Login y nos identificamos en Google.

Una vez que nos hemos identificado debemos **conceder** o **denegar** el acceso al servicio.

Una vez concedido el acceso, debemos decidir la **forma de sincronización:**

- **Automática.** Cuando pulsas en Guardar o cuando otros actualizan en Google Docs
- **Manual.** Sólo cuando se pulsa el botón de sincronización.

He elegido esta última opción.

Como vemos en la parte inferior izquierda de la página, también podemos indicar los datos del servidor proxy (si es así) a través del cual estamos conectados a internet.

Esto se suele utilizar en conexiones corporativas, en las que todo el mundo se conecta a internet a través de un **servidor proxy.**

Ahora podemos elaborar documentos en **Microsoft Office** y cuando queramos (opción Manual) o de forma automática (opción Automática) estos documentos se sincronizarán en nuestra cuenta de Google Docs.

Una vez que hemos sincronizado un documento el producto nos avisa de esa circunstancia. Desde Office también se pueden acceder a ciertos servicios de **Google Docs** y también a la opción de compartición del **documento (Share).**

Una utilidad interesante de este plugin es que si sincronizas todos tus archivos con Google Docs tienes en ese servicio una **copia de seguridad** por si tienes problemas con los documentos en tu disco duro.

u n i d a d **5**

Herramientas básicas del procesador de texto

SUMARIO

- Interfaz gráfica de Word
- Formato de fuente
- Formato de párrafo
- Tabulaciones
- Listas
- Diseño de página
- Revisión de documentos

OBJETIVOS

- Manejar la interfaz del procesador de texto.
- Diseñar el formato del texto y de las páginas.
- Distinguir entre las opciones de formato de fuente y párrafo.
- Utilizar adecuadamente las tabulaciones.
- Crear distintos tipos de listas.
- Revisar documentos.

1 >> El procesador de textos

Un procesador de textos es un programa que permite crear y dar forma a documentos de texto.

Desde la máquina de escribir hasta el desarrollo de los procesadores de texto actuales, la idea que ha prevalecido ha sido mejorar la edición y manipulación de los textos.

No obstante, aunque la esencia de este tipo de software es el texto, los procesadores de texto han ido avanzando e incorporando la manipulación de elementos como tablas, gráficos e imágenes que enriquecen, sin duda, los documentos.

1.1 > Interfaz gráfica de Word 2007

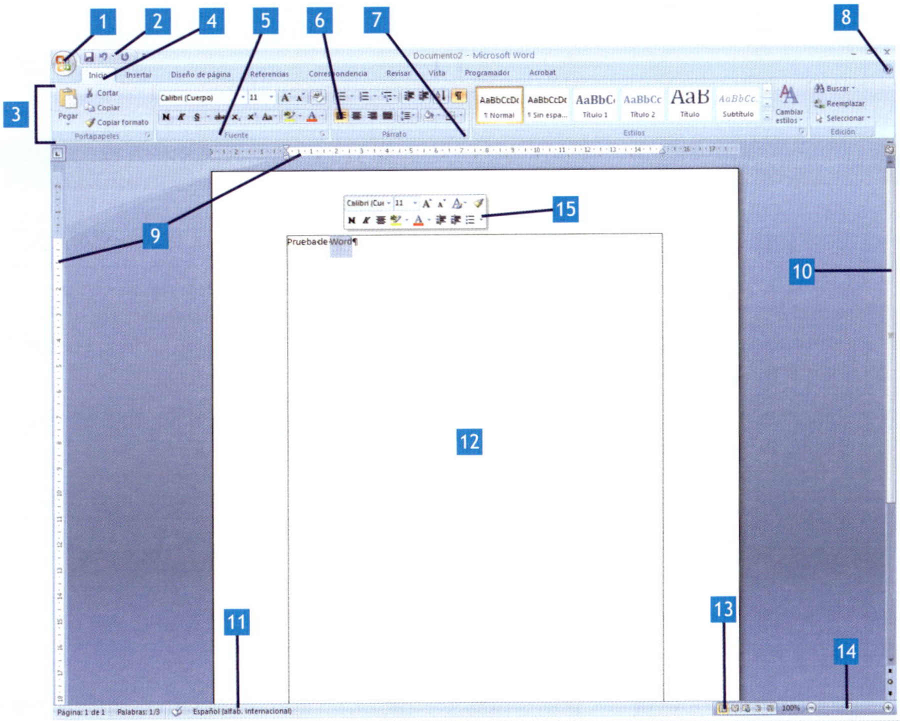

1. Botón de Office.
2. Barra de herramientas de acceso rápido.
3. Cinta de opciones.
4. Ficha.
5. Grupo de botones.
6. Botón o comando.
7. Iniciador de cuadro de diálogo.
8. Ayuda.
9. Reglas.
10. Barra de desplazamiento.
11. Barra de estado.
12. Área de trabajo.
13. Botones Vistas del documento.
14. Zoom.
15. Mini barra de herramientas.

5.1. Interfaz gráfica de Word 2007.

El desarrollo de los contenidos de este bloque temático se hará mediante el procesador de texto Microsoft Word 2007, que actualmente es la herramienta más completa del mercado. Además, se trata de un software de cómodo aprendizaje, ya que sigue la esencia de Microsoft.

Word 2007 presenta en su interfaz varias novedades respecto a versiones anteriores: la cinta de opciones (sustituye a los menús y barras de herramientas tradicionales), el botón de Office (permite acceder a funciones no directamente relacionadas con la edición del documento), las fichas contextuales (solo se activan en la edición de un determinado objeto), las galerías (facilitan la elección de opciones al presentar ejemplos de su utilización) y la vista previa (no es necesario seleccionar una opción para ver, en el documento, el resultado final).

1.2 > Configurar el entorno de trabajo

La ficha *Vista* contiene las herramientas que permiten adaptar el entorno de trabajo a las necesidades de cada momento. Algunas de las opciones de esta ficha (como las de las secciones *Vistas del documento* y *Zoom*) están también disponibles desde la barra de estado de la aplicación.

Además de las opciones de esta ficha, existen otras opciones que se configuran desde el botón de Office / *Opciones de Word* marcando las correspondientes casillas, dentro de las opciones *Avanzadas*.

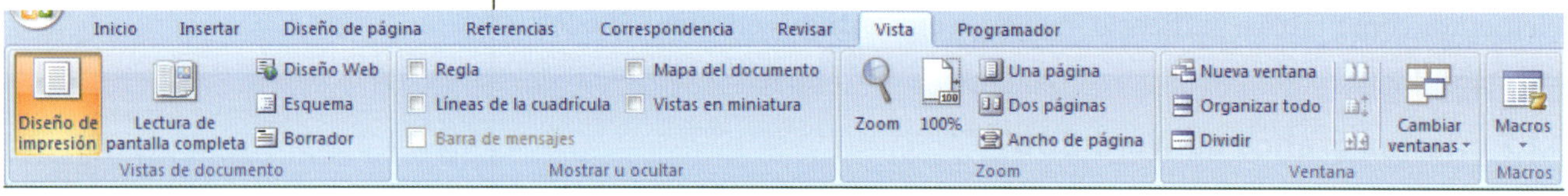

5.2. Ficha *Vista*.

Esta ficha está integrada por las siguientes secciones:

Sección	Acciones
Vistas de documento	Son distintas opciones de visualización del documento para trabajar con él. La opción *Diseño de impresión* muestra el documento tal y como saldrá por la impresora.
Mostrar u ocultar	Contiene elementos que simplifican el trabajo. *Regla* y *Líneas de la cuadrícula* facilitan la colocación de objetos con precisión. *Vistas en miniatura* abre un panel a la izquierda con vistas de las páginas que nos ayuda a movernos cómodamente por el documento.
Zoom	Controla el grado de aumento del documento dentro de la pantalla. Ajusta la página al zoom o permite ver más de una página en la ventana.
Ventana	Ofrece la posibilidad de trabajar con varios documentos de forma independiente dividiendo la misma ventana, en cascada, etc.
Macros	Posibilita automatizar tareas como veremos más adelante.

1.3 > Comenzar a trabajar con Word

Antes de conocer las posibilidades que ofrece la aplicación, necesitamos asentar la base de lo que va a ser nuestra forma de trabajar. El procedimiento de trabajo en Word y en cualquier otra aplicación ofimática es el mismo:

1.º Seleccionar aquello sobre lo que se quiere actuar.
2.º Abrir la ficha correspondiente haciendo clic sobre su nombre.
3.º Hacer clic sobre el botón de comando cuya acción queremos aplicar.

Si la acción que buscamos se encuentra en un cuadro de diálogo, accederemos a este mediante el botón iniciador de cuadro de diálogo del grupo correspondiente.

Las opciones de formato se encuentran en las fichas o en los cuadros de diálogo de cada grupo, pero además, al seleccionar un texto del documento, aparece a su lado, de forma casi imperceptible, una mini barra de herramientas que contiene las opciones de formato más comunes.

Final de párrafo

Cuando una línea se completa, Word continúa escribiendo en la siguiente. Debe pulsarse <Intro> únicamente al final de cada párrafo.

Esta barra se muestra por defecto, pero puede desactivarse con el *Botón de Office / Opciones de Word / Más frecuentes / Mostrar minibarra de herramientas al seleccionar.*

1.4 > Selección y edición de texto

Podemos seleccionar texto con el ratón, con una combinación de ratón y pulsaciones del teclado o mediante combinaciones de teclas.

Word permite seleccionar desde la unidad más pequeña de texto como es el carácter (por ejemplo, una letra o una coma), hasta todo el documento.

- **Carácter:** arrastrar el ratón sobre él (<Mayúsculas>+<→>).
- **Palabra:** hacer doble clic sobre la palabra (<Ctrl>+<Mayúsculas>+<→>).
- **Varias palabras consecutivas:** Hacer doble clic sobre la primera palabra y arrastrar el ratón sobre las demás. Si no son consecutivas, doble clic sobre la primera, pulsar la tecla <Ctrl> y, manteniéndola pulsada, doble clic sobre cada una de las demás (<Ctrl>+<Mayúsculas>+<→>+<→>+…, tantos como palabras se quieran seleccionar).
- **Línea:** colocar el cursor a la izquierda de la línea y, cuando se convierta en una flecha blanca, hacer clic (<Mayúsculas>+<↓>).
- **Varias líneas consecutivas:** seleccionar una línea y arrastrar. Para líneas no consecutivas, pulsar la tecla <Ctrl> y, manteniéndola pulsada, seleccionar cada línea (<Mayúsculas>+<↓>+<↓>+…, tantos como líneas se quieran seleccionar).
- **Párrafo:** colocar el cursor a la izquierda del párrafo y, cuando se convierta en una flecha blanca, hacer doble clic (<Ctrl>+<Mayúsculas>+<↓>).
- **Varios párrafos consecutivos:** seleccionar un párrafo y arrastrar. Para párrafos no consecutivos, pulsar la tecla <Ctrl> y, manteniéndola pulsada, seleccionar cada párrafo. (<Ctrl>+<Mayúsculas>+<↓>+<↓>+…, tantos como párrafos se quieran seleccionar).
- **Todo el documento:** colocar el cursor a la izquierda del párrafo y, cuando se convierta en una flecha blanca, hacer triple clic o bien pulsar <Ctrl> y hacer un solo clic (<Ctrl>+<E>).

Las opciones básicas de edición de texto pueden realizarse desde la sección *Portapapeles* de la ficha *Inicio* o bien mediante combinaciones de teclado.

- **Copiar, cortar y pegar:** para duplicar un texto o cambiarlo de sitio, seleccionar el texto y hacer clic en *Copiar* (<Ctrl>+<C>) o *Cortar* (<Ctrl>+<X>); después situar el cursor del ratón en otra zona del documento y hacer clic en *Pegar* (<Ctrl>+<V>).
- **Copiar formato:** se selecciona un texto con algún tipo de formato y se hace clic sobre el botón *Copiar formato.* El cursor adoptará forma de brocha y, al hacer clic u arrastrar sobre otro texto del documento, este adoptará el formato del primero. Al hacer doble clic sobre el botón *Copiar formato* podremos utilizar ese formato en repetidas ocasiones hasta pulsar la tecla <Esc>.
- **Suprimir:** para eliminar un texto, se selecciona este y se pulsa cualquiera de las dos teclas siguientes:
  - <Retroceso> elimina el carácter situado a la izquierda del cursor.
  - <Supr> elimina el carácter situado a la derecha del cursor.

Combinaciones de teclas

En este libro citaremos a menudo las combinaciones de teclas y las representaremos por los nombres de las respectivas teclas separados por el símbolo + para hacer constar que hay que pulsarlas a la vez: por ejemplo <Ctrl>+<Alt>+<Supr>.

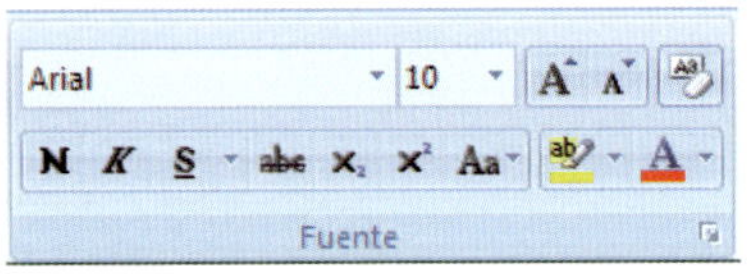

5.3. Grupo *Fuente*.

2 >> Formato de fuente y párrafo

En la ficha *Inicio* se encuentran las dos secciones que permiten realizar todas las tareas necesarias para dar formato a los caracteres, así como a los distintos párrafos que componen un documento.

2.1 > Formato de fuente

Para aplicar formato a un texto, siempre se debe emplear el mismo procedimiento: se selecciona el texto y se hace clic en el botón correspondiente. El grupo de botones *Fuente,* contiene las acciones de formato más utilizadas con los textos, como tipo de letra, tamaño, color y efectos. En concreto, el grupo *Fuente,* que se muestra en la Figura 5.3, tiene los siguientes botones (de izquierda a derecha y de arriba abajo):

Botón	Acción
Fuente	Permite elegir el tipo de letra (por ejemplo Arial, Times New Roman, Garamond, etc.).
Tamaño de fuente	Permite elegir el tamaño de la letra expresado en puntos. En el desplegable solo aparecen algunos números sugeridos pero se pueden elegir los que se deseen escribiéndolos (por ejemplo, 9,5).
Agrandar y *Encoger fuente*	Permite aumentar y disminuir el tamaño de fuente.
Borrar formato	Si se selecciona un texto y se hace clic en este botón, dicho texto queda con el formato que tenga seleccionado Word por defecto.
Negrita, Cursiva y *Subrayado*	Si se selecciona un texto y se hace clic en estos botones, el texto tendrá formato de **negrita,** *cursiva* o subrayado. Si se selecciona un texto que tiene uno de estos formatos y se hace clic en el respectivo botón, pierde ese formato.
Tachado	Este botón permite aplicar el formato de ~~tachado~~ al texto seleccionado.
Superíndice y *Subíndice*	Estos botones permiten aplicar formatos de superíndice y subíndice, muy útiles en textos científicos o técnicos. Por ejemplo m^2 o M_1.
Cambiar mayúsculas y minúsculas	Permite convertir mayúsculas en minúsculas y viceversa. Tiene un desplegable con varias opciones.
Color de resaltado del texto	Permite marcar texto y resaltarlo con un color de fondo llamativo, que se escoge de una paleta que se despliega. Este texto está resaltado.
Color de fuente	Al hacer clic en este botón, se despliega una paleta con 70 colores que podemos utilizar para colorear el texto. Es la paleta de colores estándar que aparecerá cada vez que se desee dar color a algún elemento dentro de Office 2007. Si se quiere especificar más concretamente un color determinado, se pulsa la opción *Más colores*. Esta paleta contiene 127 colores más el blanco, el negro y los grises. Si, de todas formas, se requiere más exactitud (por ejemplo para utilizar el color corporativo de la empresa), hay que pulsar en *Personalizado*. Aquí se puede seleccionar cualquier color de una paleta de 16 777 216 colores, que son todos los que se pueden definir según el estándar RGB (del inglés *Red Green Blue*), que mezcla una cierta cantidad de color rojo, verde y azul.

Las opciones de la sección *Fuente* permiten una configuración rápida y sencilla del texto, pero es posible que se desee una configuración más avanzada. Para ello, dicho grupo incluye en la esquina inferior derecha un botón iniciador de cuadro de diálogo que despliega el cuadro *Fuente.*

Este cuadro tiene dos pestañas:

- En la primera se pueden configurar las ya conocidas opciones de tipo de fuente, tamaño, subrayado, etc., así como otras opciones como letras versales, efectos como sombra, relieve, etc.
- En la segunda se configura el espaciado de las fuentes (pueden ampliarse, comprimirse, cambiar el espacio entre letras, etc.).

Casos prácticos 1

Formato de texto

•• Abre un documento Word y escribe el siguiente texto sin formato alguno. Después, dale formato para conseguir un documento que tenga la siguiente apariencia:

> Este párrafo está escrito en fuente "LUCIDA SANS UNICODE" y tamaño 12. Tiene palabras en varios colores, en **negrita**, *cursiva*, subrayado, ~~tachado~~ y ~~doble tachado~~. También puedo escribir f ó r m u l a s como H_2O y m^2 e incluso s o m b r e a r con colores algunas palabras.

Solución ••

- En primer lugar, deberemos elegir el tipo y tamaño de letra.
  Para ello se hace clic en el desplegable *Fuente* y se elige *Lucida Sans Unicode.* Igualmente, en el desplegable *Tamaño de fuente,* escribe *12* y pulsa <Intro>.
- Selecciona el texto *"Lucida Sans Unicode",* y abre el cuadro de diálogo *Fuente* y marca *Versales.*
- Selecciona la palabra *varios* y escoge el color de fuente *Rojo, Énfasis 2, Claro 40%.* Repítelo con *colores* en *Azul oscuro, Texto 2, Claro 40%.*
- Selecciona las palabras *negrita, cursiva y tachado* y haz clic en los respectivos botones.
- Selecciona *doble tachado,* abre el cuadro de diálogo *Fuente* y marca *Sombra* y *Doble tachado.*
- Selecciona *fórmulas* y manteniendo pulsado <Ctrl>, selecciona *sombrear.* Abre el cuadro de diálogo *Fuente* y accede a la pestaña *Espacio entre caracteres.* Elige *Espaciado* con valor *Expandido* en 3. Abre el desplegable *Color de resaltado del texto* y escoge *Verde lima.*
- Selecciona el 2 de *H2O* y haz clic en el botón *Subíndice.* Repite lo mismo con el 2 de *m2* y haz clic en *Superíndice.*

Actividades propuestas

1•• Escribe un párrafo cualquiera y utiliza una a una todas las herramientas del cuadro de diálogo *Fuente.*

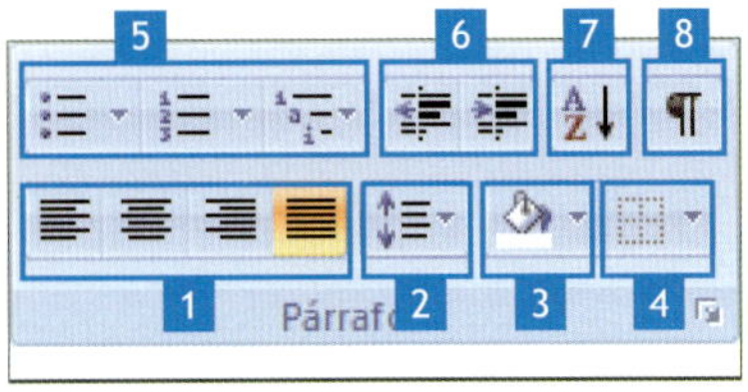

5.4. Grupo *Párrafo*.

1 Alineaciones.

2 Interlineado.

3 Sombreado.

4 Bordes.

5 Listas.

6 Sangría.

7 Ordenar.

8 Mostrar todo.

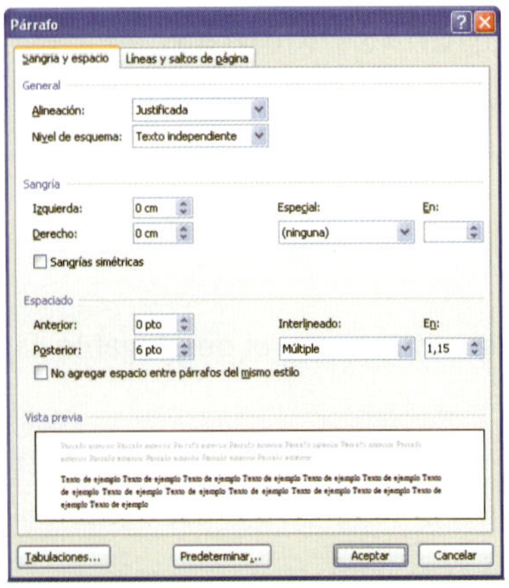

5.5. Cuadro de diálogo *Párrafo*.

2.2 > Formato de párrafo

En esta sección nos ocuparemos de las herramientas para manejar los párrafos y el botón *Mostrar todo*, que nos enseña los símbolos ocultos de formato que Word introduce y que nos ayudarán a manipular los textos.

Alineaciones

La alineación es el ajuste de un párrafo a los márgenes del documento.

Los cuatro botones de este grupo que controlan la alineación describen el efecto gráfico de ajuste del texto por un lado, ambos o ninguno.

Ejemplos

Alineaciones

Este es un párrafo alineado a la derecha. Su extremo derecho se ajusta al margen de ese lado.

Este es un párrafo alineado a la izquierda. Su extremo izquierdo se ajusta al margen de ese lado.

Este es un párrafo justificado, su extremo derecho y el izquierdo se ajustan a los respectivos márgenes.

Sangrías

Las sangrías son las distancias horizontales entre un párrafo y los márgenes de documento.

Con los botones *Aumentar sangría* y *Disminuir sangría* únicamente es posible controlar la sangría izquierda del párrafo, si bien existen otras posibilidades. Para hacer uso de estas, abriremos el cuadro de diálogo *Párrafo*.

Los tipos de sangría son:

– ***Izquierda:*** distancia del margen izquierdo del documento al párrafo.
– ***Derecha:*** distancia del margen derecho del documento al párrafo.
– ***Especial:*** distancia de la primera línea respecto al resto del párrafo.

Ejemplos

Sangrías

Este es un párrafo con sangría izquierda de 0,5 cm, derecha de 1 cm y especial de primera línea 0,5 cm. La primera línea está a 1 cm del margen y el resto a 0,5 cm.

Este es un párrafo con sangría izquierda de 0,5 cm, derecha de 1 cm y especial francesa de 0,5 cm. Por tanto, la primera línea está a 0,5 cm del margen y el resto a 1 cm.

Interlineado y espaciado

El interlineado es la distancia vertical entre las líneas de un mismo párrafo.

Desde el botón *Interlineado,* además es posible controlar el **espaciado**, es decir, la distancia de un párrafo respecto al anterior y/o siguiente.

Tabulaciones

Son espacios de tamaño y formato prefijado que se establecen en una línea de texto.

En Word, pueden insertarse de forma muy simple, pulsando la tecla <Tabulador>, que introducirá las tabulaciones predefinidas. No obstante, si queremos fijar tabulaciones con precisión y configurarlas adecuadamente, abriremos el cuadro de diálogo *Tabulaciones,* al que se accede desde el botón *Tabulaciones* situado en el cuadro de diálogo *Párrafo* (Figura 5.6).

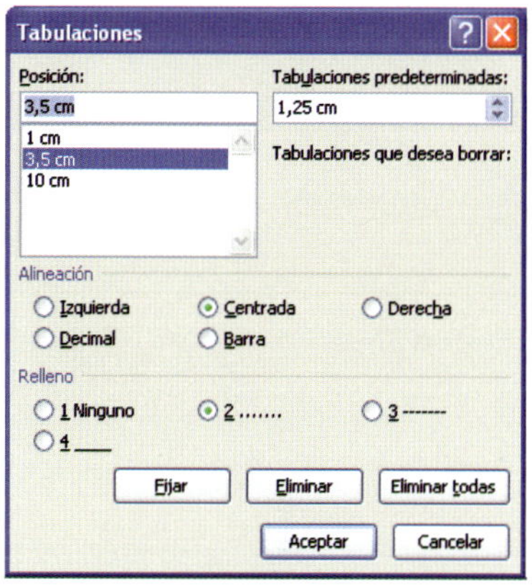

5.6. Cuadro de diálogo *Tabulaciones.*

Para fijar una tabulación:

- Escribir la posición de la tabulación en centímetros (se cuentan desde el margen izquierdo).
- Seleccionar la alineación de la tabulación.
- Escoger los caracteres de relleno o separación que se desea que aparezcan a la izquierda de la tabulación.
- Hacer clic en *Fijar.*

Para modificar una tabulación o eliminarla, se abre el cuadro de diálogo, se selecciona en la lista y se hace clic en *Eliminar.* En un documento de Word, por defecto, al pulsar la tecla <Tabulador>, el cursor se detendrá a 1,25 cm del margen izquierdo. Cada vez que se pulse la tecla, se desplazará 1,25 cm a la derecha. Esta distancia se configura desde el cuadro de texto *Tabulaciones predeterminadas.*

Alineaciones de las tabulaciones:

- Izquierda: establece el límite izquierdo del texto.
- Centrada: el texto se centrará respecto a la posición de la tabulación.
- Derecha: establece el límite derecho del texto.
- Decimal: la referencia será la coma decimal independientemente de los dígitos que tenga el número.
- Barra: inserta una barra vertical en la posición de la tabulación.

Tabulaciones desde la regla

Para añadir una tabulación de forma rápida aunque imprecisa, se pueden utilizar la regla horizontal y el botón que aparece sobre esta. Se hace clic sobre el icono hasta que el símbolo adopte la forma de la tabulación buscada y, a continuación, se hace clic sobre la regla horizontal a la distancia deseada para establecer su ubicación. Desde la regla, es posible desplazar las tabulaciones al hacer clic y arrastrar sobre su símbolo. Si lo arrastramos hacia el documento, eliminaremos la tabulación. Haciendo doble clic sobre cualquier símbolo se accede al cuadro de diálogo *Tabulaciones,* donde se pueden añadir rellenos o modificar con exactitud las distancias.

Iconos de tabulación en la regla horizontal

Símbolo	Alineación
	Izquierda
	Centrada
	Derecha
	Decimal
	Barra

Sombreado

- **Es el color de fondo del texto o del párrafo seleccionado.**

Al desplegar el botón *Sombreado*, nos aparece una paleta de colores muy similar a la que vimos al desplegar el botón *Color de fuente* del grupo *Fuente*.

No existe un color de fondo predeterminado, sino que, en su lugar, existe la opción *Sin color*. Esta es la opción por defecto de los documentos y la que deberemos utilizar para eliminar un sombreado anteriormente diseñado.

Ejemplos

Sombreado

Este párrafo (sangría primera línea 0,5 cm) tiene un sombreado de párrafo canela, fondo 2 Para realizarlo seleccionar todo el párrafo.

Este párrafo (interlineado 1,5) tiene sombreado de texto rojo claro al 80%. Para realizarlo seleccionar todo el texto exceptuando la marca de párrafo.

Párrafo (centrado y 1 cm de sangrías) con sombreado de párrafo azul claro y sombreado de texto amarillo.

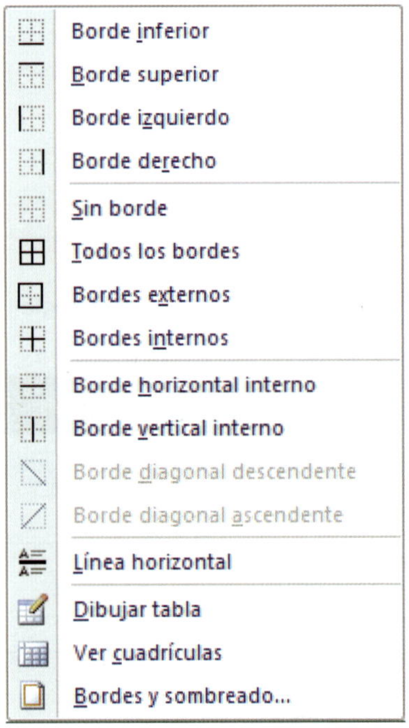

5.7. Desplegable *Bordes y sombreado*.

Borde

- **Un borde es una línea en un lado de un texto o párrafo.**

Desde el desplegable *Bordes y sombreado* se pueden añadir bordes para enmarcar los textos e incluso trazar una línea a lo ancho de todo el documento.

Ejemplos

Bordes de texto y párrafo

Este párrafo tiene todos los bordes. Para realizarlo seleccionar todo el párrafo, desplegar el botón *Bordes* y seleccionar *Bordes externos*.

En este, los bordes están aplicados al texto. Para realizarlo seleccionar todo el texto exceptuando la marca de párrafo.

Para eliminar un borde, deberemos seleccionar el texto o párrafo y elegir *Sin borde*.

Cabe destacar la última de las opciones del desplegable *Bordes y sombreado*, que abre el cuadro de diálogo del mismo nombre desde el que se puede personalizar el estilo, color y grosor tanto del borde como del sombreado.

Esto puede aplicarse al texto, al párrafo e, incluso, a toda la página.

Ficha *Bordes*

La forma de proceder en esta ficha es:

- Seleccionar *Estilo, Color* y *Ancho* para el borde.
- Seleccionar un valor de borde o hacer clic sobre el contorno de la figura de la vista previa, para poner o quitar un borde.
- Decidir su aplicación a texto o a párrafo.

Opción		Acción
Valor	*Ninguno*	No inserta ningún borde en la selección. Para eliminar un borde existente debemos seleccionar esta opción.
	Cuadro	Inserta un borde de cuadro alrededor de la selección con el estilo, color y ancho de borde seleccionado.
	Sombra	Inserta un borde de sombra alrededor de la selección con el estilo, color y ancho de borde seleccionado.
	3D	Inserta un borde de cuadro alrededor de la selección y le aplica un formato 3D de borde seleccionado.
	Personalizado	Basta con hacer clic sobre el contorno de la figura en el diagrama *Vista previa* para poner o quitar un borde.
Estilo, Color y Ancho		Selecciona el estilo, el color y el ancho del borde.
Aplicar a		Permite seleccionar si se desea aplicar los bordes a párrafo o texto.
Línea horizontal		Establece una línea horizontal prediseñada.
Opciones		Establece la distancia superior, inferior, izquierda y derecha del borde del párrafo desde el texto.

Ficha *Borde de página*

La forma de proceder en esta ficha es:

- Seleccionar Estilo, Color y Ancho para el borde o bien un borde más estético desde el desplegable Arte.
- Seleccionar un valor de borde.
- Decidir su aplicación a todo el documento o secciones del mismo. Todas las características vistas en los bordes de texto son aplicables al borde de página.

Ficha *Sombreado*

La forma de proceder en esta ficha es:

- Seleccionar un color de relleno.
- Seleccionar un estilo y un color de trama para mezclar con el color base de relleno.
- Decidir su aplicación a texto o a párrafo.

Actividades propuestas

2·· Pon el borde artístico que más te guste a un documento (únicamente en los bordes derecho e izquierdo).

Casos prácticos 2

Tabulaciones, bordes y sombreado

•• Escribe el texto que ves a continuación utilizando lo que has aprendido en esta unidad para darle el mismo formato, insertar las tabulaciones correspondientes y configurar los bordes y sombreado.

IBEX 35

El IBEX 35 es el principal índice de referencia bursátil español. Está formado por las 35 empresas con más liquidez de las bolsas españolas: Madrid, Barcelona, Bilbao y Valencia. El IBEX MEDIUM y SMALL son también índices de referencia formados por empresas de capital medio y bajo respectivamente de las bolsas españolas.

ÍNDICE	ÚLTIMO	DIF %	MÁX	MÍN
IBEX 35	9.683,30	0,60	9.838,80	9.572,20
IBEX 35 MEDIUM	9.337,50	0,66	9.478,70	9.274,40
IBEX 35 SMALL	6.115,20	0,34	6.171,40	6.068,90

- **Formato de fuente:** Calibri 11.
- **Sangrías:** en el título, izquierda 0 cm y derecha 10 cm; en el resto, izquierda 0 cm y derecha 0 cm.
- **Tabulaciones del tercer párrafo:** derecha a 3 cm, sin relleno; izquierda a 4,5 cm, con relleno 4; centrada a 7,5 cm con relleno 4; centrada a 9,5 cm con relleno 4, y centrada a 12 cm, con relleno 2.
- **Sombreados:** primer párrafo *Púrpura, Énfasis 4, Claro 40%;* el resto del texto sombreado en el segundo párrafo, en color *Púrpura, Énfasis 4, Claro 60%.*
- **Bordes del primer párrafo:** ancho 2 ¼ pto.

Solución ••

- Teclea el texto de los dos primeros párrafos.
- Selecciona el primer párrafo que hace las veces de título. Accede al cuadro de diálogo *Párrafo,* de la ficha *Inicio,* y añade las sangrías izquierda y derecha que indica el enunciado.
- En el grupo *Párrafo* despliega el botón *Bordes* y elige *Bordes y sombreados.* A continuación, elige el estilo y establece un ancho de 2 ¼ pto.
- Haz clic en la pestaña *Sombreado* y elige el color *Púrpura, Énfasis 4, Claro 40%.*
- Selecciona el texto resaltado del segundo párrafo. Despliega el menú del botón *Sombreado* y elige el color correcto: *Púrpura, Énfasis 4, Claro 60%.*
- Para disponer las tabulaciones de las últimas cuatro líneas como en el ejemplo, colócate en una nueva línea y procede de la siguiente manera:
- Haz doble clic en la esquina derecha del grupo *Párrafo* en la ficha *Inicio* para abrir el *Cuadro de diálogo Párrafo.* Haz clic en *Tabulaciones...* Con el cuadro de diálogo *Tabulaciones* abierto, establece alineación a la derecha a 3 cm, sin relleno y haz clic en *Fijar;* alineación a la izquierda a 4,5 cm, y relleno 4; alineación centrada a 7,5 cm, relleno 4; alineación centrada a 9,5 cm, relleno 4; y alineación centrada a 12 cm, relleno 2. Finalmente, haz clic en *Aceptar.*
- En las cuatro líneas finales, deberás incluir tabulaciones pulsando la tecla <Tabulador> en los lugares que corresponda en el texto.

Numeración y viñetas

Una lista es una enumeración de elementos, cada uno de ellos precedido por un elemento de numeración o símbolo de viñeta.

Tanto el botón *Numeración* como el botón *Viñetas* son desplegables que permiten elegir unos estilos predefinidos para crear la lista. Con solo hacer clic sobre cualquiera de ellos, el primer símbolo, ya sea elemento numerado o viñeta, aparecerá en el documento. A partir de ahí, para pasar automáticamente al siguiente elemento de la lista, basta con escribir y pulsar <Intro>.

Como última opción de cada desplegable está la posibilidad de personalizar la lista mediante los cuadros de diálogo *Definir nueva viñeta* y *Definir nuevo formato de número.* Muestran, entre otras, las siguientes opciones:

- ***Símbolo:*** muestra una gran cantidad de símbolos susceptibles de ser utilizados como cabecera de los elementos de la lista.
- ***Imagen:*** ofrece una colección de pequeñas imágenes para formar la lista, así como la posibilidad de importar una imagen para este cometido.
- ***Estilo de número:*** propone una serie de estilos para la numeración. En la caja de texto *Formato de número* podemos escribir elementos como punto, raya, dos puntos, etc., que acompañarán al elemento de numeración.
- ***Fuente:*** abre el cuadro de diálogo que permite personalizar el tamaño, color y otros aspectos del número o viñeta.

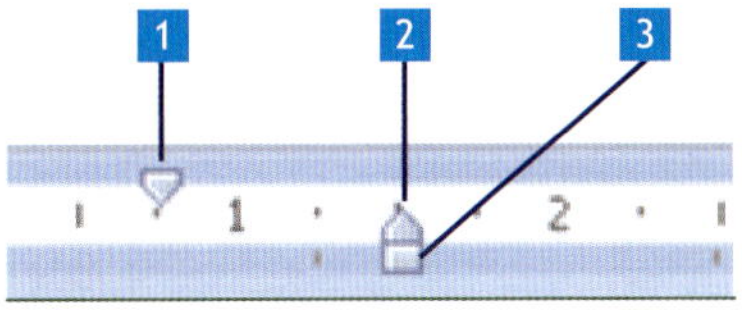

5.8. Posición de la numeración o viñeta.

1 Posición del símbolo.

2 Posición del párrafo respecto al símbolo.

3 Desplaza ambas de forma proporcional.

Lista multinivel

Es un tipo de lista con niveles y subniveles de elementos.

Se pueden crear listas multinivel de dos formas:

- **Listas multinivel básicas:** desde una lista realizada con *Numeración* o *Viñetas,* haciendo clic en *Aumentar sangría* (desde el teclado pulsando <Tabulador>) o *Disminuir sangría* (desde el teclado pulsando <Tabulador>+<Retroceso>) para avanzar y retroceder subniveles.
- **Biblioteca de listas:** es una colección de diseños de lista multinivel que Word ofrece en el desplegable del botón *Lista multinivel.* Con solo hacer clic en una de ellas quedará seleccionada. Se generará la lista escribiendo cada ítem y avanzando o retrocediendo niveles como en el punto anterior.

Ejemplos

Listas multinivel

- Listas
  - Con viñetas
    - Biblioteca de viñetas y definir nueva viñeta
  - Numeradas
    - Biblioteca de numeración y definir nuevo formato de número
  - Multinivel
    - Básicas
      - Desde las listas numeradas o con viñetas
      - Biblioteca de listas
      - Definir nueva lista multinivel

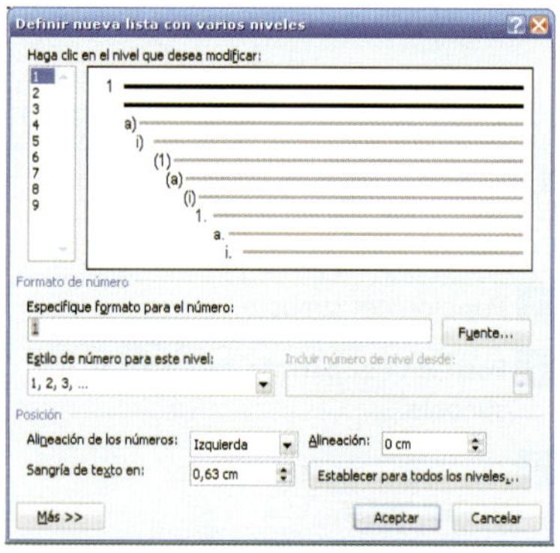

5.9. Desplegable *Definir nueva lista con varios niveles.*

Definir una lista multinivel sencilla

En primer lugar, hay que hacer clic en el botón *Lista multinivel / Definir nueva lista multinivel,* que abrirá un cuadro de diálogo. Una vez allí, los pasos a seguir son:

- Hacer clic en el nivel 1.
- Desplegar el cuadro *Estilo de número para este nivel* para escoger el estilo de numeración o viñeta. Es posible abrir una nueva imagen o viñeta que no esté en la lista.
- En el cuadro *Especifique formato para el número* aparecerá sombreado en gris el estilo elegido. A continuación del mismo, es posible insertar otros caracteres que acompañarán al elegido.
- Hacer clic en *Fuente* para configurar las opciones de formato del estilo elegido.
- Desde la sección *Posición* controlamos la alineación o distancia a que estará la numeración o viñeta y la sangría a la que empezará el texto.
- El botón *Establecer para todos los niveles* permite definir las distancias para todos los niveles conjuntamente.
- Repetir los pasos anteriores sucesivamente con todos los niveles.

Ejemplos

Creación de lista multinivel

Vamos a escribir el texto que ves a continuación, creando la correspondiente lista multinivel. El formato de fuente es Comic Sans MS, tamaño 10.

A. Ofertas de viajes
    A.a.- Nacionales
        A.a.1.- Playa
            • Norte
            • Sur
        A.a.2.- Montaña
            • Norte
            • Sur
    A.b.- Internacionales
        A.b.1.- Barco
        A.b.2.- Avión
B. Ofertas de trabajo
    B.a.- Industria
    B.b.- Servicios

- Hacemos clic en *Lista multinivel / Definir nueva lista multinivel.*
- En el nivel 1, que está seleccionado por defecto, elegimos el estilo de número *A, B, C....* Hacemos clic a continuación de la letra *A* que aparecerá sombreada en gris en el cuadro *Formato para el número,* y tecleamos <.> y < > (punto y espacio).
- Hacemos clic en el nivel 2. Se elige *(ninguno)* en *Estilo de número para este nivel.* Para incluir en el elemento de orden el del nivel anterior seleccionamos en el desplegable *Incluir número de nivel desde el valor: Nivel 1.* En el cuadro *Especifique formato para el número aparecerá A.* Hacemos clic después de este, escribimos <.> y seleccionamos como estilo de número para este nivel *a, b, c...* y tecleamos <.> y <—> (punto y guión).
- Hacemos clic en el nivel 3. Elegimos *(ninguno)* en *Estilo de número para este nivel.* Seleccionamos en el desplegable *Incluir número de nivel desde el valor: Nivel 1.* En el cuadro *Especifique formato para el número* aparecerá *A.* Hacemos clic después de este, escribimos <.>, volvemos a abrir el desplegable eligiendo en este caso *Nivel 2.* Tecleamos después <.> y seleccionamos como estilo para este nivel *1, 2, 3....* Tecleamos <.> y <—> (punto y guión).
- Hacemos clic en el nivel 4 y elegimos como *Estilo de número para este nivel* la viñeta •.
- Configuramos las sangrías para todos los niveles haciendo clic en el botón *Establecer para todos los niveles.* Escogemos para la posición de la viñeta y del texto del primer nivel 0,6 cm y para el resto 0,9 cm. Aceptamos el cuadro de diálogo para volver al documento. Aparecerá en el documento el número romano *I.* A partir de aquí, escribimos el primer párrafo, pulsamos <Intro> y cuando proceda avanzar nivel utilizamos la tecla <Tabulador> o los botones del grupo *Párrafo, Aumentar y Disminuir sangría.*

3 >> Diseño de página

Antes de empezar a escribir sobre un documento es conveniente configurar las características de la propia página y aquellas otras que serán comunes a la mayoría de los párrafos.

La ficha *Diseño de página* nos ofrece las herramientas para este cometido.

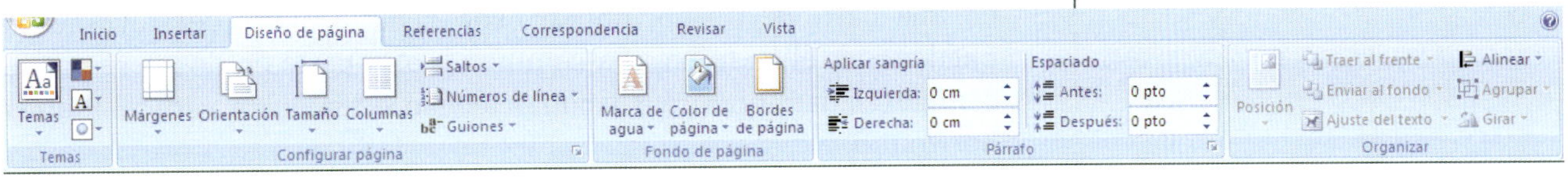

5.10. Ficha *Diseño de página*.

3.1 > Tema de la página

Un tema es un conjunto de características de color, fuentes y efectos de diseño del texto y resto de objetos del documento, unificados bajo un nombre.

El botón *Temas* ofrece una serie de opciones para dar un aspecto profesional al documento de forma sencilla. Incluye la posibilidad de buscar temas o descargarlos de Internet.

Completan este grupo tres botones con los que, una vez elegido un tema, es posible personalizar los colores, fuentes y efectos de líneas y rellenos que afectarán a nuestros títulos, párrafos y demás objetos que acompañarán al texto en el documento.

Una vez elegido y personalizado un tema, el grupo *Estilos* de la ficha *Inicio* adaptará su listado a las características del tema elegido.

Los estilos son tan prácticos e importantes que los desarrollaremos en profundidad en las siguientes unidades.

3.2 > Configurar la página

Desde esta pestaña pueden modificarse las características de la página sobre la que se escribirá el documento: tamaño, orientación, etc.

Orientación del documento

Permite alternar entre la orientación vertical (por defecto) y horizontal de la página del documento.

Márgenes del documento

Los márgenes son la distancia desde el borde de la página hasta el texto, tanto vertical como horizontalmente.

El botón *Márgenes* es una lista de opciones prefijadas. No obstante, es posible personalizar los márgenes eligiendo la opción *Márgenes personalizados* de esta lista o abrir el cuadro de diálogo del grupo *Configurar página.*

Se pueden personalizar las medidas de los cuatro márgenes, así como la distancia de encuadernación que se añadirá al margen izquierdo o derecho en función de la posición del margen interno que decidamos.

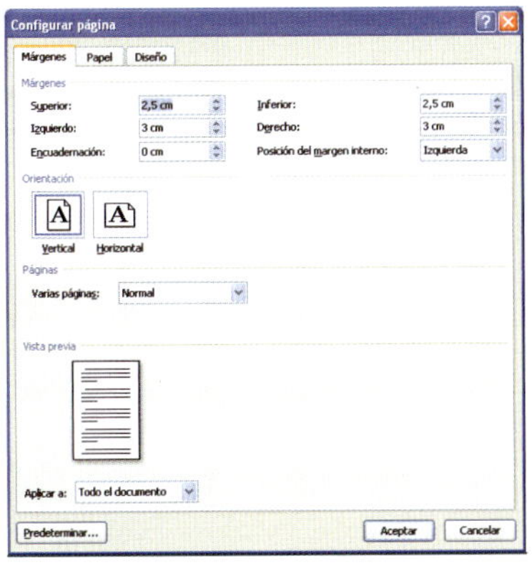

5.11. Menú *Configurar página*.

Salto de página y sección

Desde el botón *Saltos* se pueden insertar saltos de página o de sección.

- El **salto de página** (que también se puede insertar con la combinación de teclado <Ctrl>+<Intro>) marca el punto en el que acaba una página, pasando el punto del inserción al principio de la página siguiente.
- El **salto de sección** se usa para realizar cambios de diseño o de formato en una parte de un documento. Por ejemplo, parte del documento puede tener el texto en una columna y otra parte en dos, o se puede configurar para que unas páginas tengan orientación vertical y otras horizontal, etc.

3.3 > Fondo de la página

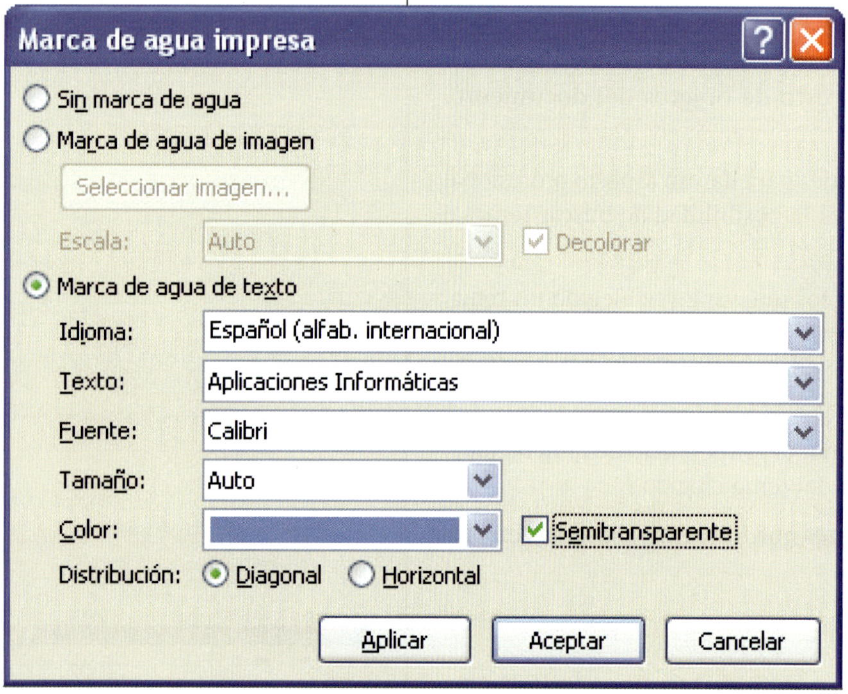

5.12. Cuadro de diálogo *Marca de agua impresa.*

Marca de agua

La marca de agua es un texto o imagen con aspecto transparente que se coloca de fondo en la página. Es muy común verla en documentos de empresas con el anagrama o nombre de la misma.

Si se despliega el botón *Marca de agua,* se muestra una selección de marcas propuestas. Si no se quiere utilizar ninguna de ellas, la opción *Marcas de agua personalizadas* abre el cuadro de diálogo *Marca de agua impresa,* desde donde se puede configurar si se quiere incluir una imagen o texto y las características que tendrá.

Color y bordes de página

Además de una marca de agua, es posible configurar un color de fondo para toda la hoja. Habrá que tener cuidado en la elección del color y emplear colores suaves con el fin de que no reste importancia al texto escrito.

Desde el botón *Bordes de página* accedemos al cuadro de diálogo, ya conocido, que nos permite añadir cualquier borde a la página configurando aspectos como el grosor, el estilo, etc.

3.4 > Párrafo

En el grupo *Párrafo* tenemos cuatro herramientas que permiten configurar la sangría y el espaciado de los párrafos. Ya hemos visto estas opciones en el grupo *Párrafo* de la ficha *Inicio.* La diferencia está en que la configuración de las sangrías y el espaciado en este apartado afectarán por defecto a todos los párrafos del documento.

4 >> Revisar un documento

Antes de dar por terminado un documento o mandarlo a imprimir es muy importante comprobar que no hay errores gramaticales ni ortográficos. El procesador de texto, en su ficha *Revisar*, ofrece herramientas para este y otros propósitos.

Autocorrección

Mediante esta herramienta, el procesador de texto va revisando el documento a medida que se va escribiendo. Para activarla accederemos al botón de *Office / Opciones de Word / Revisión*, donde aparecen las opciones que controlan la ortografía y gramática de los documentos, entre ellas *Revisar ortografía mientras escribe.*

Con esta opción activada, si se comete un error gramatical al escribir, aparecerá un subrayado ondulado en verde y, si el error es ortográfico, el subrayado será rojo. En ambos casos, si se hace clic con el botón secundario del ratón sobre el error, se nos mostrarán sugerencias para corregirlo. Si se hace clic sobre una de ellas, el texto erróneo quedará sustituido.

Revisar después de escribir

Una vez finalizado el documento, accederemos a la ficha *Revisar* y, dentro de ella, al grupo *Revisión* y haremos clic en el botón *Ortografía y gramática.* Word comienza la revisión y cuando encuentra un error lo muestra en un cuadro de diálogo.

En el cuadro *No se encontró* se presentará la palabra o frase errónea y en el cuadro *Sugerencias* aparecerán una o varias posibilidades de solución.

Acción	Forma de proceder
Cambiar / Cambiar todas	Sustituye el texto marcado como erróneo por la sugerencia seleccionada. En la opción *Cambiar todas*, lo sustituye todas las veces que aparezca en el documento.
Omitir / Omitir todas	Ignora el texto marcado como error. En la opción *Omitir todas*, actúa del mismo modo con todas las coincidencias del documento.
Agregar al diccionario	Agrega la palabra resaltada como incorrecta al diccionario personalizado. No volverá a aparecer señalada como error.
Autocorrección	Añade el error resaltado y su corrección a la lista *Autocorrección* para que Word lo corrija automáticamente mientras se escribe.

El grupo *Revisión* no solo permite revisar la ortografía y gramática sino también otras posibilidades de gran utilidad para la edición de un documento:

- Sugerencias de traducción del documento.
- Sugerencias de sinónimos para una palabra seleccionada.
- Definición del idioma del documento.
- Contador de todos los elementos del documento (caracteres, con y sin espacios, palabras, líneas, párrafos y páginas).

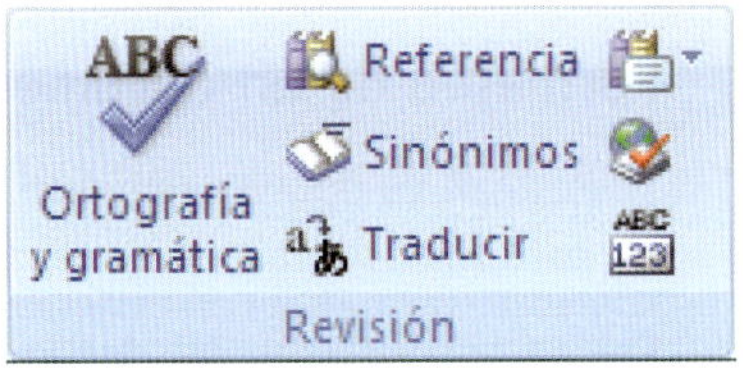

5.13. Grupo *Revisión*.

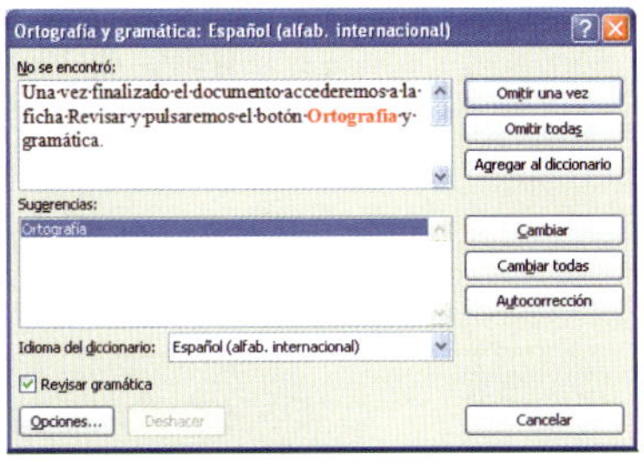

5.14. Cuadro de diálogo *Ortografía y gramática*.

Caso final 3

Formateo de un documento

·· Realiza el documento que ves a continuación con el texto que se indica, utilizando lo que has aprendido en esta unidad para darle el mismo formato a texto, párrafos y página.

Las características del documento son las siguientes:

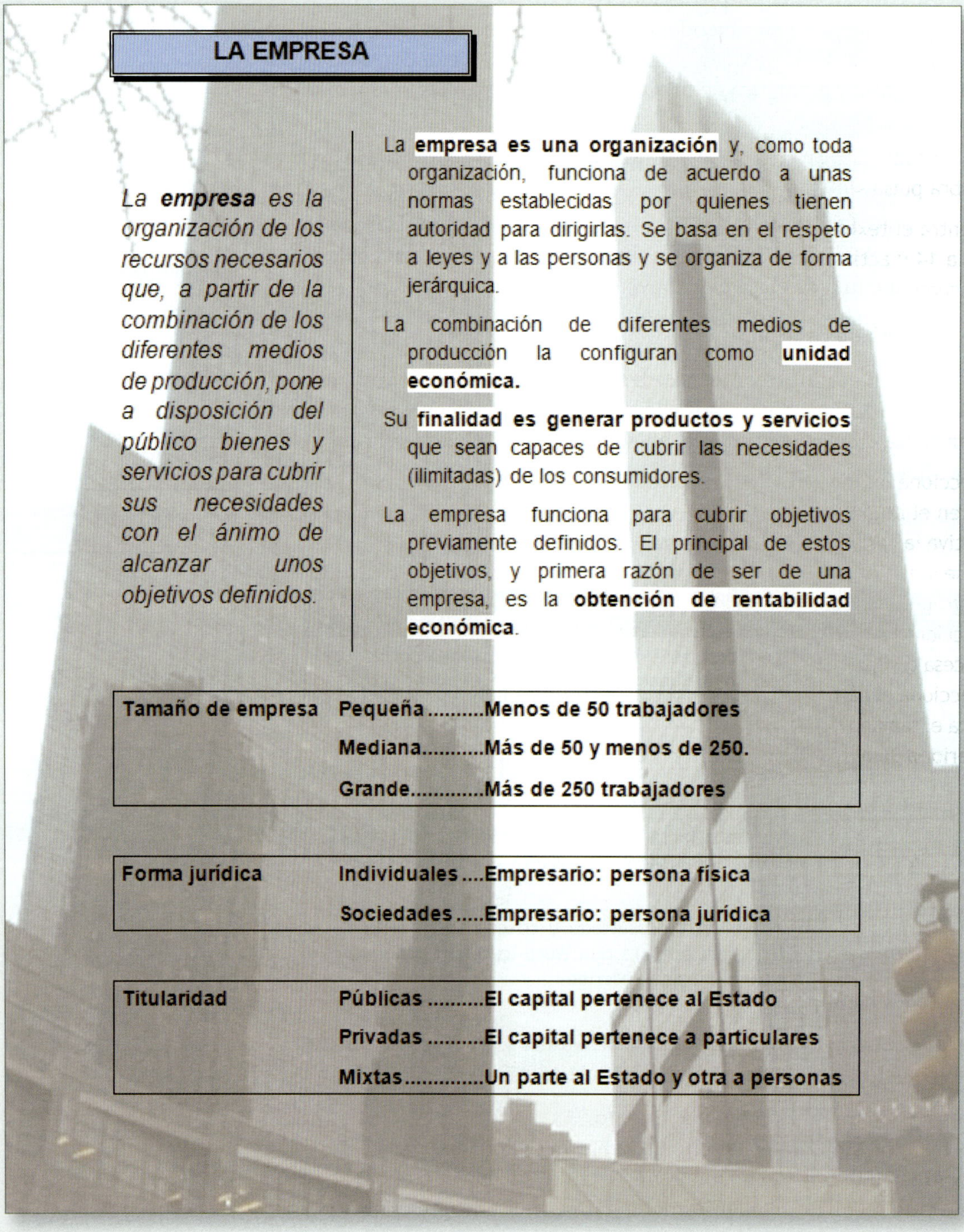

LA EMPRESA

*La **empresa** es la organización de los recursos necesarios que, a partir de la combinación de los diferentes medios de producción, pone a disposición del público bienes y servicios para cubrir sus necesidades con el ánimo de alcanzar unos objetivos definidos.*

La **empresa es una organización** y, como toda organización, funciona de acuerdo a unas normas establecidas por quienes tienen autoridad para dirigirlas. Se basa en el respeto a leyes y a las personas y se organiza de forma jerárquica.

La combinación de diferentes medios de producción la configuran como **unidad económica.**

Su **finalidad es generar productos y servicios** que sean capaces de cubrir las necesidades (ilimitadas) de los consumidores.

La empresa funciona para cubrir objetivos previamente definidos. El principal de estos objetivos, y primera razón de ser de una empresa, es la **obtención de rentabilidad económica**.

Tamaño de empresa	**Pequeña**	**Menos de 50 trabajadores**
	Mediana..........	**Más de 50 y menos de 250.**
	Grande............	**Más de 250 trabajadores**

Forma jurídica	**Individuales**	**Empresario: persona física**
	Sociedades	**Empresario: persona jurídica**

Titularidad	**Públicas**	**El capital pertenece al Estado**
	Privadas	**El capital pertenece a particulares**
	Mixtas.............	**Un parte al Estado y otra a personas**

3

Solución ··

- En primer lugar, configura el diseño de la página. Accede a la ficha *Diseño de página* y, en la sección *Fondo de página,* despliega el botón *Marca de agua / Marcas de agua personalizadas.*
- En el cuadro de diálogo que aparece, *Marca de agua impresa,* haz clic en *Marca de agua de imagen* y después en el botón *Seleccionar imagen.* Buscamos la imagen *La empresa* en el CD del alumno. Amplia la escala de la imagen seleccionando en el desplegable de *Escala* 150%, deja sin seleccionar la opción *Decolorar* y haz clic en *Aceptar.*
- Desde el grupo *Fuente* de la ficha *Inicio,* selecciona el tipo de fuente Arial y el tamaño 12. Haz clic también en el botón *Justificar* del grupo de herramientas *Párrafo.*
- En la ficha *Inicio,* accede al cuadro de diálogo *Párrafo* y establece un espaciado anterior de 0 puntos, posterior de 6 puntos. e interlineado múltiple en 1,15.
- Escribe todo el texto del documento del enunciado seguido, excepto las tabulaciones. Después de la última palabra pulsa <Intro>.
    - Centra el texto del título del documento y sube el tamaño de la fuente a 14 y activa la negrita.
    - Accede al cuadro de diálogo *Párrafo* para configurar las sangrías.
    - Despliega el botón *Bordes y sombreado* y elige *Bordes / Sombra* y *Estilo / Línea doble.* Haz clic sobre el botón *Opciones* y rellena la distancia al texto superior e inferior en 5 puntos, e izquierdo y derecho en 4 puntos.
    - Haz clic en la pestaña *Sombreado* y elige el color *Blanco, Fondo 1.*

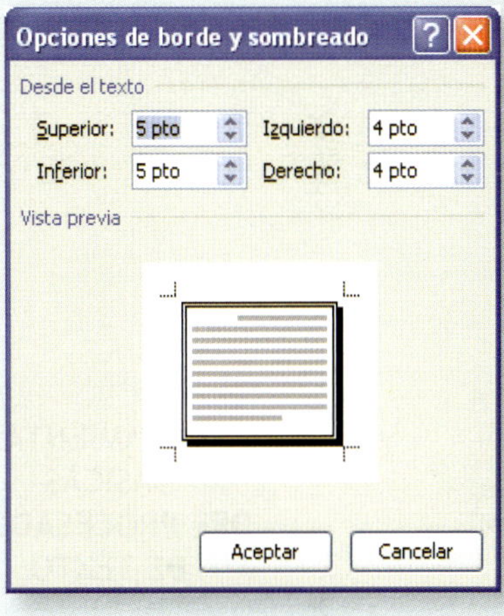

- Selecciona los cinco párrafos escritos. En la ficha *Diseño de página,* haz clic en el botón *Columnas* y escoge *Más columnas.* Selecciona *Izquierda* y activa la casilla *Línea entre columnas / Aceptar.* Sitúa el cursor delante del segundo párrafo de la primera columna y haz clic en el botón *Saltos* del grupo *Configurar página, Columna.*
- Selecciona los cinco párrafos de la segunda columna y aplica una sangría francesa de 0,5 cm.
- Selecciona el párrafo de la primera columna. Desde la ficha *Inicio* modifica el tamaño de fuente a 13 y ponlo en cursiva. Amplía su espaciado anterior a 36 puntos desde el cuadro de diálogo de la sección *Párrafo.*
    - Con la tecla <Ctrl> pulsada, selecciona el texto resaltado en color. Activa la negrita, haz clic en el botón *Color de resaltado del texto* del grupo *Fuente* y elige *Blanco, Fondo 1.*

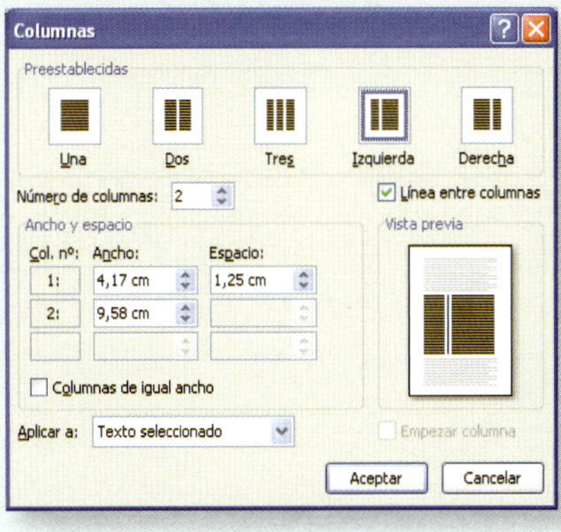

- Sitúate en una línea nueva y accede al cuadro de diálogo *Tabulaciones* desde el cuadro de diálogo *Párrafo.* Fija tabulaciones en 4,5 y en 7,5, esta última con relleno 2 y haz clic en *Fijar.* Termina haciendo clic en *Aceptar.*
- El proceso a seguir para cada bloque es: escribir texto, pulsar <Tab>, escribir texto, pulsar <Tab> y escribir texto. La segunda línea de cada bloque comienza directamente pulsando <Tab>. Entre un bloque de tabulaciones y otro, hay que pulsar <Intro> dos veces. Activa la negrita en todo el texto.
- Selecciona cada bloque por separado y, desde el botón desplegable *Bordes del grupo Párrafo,* elige *Bordes y sombreado.* Para abrir el cuadro de diálogo, selecciona el valor *Cuadro* y *Ancho:* 1 ½pto, *Aplicar a: Párrafo* y haz clic en *Aceptar.*
- Repite el proceso en los dos bloques de texto siguientes tal y como se indica en el enunciado.

Ideas clave

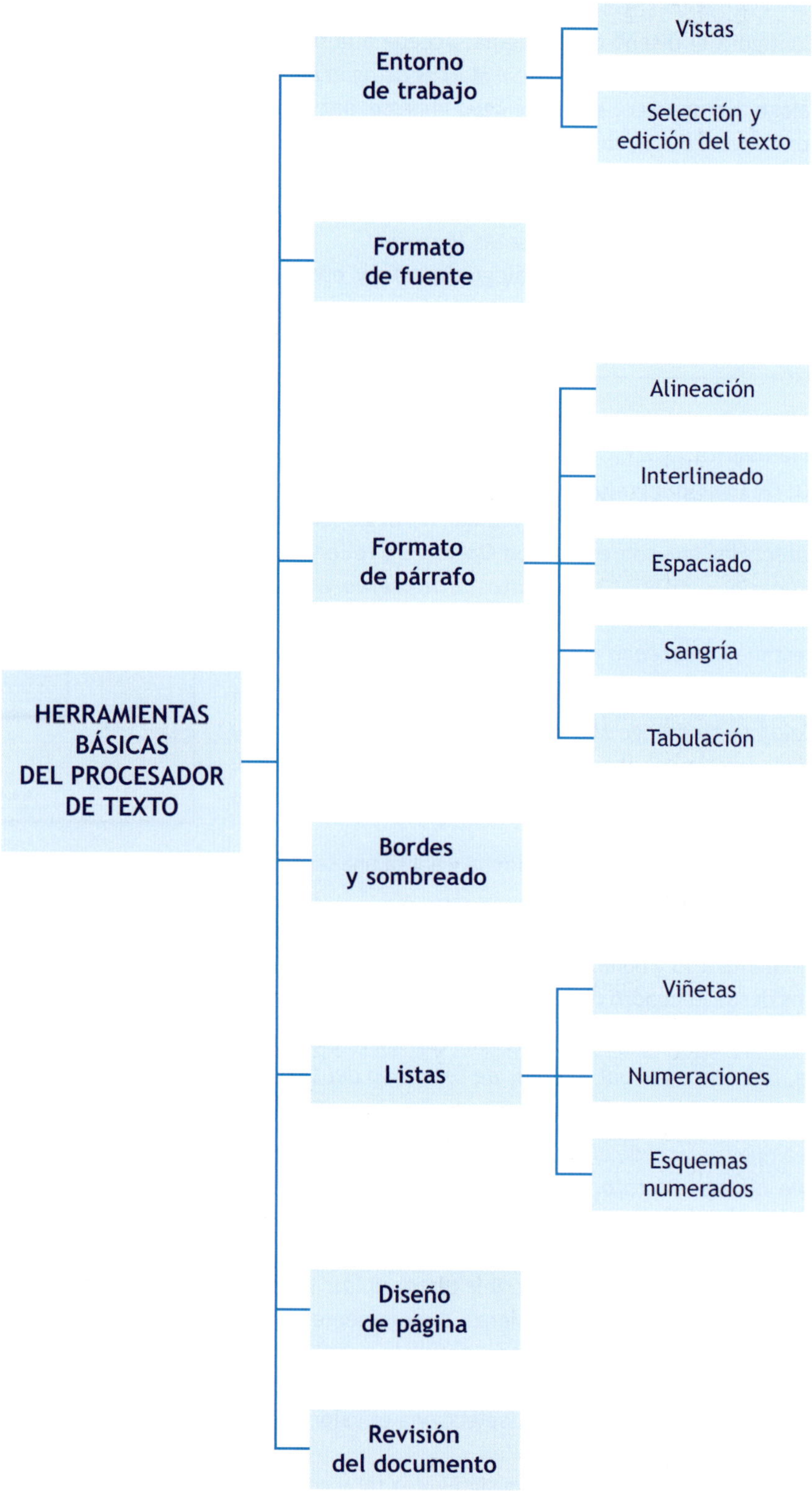
HERRAMIENTAS BÁSICAS DEL PROCESADOR DE TEXTO
Entorno de trabajo
Vistas
Selección y edición del texto
Formato de fuente
Formato de párrafo
Alineación
Interlineado
Espaciado
Sangría
Tabulación
Bordes y sombreado
Listas
Viñetas
Numeraciones
Esquemas numerados
Diseño de página
Revisión del documento

SOFTWARE LIBRE OpenOffice WRITER 1.ª parte

Writer es el procesador de texto del paquete ofimático libre OpenOffice. Su interfaz gráfica es similar a las versiones antiguas de Word.

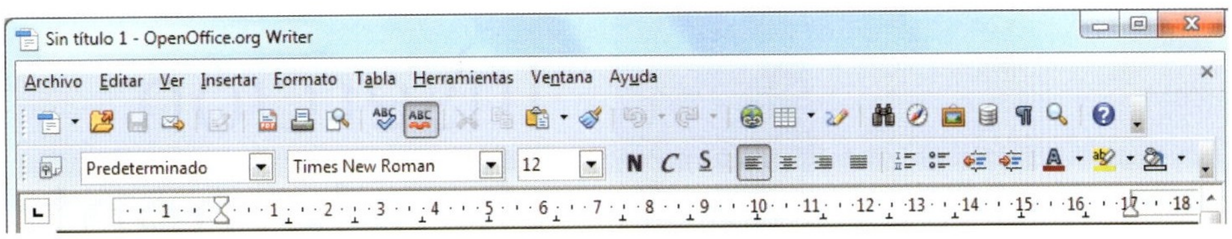

Las opciones vistas en Word están disponibles desde los menús y las barras de herramientas. Así, por ejemplo, el menú *Abrir* contiene las opciones *Nuevo, Abrir, Guardar,* etc.

Desde el menú *Ver / Barra de herramientas* podemos abrir y cerrar todas las barras de herramientas de la aplicación.

La barra de herramientas *Estándar* contiene las acciones básicas generales: *Nuevo, Abrir, Guardar, Imprimir, Copiar, Pegar, Deshacer, Buscar,* etc, mientras que la barra de herramientas *Formato* se centra en el tipo de fuente, tamaño, color, sombreado, negrita, cursiva, alineaciones, numeración y viñetas básicas, etc.

La filosofía es la misma que en Word: seleccionar y actuar.

Cualquier procesador de textos funciona del mismo modo, solo es necesario saber cómo acceder a las ventanas que nos permiten configurar cada elemento y sus propiedades.

Las acciones de formato que hemos visto en esta unidad en Word las encontramos también en OpenOffice:

- Fuente: menú Formato / Carácter.
- Párrafo: menú Formato / Párrafo.
- Tabulaciones: menú Formato / Párrafo / ficha Tabuladores
- Numeración y Viñetas: Formato / Numeración y viñetas.
- Configurar página: menú Formato / Página.

A lo largo de los menús y las ventanas encontraremos las opciones para configurar las propiedades vistas en Word a lo largo de la unidad.

Por ejemplo, por destacar una opción, en la ventana *Numeración y viñetas* controlamos todo lo visto en la unidad acerca de este aspecto incluidas las listas multinivel (pestaña *Posición* y *Opciones*).

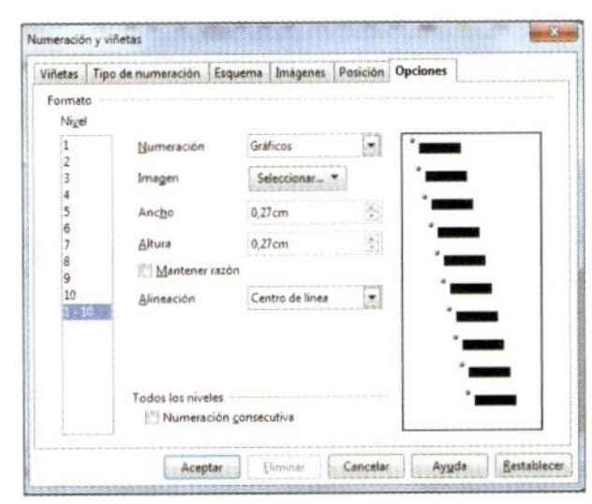

ORTOGRAFÍA Y GRAMÁTICA

Mediante el menú *Herramientas* o la tecla <F7> se activa el corrector ortográfico.

GALERÍA

La galería es un conjunto de imágenes, fondos de página, fondos de párrafo, imágenes de viñetas y sonidos distintos a los ofrecidos en las ventanas de configuración del menú *Formato.* Están centralizados bajo el botón *Galería* de la barra de herramientas *Formato.*

El menú contextual del archivo que vayamos a incluir nos ofrece la posibilidad de previsualizarlo, incluirlo una vez (*Copia*) o agregarlo como fondo de página o párrafo.

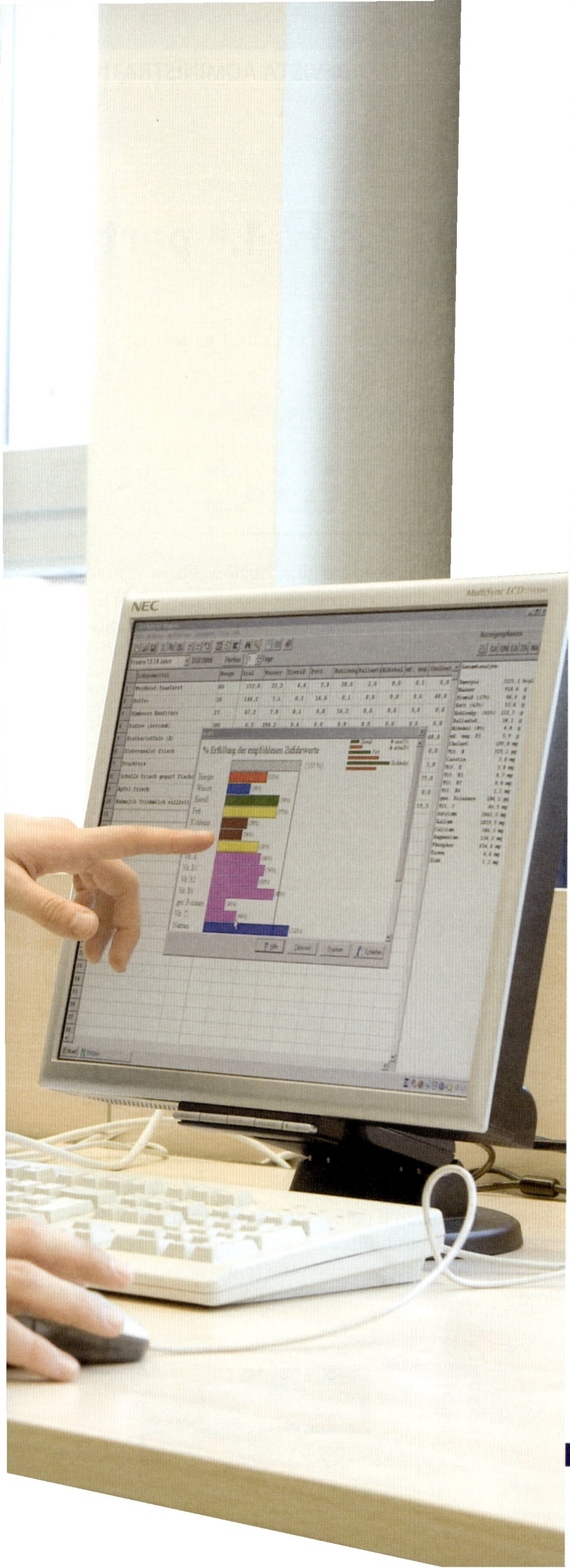

unidad

6

Inserción de elementos

SUMARIO

- Tablas
- Imágenes y formas
- Gráficos
- Encabezado y pie de página
- Vínculos
- Ecuaciones y otros elementos

OBJETIVOS

- Manejar todas las propiedades de un documento trabajando con distintos elementos.
- Insertar y configurar hipervínculos.
- Aplicar elementos de texto que enriquezcan los documentos.

1 >> Tablas

El procesador de texto permite añadir y manejar una gran cantidad de elementos para la edición de los documentos. Uno de ellos son las tablas.

Para insertar y trabajar con estos elementos, existe la ficha *Insertar*, cuyos grupos de botones de comando iremos describiendo a lo largo de esta unidad en sus epígrafes respectivos.

Tabla

Una tabla es una representación de forma clara y concisa de la información en forma de filas y columnas.

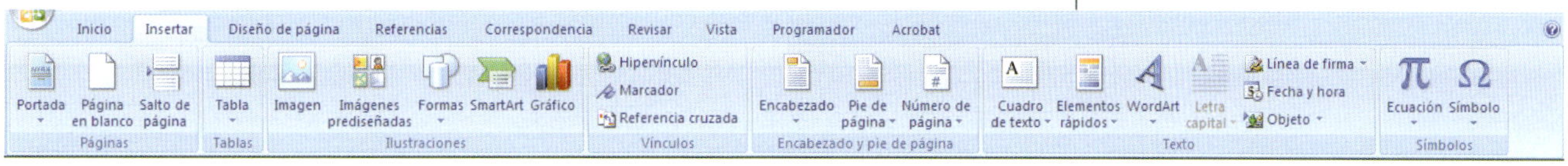

6.1. Ficha *Insertar*.

Las filas y columnas están divididas en celdas donde se almacena el texto, el cual puede tener cualquier formato visto hasta el momento. A su vez, existen multitud de opciones para el formateo de la propia tabla.

1.1 > Insertar tabla

En la ficha *Insertar* está situado el botón *Tabla*. Esta herramienta consiste en un desplegable que ofrece varias posibilidades:

- ***Muestra de celdas:*** al deslizar el ratón sobre el panel, el título del desplegable va informando de las dimensiones que tendrá la tabla. Al hacer clic sobre una selección aparecerá en el documento una tabla con la cantidad de filas y columnas elegida y que ocupará todo el ancho de la página.
- ***Insertar tabla:*** al hacer clic sobre esta opción, aparecerá un cuadro de diálogo donde se podrá teclear el número de filas y columnas que formarán la tabla y el autoajuste de la misma (ancho de columna fijo, ajustado a la ventana o al contenido de la celda).
- ***Dibujar tabla:*** convierte el puntero del ratón en un lápiz con el que, al hacer clic y arrastrar sobre el documento, dibujaremos un rectángulo que formará los límites exteriores de la tabla. Posteriormente, con la misma técnica de hacer clic y arrastrar, se dibujan las líneas que irán dividiendo la tabla en filas y columnas, consiguiéndose tablas totalmente personalizadas.
- ***Hoja de cálculo de Excel:*** inserta una cuadrícula de Excel y adapta la cinta de opciones para trabajar como si de esa aplicación se tratara. Para dar por finalizado el trabajo, basta con hacer clic fuera del área cuadriculada y quedará insertada en el documento. Para volver a editar los datos hay que hacer doble clic sobre la cuadrícula.
- ***Tablas rápidas:*** colección de plantillas que agilizan la creación de tablas. Al seleccionar una, la tabla correspondiente se inserta en el documento y solo habrá que modificar el contenido de las celdas.

Al seleccionar una, la tabla correspondiente se inserta en el documento y solo habrá que modificar el contenido de las celdas.

Tabulaciones en las tablas

Las cuatro flechas y la tecla <Tabulador> permiten desplazarse ordenadamente por todas las celdas de una tabla, pero si se quiere añadir una tabulación en una celda habrá que pulsar <Ctrl>+<Tabulador>.

1.2 > Diseño de tablas

Durante el proceso de creación de una tabla, o bien una vez creada, se pueden modificar todas las características de formato de la misma.

Para ello, cuando se inserta una tabla, aparecen disponibles dos nuevas pestañas agrupadas bajo el nombre *Herramientas de tabla.*

La ficha *Diseño* es la que nos ofrece la totalidad de las opciones de diseño.

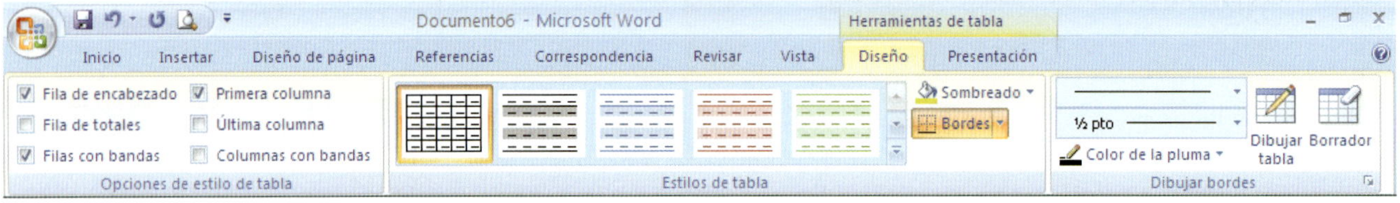

6.2. Ficha *Diseño* de *Herramientas de tabla.*

Esta ficha contiene los grupos que se indican a continuación:

Opciones de estilo de tabla

Este grupo de herramientas consiste en seis botones de verificación que proporcionan un formato especial a las filas o columnas sobre las que actúan, además de poner o quitar las bandas de color entre filas y/o columnas que tienen algunos estilos.

Estilos de tabla

Word muestra una serie de plantillas para dotar de estilo a las tablas de forma rápida. La filosofía de vista previa de Word ayuda a decidir el efecto que será definitivo al seleccionarla. No obstante, el desplegable *sombreado* permite personalizar el color de celdas, tiras y/o columnas.

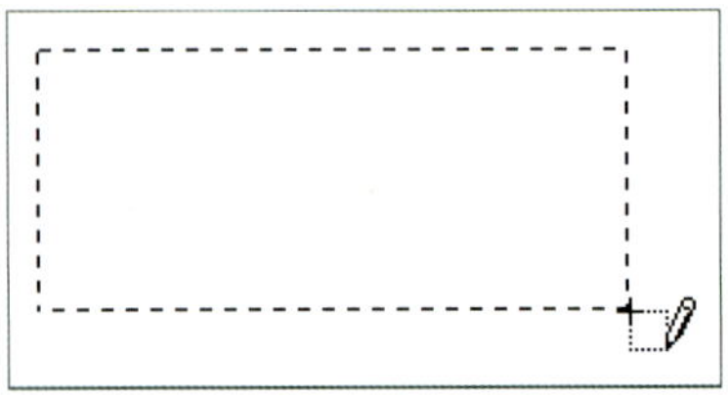

6.3. Dibujar tabla.

El desplegable *Bordes* ya se vio en la unidad anterior. No obstante, hay que volver a llamar la atención sobre su importancia en el caso de las tablas, ya que será necesario utilizar frecuentemente todas sus opciones. Así, es posible controlar todos los bordes de cualquier celda, acceder a la opción de dibujar una nueva tabla o línea divisoria en la misma tabla e, incluso, trabajar con las líneas de cuadrícula visibles que sirven de orientación cuando se ocultan los bordes de las tablas.

Dibujar bordes

Este grupo de herramientas permite dibujar bordes a mano alzada seleccionando previamente el color, el grosor y el estilo. El puntero del ratón se convertirá en un lápiz que se arrastra sobre la tabla.

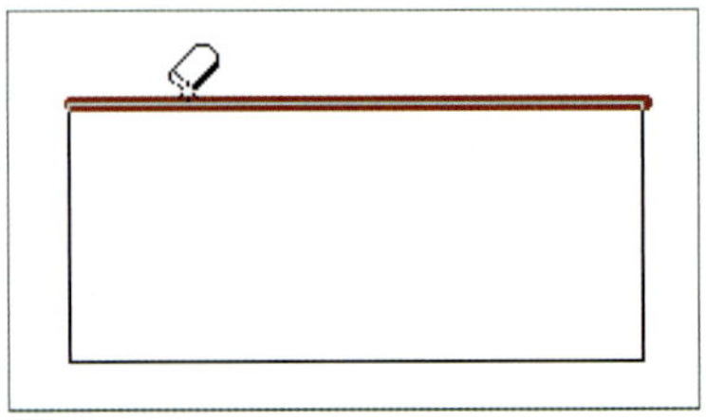

6.4. Borrador.

Para eliminar un borde, se hace clic en el botón *Borrador.* El cursor adoptará la forma de ese icono y podremos borrar un borde arrastrándolo sobre él.

Cuando una tabla tiene contenido y se quiere eliminar algún borde, hay que tener cuidado, puesto que, al hacerlo, puede unirse el contenido de distintas celdas.

Si está activada alguna de las dos opciones (dibujar o borrar bordes) y se quiere salir de ella, basta con pulsar la tecla <Esc>.

Casos prácticos 1

Diseño de tablas

•• Abre un documento de Word, inserta y diseña la siguiente tabla.

Elementos patrimoniales	
Activo no corriente	**Patrimonio neto**
Inmovilizado intangible Inmovilizado material Inversiones financieras a largo plazo	Capital Autofinanciación
Activo corriente	**Pasivo exigible**
Existencias Deudores comerciales Inversiones financieras a corto plazo Efectivo	Pasivo no corriente Pasivo corriente

Formato de fuente: Century Gothic. La primera fila en tamaño 16; la segunda y la cuarta a tamaño 14 y el resto a 12.

Solución ••

- Desde la ficha *Insertar* haz clic en el desplegable *Tabla* y desplaza el ratón hasta seleccionar una tabla de 2x6. Haz clic en ese momento.
- Selecciona toda la tabla haciendo clic en el icono flecha de cuatro puntas que aparece en la esquina superior izquierda de la tabla. Seguidamente, accede a la ficha *Presentación* y rellena el alto de celda a 1 cm.
- Situándote en la tabla, haz clic en el botón *Borrador* de la ficha *Diseño*. A continuación, haz clic sobre la línea que divide la primera fila. Haz clic también en la línea horizontal que divide las dos últimas celdas de la columna de la izquierda. Pulsa <Esc>.
- Sitúate en la primera celda y escribe el texto. Desde la ficha *Inicio*, aumenta el tamaño a 16, color *Blanco, Fondo 1, Negrita* y cambia la fuente a Century Gothic.
- Escribe el resto de texto de la tabla en Century Gothic. Selecciona la segunda fila y, manteniendo pulsada la tecla <Ctrl>, selecciona también la cuarta. Modifica el tamaño de fuente a 14 y el resto de celdas a tamaño 12, color *Automático*.
- Selecciona de nuevo la tabla, accede a la ficha *Diseño* y elige *Estilos de tabla / Lista clara-Énfasis 6*.
- Con toda la tabla seleccionada, accede a la ficha *Presentación* y elige la alineación centrada verticalmente a la izquierda. Centra el texto de la primera fila.
- Selecciona la segunda y cuarta fila y haz clic en *Negrita*. Abre la ficha *Diseño* y escoge *Sombreado / Más colores / Personalizado (255, 205, 100)*.
- Accede de nuevo a la ficha *Diseño*. Haz clic en *Color de la pluma,* del grupo *Dibujar bordes* y escoge, *Anaranjado, Énfasis 6*. Establece como grosor de pluma 1 ½ pto. Cuando el cursor adopte forma de lápiz, haz clic y arrastra para dibujar las dos partes de la línea central de la tabla en su lugar correcto.

1.3 > Presentación de tablas

Durante la creación de una tabla, se puede necesitar añadir celdas, unirlas o dividirlas, controlar el tamaño, etc. Todas estas opciones están disponibles en la ficha *Presentación* de *Herramientas de tabla.*

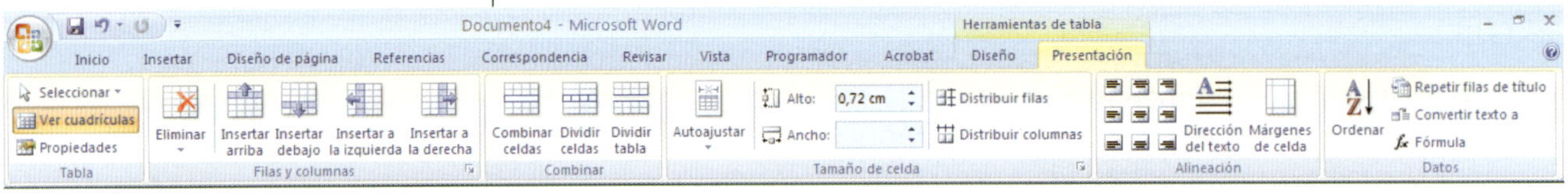

6.5. Ficha *Presentación* de *Herramientas de tabla.*

Grupo *Tabla*

Para trabajar con los elementos de una tabla, primero debemos seleccionarlos correctamente. Una vez situados en la tabla, desde el botón *Seleccionar* del grupo *Tabla* podemos elegir la opción necesaria o proceder tal y como se resume en la siguiente tabla.

Para seleccionar...	Acción
Una celda	Colocar el cursor en la parte izquierda de la celda hasta que se convierta en una flecha negra y hacer clic.
Una fila	Situarse a la izquierda de la fila hasta que el cursor se convierta en una flecha blanca que señale a la fila y hacer clic.
Una columna	Situarse en la parte superior de la columna hasta que el cursor se convierta en una flecha negra y hacer clic.
Toda la tabla	Colocar el cursor en la tabla hasta que aparezca el controlador de movimiento de la misma (un cuadrado con cuatro flechitas) sobre la esquina superior izquierda de la tabla y hacer clic en él.

Desde este grupo de herramientas de la ficha *Presentación* también es posible hacer visibles las marcas de cuadrícula de las que hemos hablado anteriormente, además de abrir el cuadro de diálogo que controla las dimensiones y alineaciones de la tabla y sus celdas.

Grupo *Filas y columnas*

Este grupo controla la eliminación e inserción de filas y columnas. Al añadir una fila o columna, se debe decidir el lugar de la tabla donde aparecerán las nuevas celdas en función de la ubicación del cursor en la tabla y del botón sobre el que se haga clic. Se añadirán tantas filas como celdas se tengan seleccionadas verticalmente y tantas columnas como celdas haya seleccionadas horizontalmente.

Grupo *Combinar*

Combinar consiste en unir celdas contiguas. Para ello, basta con seleccionar las celdas a juntar y hacer clic en el botón *Combinar celdas.* También es posible dividir una celda en una determinada cantidad de filas y columnas, para lo cual se debe seleccionar las celdas a dividir. Al hacer clic en el botón *Dividir celdas,* aparecerá un pequeño cuadro de diálogo para fijar la composición de la nueva celda.

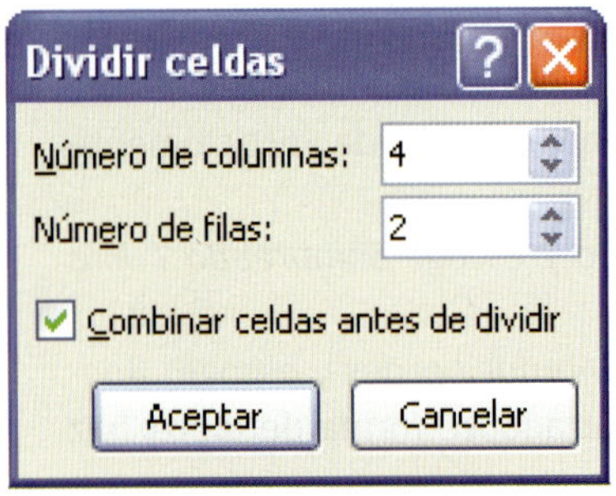

6.6. Cuadro de diálogo *Dividir celdas.*

Grupo *Tamaño de la celda*

Desde este grupo de herramientas se controlan las dimensiones de las celdas, tanto absolutas como relativas al contenido o la ventana, así como de filas, columnas o toda la tabla, en función de lo seleccionado. La redimensión también es posible si hacemos clic y arrastramos desde cualquier borde de una tabla.

Grupo *Alineación*

El texto de una tabla se puede formatear igual que cualquier otro texto.

Desde este grupo se pueden controlar las nueve alineaciones del texto dentro de la celda, la dirección e incluso los márgenes de la propia celda.

Grupo *Datos*

Es interesante que la primera fila se repita automáticamente cuando la tabla ocupe varias páginas. Para ello, se debe situar el ratón en la primera fila y hacer clic en el botón *Repetir filas de título.*

Entre las herramientas de este grupo también están la de *Ordenar,* ya sea filas o columnas de acuerdo a su contenido y ciertos criterios (texto, numéricos o fecha), así como la de convertir la tabla en texto. No obstante, quizás la opción más interesante es la posibilidad de realizar pequeños cálculos insertando **fórmulas** sencillas que realizan operaciones sobre los datos numéricos de filas y columnas.

Estas fórmulas funcionan de forma muy similar a la que veremos en las unidades dedicadas a Microsoft Excel. La sintaxis de la fórmula comenzará siempre con el signo igual (=), seguido del nombre de la función y, a continuación, las celdas, filas o columnas a las que afectará.

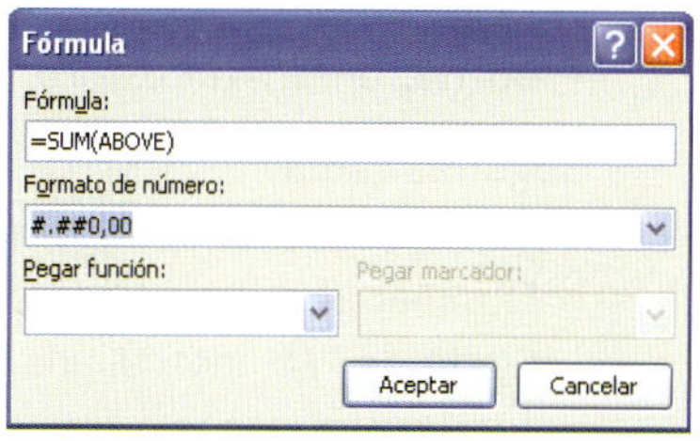

6.7. Cuadro de diálogo *Fórmula.*

Ejemplos

Inserción de fórmulas en una tabla

Partiendo de la siguiente tabla vamos a calcular el total del coste de los artículos.

	Precio	Cantidad	Importe	Dto (10%)	Total
Libro	37	15			
cuaderno	1,20	40			

- En primer lugar, dibujamos una tabla de 6×4. Seleccionamos la primera fila y la primera columna y en la pestaña *Diseño* de *Herramientas de tabla,* hacemos clic en el desplegable *Bordes / Bordes y sombreado* y elegimos el tercero de los estilos, el de rayitas, así como color *Verde oliva, Énfasis 3, Oscuro 25 %.* Hacemos clic en *Sombreado* y elegimos *Verde oliva, Énfasis 3, Claro 60 %.*
- Situados en la tabla, hacemos clic en el botón *Borrador* de la ficha *Diseño.* A continuación, hacemos clic para borrar las líneas de las celdas de la primera columna y la última fila hasta obtener la tabla de la imagen.

»

- Situamos el cursor en la columna 4, fila 2 (debajo de *Importe*, en la celda *D2*) y abrimos la ficha *Presentación / Datos / Fórmula*. Escribimos en el cuadro fórmula *=B2*C2* y, en el desplegable *Formato de número*, elegimos el formato con €. Hacemos clic en *Aceptar* y repetimos el proceso con la celda que está justo debajo con la fórmula *=B3*C3*.
- Situados debajo de *Dto*. Insertamos la fórmula *=D2*0,1* y debajo *=D3*0,1*.
- Situados debajo de *Total*, insertamos la fórmula *=D2-E2* y debajo la fórmula *=D3-E3*.
- Situamos el cursor en la columna 6, fila 4. Abrimos el cuadro de diálogo *Fórmula* y escribimos *=SUM(ABOVE)*, donde *SUM* significa «suma» y *ABOVE* (en inglés) «las celdas por encima».

Actividades propuestas

1·· Diseña las siguientes tablas teniendo en cuenta estas apreciaciones:

- **Formato de fuente:** Calibri 11.
- **Primera tabla:**
  - **Estilo de tabla:** *Cuadrícula clara, Énfasis 1.*
  - **Borde:** línea *Azul oscuro, Texto 2, Claro 40%* y grosor 2 ¼ pto.
- **Segunda tabla:**
  - **Estilo de tabla:** *Cuadrícula media 1, Énfasis 1.*
  - Eliminar el relleno y el borde de las dos celdas de la última fila.
  - Cuota de IVA: inserta una fórmula que calcule el importe del IVA.
  - Totales: inserta una fórmula que calcule la suma de los valores de cada columna.

TABLA N.º 1

Operaciones de compraventa			
Etapa	Compra-aprovisionamiento	**Etapa**	Venta-comercialización
Precompra	Elaboración de especificaciones de compra	**Preventa**	Elaboración de catálogo, precios y ofertas
	Búsqueda de proveedores y solicitud de ofertas		
	Selección de proveedores y ofertas		Búsqueda y localización de clientes
Negociación comercial			
Compra	Formulación de pedidos	**Venta**	Recepción y estudio de pedidos
	Recepción y comprobación de la mercancía		Preparación y expedición de la mercancía
	Almacenaje de la mercancía		Transporte y entrega de la mercancía
	Pago de operación-factura		Cobro de operación-factura
		Postventa	Atención al cliente

TABLA N.º 2

Segundo semestre	IVA repercutido			IVA soportado		
	Base imponible	Tipo IVA	Cuota IVA	Base imponible	Tipo IVA	Cuota IVA
	900	8%		860		
	260	18%		215		
		4%		680		
Totales						

2 >> Imágenes

Para incluir una imagen en un documento, colocaremos el cursor en el punto donde deseamos que aparezca y abriremos la ficha *Insertar*. Utilizaremos los botones *Imagen* e *Imágenes prediseñadas* del grupo *Ilustraciones*, respectivamente, para cada tipo de imagen.

- El botón *Imagen* abre un cuadro de diálogo que permite buscar la imagen que deseamos agregar en cualquier carpeta de nuestro ordenador o de cualquier dispositivo conectado a él.
- El botón *Imágenes prediseñadas* abre el panel lateral del mismo nombre en la parte derecha de la interfaz de Word. Escribiendo una palabra en el cuadro de texto *Buscar* y haciendo clic en el botón, la aplicación mostrará una vista previa de las imágenes relacionadas con el tema escrito (que están preinstaladas en la aplicación). Al hacer doble clic sobre una, esa imagen aparecerá en el documento. Se puede buscar también en las colecciones de Office *(Organizar clips)* e incluso descargar imágenes prediseñadas de Microsoft Office Online.

Una vez insertada una imagen, cuando esté seleccionada aparecerá disponible la ficha *Formato* de *Herramientas de imagen* para poder manipularla.

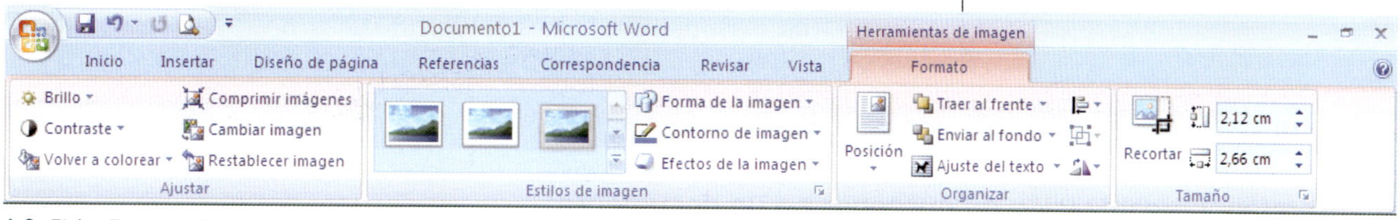

6.8. Ficha *Formato* de *Herramientas de imagen*.

2.1 > Ajuste de imagen

Aunque Word no es una aplicación orientada al tratamiento de imágenes, desde el grupo *Ajustar* se pueden modificar el brillo y contraste de la imagen e incluso colorearla con distintas tonalidades.

Desde aquí es posible también comprimir la imagen para que el archivo ocupe menos espacio y deshacer todos los cambios de formato realizados restableciendo la imagen original.

2.2 > Estilos de imagen

Las herramientas de este grupo son:

- ***Colección de estilos:*** dota a la imagen de un marco con distintos estilos. La barra de desplazamiento muestra la lista completa.
- ***Forma de la imagen:*** despliega el conjunto de formas que puede adoptar nuestra imagen. Hay que tener cuidado, pues la imagen puede quedar muy reducida e irreconocible dependiendo de la forma elegida.
- ***Contorno de imagen:*** permite elegir entre distintos colores y estilos de líneas para el contorno de la imagen.
- ***Efectos de la imagen:*** permite elegir entre distintos efectos visuales de la imagen seleccionada como sombra, resplandor, rotación 3D, etc.

2.3 > Organización de las imágenes

En la organización de una imagen, desde el punto de vista del texto que la rodea, se puede controlar:

- ***Posición:*** es el ajuste de la imagen con respecto al texto que la rodea. Con los ajustes del texto es posible desplazar la imagen arrastrándola con el ratón a cualquier punto. Para mayor precisión en la colocación de la imagen, se pulsa la tecla <Ctrl> y se usan las flechas del teclado.
- ***Ajuste del texto:*** es el ajuste del texto con respecto a la imagen (puede estar en línea con ella, alrededor, encima, debajo, etc.).
- ***Traer al frente:*** en caso de que haya varias imágenes superpuestas, con esta opción, la imagen seleccionada se colocará delante del resto. Se puede variar la superposición de una imagen con respecto a la insertada inmediatamente después con la opción *Traer adelante.*
- ***Enviar al fondo:*** maneja el orden en sentido contrario.
- ***Agrupar:*** consigue que varias imágenes u objetos seleccionados se conviertan en un único objeto de manera que el desplazamiento del grupo sea más cómodo y las variaciones posteriores de formato afecten al conjunto. La opción *Desagrupar* vuelve a dar independencia a cada una de las formas.
- ***Alinear*** y ***Girar:*** permiten colocar las imágenes respecto a otros elementos y rotarlas personalizando hasta el ángulo de giro.

Ejemplos

Inserción y organización de imágenes en un documento

- En primer lugar, escribimos todo el texto (fuente Calibri 12 y sangrías a 1 cm).
- Hacemos clic sobre *Insertar / Imagen* e insertamos desde el CD *Recursos* la imagen *Tailandia.*
- Seleccionamos la imagen *Tailandia,* modificamos su tamaño desde la ficha *Formato* o haciendo uso del ratón (7 cm × 5,21 cm). Desde esta misma ficha, hacemos clic en el botón *Recortar* y, pinchando y arrastrando en la parte inferior de la imagen, la dejamos como se ve en la figura. Elegimos como estilo *Soporte metálico* y, desde el grupo de herramientas *Ajustar,* aumentamos el brillo un 10% y a continuación hacemos clic en *Colorear / Color de énfasis 1 oscuro.*
- Para colocar la imagen, primeramente seleccionamos *Formato / Ajuste del texto / Estrecho.* Luego, haciendo clic y arrastrando la imagen, se coloca en el texto. Seleccionamos ahora en *Ajuste del texto / Modificar puntos de ajuste.* Hacemos clic y arrastramos todos los puntos de ajuste hasta conseguir el efecto de la figura.
- Volvemos a la ficha *Insertar / Imagen prediseñada* e introducimos la palabra *Clima* para buscar la imagen *Nube.* Reducimos su tamaño y cambiamos el ajuste a *Cuadrado* para poder colocarla sobre la imagen *Tailandia.*

3 >> Formas

Las formas son dibujos que el usuario inserta en el documento eligiendo entre una colección propuesta.

Continuando con la ficha *Insertar*, en el grupo *Ilustraciones* encontramos el botón *Formas*, un desplegable que muestra la totalidad de los dibujos que se pueden incorporar en los documentos. Están agrupados por categorías, donde la primera es una muestra de las últimas formas utilizadas.

Para insertar un dibujo procederemos así:

– Se despliega el botón *Forma* y se hace clic sobre la elegida.
– Se hace clic en el punto del documento elegido para ubicar el dibujo y se arrastra con el ratón hasta que la forma adopte el tamaño deseado. Se suelta el ratón y aparecerá la forma con los puntos de control conocidos que nos permiten modificar su posición, tamaño y orientación.

Si hacemos doble clic sobre el listado de formas, se añadirá la forma igualmente al documento con una ubicación y tamaño por defecto.

Tiene especial importancia la primera forma básica, el cuadro de texto, ya que es la forma estándar para insertar texto en cualquier zona del documento. Por su importante papel, el cuadro de texto tiene su propio botón en el grupo *Texto* de la ficha *Insertar*, que permite añadir distintos modelos prediseñados de cuadros de texto con solo seleccionarlos.

Para trabajar con las formas, abriremos la ficha *Formato* de *Herramientas de dibujo*, disponible al seleccionar una forma dibujada.

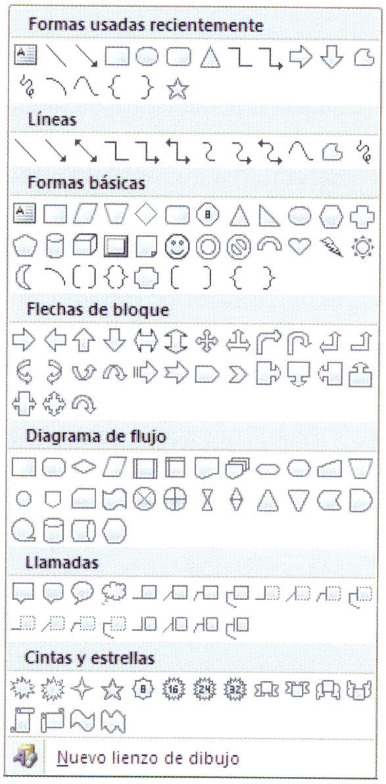

6.9. Botón *Formas* desplegado.

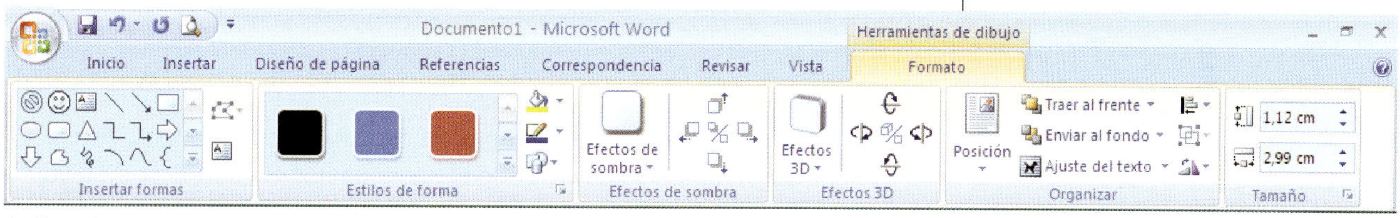

6.10. Ficha *Formato* de *Herramientas de dibujo*.

Cuando la forma es un cuadro de texto, la ficha *Formato* sustituye su primer grupo por el grupo *Texto*, con el que es posible dibujar más cuadros, controlar la orientación del texto y vincular cuadros para que el texto continúe de uno a otro.

Al igual que las imágenes, los dibujos pueden estar organizados unos sobre otros, formar grupos y, por supuesto, tener un estilo personalizado de colores, líneas, sombras, etc. En esta ficha existen herramientas ya vistas en el tratamiento de imágenes y su uso es idéntico sobre los dibujos:

– ***Estilos de forma***, con modificaciones de relleno, contorno y variación de forma para el dibujo.
– ***Efectos de sombra* y *3D***, con distintas alternativas en los efectos, dirección del efecto e incluso color en los mismos.
– ***Organizar***, para controlar la forma respecto al texto y al resto de dibujos que la rodean.
– ***Tamaño***, con exactitud, del dibujo.

Ejemplos

Diseño de un dibujo con formas

Salvo en el momento de dibujar la forma, estaremos trabajando durante todo el caso práctico con la ficha *Formato* de la forma que tengamos seleccionada.

Para realizar este dibujo, lo haremos por partes: primero haremos las ondas de la parte inferior del dibujo; después, la parte superior con los cuatro elementos de los que está formado: el fondo, el arcoíris, la nube y el sol.

Dibujo de las ondas de la parte inferior del dibujo

- Dibujamos cinco formas de estilo *Onda* de la categoría *Cintas y estrellas,* de longitudes más o menos proporcionales, tal y como se observa en el dibujo. De izquierda a derecha y de arriba abajo 2 y 7,5 cm, 2,5 y 6 cm, 2,5 y 8 cm, 2 y 7,5 cm y 2,5 y 8 cm.

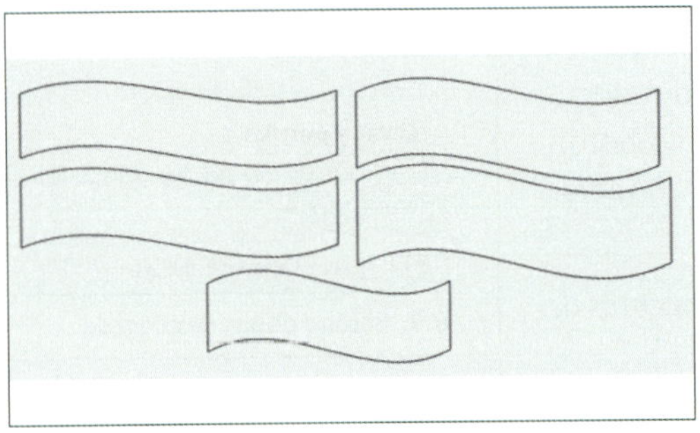

- Seleccionar una a una las formas y dotarlas de los siguientes efectos de forma: *Degradado arriba lineal - Énfasis 1, Énfasis 5* y *Énfasis 1; Degrado diagonal - Énfasis 1* y *Énfasis 1,* respectivamente.
- Arrastramos las formas y las colocamos tal y como se ven en el dibujo.
- Seleccionamos ahora todas las formas haciendo clic en una y, con la tecla <Ctrl> pulsada, vamos haciendo clic en las demás. Seleccionadas todas, aplicamos la opción *Contorno de forma / Sin contorno* y, respecto a la organización, elegimos *Agrupar.*

Fondo amarillo de la parte superior

- Pasamos a dibujar un rectángulo que se ajuste a las medidas del ancho total del dibujo de las ondas. Seleccionamos para esa forma *Relleno de forma / Degradado / Más degradados* y rellenamos el cuadro de diálogo tal y como mostramos en la imagen.
- También en este caso elegimos la forma *Sin contorno* y, en la organización del conjunto, seleccionamos *Enviar al fondo.*

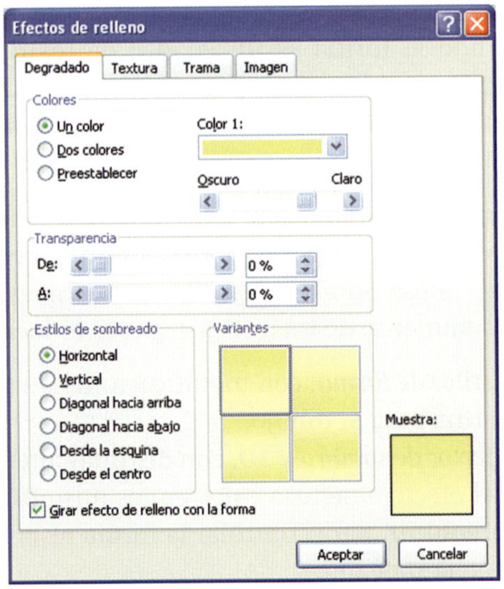

Dibujo del arco iris

- A continuación, de entre las formas básicas, dibujamos cuatro arcos de bloque y los situamos de acuerdo al dibujo. Para colocarlas con precisión, pulsamos <Ctrl> y las cuatro flechas de nuestro teclado. En este caso, elegimos como estilo de forma *Relleno de color.* Hay que jugar con el ajuste *Enviar atrás* de los arcos para conseguir el efecto final.

Dibujo del sol y de la luna

- Para finalizar, dibujamos primero una forma de sol y una llamada de nube y los colocamos correctamente. Seleccionamos el sol y lo dotamos de un color de relleno amarillo y hacemos clic en *Efectos de sombra / Sombra de perspectiva / Sombra estilo 8.* Para la nube, elegimos *Estilo / Contorno compuesto, énfasis 1.*

4 >> SmartArt

Un gráfico SmartArt es una forma visual de representar información.

Entre los distintos diseños de gráficos SmartArt, debemos elegir aquel que mejor se adapte a la información que vamos a representar según se trate de datos jerarquizados, consecutivos, etc.

Insertar un gráfico de estas características es muy sencillo:

- Se sitúa el cursor en el lugar del documento donde se añadirá el gráfico.
- Accedemos a la ficha *Insertar / SmartArt* para abrir el cuadro de diálogo. Allí se selecciona un gráfico SmartArt, eligiendo en la parte izquierda del cuadro de diálogo la categoría o diseño y, posteriormente, en la parte central, el tipo de gráfico dentro del diseño escogido. Una vez elegido, se hace clic en *Aceptar*.
- A la izquierda del gráfico aparecerá el panel de texto, en el que se escribe el contenido como si de una lista se tratara. Al pulsar <Intro>, se crearán nuevas formas, que estarán al mismo o distinto nivel que la principal, según se aumente o disminuya el nivel del elemento dentro de la lista. Para este cometido, se pueden utilizar los botones del mismo nombre de la ficha *Diseño*.

Las fichas *Formato* y *Diseño* de *Herramientas de SmartArt* nos proporcionarán las herramientas necesarias para formatear diseños, estilos, colores, efectos, etc., añadir o eliminar formas y mostrar el panel de texto que también está disponible desde las flechas del lateral izquierdo del gráfico.

Ejemplos

Diseño de un gráfico SmartArt

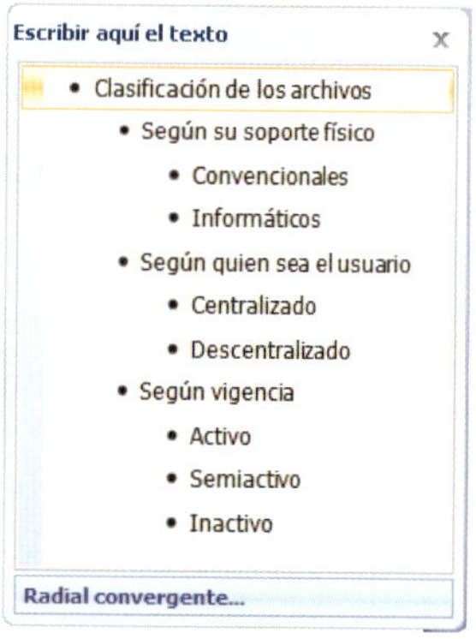

- Hacemos clic en el botón *SmartArt* y eligimos la categoría *Relación* y el tipo *Radial convergente*.
- Dejamos el panel de texto tal y como se observa en la imagen.
- Reducimos el tamaño arrastrando los bordes del gráfico.
- Cambiamos los colores desde la ficha *Diseño / Estilos SmartArt / Cambiar colores / Multicolor* y seleccionamos la 4.ª opción.
- Le damos el aspecto definitivo desde la ficha *Diseño / Estilos SmartArt / Efecto intenso*.

5 >> Gráficos

Un gráfico es una forma visual de representar información numérica.

Los gráficos son una herramienta muy útil y necesaria en las aplicaciones de hojas de cálculo. No obstante, dado que el procesador de texto permite crearlos, vamos a ilustrar el contenido de este punto mediante un sencillo ejemplo.

Ejemplos

Diseño de un gráfico

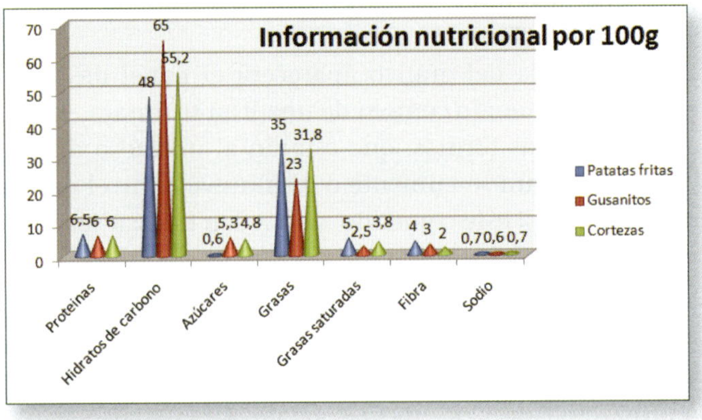

- Abrimos la ficha *Insertar* y hacemos clic en el botón *Gráfico* del grupo *Ilustraciones* para abrir el cuadro de diálogo *Insertar gráfico.*
- A continuación, seleccionamos la categoría o forma del gráfico deseado: lineal, de barras, circular, etc. Dentro de cada categoría, elegimos una de las posibilidades de forma que se nos ofrecen. En este ejemplo, hemos elegido la categoría *Columna*, modelo *Cono agrupado*.
- Una vez elegido el tipo de gráfico deseado, se abrirá una hoja de Excel que se mostrará junto al documento de Word, en la que modificaremos los valores y textos para adecuar el gráfico a nuestras necesidades.
  Para eliminar o añadir rangos en la tabla de Excel, basta con hacer clic y arrastrar los bordes. Además, se abrirán tres fichas de herramientas de gráficos para su posterior tratamiento.
- Rellenamos la hoja de Excel con los datos de la imagen y cerramos la hoja de cálculo.

	A	B	C	D
1		Patatas fritas	Gusanitos	Cortezas
2	Proteínas	6,5	6	6
3	Hidratos de carbono	48	65	55,2
4	Azúcares	0,6	5,3	4,8
5	Grasas	35	23	31,8
6	Grasas saturada	4,5	2,5	3,8
7	Fibra	4,5	3	2
8	Sodio	0,7	0,6	0,7

- Con el gráfico seleccionado, accedemos a la ficha *Diseño* y elegimos el *Estilo 34.*
- Desde la ficha *Presentación / Etiquetas / Título del gráfico*, seleccionamos *Título superpuesto centrado.* Hacemos clic sobre el cuadro de texto, escribimos el título y arrastramos el cuadro para colocarlo correctamente. También en este grupo elegimos *Etiquetas de datos / Mostrar.*
- Para finalizar, configuramos los valores del eje desde la ficha *Presentación / Ejes*, seleccionamos *Eje vertical primario / Más opciones* y configuramos la unidad mínima en 0, la máxima en 70, la mayor en 10 y la menor en 2.

6 >> Encabezado y pie de página

Los encabezados y pies de página son áreas situadas en los márgenes superior, inferior y lateral de cada página de un documento.

Insertar encabezado y pie de página

Al hacer clic sobre los botones *Encabezado* o *Pie de página*, se despliega un menú que ofrece una lista de posibilidades de formato. Al seleccionar una de ellas, se colocará en el documento y se mostrará activa el área reservada a estas secciones.

Para insertar texto, basta con hacer clic en las zonas marcadas entre corchetes, que indicarán el tipo de texto que hay que insertar en cada caso; por ejemplo *[Escribir texto]*, *[Escribir el título del documento]*, *[Escribir el nombre de la compañía]*, etc.

Además aparecerá abierta la nueva ficha *Diseño* de *Herramientas para encabezado y pie de página* con los comandos relativos a este tema.

Encabezado y pie de página

En estas áreas se pueden insertar diversos elementos como texto, el número de página, el nombre del autor, etc., o imágenes (por ejemplo, el logotipo de la empresa o la foto en un currículum vitae).

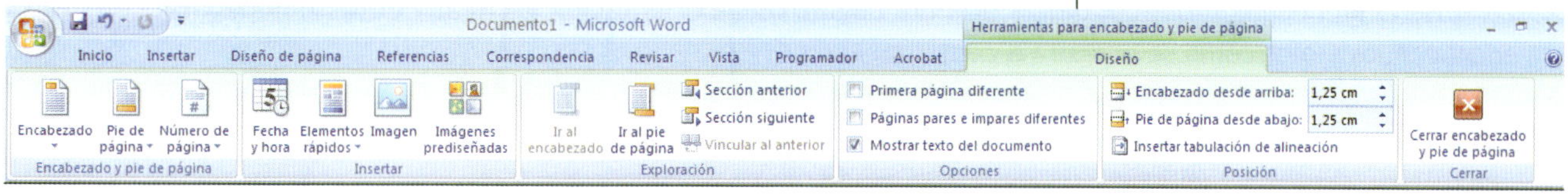

6.11. Ficha *Diseño* de *Herramientas para encabezado y pie de página.*

Para entrar en el encabezado o pie, basta con hacer doble clic en el área reservada para ellos.

Para salir del encabezado y pie, hay dos opciones: hacer clic en el botón *Cerrar encabezado y pie de página* que está a la derecha de esta ficha o hacer doble clic fuera del área reservada al encabezado o pie.

Para eliminar un encabezado o pie, se seleccionan las opciones *Quitar encabezado* o *Quitar pie de página,* a las que se accede desde los respectivos botones de la ficha *Diseño* de *Herramientas para encabezado y pie de página.*

Insertar elementos en el encabezado y pie

Dentro del encabezado y el pie pueden insertarse diversos elementos, tanto de texto como imágenes:

- ***Número de página:*** el desplegable *Número de página* de las fichas *Insertar* o *Diseño* propone varias posibilidades para numerar las hojas de los documentos, como el lugar del documento en el que se insertará el número, su formato, etc.
- ***Fecha y hora:*** permite la inserción de la fecha y la hoja actual con distintos formatos.
- ***Elementos rápidos:*** inserta elementos de contenido como el título y el autor.
- ***Imagen e Imágenes prediseñadas:*** estos botones insertan una imagen, ya sea desde archivo o prediseñada.

Alternar encabezado y pie

Con los botones del grupo *Exploración* se puede alternar entre el encabezado y el pie de página y, una vez en el pie, elegir su diseño con el desplegable *Pie de página*. Además, en el caso de que el documento esté dividido en secciones, se puede pasar fácilmente por los encabezados o pies de cada una de ellas.

Grupos *Opciones* y *Posición*

Acciones tan utilizadas como diseñar el encabezado y pie de la primera página independiente del resto o diferenciarlos entre páginas pares e impares se configuran automáticamente en esta versión de Word.

Respecto a la *Posición*, desde aquí se controla la distancia de la hoja a la que se encuentran tanto el encabezado como el pie y la posibilidad de insertar tabulaciones dentro.

Actividades propuestas

2·· Diseña un documento en el que la primera página tenga orientación vertical y el resto horizontal con los encabezados y pies como se muestra a continuación:

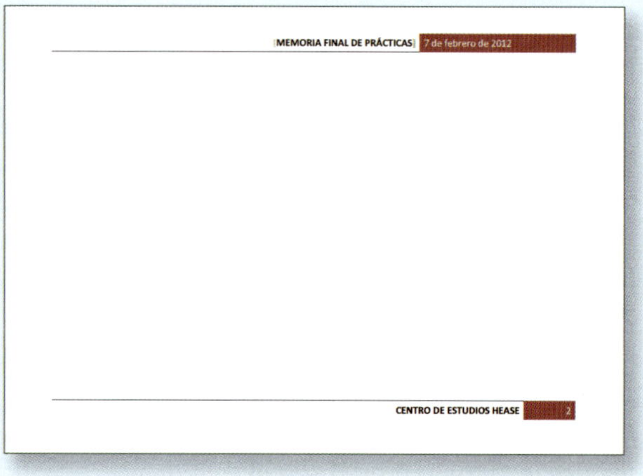

7 >> Inserción de otros elementos

El resto de los elementos se pueden añadir desde los grupos *Vínculo, Texto* y *Símbolos* de la ficha *Insertar* con solo hacer clic sobre el botón y seleccionar el elemento a añadir.

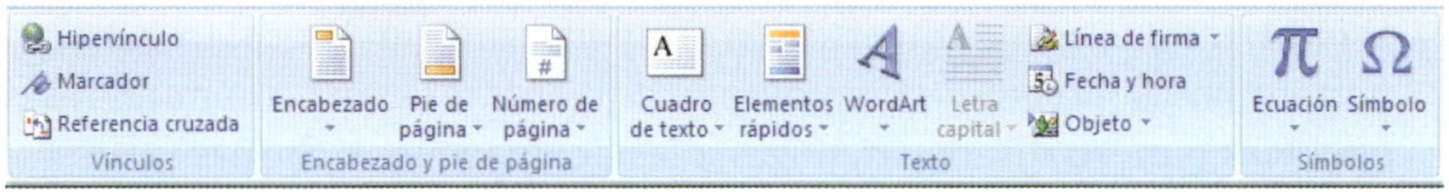

6.12. Grupos *Vínculo, Texto* y *Símbolos*.

7.1 > Vínculos

Los hipervínculos son objetos que funcionan de enlace a una parte del documento, a una página web u otro archivo.

Para insertar un hipervínculo, se selecciona un texto y se hace clic en la ficha *Insertar / Hipervínculo*. Esto abre el cuadro de diálogo *Insertar hipervínculo.*

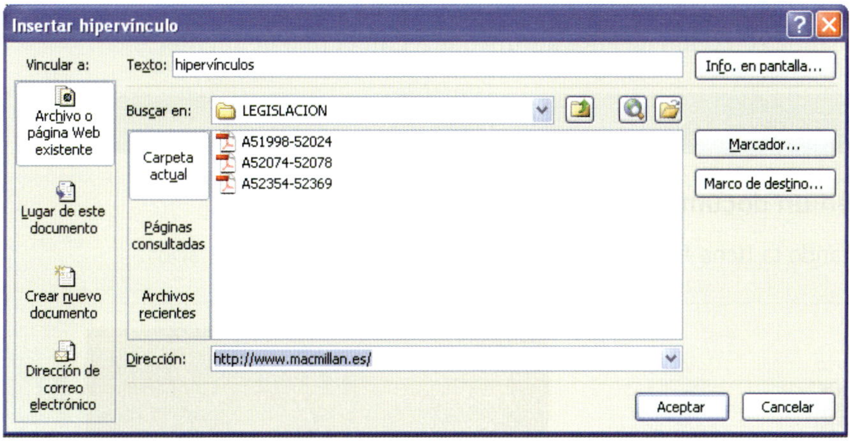

6.13. Cuadro de diálogo *Insertar hipervínculo*.

Si el destino del vínculo es una página web, bastará con hacer clic en el botón *Archivo o página Web existente* y escribir la dirección en *Dirección.*

Si el destino del vínculo es una parte del propio documento, se debe hacer clic en el botón *Lugar de este documento,* si bien previamente es necesario insertar un marcador. Para ello:

- Debemos situarnos en el destino al que queremos que nos lleve el vínculo y hacer clic sobre el botón *Marcador* de la ficha *Insertar.*
- Se le da un nombre al marcador y se hace clic en *Aceptar.*
- Se selecciona el texto donde se quiere insertar el vínculo.
- Se hace clic sobre el botón *Hipervínculo* y, ya en el cuadro de diálogo, se hace clic sobre el botón *Marcador.* De los marcadores disponibles, se selecciona el creado anteriormente y se hace clic en *Aceptar.*

Una vez que se ha creado un hipervínculo, si se quiere activar el vínculo para que, desde el texto seleccionado, nos lleve al destino deseado, debe pulsarse <Ctrl>+clic del ratón sobre el texto vinculado.

7.2 > Texto y símbolos

De las opciones que incluyen estos dos grupos, vamos a destacar las siguientes:

- ***Cuadro de texto:*** áreas para escribir texto con un estilo y situación prediseñados.
- ***WordArt:*** texto con estilo artístico, muy utilizado en Word. La barra de herramientas *Formato* de *Herramientas de WordArt* cuenta con numerosas opciones para su diseño, análogas a las de imágenes y formas.
- ***Letra capital:*** es una letra inicial destacada del texto.
- ***Línea de firma:*** texto característico de las líneas de firma de los documentos.
- ***Fecha y hora:*** añade la fecha y hora actual en diferentes formatos.
- ***Objeto:*** permite insertar objetos de otras aplicaciones Windows. Cuando se seleccione un objeto de la lista, se incorporará al documento y la cinta de opciones adoptará las herramientas como si de la aplicación originaria se tratara. Un doble clic permite salir y entrar al objeto.
- ***Ecuación:*** permite escribir ecuaciones matemáticas y lógicas.
- ***Símbolo:*** permite insertar símbolos muy comunes o buscar otros entre una colección de ellos agrupados según el tipo de fuente.

Casos prácticos 2

Inserción de texto y símbolos en un documento

•• Crea el siguiente documento utilizando la ficha *Insertar* para componer los elementos necesarios.

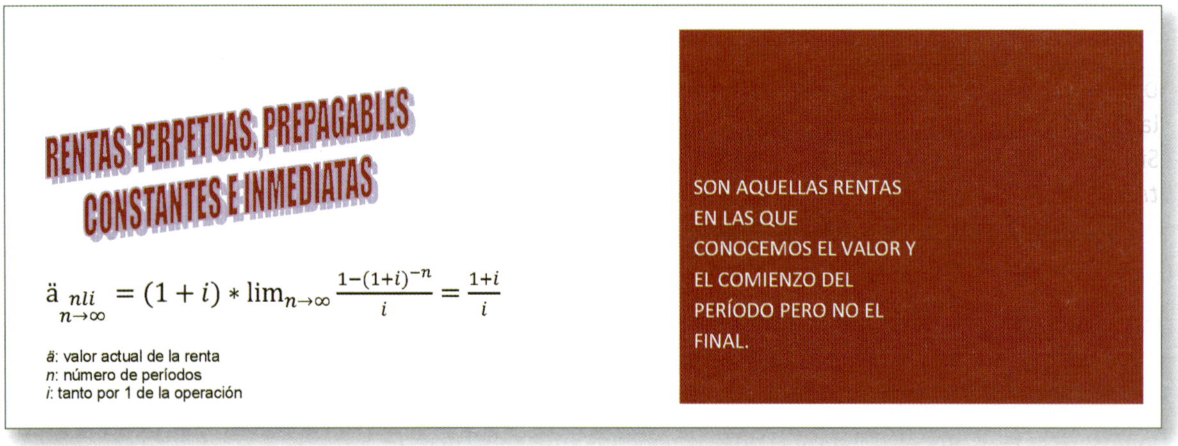

Solución ••

- Configura los márgenes del documento a 1 cm. Desde la ficha *Diseño de página* desplegamos el botón *Márgenes* eligiendo *Márgenes personalizados* y rellenamos los cuatro datos de márgenes con 1 cm.

Crear el título

- Para insertar el título con ese estilo, escribimos el texto en dos párrafos, lo seleccionamos y desde la ficha Insertar hacemos clic en el botón *WordArt* / *Estilo 14*. A continuación, hacemos clic en *Aceptar*.

2

- En las *Herramientas de WordArt*, accedemos a la ficha *Formato* y eligimos *Relleno de forma* para seleccionar el color *Rojo, Énfasis 2, Oscuro 25%*.
- Por último, hacemos clic fuera del texto WordArt que acabamos de añadir.

Inserta el cuadro granate que aparece en la parte derecha del documento:

- Desde la ficha *Insertar*, desplegamos el botón *Cuadro de texto* del grupo *Texto* y elegimos el estilo *Barra lateral austera*. Situamos el ratón dentro y tecleamos el texto.

Escribir la fórmula del documento

- Colócate en un párrafo nuevo. Desde la ficha *Insertar*, hacemos clic en el botón *Ecuación* en su parte superior. Aparecerá la barra de herramientas que permite el tratamiento de todas las fórmulas: la ficha *Diseño* de *Herramientas de ecuación*.
- Accede al grupo *Estructuras / Índices / Subíndices*. Sitúa el ratón en el primer cuadro y escribe *ä* (Figura 6.14).
- Haz clic con el ratón para situarte en el cuadro correspondiente al subíndice y teclea *nli*.
- Pulsa <Intro>, así se genera automáticamente otro cuadro de subíndice (Figura 6.15). En el nuevo subíndice, escribe n → ∞, insertando la flecha y el símbolo ∞ desde el grupo *Símbolo* de la ficha *Diseño* (Figura 6.16).
- A continuación de la formula escrita, teclea el símbolo = (Figura 6.17).
- Escribe la fórmula (1 + *i*) e inserta el símbolo * desde el grupo *Símbolos* (Figura 6.18).

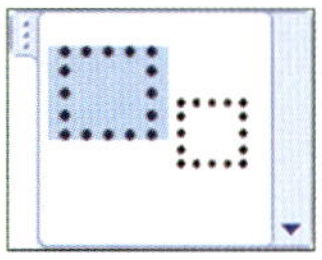

6.14.

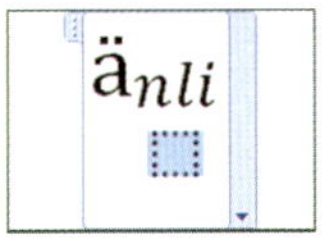

6.15.

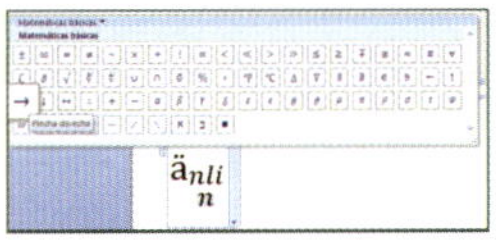

6.16.

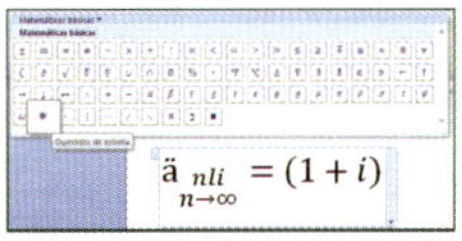

6.17.

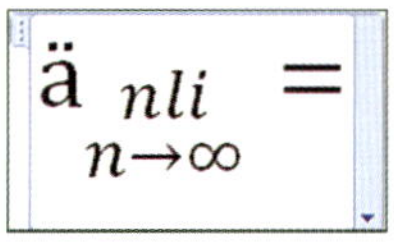

6.18.

- Desde la ficha *Insertar / Ecuación*, haz clic en *Límite y logaritmo / Límite*. Sitúate en el primer cuadro de la fórmula, en el subíndice del límite, y escribe *n* → ∞ igual que anteriormente (Figura 6.19).
- Sitúate en el segundo cuadro de la fórmula del límite, haz clic en *Fracción / Fracción apilada* del grupo *Estructuras*. El cuadro de texto se dividirá en dos (Figura 6.20).

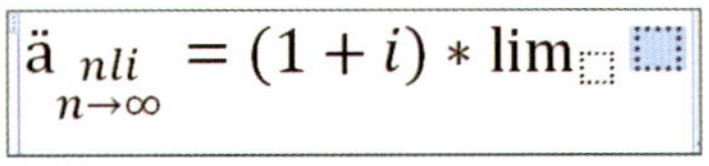

6.19.

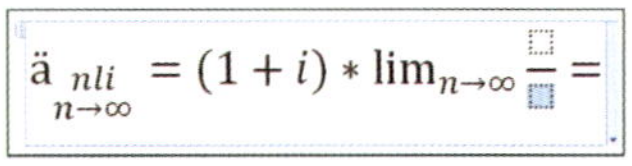

6.20.

- Haz clic en la parte inferior de la fracción y escribe *i*.
- Haz clic en la parte superior de la fracción y escribe 1 -. Haz clic en *Índices / Subíndices y superíndices / Superíndice* (Figura 6.21). En el cuadro inferior de la fracción, escribe (1 + *i*) y en el superior -*n*.
- Sitúa el cursor a la derecha de la fracción y teclea el símbolo =.
- Vuelve a hacer clic en *Fracción / Fracción apilada* del grupo *Estructuras*. En el cuadro superior de la fracción, escribe 1 + *i* y en el inferior *i* (Figura 6.22).

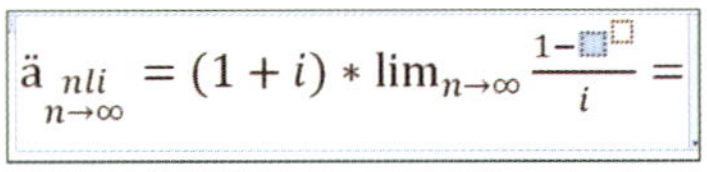

6.21.

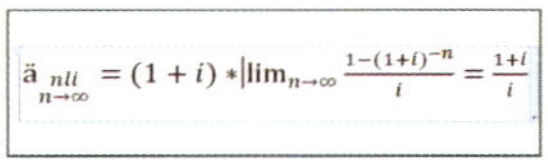

6.22.

Caso final 3

Inserción de elementos en un documento

•• Realiza el siguiente documento, utilizando lo que has aprendido en esta unidad, para darle el mismo formato a texto, párrafos y página. Las características del documento son las siguientes:

- **Formato de fuente:** Calibri, tamaño 14, excepto en los gráficos SmartArt.
- **Estilo de tabla:** *Sombreado medio 1,* Énfasis 1; la tabulación es izquierda a 5 cm y con relleno 2.
- **SmartArt:** tipo de gráfico *Jerarquía horizontal;* para el color, usar *Colores del tema principal, Relleno oscuro 2;* estilo: *Dibujos,* tamaño 6,8 cm x 12,3 cm y 6,3 cm x 11,5 cm.
- **Formas:** las formas principales tienen relleno de forma *Blanco, Fondo 1, Oscuro 5%;* las pequeñas con estilo de forma *Degradado central - Énfasis 1.*
- **Pie de página:** estilo *Conservador.*

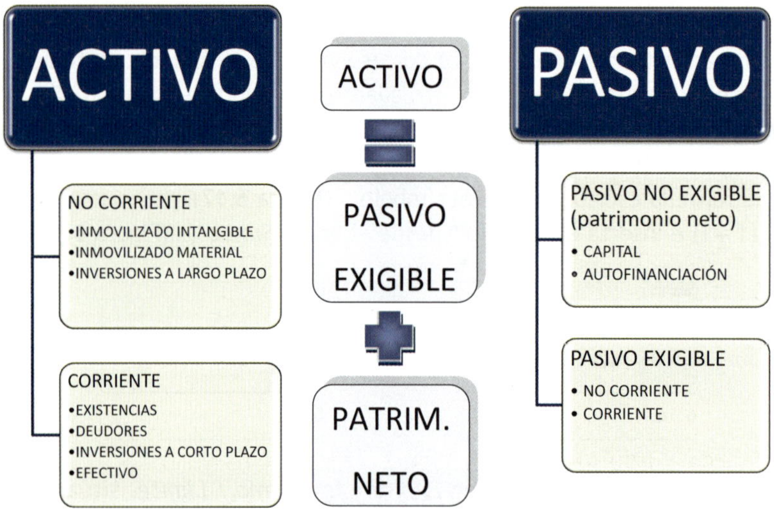

ACTIVO	PATRIMONIO NETO Y PASIVO
ACTIVO NO CORRIENTE	**PATRIMONIO NETO**
Inmovilizado material Construcciones..............180.000,00	Capital social 143.400,00
ACTIVO CORRIENTE	**PASIVO EXIGIBLE**
Existencias Artículo A. ....1.700,00 **Deudores comerciales** Clientes ....5.000,00 **Efectivo** Banco ....2.0000,00 Caja 1.000,00	**Pasivo no corriente** Préstamo a largo plazo .. 60.000,00 **Pasivo corriente** Proveedores 4.300,00
TOTAL ACTIVO 207.700	**TOTAL P. NETO Y PASIVO 207.700**

Caso final de la unidad

3

Solución ··

1. Pie de página

- Accede a la ficha *Insertar / Pie de página / Conservador.*
- Escribe en el pie de página *Caso final de la unidad.* Haz clic en *Cerrar* de la ficha *Diseño* de las *Herramientas para encabezado y pie de página.*

2. Gráficos SmartArt

Los gráficos de la derecha y de de la izquierda son el contenido de sendas celdas de una tabla, al igual que las autoformas situadas en el centro. Dicha tabla no se aprecia porque los bordes son invisibles, acción que se realizará al final del diseño. El proceso es el siguiente:

- Inserta una tabla de 3×1. Haz clic en la ficha *Insertar / Tabla* y elige una estructura de tabla de 3x1.
- Sitúa el cursor en la celda de la izquierda de la tabla. Selecciona la ficha *Insertar / SmartArt / Lista de jerarquías.* A la izquierda del gráfico aparecerán dos pequeños iconos con forma de flecha que permiten abrir y cerrar el panel de texto en el que debes introducir el texto del gráfico.
- Sitúa el cursor en la celda derecha de la tabla. Repite el proceso anterior para insertar el segundo gráfico SmartArt.
- Accede a la ficha *Presentación* de *Herramientas de tabla* para adaptar las medidas de las celdas. Anchos: 7,5 cm, 5 cm y 7 cm respectivamente; alto: 11 cm.
- Accede a la ficha *Diseño* y da formato al gráfico seccionando las siguientes propiedades:
  - *Cambiar colores / Colores del tema principal / Relleno oscuro 2.*
  - *Estilos SmartArt / Dibujos.*
  - Ficha *Formato / Tamaño:* ancho 6,8 cm x alto 12,3 cm y ancho 6,3 cm x alto 11,5 cm.

3. Formas

- Sitúa el ratón en la celda central de la tabla. Dibuja las tres formas *Rectángulo redondeado* desde la ficha *Insertar* y colócalas según el ejercicio. Abriendo el menú contextual sobre cada una, elige la opción *Agregar texto* y teclea el contenido a tamaño 24. Utiliza el ratón para modificar el tamaño de las autoformas.
- Selecciónalas y accede a la ficha *Formato / Relleno de forma / Blanco, Fondo 1, Oscuro 5%.* Abre el desplegable *Efectos de sombra* y escoge *Sombra / Estilo 2.*
- Dibuja dos pequeños rectángulos y la forma *Cruz.* Adapta su tamaño y situación con el ratón. Selecciónalas y elige, en la ficha *Formato, Estilo de forma / Degradado central - Énfasis 1.*
- Para finalizar esta parte del diseño del documento, selecciona la tabla que contiene los gráficos y formas y, desde la ficha *Diseño,* escoge *Bordes / Sin borde.*

4. Tabla

- Haz clic en la ficha *Insertar / Tabla* y elige una estructura de tabla de 2x5.
- Escribe el texto de la primera, segunda, cuarta y sexta fila moviéndote con el ratón o la tecla de tabulación. Centra el texto y da un espaciado anterior y posterior de 6 desde la ficha *Inicio.* Sitúate en la tercera fila y teclea el primer párrafo en negrita. Pulsa <Intro>.
- Desde la ficha *Inicio,* abre el cuadro de diálogo del grupo *Párrafo* y haz clic en *Tabulaciones.* Teclea en el cuadro de texto la distancia a 5 cm, selecciona tabulación izquierda, relleno 2 y haz clic en *Fijar / Aceptar.* Teclea la palabra *Construcciones,* pulsa la tecla <Ctrl>+<Tab>. Escribe el dato numérico.
- Utiliza el botón *Copiar formato* (brocha) en los párrafos sucesivos de las otras celdas.
- Repite el proceso de inserción del texto en el resto de celdas.
- Selecciona la tabla y, desde la ficha *Diseño,* elige *Estilos / Sombreado medio 1, Énfasis 1.*

Ideas clave

- **INSERCIÓN DE ELEMENTOS**
  - **Tablas**
    - Concepto
    - Insertar tabla
    - Diseño de tablas
    - Presentación de tablas
  - **Imágenes**
    - Ajuste de imagen
    - Estilos de imagen
    - Organización de las imágenes
  - **Formas**
  - **SmartArt**
  - **Gráficos**
  - **Encabezado y pie de página**
    - Insertar encabezado y pie de página
    - Insertar elementos en el encabezado y pie
    - Alternar encabezado y pie
    - Grupos *Opciones* y *Posición*
  - **Otros elementos**
    - Vínculos
    - Texto y símbolos

OPENOFFICE WRITER 2.ª PARTE

SOFTWARE LIBRE

La inserción de elementos en el procesador de textos Writer está dividida en varias opciones a lo largo de los menús y las barras de herramientas.

TABLAS

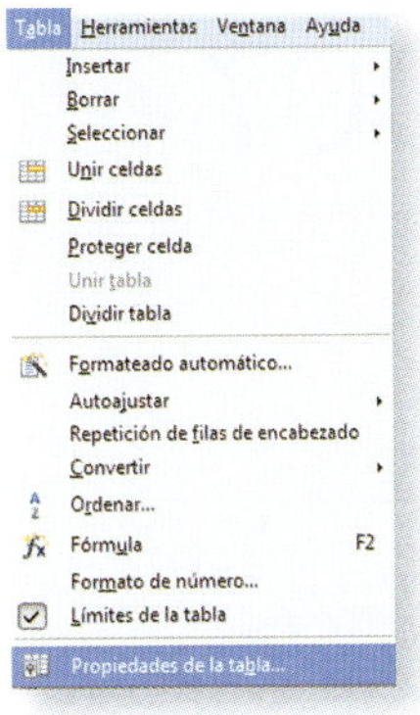

Desde el menú *Tabla*, están disponibles las acciones de *Insertar tabla*, *Combinar celdas*, *Ordenar*, etc. Su utilización es igual que en Word 2007. Una vez insertada la tabla, aparece disponible una barra de herramientas que facilita el manejo de este elemento.

Otras herramientas como las dimensiones de las columnas, fondo de tabla, etc., están incluidas dentro del menú *Tabla / Propiedades de tabla.*

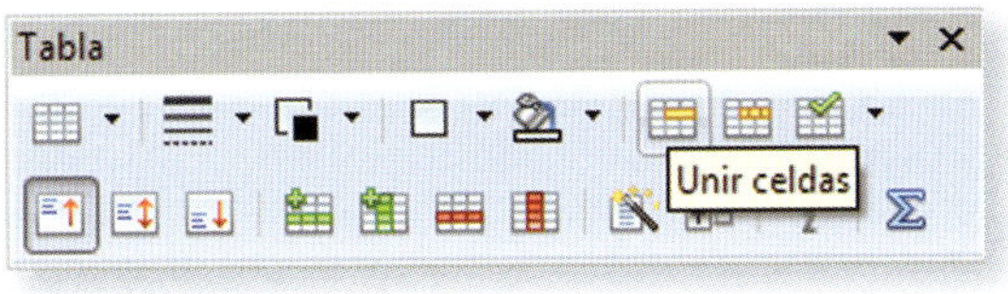

IMÁGENES

La inserción de imágenes y otros elementos se realiza desde el menú *Insertar*.

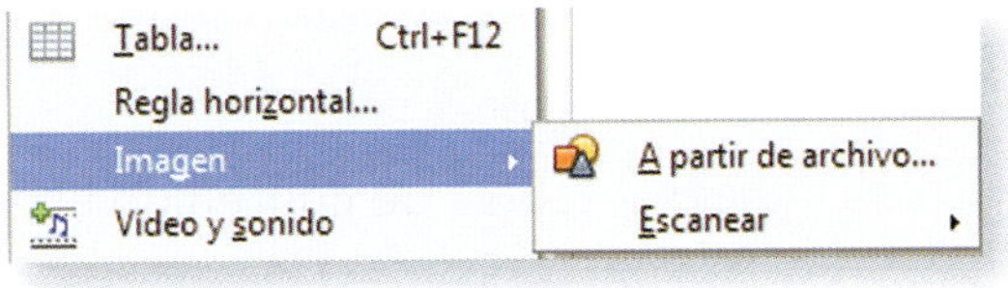

En cuanto a las imágenes predeterminadas, podemos acceder al proyecto OpenClipart.org y descargar cientos de imágenes gratuitas o bien descargarlas como extensiones de la aplicación (www.extensions.service.openoffice.org) Con la barra de herramientas *Imagen* damos el formato a estos objetos.

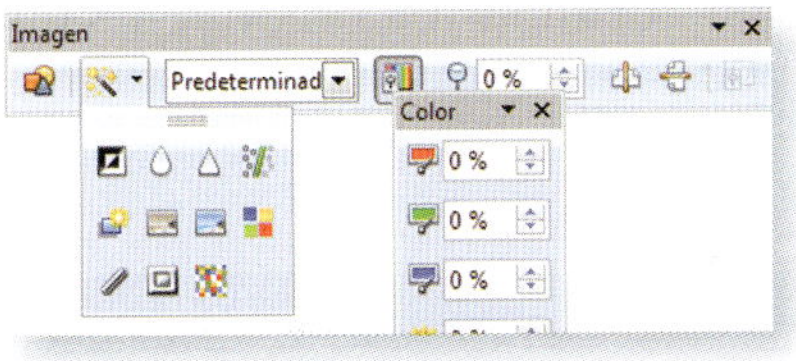

DIBUJOS

Las autoformas o dibujos se añaden y manejan igual que en Word, si bien, en este caso, desde la barra de herramientas *Dibujo.*

Incorporado en la barra de herramientas está el botón *Galería de Fontwork* con el que insertamos textos como los WordArt de Word.

Una vez añadido un dibujo, se nos abrirá la barra de herramientas para configurar sus propiedades.

GRÁFICOS

Los gráficos se tratan como objetos independientes. Para trabajar con ellos, accedemos al menú *Insertar / Objeto / Diagrama.*

Automáticamente aparece un gráfico en nuestra área de trabajo y las barras de herramientas cambian, así como las opciones del menú *Insertar* que se adaptan al objeto.

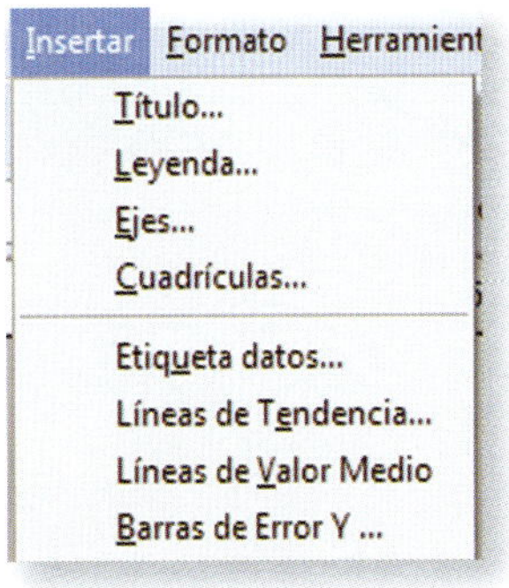

Desde la barra de herramientas, modificamos el tipo de gráfico (barras, circular, etc.), la leyenda, los ejes... y, lo que es más importante, los datos del gráfico.

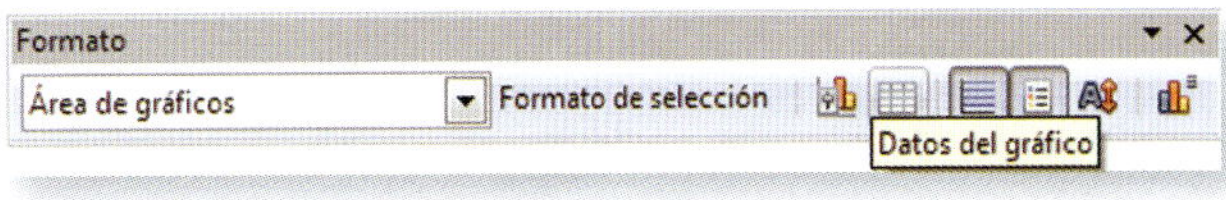

unidad 7

Opciones avanzadas de Word 2007

SUMARIO

- Notas al pie
- Estilos
- Índices y tablas de contenido
- Combinar correspondencia
- Plantillas
- Macros
- Formularios

OBJETIVOS

- Insertar anotaciones en los documentos en distintos formatos.
- Dotar a los textos de estilos rápidos y personalizados.
- Crear índices y tablas de contenido en nuestros documentos.
- Manejar la creación de documentos en serie.
- Agilizar el trabajo con el uso de plantillas y macros.
- Diseñar formularios rellenables en papel y electrónicamente.

1 >> Notas al pie

Una nota al pie es una aclaración acerca de algún concepto del texto que se inserta al final de la página o del documento.

Las notas al pie están formadas por dos partes:

- Una marca en forma de superíndice sobre una palabra del texto.
- La explicación, que puede estar situada al pie de la página correspondiente o al final del documento.

Para insertar la primera nota al pie se procede de la siguiente forma:

- En primer lugar, se sitúa el ratón en el texto, sobre la palabra en que se quiere insertar la aclaración, y se abre la ficha Referencias.
- Desde el grupo de Notas al pie se hace clic en el botón Insertar nota al pie. Aparecerá el superíndice 1, tanto en el punto donde esté situado el ratón como en el pie de página, donde se colocará el cursor dispuesto para añadir el texto del comentario. Al pasar el ratón sobre el superíndice, se mostrará el texto escrito como nota al pie.

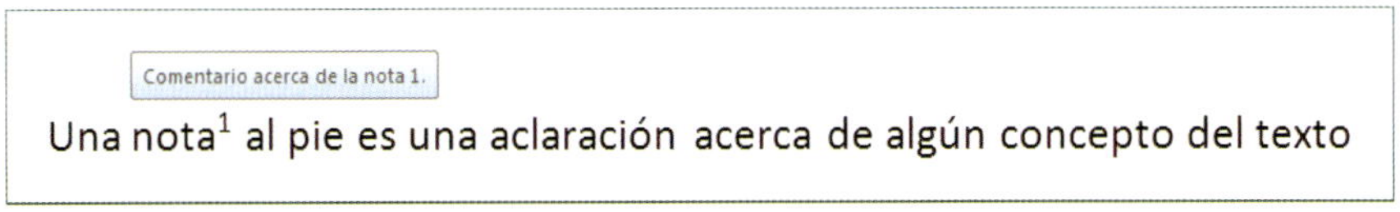

7.1. Comentario en una nota al pie.

Si queremos insertar una nueva nota, procederemos de la misma forma que con la primera, pero ahora al hacer clic sobre el botón *Insertar nota al pie,* aparecerán las notas 2, 3, etc.

7.2. Comentario en las notas escritas al final de una página.

El resto de los botones del grupo de herramientas nos permiten introducir las notas al final de documento, movernos cómodamente por ellas sin tener que buscarlas visualmente y mostrar las notas al pie o al final del documento directamente sin tener que desplazarnos con el ratón.

Sin duda, la herramienta más interesante es el cuadro de diálogo de este grupo, desde donde se puede configurar:

- ***Posición:*** elige si las notas se situarán al final de la página, del documento o de la sección si la hubiese.
- ***Convertir:*** convierte las notas al pie en notas al final y viceversa.
- ***Formato de número:*** estilo de numeración.
- ***Símbolo:*** posibilidad de seleccionar un símbolo como marca personal.
- ***Iniciar en:*** modifica el inicio de la numeración elegida.
- ***Numeración:*** determina si la numeración de las notas continúa a lo largo de todo el documento o se reinicia en cada página o sección.
- ***Aplicar cambios:*** a todo el documento o por secciones si las hubiese.

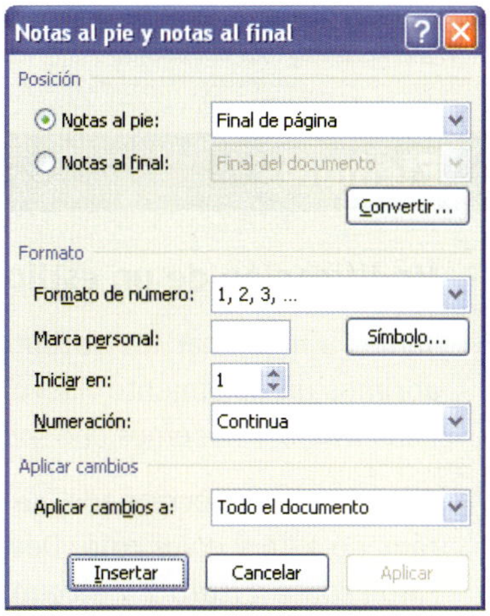

7.3. Cuadro de diálogo *Notas.*

2 >> Estilos

Un estilo es una serie de características que se dan a un texto y a las que se nombra de manera conjunta.

Así, por ejemplo, ciertas partes del texto tendrán el estilo de nombre *Título1* y compartirán las mismas características de formato como tamaño y color de fuente, espaciado, etc. Se configuran desde el grupo *Estilos* de la ficha *Inicio*.

2.1 > Estilo rápido

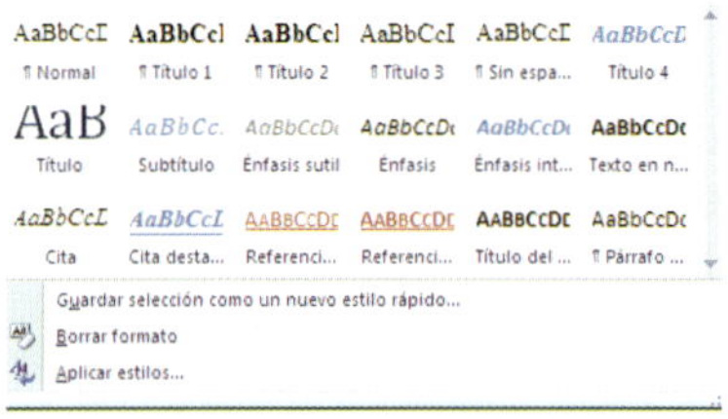

7.4. Panel de estilos rápidos.

El grupo *Estilos* cuenta con una colección de estilos, denominados rápidos, que se pueden aplicar a cualquier texto del documento y a los que se puede acceder desde el panel desplegable de estilos rápidos. Para aplicar uno de estos estilos rápidos, basta con seleccionar el texto al que se desea dotar de estas características y hacer clic sobre el estilo deseado.

Además de permitir la aplicación de un estilo rápido, desde este desplegable se pueden realizar otras acciones:

- ***Crear un nuevo estilo rápido:*** la opción *Guardar selección como un nuevo estilo rápido* permite crear un nuevo estilo. Basta con seleccionar un texto, dotarle del formato deseado y hacer clic en esta opción. Aparecerá el cuadro de diálogo *Crear nuevo estilo a partir del formato* con una vista previa del estilo. Al darle un nombre y hacer clic en *Aceptar* aparecerá un nuevo estilo rápido en la lista anterior con las características y nombre elegido.
- ***Borrar formato:*** se elige esta opción para eliminar cualquier tipo de formato que tenga un texto seleccionado. El texto adoptará el formato por defecto del documento.
- ***Aplicar estilos:*** esta opción abre un pequeño diálogo que permite elegir entre una colección más amplia de estilos rápidos, incluyendo estilos de formato para tablas.

Puede ocurrir que un estilo se aproxime a nuestros deseos pero no sea lo que estamos buscando. En este caso, procederemos a modificar los atributos de un estilo rápido seleccionándolos a través de su menú contextual. Para ello nos situamos con el ratón sobre la vista previa del estilo que queramos modificar y hacemos clic con el botón secundario.

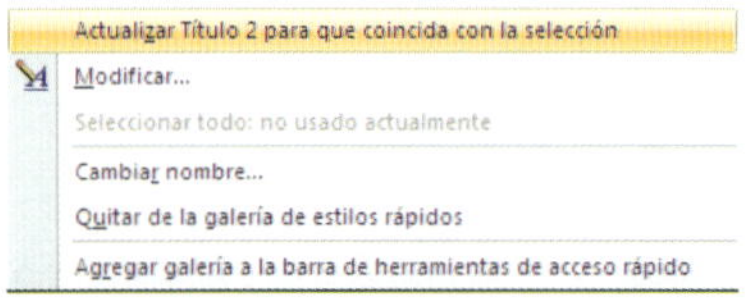

7.5. Menú contextual del estilo.

Ejemplos

Modificación de un estilo

Vamos a modificar los atributos del estilo ***Título 2*** para un documento concreto. Para ello, en primer lugar, abrimos un documento nuevo. Escribimos en el documento cualquier palabra (por ejemplo hola), abrimos la ficha ***Inicio*** y hacemos clic sobre el estilo rápido ***Título 2*** para aplicarlo.

Con el texto seleccionado, se configuran los nuevos atributos que tendrá este estilo. Por ejemplo, cambiar el tamaño a 16 y color rojo. Desde la ficha Inicio, en el grupo ***Estilos***, hacemos clic con el botón secundario del ratón sobre ***Título 2*** y elegimos la opción ***Actualizar Título 2 para que coincida con la selección***.

Si observamos el menú contextual del estilo, vemos que contiene las opciones *Modificar*, *Cambiar nombre* y *Quitar de la galería de estilos rápidos*, que permiten manejar un estilo fácilmente.

La opción *Modificar* destaca como la más interesante. Al hacer clic sobre ella, abre el cuadro de diálogo *Modificar estilo*, que facilita la configuración de todas las características de formato para un estilo desde una misma pantalla.

Para finalizar con los estilos rápidos, hay que comentar la posibilidad de modificar la colección que Word ofrece. Desde la ficha *Inicio* en el mismo grupo de herramientas *Estilos*, el botón *Cambiar estilos* permite cambiar a otro conjunto de estilos, colores y fuentes que afectarán a todos los estilos rápidos de la galería, incluidos los creados o modificados recientemente.

Hay que recordar que desde la ficha *Diseño de página* podemos elegir distintos temas de diseño. Esta elección también hará variar la lista de estilos rápidos, sobre todo en lo referente colores y tipos de letras elegidos.

2.2 > Cuadro de diálogo *Estilos*

Desde el grupo *Estilos*, con el botón iniciador de cuadro de diálogo (esquina inferior derecha), se nos muestra el panel *Estilos* en la parte derecha de la interfaz de Word. Al hacer clic sobre un estilo, este se aplicará al texto seleccionado. Este panel permite mostrar una vista previa del formato de cada uno de los estilos activando la casilla correspondiente en su parte inferior.

Una vez superpuesto el ratón sobre un estilo, aparecerán las características detalladas del estilo y al lado del nombre un icono en forma de flecha. Al hacer clic sobre la flecha, se desplegará un menú con opciones descritas anteriormente, como *Modificar* o *Actualizar*, para cambiar el formato del estilo elegido.

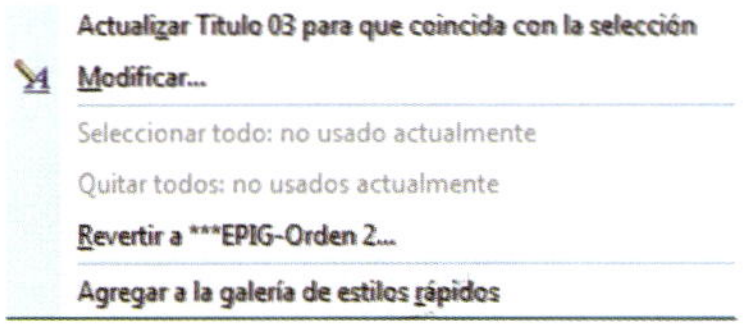

7.6. Modificar o Actualizar Estilo.

Actividades propuestas

1·· Abre el documento ***El contrato de trabajo y la jornada laboral*** que está en la carpeta correspondiente a esta unidad del **CD *Recursos***. Dota a los textos que desempeñan el papel de títulos (puntos 1, 2 y 3) y subtítulos (puntos 1.1, 1.2,... y subtítulos en negrita) de los estilos rápidos ***Título***, ***Título 1*** y ***Título 2*** respectivamente. Guarda el documento con el nombre ***Estilo rápido*** en la carpeta ***Mis Documentos***.

2·· Abre de nuevo el archivo ***El contrato de trabajo y la jornada laboral*** y procede de la siguiente forma:

a) Crea el estilo ***MiEstilo1:*** fuente tamaño 13, color blanco, negrita, alineación izquierda y sombreado de párrafo ***Azul oscuro, Texto 2, Oscuro 25%.*** Aplica este estilo a los párrafos de los puntos 1, 2 y 3.
b) Crear el estilo ***MiEstilo2:*** fuente tamaño 13, color blanco, negrita, alineación centrada, sangría de párrafo izquierda 0,63 cm y derecha 7 cm y sombreado de párrafo ***Azul oscuro, Texto 2, Oscuro 25%.*** Aplica este estilo a los párrafos de los puntos 1.1, 1.2, 1.3, 1.4, 2.1, 2.2 y 3.1.
c) Crea el estilo ***MiEstilo3:*** fuente tamaño 12, color negro, negrita, alineación izquierda y sombreado de texto color ***Azul, Énfasis 1, Claro 80%.*** Aplica este estilo a los tres párrafos en negrita del punto 1.1 y los dos párrafos en negrita del punto 1.2.
d) Guarda el documento con el nombre ***Mi estilo*** en la carpeta ***Mis documentos.***

3 >> Índices y tablas de contenido

En los documentos grandes es muy importante localizar la información de un modo eficaz; por ello, es útil generar índices y tablas de los contenidos para situarnos rápidamente en determinadas páginas o localizar términos concretos. Estas utilidades las encontramos en la ficha *Referencias.*

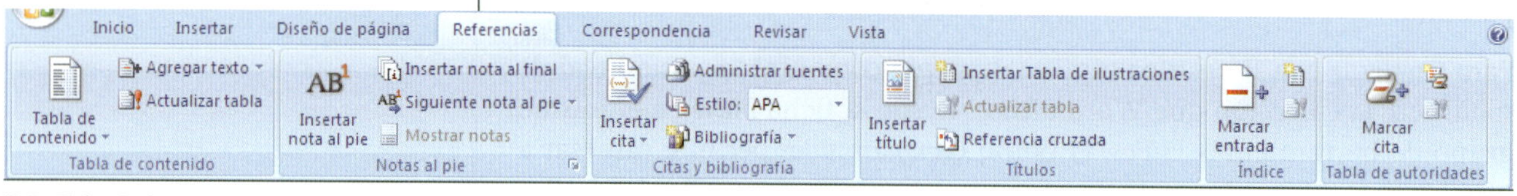

7.7. Ficha *Referencias*.

3.1 > Índices

Un índice es una colección de términos ordenados alfabéticamente juntos en los que aparecen los números de la página o páginas del documento en que se encuentran.

Los términos que situamos en el índice se denominan entradas. Un índice puede contener tantas entradas como necesitemos. Para añadir entradas a un índice, debemos seleccionar y marcar previamente cada palabra en el documento con el botón *Marcar entrada.* Cada término lo marcaremos una sola vez y repetiremos el proceso con todas y cada una de las entradas o temas que deseemos incluir. Posteriormente se genera el índice mediante el botón *Insertar índice* con el estilo que escojamos.

Al marcar un término, Word inserta un código en el documento, llamado campo *XE*, que se muestra encerrado entre llaves y con el texto elegido entrecomillado (por ejemplo, *{XE "aguja"}*).

Ejemplos

Creación de un índice

Tenemos un documento de medicina y deseamos crear un índice en el que aparezcan los términos "tijeras", "bisturí" y "aguja". Debemos marcar esas tres palabras como entradas del índice. Posteriormente, al generar el índice, Word se encargará automáticamente de referenciar la página o páginas del documento en las que están contenidos esos términos.

Casos prácticos 1

Índices

•• Crea un índice para el documento Mi estilo que realizaste en la actividad propuesta número 2 de la página anterior. Introduce en el índice las entradas "indefinido ", "jornada", "tiempo parcial", "convenio colectivo", "ET" y "Seguridad Social". El índice deberá mostrar todos los números de página en los que aparezcan los términos (a la derecha de los mismos), con relleno de puntos, formato Moderno y a dos columnas.

1

Solución ··

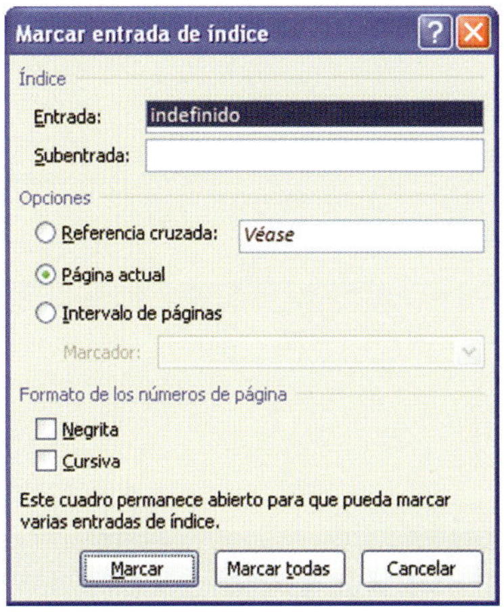

- Abre el documento ***Mi estilo*** que tienes guardado en la carpeta ***Mis documentos*** de tu ordenador.
- Busca la primera aparición en el documento de la palabra "indefinido" y selecciónala.
- Accede a la ficha ***Referencias*** y haz clic en el botón ***Marcar entrada*** del grupo ***Índice***.
- Aparecerá el cuadro de diálogo que ves al margen.
- En el campo ***Entrada***, se muestra el término que has seleccionado previamente a la apertura del diálogo (en tu caso "indefinido"). Haz clic en el botón ***Marcar*** o, si quieres que Word referencie todas las páginas en las que aparezca esta entrada, en el botón ***Marcar todas***. En este caso, como deben quedar referenciadas todas las apariciones del término "indefinido", haz clic en ***Marcar todas***.
- Sin cerrar este cuadro de diálogo, vuelve al documento haciendo clic sobre él.
- Verás que ahora, después de la palabra "indefinido", aparece siempre el ***campo XE*** correspondiente. En este caso verás la expresión *{XE "indefinido"}*.
- Busca la primera aparición de la palabra "jornada" y selecciónala. Si no la encuentras a simple vista, ayúdate del botón ***Buscar*** de la ficha ***Inicio***. Una vez que la hayas seleccionado, haz clic sobre el cuadro de diálogo ***Marcar entrada de índice*** que tienes abierto
- Vuelve al cuadro de diálogo ***Marcar entrada de índice***. Verás que en el campo ***Entrada*** ahora se muestra la palabra "jornada". Haz clic en ***Marcar todas***.
- Repite este proceso con el resto de palabras que aparecerán como entradas en el índice.
- Cuando termines, cierra el cuadro de diálogo. Para ello, verás que, cuando te sitúas en el documento, el botón ***Cancelar*** se convierte en ***Cerrar***. Por tanto, haz clic en ***Cerrar***.
- Sitúa el ratón al final de documento y pulsa la combinación de teclas <Ctrl>+<Intro> para insertar un salto de página. Escribe las palabras ***ÍNDICE DE TÉRMINOS*** con alineación centrada y pulsa <Intro>.
- Abre la ficha ***Referencias*** y haz clic en el botón ***Insertar índice*** del grupo ***Índice***.
- En el cuadro de diálogo ***Índice***, selecciona las opciones que se piden en el enunciado:
  - Alinear números de página a la derecha.
  - Carácter de relleno*:* puntos.
  - Formato*:* ***Moderno***.
  - Columnas*:* 2.
- Haz clic en ***Aceptar***.
- Guarda el documento con el nombre ***Índice*** en la carpeta ***Mis documentos*** de tu ordenador.

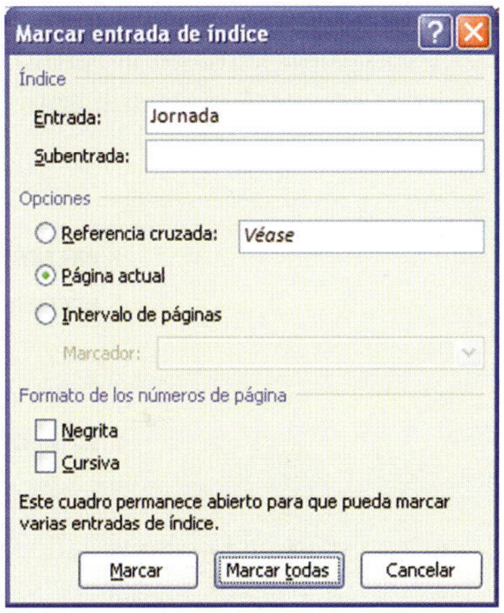

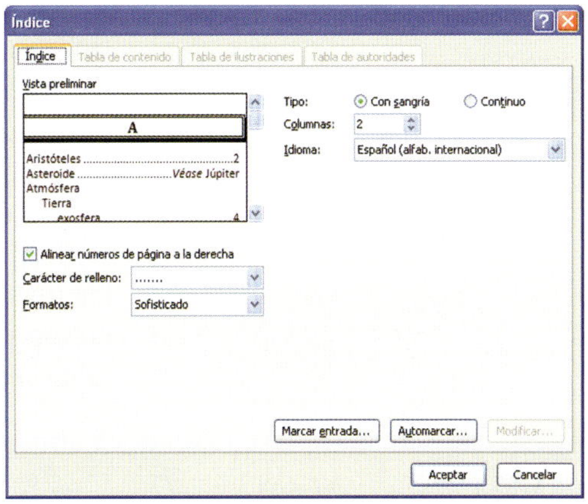

3.2 > Tablas de contenido

Una tabla de contenido es una lista de términos y temas expuestos por orden de aparición en el documento y con un vínculo a la página exacta donde aparecen.

Situándonos sobre una entrada de la tabla de contenidos y pulsando la combinación <Ctrl>+clic del ratón, se activará el vínculo que lleva a la página del documento correspondiente a esa entrada.

Generar una tabla de contenido es un proceso que requiere que los textos del documento que vayan a aparecer en la tabla tengan los estilos correctamente configurados. Lo más sencillo es realizar el documento de forma que todos los títulos de capítulo tengan el mismo estilo entre ellos, los de subcapítulos tengan el mismo estilo entre sí y así sucesivamente, para que queden configurados correctamente los elementos por niveles.

Ejemplos

Tabla de contenido

Los tres títulos tendrán un estilo común y los cuatro subtítulos (que se muestran con una pequeña sangría izquierda) compartirán estilo entre ellos.

ÍNDICE

1. PRESENTACIÓN DEL MÓDULO PROFESIONAL	1
2. REFERENCIAS GENERALES DEL CICLO FORMATIVO	2
2.1. Ubicación del Ciclo en el Sistemas Formativo	2
2.2. Aspectos clave del perfil profesional	3
3. ESTRUCTURA CURRICULAR DEL MÓDULO	5
3.1. Objetivos	5
3.2. Contenidos, Secuenciación y Distribución Temporal de Contenidos	5

Tablas de contenido basadas en estilos rápidos

Una vez que el documento tiene configurados correctamente los estilos, se accede a la ficha *Referencias*. El botón *Tabla de contenido* es un desplegable que ofrece la posibilidad de crear automáticamente una tabla de contenido siempre y cuando se hayan utilizado los estilos rápidos *Título 1*, *Título 2* y *Título 3* o estilos basados en esos tres. Cualquier texto formateado con esos estilos (sea título o no) aparecerá en la tabla de contenido. Si se modifican los textos, basta con situarse en la tabla de contenidos y hacer clic en el botón *Actualizar tabla*, del mismo grupo, o pulsar la tecla <F9>, para que la tabla se adapte automáticamente a los nuevos textos escritos.

Actividades propuestas

3·· Abre el documento ***Estilo rápido*** que realizaste en la actividad propuesta número 1 y genera una tabla de contenidos en una hoja aparte al inicio del documento.

Tablas de contenido basadas en estilos diseñados

Si bien es frecuente la utilización de los estilos rápidos, lo más habitual es que los usuarios de los procesadores de texto diseñen sus propios estilos, que no tienen por qué estar basados en los estilos rápidos.

En este caso, si se quiere generar una tabla de contenido a partir de un documento que contenga estilos personalizados, el procedimiento es un poco diferente al seguido en los estilos rápidos, pues deben configurarse algunas opciones adicionales.

Ejemplos

Tabla de contenido sobre un documento con estilos creados por el usuario

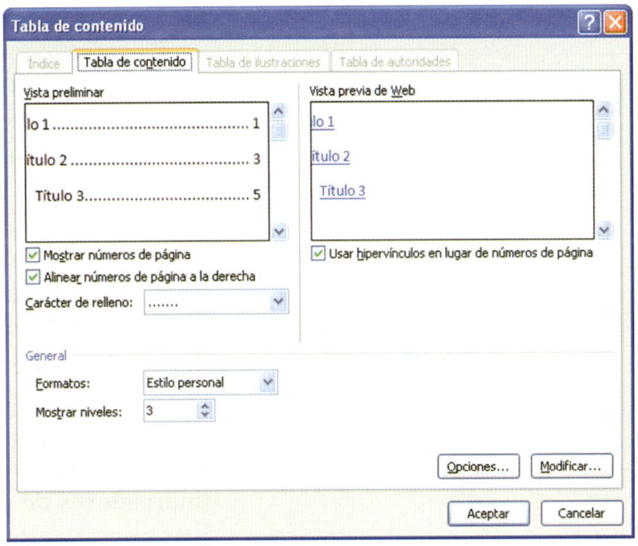

- Abrimos el documento ***Mi estilo*** que realizaste en la actividad propuesta número 2 de esta unidad.
- Situamos el ratón al principio del documento y pulsamos la combinación de teclas <Ctrl>+<Intro> para insertar un salto de página. Colocamos el ratón en esa primera página que acabamos crear y que, por ahora, está vacía y escribimos la palabra ***CONTENIDO***. La centramos y ponemos en negrita y pulsamos <Intro>.
- En el grupo ***Tabla de contenido*** de la ficha ***Referencias*** desplegamos el botón ***Tabla de contenido*** y elegimos ***Insertar tabla de contenido***, que abre el cuadro de diálogo correspondiente.
- En el cuadro de diálogo ***Tabla de contenido*** seleccionamos opciones ya conocidas como la alineación de los números de página, el carácter de relleno o el formato.
- En el cuadro ***Mostrar niveles***, elegimos el número 3, dado que nuestra tabla de contenido únicamente tiene tres niveles que mostrar: los textos con estilos ***MiEstilo1***, ***MiEstilo2*** y ***MiEstilo3***.
- Hacemos clic en el botón ***Opciones*** para abrir el cuadro de diálogo que permitirá decidir qué estilos aparecen en la tabla y en qué orden de nivel de la tabla de contenido (TDC).
- Eliminamos los números que aparezcan en la columna ***Nivel de TDC*** para todos los estilos disponibles.
- Dado que los títulos de nuestro documento tienen estilo ***MiEstilo1*** y los subtítulos ***MiEstilo2*** y ***MiEstilo3*** y no hay más entradas en la tabla, estos estilos serán respectivamente los niveles 1, 2 y 3 de TDC.
- Buscamos ***MiEstilo1*** en la lista de estilos disponibles y escribimos un ***1*** en el nivel correspondiente de TDC. Para el estilo ***MiEstilo2*** escribimos un ***2*** y para el estilo ***MiEstilo3*** escribimos un ***3*** tal y como se observa en la figura de la derecha.
- Hacemos clic en ***Aceptar*** en los dos cuadros de diálogo.

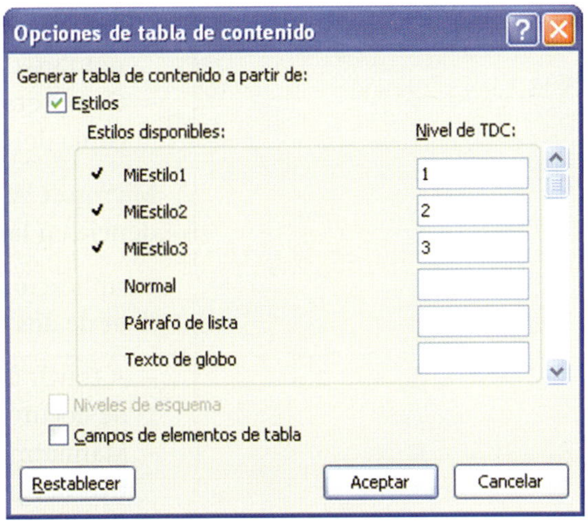

4 >> Combinar correspondencia

Una combinación de correspondencia o mailing consiste en generar un documento en serie, personalizando automáticamente cierto contenido del mismo.

El nombre de combinar correspondencia se debe a que el ejemplo más típico es el de las cartas que se envían con el mismo contenido a varios destinatarios diferentes. No obstante, se puede aplicar a cualquier tipo de documento que, con un mismo contenido básico, se quiera enviar a varios destinatarios o utilizar varias veces cambiando únicamente los datos referentes a cada uso particular.

Para desarrollar la combinación de correspondencia se siguen los siguientes pasos generales:

- **Generar el documento principal.** Este documento contendrá el texto y demás elementos que serán iguales para cada versión del documento combinado. Por ejemplo, en el caso de una carta, el contenido, el remite o el saludo.
- **Enlazar el documento principal con el origen de datos** (archivo que contiene la información que se debe combinar). En el ejemplo de la carta, los nombres y direcciones de todos los destinatarios.
- **Delimitar la lista de destinatarios.** Microsoft Word genera una copia del documento principal por cada elemento o registro de su archivo de datos. En este paso se pueden elegir para qué registros se desea generar copias y para cuáles no.
- **Agregar campos de combinación de correspondencia al documento (marcadores de posición).** Cuando se complete la combinación, estos marcadores se sustituirán por los datos que tenga cada registro del archivo de datos en los campos agregados. Por ejemplo, si en el archivo de datos existe el campo "nombre" y este se agrega en cada carta, saldrá el nombre de cada destinatario.
- **Completar la combinación.** Es posible obtener una vista previa de cada copia del documento antes de imprimir la colección de documentos.

Microsoft Word incluye las opciones necesarias para combinar correspondencia en la ficha *Correspondencia.*

La aplicación permite que la tarea de combinar documentos se pueda realizar de dos formas distintas:

- A través de un asistente que permite realizar la tarea de la combinación de documentos de forma guiada, simplificando el procedimiento.
- Manualmente, configurando de forma personalizada todos los parámetros del proceso de la combinación a través de los botones de la ficha *Correspondencia.*

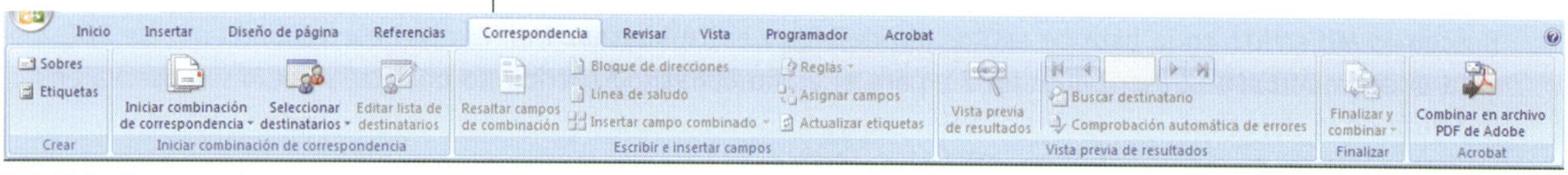

7.8. Ficha *Correspondencia.*

4.1 > Combinación mediante el asistente

Para realizar la combinación a través del asistente, se debe acceder al grupo *Iniciar combinación de correspondencia* de la ficha *Correspondencia.* Allí se hace clic en el botón *Iniciar combinación de correspondencia* y, en el desplegable, se selecciona *Paso a paso por el Asistente para combinar correspondencia* para abrir el asistente.

Vamos a ver el funcionamiento del asistente con un ejemplo.

Ejemplos

Asistente para combinar correspondencia

Laura Roca González, directora de Recursos Humanos de una empresa, escribe una carta para dirigirse a varias personas que le han remitido su ***curriculum vitae*** para cubrir un puesto vacante, comunicándoles el inicio de las entrevistas para elegir al candidato que ocupará la vacante. En vez de escribir tantas cartas como destinatarios de las mismas, va a realizar el proceso a través del asistente para combinar correspondencia. Por tanto, debe crear un documento base con el contenido que quiere comunicar a todos los destinatarios y, además, una base u origen de datos en la que figuren los nombres, apellidos y dirección de los candidatos a los que se dirigirán las cartas. Los destinatarios de las cartas son los siguientes:

Nombre	Apellidos	Dirección	Ciudad
Lorena	Martín González	C/ Santa Lucía, 2, 3.° A	Valencia
Daniel	Castillo Ruíz	Avda. de la Luz, 15, 7.° B	Sevilla
Antonio	López Lozano	C/ del Ebro, 28	Madrid
María	Martínez Serrano	C/ Estrella, 8, 4.° C	Lleida

El asistente consta de seis pasos que iremos viendo uno a uno. No obstante, hay un paso previo que es la creación del documento principal o documento base.

- Se abre un documento en blanco y se escribe la carta, que podría tener el siguiente contenido:

> Estimado/a,
>
> Hemos recibido su solicitud de trabajo correspondiente a la oferta publicada en *El Periódico*, el domingo 16 de mayo.
>
> Según la información proporcionada en su *curriculum*, consideramos que su perfil profesional se adapta al puesto que necesitamos cubrir.
>
> En breve iniciaremos la realización de las entrevistas para cubrir el puesto vacante, por lo que, si sigue interesado, le rogamos que se ponga en contacto con nosotros antes del día 30 de mayo.
>
> Cordialmente,
>
> Fdo. Laura Roca González
> Directora de Recursos Humanos

- Se abre el asistente, como hemos visto, desde el botón ***Iniciar combinación de correspondencia***. El asistente aparece a la derecha de la ventana.

»

PASO 1:

- Se elige el tipo de documento que se va a generar (cartas, correo electrónico, etc.). En nuestro caso, se debería elegir ***Cartas*** y se hace clic en ***Siguiente***.

PASO 2:

- Se selecciona el documento base. En nuestro caso, se utiliza la opción marcada por defecto (***Utilizar el documento actual***, puesto que se acaba de escribir la carta y el proceso se está realizando desde ese documento) y se hace clic en ***Siguiente***. Si se hubiera seleccionado cualquiera de las otras dos opciones, la ventana se modificaría para permitir seleccionar la plantilla o el documento elegido.

PASO 3:

- Se seleccionan los destinatarios de la combinación mediante la búsqueda del archivo o la creación del mismo. Laura tiene tres opciones:
  - ***Utilizar una lista existente:*** utilizaría esta opción si tuviera los datos de los candidatos guardados en una base de datos, en una hoja de Excel o en una tabla en un documento de Word. Al hacer clic en el enlace ***Examinar*** se abre un cuadro de diálogo que permite buscar el archivo de origen de datos.
  - ***Seleccionar los contactos de Outlook:*** usaría esta opción si hubiera guardado los datos de los candidatos como contactos de Outlook (lo habitual en caso de que las solicitudes hubieran entrado por correo electrónico). Se elegiría la carpeta de contactos y allí se seleccionarían los destinatarios elegidos.
  - ***Escribir una lista nueva:*** elegiría esta opción si aún no hubiera guardado los datos de los candidatos en ningún archivo. En este caso, el asistente generará una base de datos donde se incluirán los datos necesarios para combinar la correspondencia.
- En nuestro ejemplo, suponemos que Laura acaba de ver las cartas de los candidatos y aún no ha creado una lista, por lo que elige la opción ***Escribir una lista nueva:***

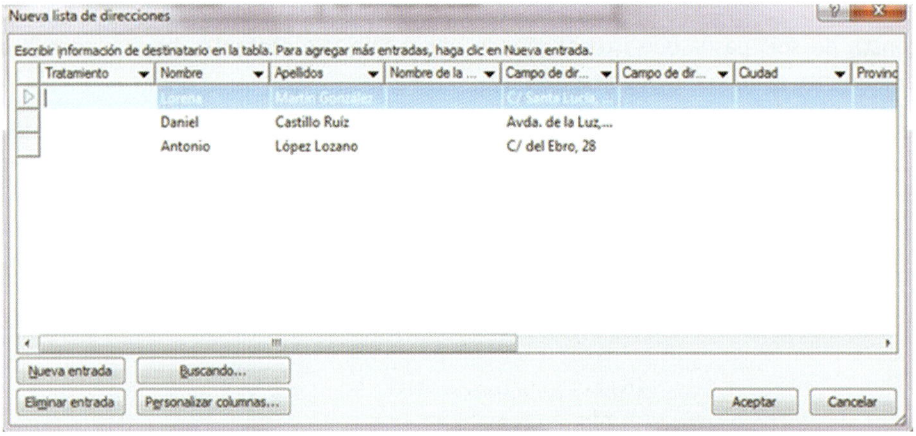

- Aparece la opción ***Crear*** y, al hacer clic sobre ella, se muestra un cuadro de diálogo con una serie de campos por defecto para rellenar los datos de los destinatarios. La cantidad y denominación de campos de esta ventana es orientativa: se pueden dejar en blanco los campos que no se necesiten, así como agregar o eliminar campos, cambiar su denominación, etc.
- En esta ventana, se escribirían los datos respectivos en los campos ***Nombre***, ***Apellidos***, ***Campo de dirección 1*** y ***Ciudad***. Cada vez que se incluyan los datos de un destinatario, se debe hacer clic en ***Nueva entrada***, lo que permite la introducción de un nuevo registro.

- Si se quisiera eliminar un registro, se haría clic en ***Eliminar entrada***. Por su parte, el botón ***Personalizar columnas*** permite eliminar campos innecesarios y cambiar el nombre a los campos existentes para personalizar el cuadro.
- Una vez rellenados los registros necesarios, al hacer clic en ***Aceptar***, queda guardado el archivo de origen de datos.

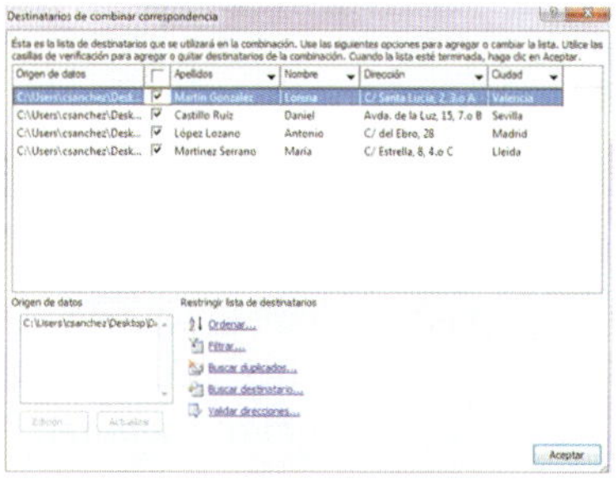

- A continuación, se hace clic en ***Aceptar***. Aparecerá el cuadro de diálogo con los destinatarios, que se ve al margen. Desde este, se puede excluir a los destinatarios que no se desee combinar haciendo clic sobre la marca de verificación y desmarcándola. Además, es posible ordenar según un campo, filtrar y buscar registros que cumplan una determinada condición, etc.
- Una vez seleccionados los destinatarios de la combinación, se hace clic en ***Aceptar***. Siempre que se quieran volver a editar los destinatarios, se puede volver a este cuadro, desde el paso 3, con el enlace ***Editar lista de destinatarios***.
- Se hace clic en ***Siguiente*** para pasar al paso 4.

PASO 4:

- Si aún no se ha escrito el documento, es el momento de hacerlo, así como de insertar los campos de combinación de correspondencia. En nuestro ejemplo, Laura ya ha escrito la carta al principio, por lo que ahora únicamente debe insertar estos campos.
- Con el documento principal abierto, para que los datos del destinatario queden situados en la parte superior del documento, se incluye una sangría izquierda de 8 cm y se hace clic sobre el enlace ***Bloque de direcciones***. Las opciones por defecto marcan el campo ***Nombre***, ***Apellidos*** y ***Dirección***, por lo que se elige en la ventana de la parte superior izquierda el formato que se desea que aparezca (en nuestro caso, Laura elige el formato ***Sr. y Sra.***) y se pulsa en ***Aceptar***.
- Se sitúa el ratón a la derecha de la línea de saludo "Estimado/a" y se hace clic en el enlace ***Más elementos***. Aparecerá el cuadro de diálogo ***Insertar campo de combinación***, que permite añadir al documento el campo deseado de cada registro. En este caso, se selecciona el campo ***Nombre***, se hace clic en ***Insertar*** y después en ***Cerrar***. Si se desea insertar otro campo, basta con situarse en el lugar correspondiente del documento, hacer clic en el enlace ***Más elementos***, seleccionar el campo a añadir, hacer clic en ***Insertar*** y ***Cerrar*** y así sucesivamente.
- El documento mostrará el nombre del campo en cada lugar en el que se haya insertado un campo de combinación. Para pasar al paso 5, se debe hacer clic en ***Siguiente***.

PASO 5:

- En este paso se obtiene una vista previa del documento combinado. Los campos de combinación que se hayan insertado tomarán el valor de los datos del primer registro. Los botones anterior ***(<<)*** y siguiente ***(>>)*** permiten avanzar por los documentos combinados. El enlace ***Buscar un destinatario*** muestra un pequeño diálogo que posibilita buscar un determinado registro eligiendo el campo de búsqueda. Desde este paso también es posible editar la lista de destinatarios para realizar cualquier modificación o excluir registros. Se hace clic en el enlace ***Siguiente*** para continuar con el asistente.

PASO 6:

- Se completa la combinación imprimiendo las cartas. También se pueden editar, es decir generar un documento susceptible de ser guardado en el que aparezcan seguidas todas las cartas, una por cada registro combinado. De una forma o de otra se mostrará un diálogo en el que se puede decidir qué documentos ver o imprimir (todos, el actualmente en pantalla o un rango delimitado).

4.2 > Combinación personalizada

La ficha *Correspondencia* permite realizar la tarea de combinar correspondencia, descrita en el epígrafe anterior, sin necesidad del asistente.

Ejemplos

Combinar correspondencia sin usar el asistente

Partiendo del mismo supuesto del ejemplo anterior, ahora Laura Roca va a realizar el proceso de combinar correspondencia sin usar el asistente, utilizando las opciones de la ficha ***Correspondencia***.

- Como en el ejemplo anterior, se abre un documento en blanco, se escribe la carta con el mismo contenido y se accede a la ficha ***Correspondencia***.
- En el grupo ***Iniciar combinación de correspondencia***, hay dos botones que permiten realizar las mismas tareas que antes se hacían en el paso 3:
  - Si se hace clic en el botón ***Seleccionar destinatarios***, se enlaza con el origen de datos, con las mismas opciones de ***Usar una lista existente***, ***Escribir nueva lista*** o ***Seleccionar los contactos de Outlook***.
  - El botón ***Editar lista de destinatarios*** se usará siempre que se desee realizar algún cambio en los datos enlazados o decidir cuáles se excluirán.
- Por tanto, Laura haría clic en el botón ***Seleccionar destinatarios*** y luego en ***Escribir una nueva lista***, que la generaría de la misma forma descrita en el paso 3 del ejemplo anterior. Si quisiera editar los registros, usaría el botón ***Editar lista de destinatarios***.
- Para insertar los campos en el documento principal, hay que acudir al grupo ***Escribir e insertar campos***, que contiene opciones similares a las vistas en el paso 4 del ejemplo anterior. Laura elegirá en qué parte de su documento quiere incluir el nombre y la dirección de los destinatarios, el formato que quiere darle, etc. Para ello, únicamente tiene que situarse con el ratón en el lugar elegido y hacer clic en la opción del grupo ***Escribir e insertar campos*** que desee (direcciones, línea de saludo, etc.). Este grupo, además, incluye otras dos opciones muy útiles:
  - ***Resaltar campos de combinación***, que sombreará el nombre de los campos combinados para destacarlos del texto base.
  - ***Reglas***, que permite incluir condiciones para filtrar los registros del origen de datos en el resultado. Imaginemos que tenemos una base de datos de clientes que usaremos para combinar correspondencia, si bien solo queremos que en este envío se combinen aquellos que vivan en una provincia determinada, o cuyo cumpleaños sea en este mes, o cuyo apellido empiece por determinada letra, etc. A través de las reglas, es posible realizar este filtrado.
  - El grupo ***Vista previa de resultados*** fundamentalmente permite realizar las tareas que el asistente engloba en el paso 5. Contiene también varios botones importantes, como ***Vista previa de resultados***, que permite alternar la vista del documento con los campos de combinación con los datos combinados; los botones ***Primero, Anterior, Siguiente y Último*** (con forma de flecha), que permiten avanzar por los documentos combinados, y el botón ***Buscar destinatario***, que permite realizar una búsqueda en todo el documento combinado de acuerdo a un campo seleccionado.
- Finalmente, en el grupo ***Finalizar y combinar***, al igual que en el paso 6 del asistente, se puede elegir entre generar los documentos o mandarlos a imprimir.
- Laura, tras comprobar el documento con las opciones ***Vista previa de resultados***, hará clic en ***Editar documentos individuales***, del grupo ***Finalizar y combinar***. Dado que ha creado la base de datos únicamente para enviar este documento, elegirá ***Todos***. Hará clic en ***Aceptar*** y se abrirá un documento nuevo (con un nombre como ***Cartas1***, ***Cartas2***, etc.), que contendrá las cartas para los distintos destinatarios, una tras otra. Simplemente tendrá que guardar este documento, para que le quede constancia de su elaboración, e imprimir las cartas para enviárselas a sus destinatarios.

5 >> Plantillas

Una plantilla es un documento, previamente diseñado, que se usa como base para la creación de otros.

Para facilitar el trabajo a los usuarios, Microsoft Word cuenta con distintas plantillas para realizar documentos; por ejemplo, para enviar un fax no es necesario crear la hoja de presentación desde un documento en blanco, sino que se puede utilizar una plantilla, modificar lo que corresponda y guardarla como un nuevo documento.

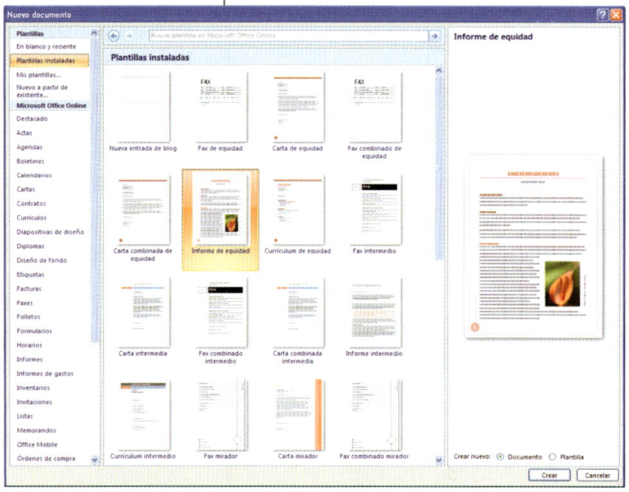

7.9. Cuadro de diálogo *Nuevo documento.*

Para **abrir una plantilla,** hay que ir al botón de *Office / Nuevo.* En el menú de la parte izquierda del cuadro de diálogo, existen las siguientes opciones:

- ***Plantillas instaladas:*** son plantillas preinstaladas en la aplicación.
- ***Mis plantillas:*** se abrirán las plantillas que hayamos creado.
- ***Nuevo a partir de existente:*** creará una plantilla a partir de un documento ya existente.
- ***Microsoft Office Online:*** si tenemos conexión a Internet, nos conectaremos con el centro de recursos de Microsoft y podremos descargar las plantillas que nos ofrecen en el muestrario.

La ventana muestra la lista de las plantillas disponibles, así como una vista previa de la seleccionada a la derecha. Para hacer la selección definitiva, se hace clic en el botón *Crear nuevo* (si es una plantilla instalada) o en *Descargar* (si la obtenemos de Microsoft Office Online).

Para **crear una plantilla**, se abre un documento de Word en blanco y se crea toda la estructura del mismo (tablas, bordes, formatos, etc.) sin incluir el contenido del documento, ya que se añadirá cada vez que se utilice la plantilla. Se hace clic en botón de Office / *Guardar como,* escogiendo como tipo *Plantilla de Word.* En el cuadro de diálogo se puede elegir la ubicación donde se quiere guardar la plantilla. Word incluye una carpeta con este fin, llamada *Plantillas de confianza*, que se puede seleccionar desde la esquina superior izquierda de este cuadro de diálogo. Finalmente se hace clic en *Guardar.*

También se puede crear una plantilla a partir de una ya existente. Para ello, se selecciona dicha plantilla desde botón de Office / *Nuevo* y, en la parte inferior izquierda de ese cuadro de diálogo, en la casilla *Crear nuevo*, se elige *Plantilla.*

Podemos acceder a las plantillas que hemos creado haciendo clic en el botón de Office / *Nuevo / Mis plantillas.* Allí se abre un cuadro de diálogo que permite elegir la plantilla y pregunta si se quiere crear un documento o una nueva plantilla. Una vez abierta la plantilla, se puede modificar para añadir los datos necesarios en cada caso. Después de rellenarla, se hará clic en *Guardar* y el documento se guardará con el formato que se haya elegido en el cuadro de diálogo (documento o plantilla).

6 >> Macros

Una macro es la automatización de un conjunto de instrucciones agrupadas bajo un nombre.

Se crean para automatizar una tarea repetitiva que llevaría mucho más tiempo si fuera realizada de manera manual. Al ejecutar una macro, todas las instrucciones o conjunto de comandos que la formen se realizarán automáticamente. Las macros, por lo tanto, ahorran tiempo y reducen las posibilidades de error en tareas habituales.

Por ejemplo, si todas las tablas de un documento fuesen iguales, se grabarían los pasos de inserción y formato de una tabla en una macro y posteriormente la creación de las tablas sería automática.

Además, Word ofrece la posibilidad de insertar macros a través del editor del lenguaje de programación Visual Basic, con lo que se pueden insertar botones y demás herramientas junto con instrucciones de programación de este lenguaje de programación para conseguir documentos que interactúen con el usuario.

Ejemplos

Creación y utilización de una macro

Vamos a crear y utilizar una macro para dotar del mismo formato a todas las tablas de un documento.

- Abrimos un nuevo documento en blanco y hacemos clic en el botón de ***Office / Opciones de Word / Más frecuentes*** y marcamos ***Mostrar ficha Programador en la cinta de opciones***. De esta forma podemos acceder a los menús donde se gestionan las macros.
- Insertamos en nuestro documento una tabla. Es importante que completemos la ***presentación*** de la tabla, sus celdas y texto antes de la grabación de la macro, de lo contrario saldría siempre la misma tabla.
- Hacemos clic en el botón ***Grabar macro*** del grupo ***Código,*** elegimos el nombre con el que se almacenará la macro, que en nuestro caso será ***DiseñoTabla*** (no admite espacios). También elegimos si la macro estará activa en todos los documentos o solo en el que estamos trabajando y redactamos una descripción que nos ayude a recordar la finalidad de la macro. Con el botón ***Teclado*** podemos asignar a la macro una combinación de teclas para su ejecución. Hacemos clic en ***Aceptar***.

- A partir de este momento, todo lo que se haga quedará grabado en la macro y será repetido por Word cada vez que se ejecute. Por tanto, seleccionamos la tabla, abrimos la ficha ***Diseño,*** seleccionamos el estilo de tabla ***Cuadrícula clara énfasis 1;*** color de la pluma ***Azul, Énfasis 1,*** estilo de línea doble, grosor 1 ½ punto y seleccionamos ***Bordes externos*** en el desplegable ***Bordes***.

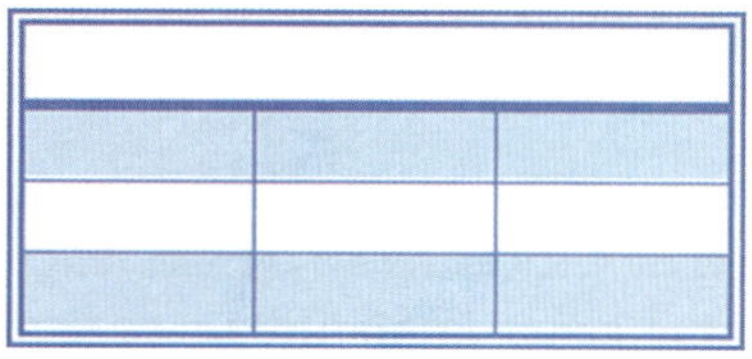

- Cuando hayamos terminado, hacemos clic en ***Detener grabación***.
- Si queremos utilizar esta macro:
  - Insertamos una tabla, la rellenamos y seleccionamos y hacemos clic en el botón ***Macros*** de la ficha ***Programador***.
  - Seleccionamos el nombre de la macro y hacemos clic en ***Ejecutar***. La tabla adoptará, automáticamente las características de formato que hemos diseñado previamente.

7 >> Formularios

Un formulario es un documento con espacios en blanco, listas desplegables y otros elementos, destinado a ser rellenado por el usuario.

Los formularios pueden ser impresos y rellenados posteriormente con bolígrafo o ser enviados vía e-mail y rellenados a través del procesador de texto. También pueden ser publicados y rellenados en la web (documentos HTML) o, incluso, ser conectados con una base de datos que actualice su información con los datos insertados en el formulario.

Para crear un formulario, se puede partir de un documento en blanco o utilizar una plantilla:

- En el caso de la **plantilla**, accederemos al botón de Office / *Nuevo* y, seleccionando la categoría *Formularios*, elegiremos el que más se acerque a nuestras necesidades. Hay que tener en cuenta que esas plantillas están en Microsoft Office Online, por lo que solo podremos descargarlas si tenemos conexión a Internet.
- Para diseñar un formulario a partir de un **documento nuevo en blanco**, hay que añadir una tabla para controlar de forma cómoda la estética del formulario. Una vez creada la tabla base, en cada celda, se irán insertando texto o campos de formulario en los que el usuario escribirá el contenido o seleccionará entre varias alternativas. Todo el proceso se realizará desde el grupo de herramientas *Controles* de la ficha *Programador*.

Para agregar los campos de formulario, se sitúa el ratón en el lugar elegido y se hace clic en el botón deseado. Al añadir un campo y hacer clic en el botón *Propiedades*, se abrirá el diálogo en el que se configuran los atributos del campo seleccionado. Con el botón *Modo Diseño*, puede alternarse entre la vista del formulario que tiene el diseñador y el aspecto visual final que tendrá el usuario.

En un formulario pueden insertarse los tipos de campos que aparecen en la siguiente tabla:

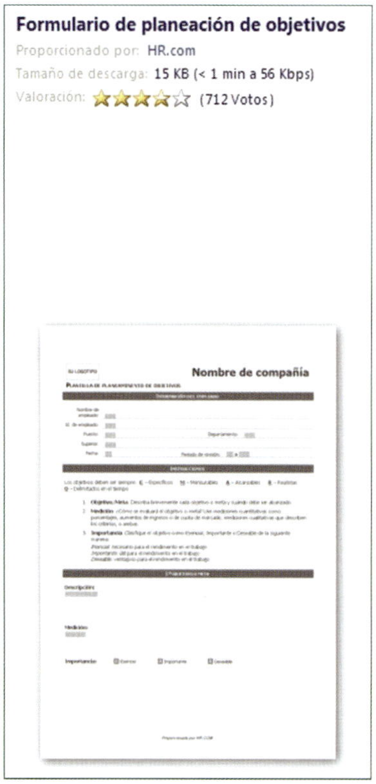

7.10. Formulario de planeación de objetivos.

Tipos de campos	Acción
Texto	Estos campos se rellenan a través de la escritura del usuario. El texto aparecerá con el formato que el diseñador le haya configurado a través de sus propiedades.
Fecha	Se inserta a través del botón Selector de fecha. Permite al usuario elegir una fecha a través de un calendario.
Lista	Los controles Lista desplegable o Campo combinado proporcionan un campo de formulario desplegable con una colección de opciones entre las que el usuario puede elegir una sin necesidad de escribir.
Casillas de verificación	Son unos controles que permiten la selección de alguna opción mediante una marca de verificación dentro del control. Este control también existe como Active X, destinado a ser utilizado en documentos electrónicos.
Botones de opción	Son controles ActiveX que se usan en grupos de al menos dos para dar a elegir al usuario entre opciones excluyentes. Están destinados a ser utilizados en documentos electrónicos.

Ejemplos

Diseño de formulario destinado a ser cumplimentado por vía electrónica

Aceptación de condiciones			
Apellidos		Nombre	
Edad		Teléfono	
		Email	
Modo de recibir información			

- En primer lugar, diseñamos la tabla base, sobre la que incluiremos los controles. En este caso utilizaremos el estilo de tabla ***Cuadrícula clara*, *Énfasis 3***, modificaremos el color de la fuente a negro y estableceremos alineación horizontal izquierda y vertical centrada de las celdas. Damos color de relleno a la primera fila ***Verde oliva*, *Énfasis 3*, *Claro 40%***.

Aceptación de condiciones			
Apellidos	Haga clic aquí para escribir texto.	Nombre	Haga clic aquí para escribir texto.
Edad	Menor de 18 De 19 a 35 Mayor de 36	Teléfono	
		Email	Haga clic aquí para escribir texto.
Modo de recibir información	Información Elija un elemento. Por teléfono Vía mail No deseo recibir información Vía mail		
Sí, he leído y acepto el contrato			

- Nos colocamos en la celda a la derecha de ***Apellidos*** y abrimos la ficha ***Programador.*** Hacemos clic en el botón ***Texto enriquecido*** del grupo ***Controles***. Aparecerá el control con el mensaje ***Haga clic para escribir texto***.
- Hacer clic en el botón ***Propiedades*** para configurar las propiedades que tendrá el texto:
  - Rellenamos los campos ***Título*** y ***Etiqueta*** con la palabra ***Apellidos***.
  - Marcamos la casilla ***No se puede eliminar el control de contenido*** para que el usuario no pueda modificar el formulario y hacemos clic en ***Aceptar***.
  - Desde la ficha ***Inicio*** bajamos a 11 el tamaño de la fuente, color negro y eliminamos la negrita.
- En las celdas destinadas a ***Nombre*** e ***Email*** también insertamos campos de ***Texto enriquecido***, cambiando las propiedades ***Título*** y ***Etiqueta*** a ***Nombre*** e ***Email*** respectivamente, y modificamos las propiedades de la fuente.
- Nos situamos en la celda a la derecha de ***Teléfono***, desplegamos el botón ***Herramientas heredadas*** y elegimos ***Cuadro de texto (control ActiveX)***.

  Automáticamente aparecerá la ventana del editor de Visual Basic para modificar las propiedades de este control. Si no fuese así, haríamos clic en el botón ***Propiedades*** teniendo el control seleccionado. Para poder seleccionar algunos controles, debemos estar en el ***Modo diseño del formulario*** (con el botón ***Diseño*** seleccionado).

- Hacemos clic a la derecha de la primera propiedad (***Name)*** y escribimos ***Teléfono***.
- Desde esta ventana limitaremos el tamaño de los datos. En este caso, al ser un teléfono, lo limitaremos a 9. Para ello, buscamos con la barra de desplazamiento la propiedad ***MaxLenght***, hacemos clic a la derecha, escribimos un 9, pulsamos <Intro> y cerramos la ventana mediante el aspa roja.

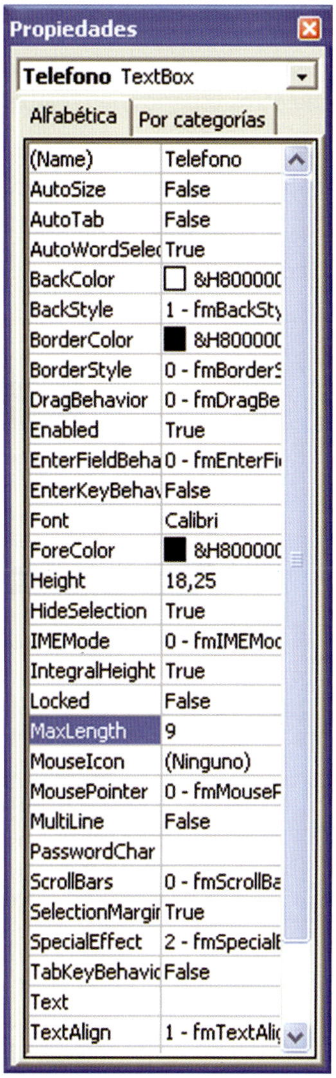

- Nos situamos a la derecha de la celda ***Edad*** y en el botón ***Herramientas heredadas*** seleccionamos el control ActiveX ***Botón de opción***. Aparecerá el control con el texto ***OptionButton1***. Hacemos clic en ***Propiedades*** y, en el editor de propiedades de Visual Basic, cambiamos la propiedad ***Name*** a ***OpcionMenor18 y*** la propiedad ***Caption*** (texto que aparecerá en el formulario) a valor ***Menor de 18***. Cerramos el panel ***Propiedades***.
- Debajo del anterior, insertamos dos nuevos botones de opción y cambiamos sus propiedades ***Name*** a ***Opcion1935*** y ***OpcionMayor36***, y sus propiedades ***Caption*** a ***De 19 a 35*** y ***Mayor de 36***.
- A continuación pasamos a programar una macro en Visual Basic para que lo botones sean excluyentes, es decir, cuando el usuario marque uno automáticamente se desmarque el otro.
  - Para ello hacemos doble clic en el primer control. Al aparecer el editor de código Visual Basic, en la ventana de la derecha escribiremos el código que ves al margen. El valor ***False*** significa que se desmarcarán.
  - Elige en el desplegable del editor Visual Basic el nombre de cada uno de los otros dos controles para que aparezcan las cabeceras de código y complétalo.
- Nos situamos en la penúltima fila para insertar un campo de lista donde el usuario pueda elegir una entre el menú desplegable de opciones.
- Hacemos clic en el botón ***Lista desplegable*** y a continuación en el botón ***Propiedades***. Rellenamos los campos ***Título*** y ***Etiqueta*** con la palabra ***Información*** y marcamos la casilla ***No se puede eliminar el control de contenido***. Desde la ficha ***Inicio*** bajamos el tamaño a 11 y eliminamos la negrita.
  - Hacemos clic en el botón ***Agregar*** y vamos escribiendo el contenido de la lista (***Por teléfono***, ***Vía mail*** y ***No deseo recibir información***). Al finalizar, hacemos clic en ***Aceptar***.
- Para terminar, nos colocamos en la última fila, desplegamos el botón ***Herramientas heredadas*** y elegimos ***Casilla de verificación*** (***control ActiveX***). Aparecerá el control con el texto ***CheckBox1***.
- Hacemos clic en ***Propiedades*** y, en el editor de propiedades de Visual Basic, escribimos en la propiedad ***Caption***: ***Sí, he leído y acepto el contrato***.
  - Hacemos clic en el desplegable de la propiedad ***ForeColor*** y escogemos el color negro.
  - Hacemos clic en el valor de la propiedad ***Font*** y seleccionamos ***Negrita***.
- Volvemos al documento cerrando el panel ***Propiedades***.
- Desactivamos el modo ***Diseño*** en la ficha ***Programador***. Guardamos el formulario como ***Documento de Word***, tipo ***Documento habilitado con macros de Word***. Ya está listo para ser enviado por correo electrónico.

```
Private Sub Opcion1935_Click()
OpcionMenor18.Value = False
OpcionMayor36.Value = False
End Sub

Private Sub OpcionMayor36_Click()
Opcion1935.Value = False
OpcionMenor18.Value = False
End Sub

Private Sub OpcionMenor18_Click()
Opcion1935.Value = False
OpcionMayor36.Value = False
End Sub
```

Caso final 2

Control de cambios, comentarios, y protección de documentos

·· Una de las opciones más interesantes de Word en cuanto al manejo de documentos es controlar los cambios que otros usuarios han realizado y añadir o eliminar comentarios sobre el propio documento.

Los comentarios ayudan al manejo de documentos por distintos usuarios y proporcionan la posibilidad de realizar apuntes sobre el documento terminado, ya sean visibles o no para otros usuarios.

Vamos a realizar las siguientes modificaciones en el documento ***La jornada laboral.docx*** contenido en el CD y, además, lo protegeremos con una contraseña para evitar manipulaciones por usuarios no autorizados.

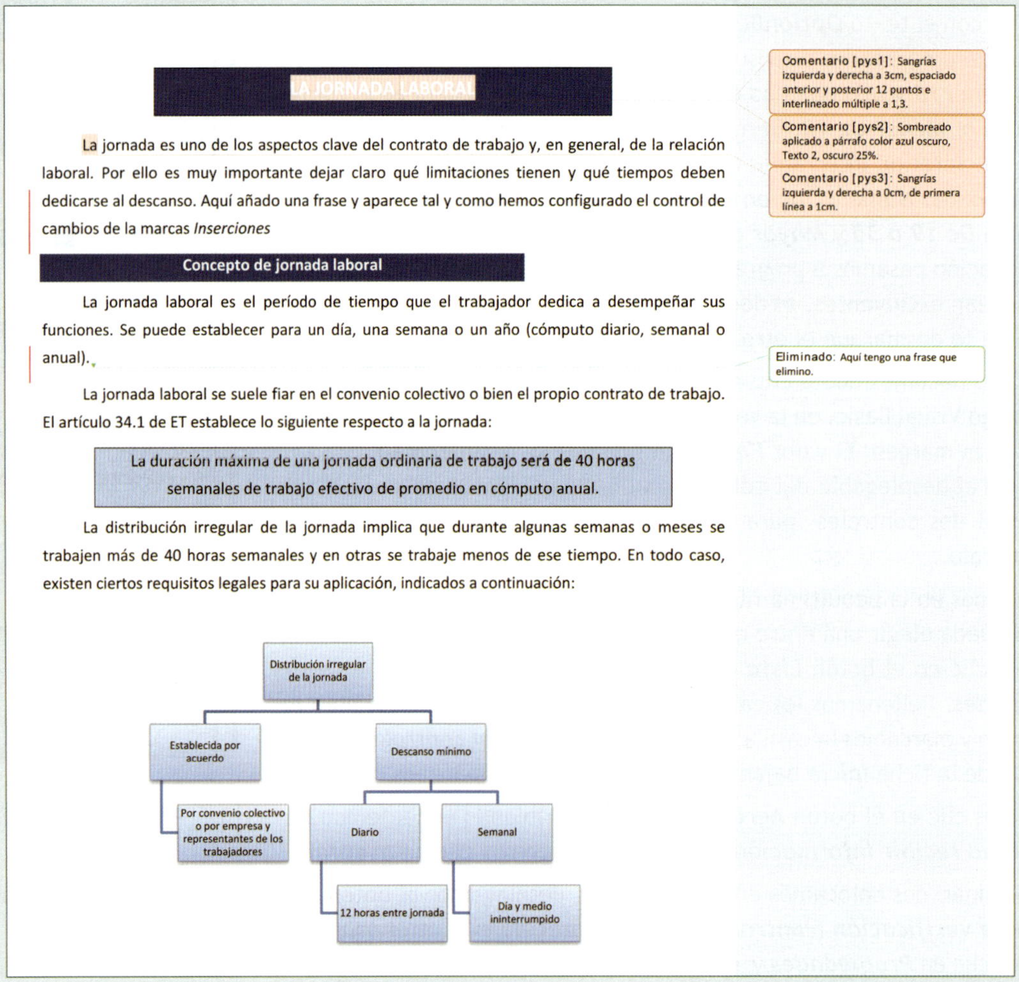

LA JORNADA LABORAL

La jornada es uno de los aspectos clave del contrato de trabajo y, en general, de la relación laboral. Por ello es muy importante dejar claro qué limitaciones tienen y qué tiempos deben dedicarse al descanso. Aquí añado una frase y aparece tal y como hemos configurado el control de cambios de la marcas *Inserciones*

Concepto de jornada laboral

La jornada laboral es el período de tiempo que el trabajador dedica a desempeñar sus funciones. Se puede establecer para un día, una semana o un año (cómputo diario, semanal o anual).

La jornada laboral se suele fiar en el convenio colectivo o bien el propio contrato de trabajo. El artículo 34.1 de ET establece lo siguiente respecto a la jornada:

La duración máxima de una jornada ordinaria de trabajo será de 40 horas semanales de trabajo efectivo de promedio en cómputo anual.

La distribución irregular de la jornada implica que durante algunas semanas o meses se trabajen más de 40 horas semanales y en otras se trabaje menos de ese tiempo. En todo caso, existen ciertos requisitos legales para su aplicación, indicados a continuación:

Comentario [pys1]: Sangrías izquierda y derecha a 3cm, espaciado anterior y posterior 12 puntos e interlineado múltiple a 1,3.

Comentario [pys2]: Sombreado aplicado a párrafo color azul oscuro, Texto 2, oscuro 25%.

Comentario [pys3]: Sangrías izquierda y derecha a 0cm, de primera línea a 1cm.

Eliminado: Aquí tengo una frase que elimino.

Solución ··

Manejo de comentarios

Abre el documento ***La jornada laboral.docx*** contenido en el CD y realiza las operaciones siguientes:

- Selecciona el título y, desde la ficha ***Revisar*** haz clic en el botón ***Nuevo comentario*** del grupo de herramientas ***Comentario.***

2

En el espacio que aparece en el margen derecho, escribe el texto que se muestra en la imagen. Los comentarios se nombran a través de las iniciales del usuario seguidos de un número de orden.

- Coloca el ratón delante del primer párrafo y repite el proceso con el texto del comentario correspondiente.
- Vuelve a situar el ratón en cualquier punto del título y añade otro comentario. Observarás que los comentarios se van ordenando y se reenumeran de manera automática. Además se pueden introducir varios comentarios al mismo texto.

Control de cambios

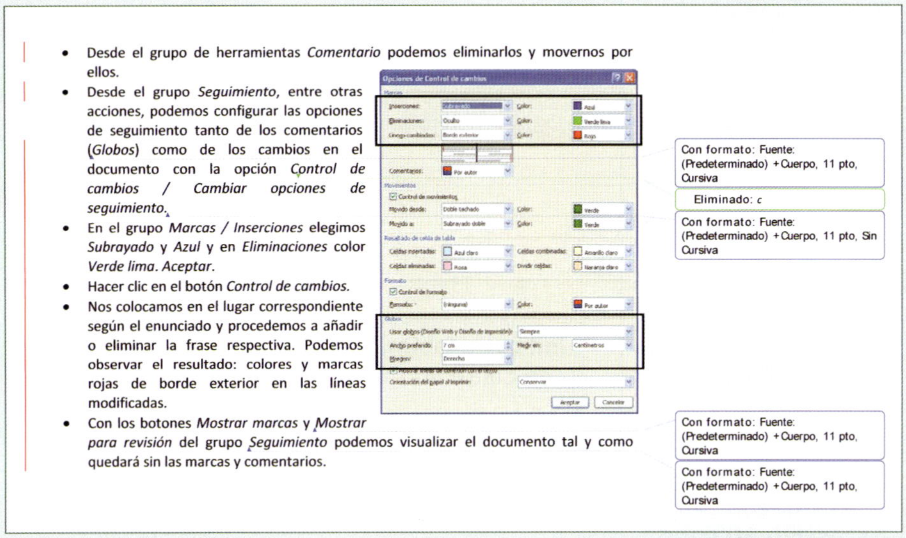
- Desde el grupo de herramientas *Comentario* podemos eliminarlos y movernos por ellos.
- Desde el grupo *Seguimiento*, entre otras acciones, podemos configurar las opciones de seguimiento tanto de los comentarios (*Globos*) como de los cambios en el documento con la opción *Control de cambios / Cambiar opciones de seguimiento*.
- En el grupo *Marcas / Inserciones* elegimos *Subrayado* y *Azul* y en *Eliminaciones* color *Verde lima*. *Aceptar*.
- Hacer clic en el botón *Control de cambios*.
- Nos colocamos en el lugar correspondiente según el enunciado y procedemos a añadir o eliminar la frase respectiva. Podemos observar el resultado: colores y marcas rojas de borde exterior en las líneas modificadas.
- Con los botones *Mostrar marcas* y *Mostrar para revisión* del grupo *Seguimiento* podemos visualizar el documento tal y como quedará sin las marcas y comentarios.

Protección de documentos

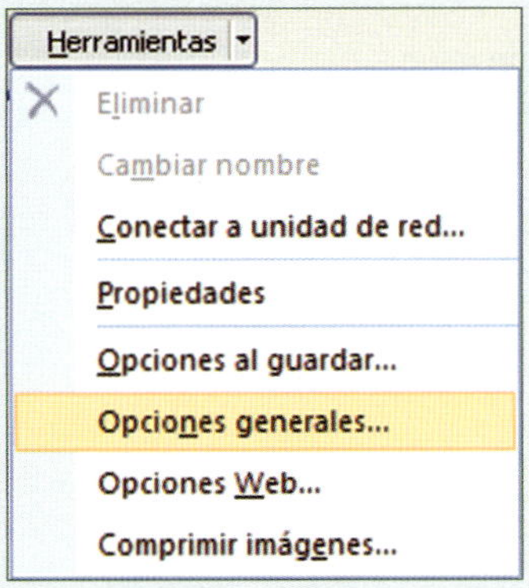

- Con el documento de Word abierto, haz clic sobre el botón de ***Office / Guardar como / Documento de Word***.
- Ponemos de nombre al documento ***La jornada laboral protegida.docx***, y en la parte inferior izquierda del cuadro de diálogo ***Guardar como***, hacemos clic en el desplegable ***Herramientas*** y seleccionamos ***Opciones generales***.
- En este cuadro de diálogo tenemos dos opciones de protección de documentos que se pueden establecer simultáneamente.
  - ***Contraseña de apertura***: es la contraseña que el sistema nos pedirá para abrir el documento.
  - ***Contraseña de escritura***: es la contraseña que nos permite realizar cualquier modificación sobre el documento.
- Escribe y recuerda ambas contraseñas. Haz clic en ***Aceptar***. Se recomienda que ambas contraseñas sean diferentes.
- Cierra el documento y vuelve a abrirlo para comprobar el uso de las contraseñas.
- Para eliminar las contraseñas, debes repetir el mismo proceso y borrarlas del cuadro de diálogo ***Opciones generales***.

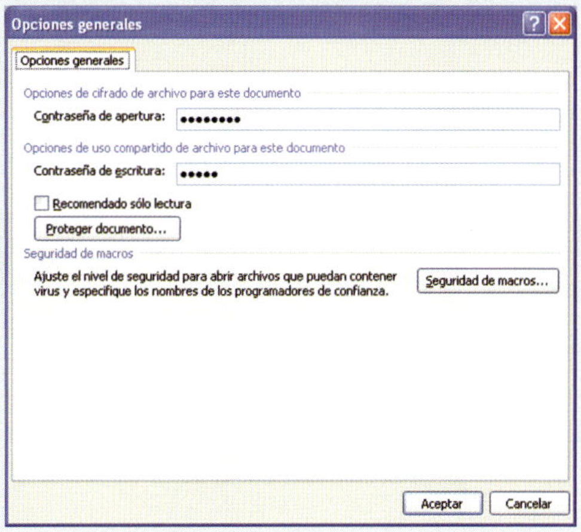

Ideas clave

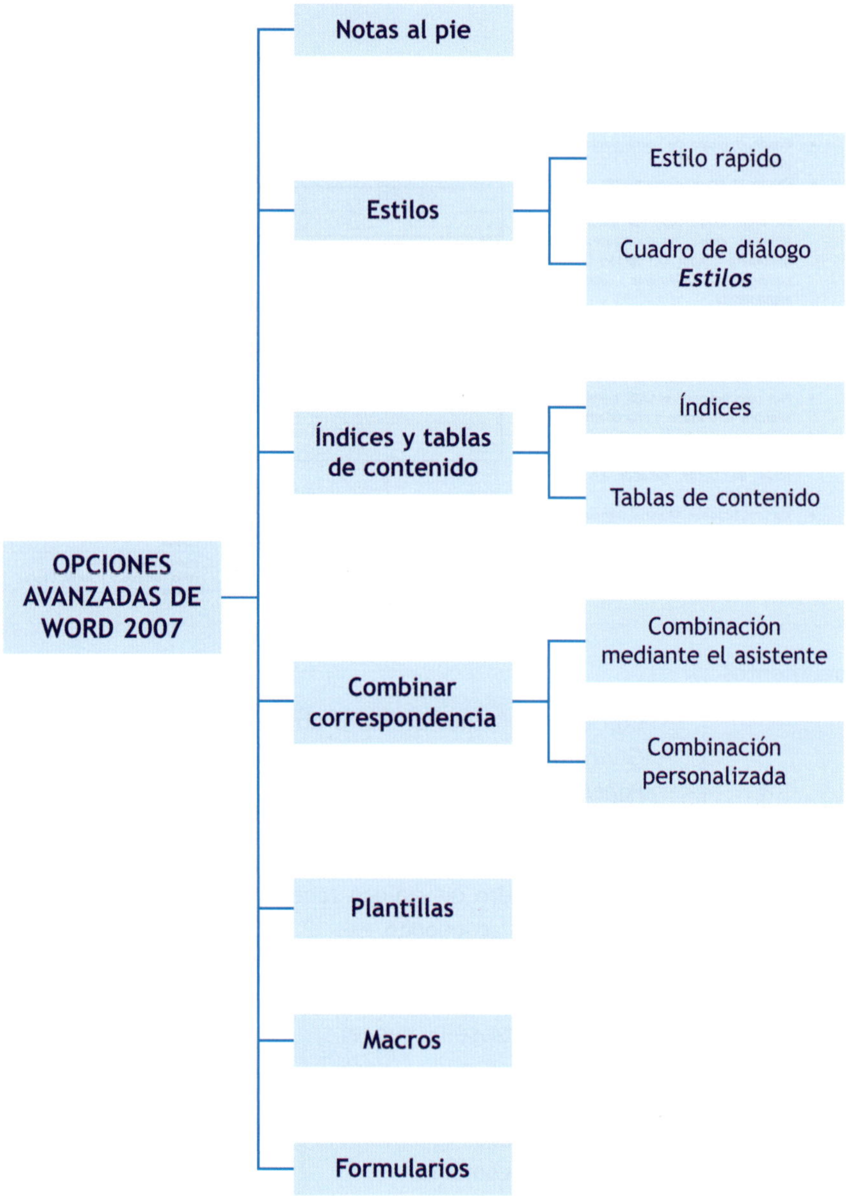
OPCIONES AVANZADAS DE WORD 2007
Notas al pie
Estilos
Estilo rápido
Cuadro de diálogo *Estilos*
Índices y tablas de contenido
Índices
Tablas de contenido
Combinar correspondencia
Combinación mediante el asistente
Combinación personalizada
Plantillas
Macros
Formularios

OPENOFFICE WRITER 3.ª PARTE

SOFTWARE LIBRE

Writer también ofrece la posibilidad de crear notas al pie, combinar correspondencia y dotar de estilos al documento para generar índices y tablas de contenido.

NOTAS AL PIE

Desde el menú *Insertar / Nota al pie-Nota al final* accedemos a la ventana que nos permite configurar si la nota llevará una numeración automática y consecutiva o si por el contrario será un carácter seleccionado y posiblemente diferente para cada una.

Las notas pueden aparecer al final de página o al final de todo el documento.

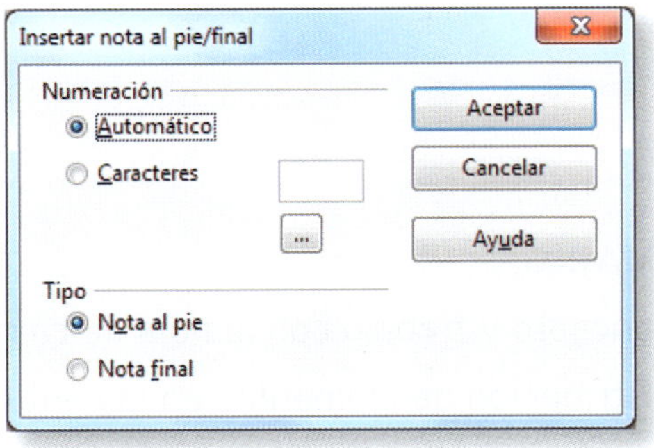

ESTILOS

En la barra de herramientas formato contamos con un desplegable que nos ofrece una colección de estilos predeterminados.

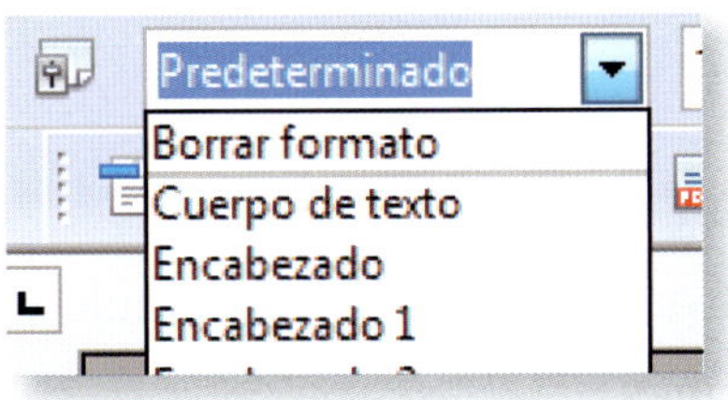

Tanto su última opción / *Más...*/ como el primer botón de esta barra de herramientas abren un panel flotante con el resto de estilos disponibles.

Cada uno de los botones de este panel flotante nos permite abrir los estilos disponibles para párrafo, lista, etc. Para crear un nuevo estilo personalizado, daremos formato a un texto y, desde el último botón de este panel flotante, elegiremos *Nuevo estilo a partir de la selección.*

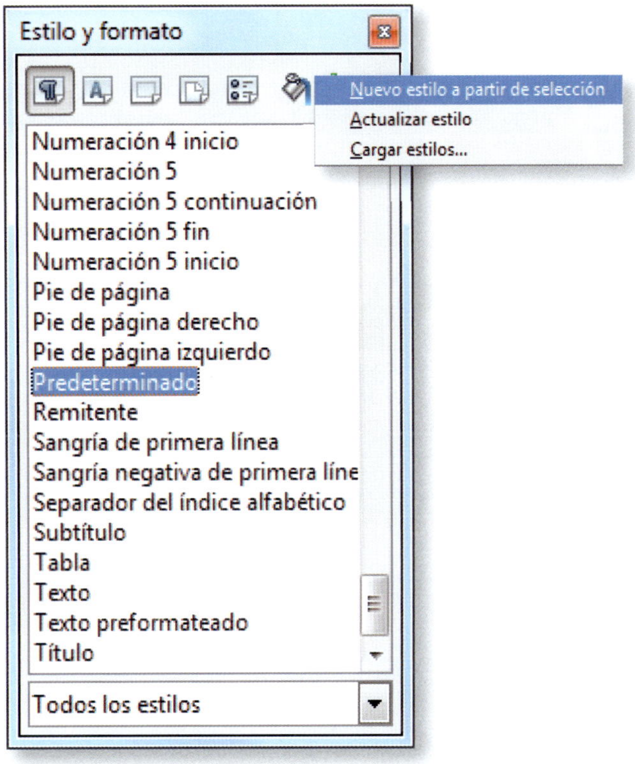

COMBINAR CORRESPONDENCIA

El menú *Herramientas / Asistente para combinar correspondencia* abre el asistente que permite desarrollar el mismo proceso visto en *Word*.

Los pasos nos van guiando en la selección del documento, el tipo de documento, la lista de direcciones, etc.

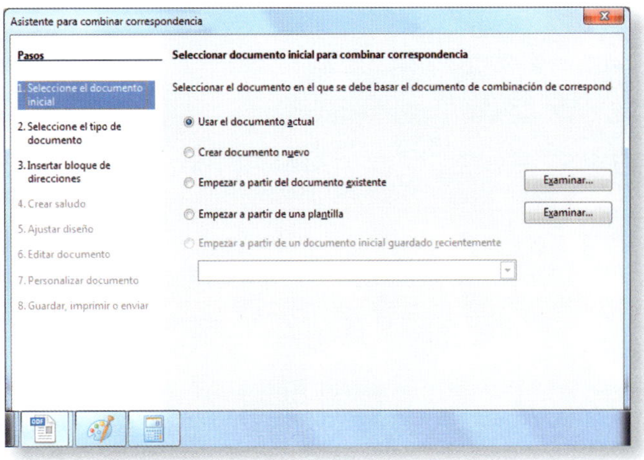

u n i d a d **8**

Herramientas básicas de las hojas de cálculo

SUMARIO

- Concepto y trabajo con la hoja de cálculo
- Distribución de elementos en la pantalla de Excel 2007
- Menús de Excel 2007

OBJETIVOS

- Saber qué es una hoja de cálculo y sus funciones.
- Utilizar adecuadamente los menús de Excel 2007.
- Seleccionar, editar y dar formato a los datos introducidos en celdas.

1 >> Introducción

En la actualidad, se plantea la necesidad de interactuar con multitud de datos, ya sea para almacenarlos, ordenarlos o realizar operaciones matemáticas. Las hojas de cálculo pueden aprovechar la potencia de los ordenadores actuales para que todos estos trabajos sean más sencillos de realizar, además de instantáneos.

La función de una hoja de cálculo consiste en realizar operaciones matemáticas más o menos complejas sobre una serie de datos alfanuméricos que están almacenados en una o varias tablas. El resultado de esas operaciones matemáticas pueden ser nuevos números o bien gráficos, tablas dinámicas, etc.

Aprovechando el hecho de que los datos se almacenan en tablas, es posible crear pequeñas bases de datos a partir de las hojas de cálculo, donde se introducen datos para posteriormente almacenarlos, ordenarlos y consultarlos.

Antecedentes

En este libro, vamos a estudiar las hojas de cálculo a través de la aplicación más extendida de este tipo, como es Microsoft Excel, en su versión 2007.

No obstante, creemos necesario hacer previamente una breve referencia al desarrollo, desde su creación, de las aplicaciones de hoja de cálculo.

Dan Bricklin creó VisiCalc en 1978, el primer programa conocido de hoja de cálculo. Por eso, es generalmente reconocido como el inventor de las hojas de cálculo. Se trataba de un programa muy simple, programado en BASIC, que no obtuvo éxito comercial hasta que fue adaptado para su utilización sobre ordenadores Apple.

El gran desarrollo de estas aplicaciones vino con Lotus 1-2-3. La empresa LOTUS agregó varias posibilidades al sistema de hoja de cálculo por tablas, entre otras la opción de crear gráficos y, sobre todo, el ponerle a cada celda un identificador, lo que simplificaba mucho las operaciones. Este programa estaba escrito para el sistema operativo de IBM OS/2.

Excel nació en 1984. Entre sus ventajas estaban los menús desplegables y el hecho de tener las opciones disponibles en la pantalla, en forma de botones, en vez de complicados comandos escritos. Acabó convirtiéndose en la referencia en hojas de cálculo, gracias sobre todo al sistema operativo Windows (como Excel, de la empresa Microsoft).

Excel siempre ha sido la aplicación ofimática estrella de Microsoft, ya que es la que convirtió los ordenadores PC en máquinas útiles dentro de las empresas, entrando por el departamento de finanzas.

Sucesivamente, en sus distintas versiones, Excel ha ido introduciendo mejoras, hasta llegar a la gran revolución del Excel 2007, que ha supuesto un gran cambio para la aplicación, sobre todo debido a la distribución de los menús en la pantalla, la incorporación de funcionalidades más potentes y el uso de un nuevo formato de archivo (.xlsx) para guardar los datos.

8.1. Interfaz de LOTUS 1-2-3.

2 >> Interfaz gráfica de Excel 2007

Excel 2007 es una aplicación integrada el paquete ofimático de Microsoft Office 2007, por lo que su apariencia es muy parecida a la que hemos visto en Word.

1 Botón de Office.
2 Barra de título.
3 Cinta de opciones.
4 Opciones de cada ficha.
5 Cuadro de nombres.
6 Barra de fórmulas.
7 Área de trabajo.
8 Nombre de las hojas.
9 Barra de estado.
10 Barras de desplazamiento.

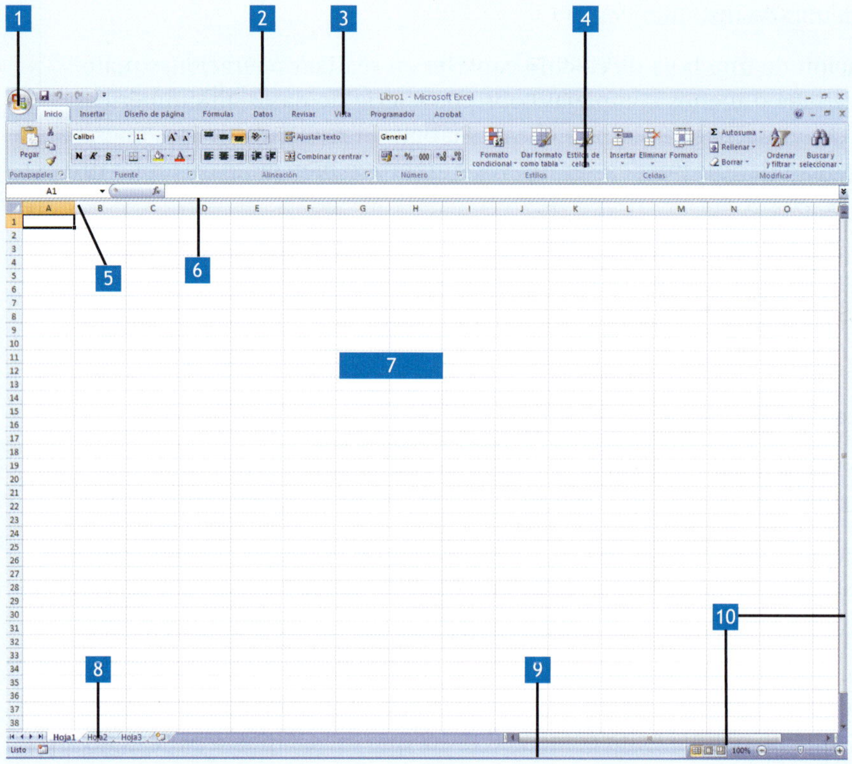

8.2. Interfaz gráfica de Excel 2007.

La zona más importante de una hoja de cálculo es el área de trabajo. Está formada por una cuadrícula y cada uno de los cuadrados recibe el nombre de **celda**.

Las celdas están organizadas en filas y columnas, cada una de las cuales tiene su propio nombre. Las columnas se identifican por letras y las filas a su vez lo hacen por números. Cada hoja tiene 16 000 columnas, comenzando por la A hasta la Z, luego se pasa a la AA, después la AB, así sucesivamente hasta la columna XFD. El número de filas, por su parte, es aproximadamente de un millón.

Cada una de las celdas se identifica por el nombre de la columna seguido por el nombre de la fila. Así, la primera celda es la A1, la de su derecha, la B1, la de debajo de esta última la B2, etc.

El cuadro de nombres es particularmente útil cuando se seleccionan celdas.

Este cuadro nos indica el nombre de la celda que está en ese momento seleccionada (por ejemplo, J24) o del rango de celdas seleccionadas, si son varias (por ejemplo, A23:C44).

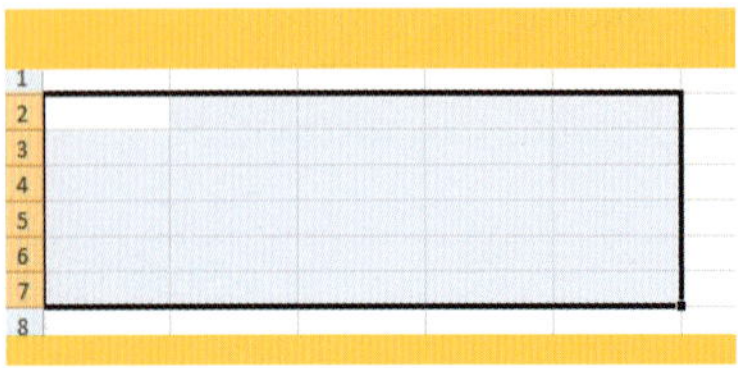

Rangos de celdas

Los rangos son rectángulos formados por conjuntos de celdas. Su nombre viene dado por los nombres de las celdas de sus vértices superior izquierdo e inferior derecho.

3 >> Comenzar a trabajar con Excel 2007

Los archivos de Excel se denominan **libros**. Cada libro está compuesto, originariamente, por tres **hojas**, pero este número se puede configurar; se pueden añadir y eliminar hojas según las necesidades. Si, por ejemplo, se van a almacenar en un libro los ingresos y gastos de una empresa por meses, lo más lógico es disponer de 12 hojas.

Para **añadir una nueva hoja de cálculo** hay que hacer clic en el botón *Insertar hoja de cálculo* que se encuentra junto al nombre de las hojas. También puede hacerse pulsando la combinación de teclas <Mayús>+<F11>.

Para **eliminar una hoja**, basta con pulsar con el botón secundario del ratón encima del nombre de la hoja a eliminar. En el menú contextual se encuentra la opción *Eliminar.*

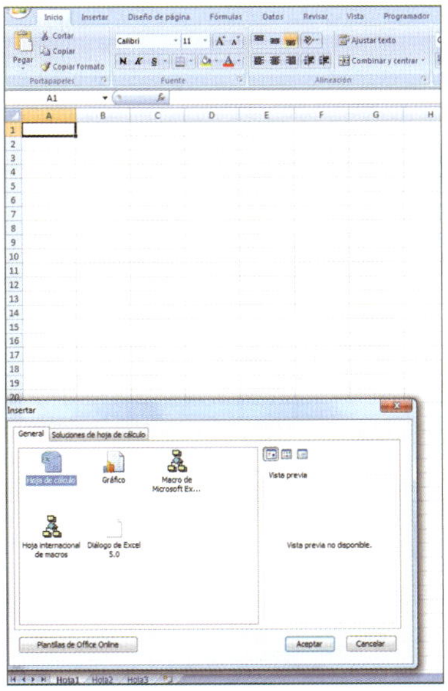

8.3. Añadir una nueva hoja de cálculo.

3.1 > Seleccionar celdas

Dentro de la cuadrícula de la hoja se observa que siempre existe una celda que tiene los bordes más gruesos. Esa celda está seleccionada. Esto implica que cuando se desee escribir será en esa celda donde se almacenarán los datos introducidos y, cuando se aplique algún tipo de formato, afectará a esta celda.

Cuando se seleccionan varias celdas, hay una de ellas que se queda en blanco, mientras que el recuadro que engloba a todas es más grueso que el resto de líneas. Es la forma en la que Excel nos indica que todas ellas están seleccionadas. Por tanto, si aplicamos formato, se lo aplicamos a todas simultáneamente, pero si escribimos algo, se escribirá únicamente dentro de la celda que está en blanco.

Para seleccionar...		Forma de proceder
Una celda		Se hace clic sobre la misma.
Varias celdas	Consecutivas	Se hace clic sobre una de ellas y a continuación se arrastra, sin dejar de pulsar el botón principal del ratón, hasta llegar a la última celda que se desea seleccionar.
	No consecutivas	Se comienza seleccionando la primera celda del grupo de celdas, a continuación se pulsa la tecla <Ctrl> y, sin soltarla, se siguen seleccionando las celdas deseadas con el ratón. Una vez seleccionadas todas, se suelta la tecla <Ctrl>.
Una columna		Se hace clic sobre el nombre de la columna, es decir, sobre la letra que la identifica, en la parte superior del área de trabajo.
Varias columnas	Consecutivas	Se hace clic sobre el nombre de la primera y se arrastra hasta la última columna que se desee seleccionar.
	No consecutivas	Se hace clic sobre el nombre de la primera, se pulsa la tecla <Ctrl> y, sin soltarla, se siguen seleccionando las columnas deseadas con el ratón. Una vez seleccionadas todas, se suelta la tecla <Ctrl>.
Una o varias filas		Se procede igual que con las columnas, pero en la parte izquierda del área de trabajo donde están los nombres de las filas.
Toda la hoja		Se hace clic en el botón ***Seleccionar todo***, que está bajo el cuadro de nombres, entre la fila 1 y la columna A, en la intersección que forman los nombres de fila y columna.

3.2 > Configurar celdas

Algunas veces es necesario configurar el tamaño de las celdas para ajustarlo al contenido que se necesita almacenar dentro, y que de esta manera esté visible para que la hoja de cálculo pueda entenderse mejor y, además, ser más vistosa. Esta configuración puede afectar a la anchura de las columnas y a la altura de las filas:

- **Configurar la anchura de las columnas:** debe hacerse desde la parte superior de la misma. Situándose en la separación entre dos columnas, se puede hacer más ancha o más estrecha la columna de la izquierda, arrastrando con el ratón en la dirección deseada.
- **Configurar la altura de las filas:** se opera situando el ratón entre dos filas en la parte izquierda de la pantalla; arrastrando se modifica la altura de la columna de encima, haciéndola más o menos alta.
- **Configurar el ancho o el alto de varias columnas o filas a la vez:** se seleccionan las que se necesiten modificar y se cambia cualquiera de ellas. Al soltar se puede comprobar que se han modificado todas las que estaban seleccionadas. Recuerda que, si las filas o columnas son discontinuas, debes pulsar el botón <Ctrl> para poderlas seleccionar.

3.3 > Moverse por el área de trabajo

Podemos movernos por el área de trabajo de una hoja de cálculo de diversas formas:

- **Con las barras de desplazamiento:** estas barras, situadas a la derecha y en la parte inferior del área de trabajo, también forman parte de la misma. Haciendo clic con el ratón sobre ellas y arrastrando, podemos movernos por toda la hoja.
- **A través de los cursores:** son las teclas con el icono de una flechita que están entre el teclado alfanumérico y el numérico. Pulsándolas, nos podemos desplazar a las celdas inmediatamente contiguas a la seleccionada. Si las pulsamos a la vez que la tecla <Ctrl> nos iremos a primera o última celda de la fila o columna en la que estemos.
- **A través de las teclas de control:** se trata de las teclas <Re Pág>, <Av Pág>, <Inicio> y <Fin>, que están a la derecha del teclado alfanumérico. Estas teclas permiten un amplio rango de movimientos, no solo por la hoja activa, sino por todo el libro, pues, aparte de los movimientos que permiten al pulsarlas individualmente, ofrecen más posibilidades al pulsarlas de forma conjunta con la tecla <Ctrl>.

Actividades propuestas

1·· Abre un libro de Excel y, en la hoja activa, comprueba las posibilidades de las distintas formas de desplazase por la hoja:

- Utiliza las barras de desplazamiento, las teclas de los cursores y las teclas <Re Pág>, <Av Pág>, <Inicio> y <Fin>, también combinándolas con la tecla <Ctrl>.
- Prueba asimismo la tecla <Intro> y la tecla del tabulador. Combina estas dos con la tecla <Mayús>.

3.4 > Introducir datos en las celdas

Dentro de una celda se pueden escribir tres tipos de datos distintos:

- Números.
- Texto.
- Fórmulas y funciones.

A la hora de escribir algo, primero se debe seleccionar la celda en la que se desea escribir, a continuación se teclea y por último se pulsa la tecla <Intro> para introducir o aceptar ese contenido (también puede introducirse pulsando el tabulador).

Una vez que el contenido de la celda ha sido aceptado o introducido, se puede comprobar fácilmente si Excel lo entiende como número o como texto: si el contenido queda alineado a la derecha, Excel ha entendido ese dato introducido como número. Si, por el contrario, se queda alineado a la izquierda, es que lo ha entendido como texto.

Si en una celda se escribe una fórmula o función, estas no se muestran, sino que en la celda únicamente aparece el resultado de las mismas.

En la siguiente unidad didáctica se aprenderá a introducir fórmulas y funciones en las celdas y a utilizarlas para resolver actividades cotidianas dentro de nuestro trabajo.

Escribir números en las celdas

Para escribir correctamente un número decimal (por ejemplo 23,88) se debe utilizar la coma, no el punto. Excel toma la misma configuración de idioma que el sistema operativo, así que si trabajamos con Windows en español, los puntos se utilizarán para separar los miles. En cambio, si configuramos Windows para que esté en inglés, los miles se separarán con coma y los decimales con punto.

Cuando se introduce un número, es mejor no escribir los separadores de miles y aplicar después el formato pertinente para que se incluyan los separadores automáticamente. De esta forma se evitan posibles errores.

3.5 > Editar celdas

Una vez que una celda tiene contenido, es posible que interese editarlo. Si se selecciona la celda, el contenido de la misma se puede ver dentro de la barra de fórmulas.

Esta barra se llama así porque se utiliza fundamentalmente para editar las fórmulas que hay escritas dentro de las celdas (aunque también sirve para editar texto o números). Muestra el contenido real de la celda, es decir, sin formato. Mientras que en la celda aparece el resultado de la fórmula, en la barra de fórmulas se puede apreciar la fórmula propiamente dicha.

Por tanto, podemos editar el contenido de una celda de dos formas:

- **Desde la propia celda:** se hace doble clic en la misma. Es el procedimiento más rápido, pero obliga a trabajar dentro de un espacio muy pequeño.
- **Desde la barra de fórmulas:** al ser más amplia que una celda, es más fácil trabajar en ella.

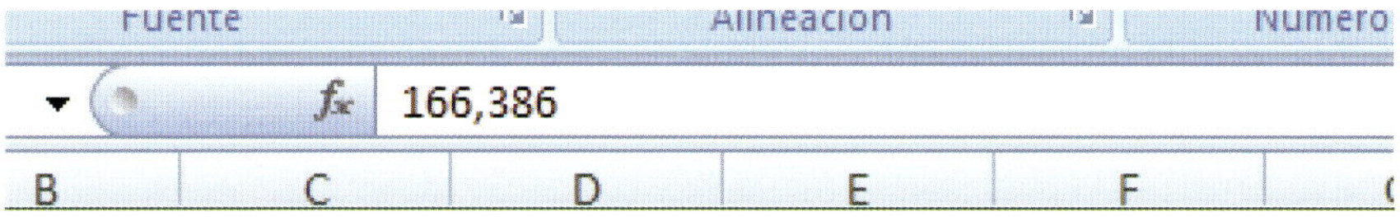

8.4. Barra de fórmulas.

Para editar una celda desde esta barra, con la celda seleccionada, se hace clic en la barra, aparece el cursor de inserción y se trabaja como en Word, situándolo donde se desee escribir. Las teclas <Retroceso>, <Barra espaciadora> y <Supr> también se utilizan de igual manera.

3.6 > Formato de celdas

En Excel pueden formatearse tanto el aspecto de las celdas (bordes, color, tamaño, alineación, fuentes...) como los datos que contienen (porcentaje, moneda, número de decimales...). En este apartado nos ocuparemos únicamente del aspecto visual.

Para dar formato a una o varias celdas, lo primero que se debe hacer es seleccionar las celdas a las que afectará y luego aplicar a las mismas las características que hayamos elegido.

Grupo *Fuente*

En el grupo de opciones *Fuente* de la ficha *Inicio* (muy similar al del resto de aplicaciones de Microsoft Office), se encuentran todas las características que se aplicarán a los caracteres escritos dentro de las celdas (tipo de fuentes, variaciones de las mismas, tamaño, estilo y color).

En primer lugar, hay que decir que el color de fondo de las celdas se denomina *Color de relleno.*

No existe un color de fondo por defecto, sino que, en su lugar, existe la opción *Sin relleno.* Esta opción es la que tienen todas las celdas por defecto y la que se debe utilizar para quitar el color de fondo. Si en vez de esta opción se utiliza el color blanco, puede dar problemas posteriormente (por ejemplo, a la hora de insertar un fondo en la página).

La opción que más nos interesa en Excel de este grupo es la que permite configurar los bordes de la celda. Es importante dejar claro desde un principio que los bordes grises o azules que vemos desde que abrimos el programa y que delimitan cada celda no se imprimen. Están ahí solamente para ayudarnos a situarnos sobre la cuadrícula de celdas. Si se desea que alguna celda aparezca con un borde, se debe añadir explícitamente.

Para formatear los bordes de una celda o grupo de celdas, se selecciona la celda o celdas a las cuales se desea dar formato y se hace clic sobre el botón *Bordes*, para desplegar un menú con las opciones más comunes respecto a los bordes.

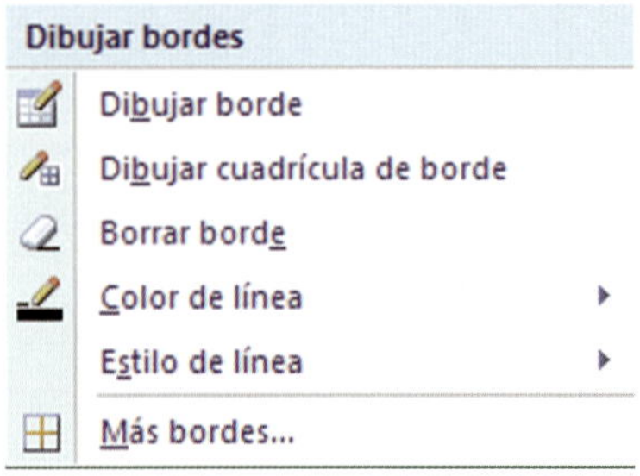

8.5. Dibujar bordes.

Este desplegable es muy semejante al que vimos en Word, fundamentalmente al tratar de las tablas, si bien en Excel debemos llamar la atención sobre una parte del mismo *(Dibujar bordes)* que es particularmente interesante:

- Al seleccionar la opción *Dibujar borde,* el puntero del ratón se convierte en un lápiz y los bordes de las celdas se van dibujando con el puntero.
- Más rápido aún es *Dibujar cuadrícula de borde,* donde se van dibujando todos los bordes del rango que esté seleccionado con el ratón. De esta manera es mucho más rápido hacer los bordes de una tabla.
- El botón *Borrar borde* permite borrar los bordes del rango de celdas que hayamos seleccionado.
- En las dos opciones que están inmediatamente debajo se pueden seleccionar el color y el estilo de la línea de esos bordes.
- La opción *Más bordes* abre el cuadro de diálogo *Formato de celdas,* pestaña *Bordes*, donde pueden configurarse todas las opciones de los bordes.

Grupo *Alineación*

En este grupo se encuentran las opciones de configuración de alineación, orientación del texto, etc.

Excel presenta algunas peculiaridades en las alineaciones, ya que no solo se trata de alinear el texto respecto de una página, sino que los datos van incluidos en celdas y pueden darse multitud de alineaciones dentro de las mismas. En concreto, son peculiares las siguientes opciones:

- **Alineación de texto:** además de la alineación horizontal que vimos en Word (izquierda, centro o derecha), en Excel los datos también pueden alinearse verticalmente respecto a la celda (arriba, en el centro o abajo).
- **Orientación:** además de la orientación horizontal, que es la más habitual, Excel permite orientar los datos en diagonal, de forma vertical e, incluso, girar el texto hacia arriba o hacia abajo, lo cual es particularmente útil cuando la columna es muy estrecha.
- **Ajustar texto:** cuando el texto que está escrito dentro de una celda es más largo que el ancho de la columna, sobresaldrá por el lado derecho (si la celda que está en ese lado está vacía) o se cortará (cuando la celda de la derecha tiene algo escrito). Si se aplica la opción *Ajustar texto,* los datos de la celda se ajustarán al ancho de la columna, creándose tantas líneas en la celda como sean necesarias.
- **Combinar celdas:** algunas veces es necesario que una celda ocupe más de una columna o más de una fila; para ello se pueden unir (o combinar) las celdas deseadas. Para combinar dos o más celdas, se seleccionan y se hace clic en el botón *Combinar y centrar.* Se abrirá un desplegable con las siguientes opciones:
  - ***Combinar y centrar:*** une las celdas seleccionadas en una de mayor tamaño y centra el contenido en la celda resultante.
  - ***Combinar horizontalmente:*** une las celdas horizontalmente, sin centrar su contenido.
  - ***Combinar:*** une las celdas seleccionadas en una de mayor tamaño.
  - ***Separar celdas:*** divide las celdas seleccionadas (siempre que sean combinadas) en todas las celdas que las componen.

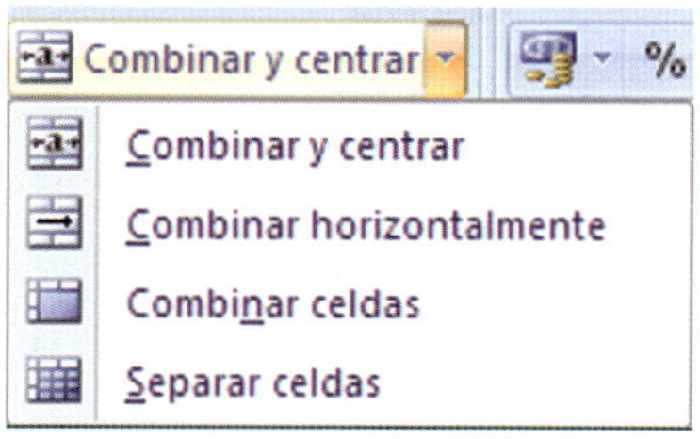

8.6. Desplegable *Combinar y centrar.*

Actividades propuestas

2·· Realiza la siguiente tabla, con los colores, bordes y formatos que se aprecian en la imagen.

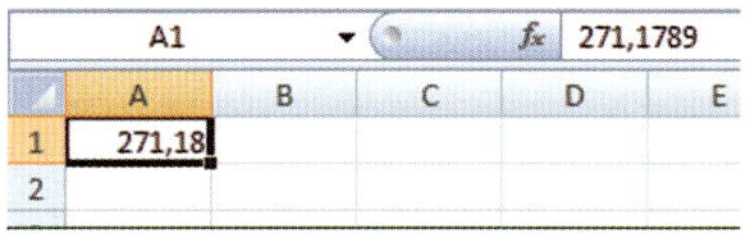

8.7. Formato dos decimales.

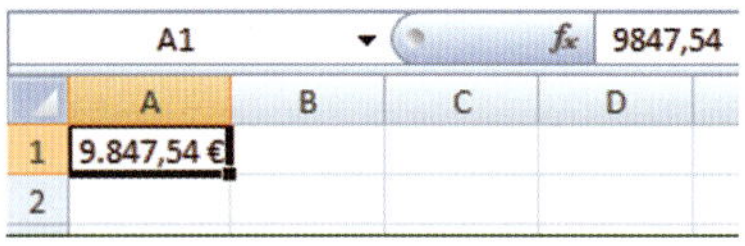

8.8. Formatos de separador de miles y símbolo de moneda.

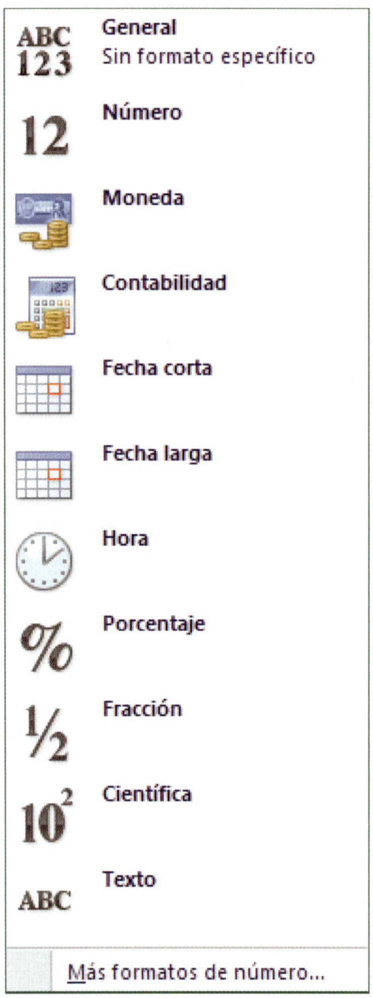

8.9. Formatos de número.

3.7 > Formato de los datos

A la hora de dar formato a los datos incluidos en las celdas, es importante tener claro que una cosa es el contenido de las celdas y otra muy distinta el formato con el que se visualiza dicho contenido.

Por ejemplo, una celda puede contener el número 24,887 y mostrarse como 24,89 porque se ha definido un formato de número con dos decimales. Esto no quiere decir que se haya despreciado el tercer decimal ni que se haya aproximado a dos decimales. El contenido de la celda sigue siendo el mismo, pero únicamente estamos visualizando dos decimales.

En la barra de fórmulas se puede comprobar el contenido real de la celda, ya que esta barra muestra el contenido, no el formato.

En las figuras del margen se muestran dos ejemplos de celdas con distintos formatos y cómo en la barra de fórmulas se aprecia el contenido real de las mismas:

- En el primer caso, el contenido es 271,1789 y ese será el que utilice Excel para operar. Sin embargo, como el formato está definido a dos decimales, se muestra 271,18.
- En el segundo caso, el contenido es 9 847,54 y el formato definido incluye el separador de miles y el símbolo de moneda.

Los formatos de número que acepta Excel son los siguientes:

General

Estas celdas no tienen un número de formato específico. Excel aplica el formato automáticamente, en función del tipo de datos que se inserten en la celda. Si se inserta una fecha, el formato se cambiará a *Fecha;* si se inserta un número y el símbolo del euro, se cambiará a *Moneda*, etc.

Número

La celda contiene un número. Se puede definir número de decimales a visualizar, si se desea ver el separador de miles y cómo se mostrarán los números negativos (con el signo menos, en rojo o en rojo junto con el signo menos).

Moneda

Es similar al formato *Número*, pero además de las opciones de aquel (definir el número de decimales, indicar cómo se mostrarán los números negativos) incluye un símbolo para que identifiquemos esa cifra con una moneda (por ejemplo, € para el euro, $ para el dólar, £ para la libra esterlina, etc.).

Cuando un valor sea cero, la celda mostrará el número 0 y el símbolo de la moneda.

Contabilidad

Muy parecido al formato *Moneda*, se caracteriza porque los símbolos de moneda y las comas decimales están alineados unos encima de otros. Cuando un valor sea cero, a diferencia del formato *Moneda*, la celda mostrará un guión, seguido del símbolo de la moneda.

Fecha

Excel distingue entre fecha corta (por ejemplo 17/02/2009) y fecha larga (martes, 17 de febrero de 2009). Para introducir un dato como fecha, hay que separar sus componentes (día, mes y año) por barras o guiones (1/1/10 o 1-1-10 se mostrarán como 01/01/2010). Una vez introducido, si Excel lo entiende como un número, lo alinea por defecto a la derecha; si no es así no podremos realizar operaciones con esa fecha.

Excel permite realizar operaciones aritméticas con las fechas (sumas, restas, etc.). Para ello identifica cada fecha con un número correlativo que empieza a contar en la fecha de 1 de enero de 1900 (por ejemplo, el 2 de enero de 1900 será el 2, el 6 de julio de 2009 será el 40 000, etc.).

Hora

Para insertar un dato con formato hora se separan sus componentes (horas, minutos y segundos) mediante dos puntos (por ejemplo, 02:25:14).

Excel también permite realizar operaciones aritméticas con los datos en formato *Hora*. Para ello entiende las horas como decimales de días; así, las 12 del mediodía tienen un número equivalente de 0,5 (medio día) y así sucesivamente.

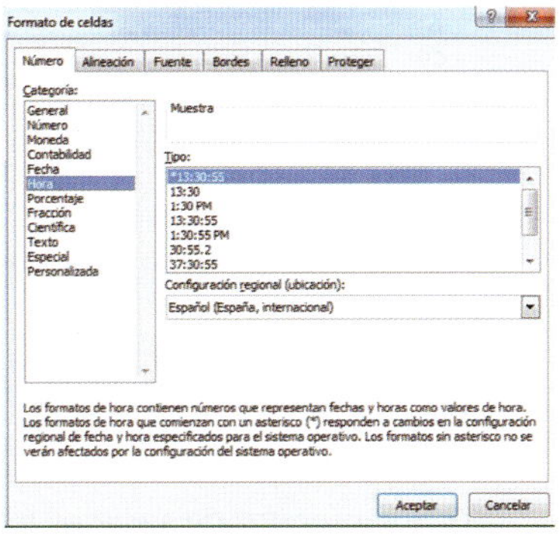

8.10. Formato *Hora*.

Porcentaje

Muestra el contenido de la celda en proporción al 100%. Si en una celda el contenido es 0,5 y se cambia el formato a porcentaje, el contenido no cambia, pero se visualiza 50%. Realmente es lo mismo: 0,5 es la mitad de algo y 50% también. Mientras se escriben los datos, es muy fácil aplicar este formato; para ello basta con escribir el símbolo % con el teclado.

Fracción

Muestra el contenido de una celda en forma de fracción. Por ejemplo, si la celda contiene 0,5, al aplicarle el formato *Fracción*, se mostrará como 1/2, que es su fracción equivalente.

Científica

Muestra el contenido de la celda como un número multiplicado por 10 elevado a una cantidad. Se utiliza para que resulte más cómodo escribir cifras muy grandes o muy pequeñas. Por ejemplo, 5E+6 son 5 000 000 (un cinco seguido de seis ceros) y 5E - 3 es 0,005 (un cinco precedido de tres ceros, el entero y dos decimales).

Texto

Con este formato el contenido de la celda se muestra como texto incluso cuando haya un número almacenado dentro. Cuando el contenido de una celda tenga este formato, no se podrán realizar con él operaciones matemáticas.

Personalizado

Permite definir un formato nuevo de número, configurable según las necesidades del usuario.

Actividades propuestas

3·· Escribe en una hoja de cálculo las siguientes cantidades, cada una en una celda:

	A	B	C	D	E	F	G	H
1	0,15	0,5	0,8	0,18	0,06	1,18	1,3	200
2								

Aplica a las celdas donde has escrito los números el formato ***Porcentaje***. Comprueba los resultados. ¿Ha cambiado el contenido? Comenta los resultados.

4·· Escribe en una hoja de cálculo las siguientes cantidades, cada una en una celda:

	A	B	C	D	E	F	G	H
1	1500	1850	366	365	364	40787	40902	61
2								

Aplica a las celdas donde has escrito los números el formato ***Fecha***. Comprueba los resultados. ¿Ha cambiado el contenido? Comenta los resultados.

5·· Recuerda que las fechas son números de serie para que Excel pueda operar con ellos. El contenido de la celda siempre será un número aunque lo veamos con formato de fecha: es el número de días que han pasado desde el 1 de enero de 1900. Partiendo de esto, responde a las siguientes preguntas:

a) ¿Qué número de serie es hoy?
b) ¿Qué número de serie era el día que naciste?
c) ¿Qué número de serie le corresponde al día 1 de enero de 2000?
d) ¿Qué fecha se corresponde con el número de serie 42 789?

6·· Escribe en una hoja de cálculo las siguientes cantidades, cada una en una celda:

	A	B	C	D	E	F	G	H
1	180 €	2500 $	$ 2500	360,20 €	¥80,00	£130,00	fr. 400,00	50,00 kr
2								

Aplica a las celdas donde has escrito los números el formato ***Moneda***, utilizando en cada una de ellas el símbolo que se muestra en la pantalla.

a) ¿De qué monedas se trata?
b) ¿Tiene Excel todas las monedas que conoces?
c) ¿Cuál falta?
d) Sustituye en la celda A1 el tipo de moneda por dólares. ¿Cambia el contenido de la celda? ¿Por qué?

7·· Realiza la siguiente tabla con el formato de celdas y datos que se indica en cada caso.

	A	B	C	D	E	F
1						
2		*Número*	*Moneda*	*Porcentaje*	*Fecha*	*Hora*
3		120,56	4230,6	16,50%	21/09/2011	15:45
4						

3.8 > Diseño de página

En la ficha *Diseño de página* se encuentran multitud de opciones para configurar los parámetros que afectan a toda la hoja en su conjunto.

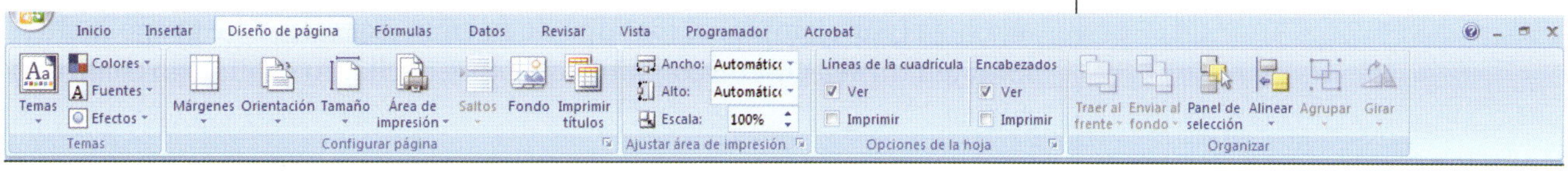

8.11. Ficha *Diseño de página.*

Por un lado, nos encontramos la configuración de la apariencia visual de la hoja (fondos, fuentes...), tanto en lo referente a la cuadrícula de celdas, como en lo referente a los nombres de filas y columnas, encabezados, títulos, etc.

Además, si bien es cierto que Excel es un programa diseñado para trabajar sobre una pantalla, en muchas ocasiones el trabajo realizado debe ser impreso para presentar los resultados que contienen las hojas de cálculo. Desde esta ficha se configurarán también todos los parámetros relacionados con la impresión (tamaño del papel, orientación, área de impresión, etc.).

Grupo *Temas*

Es una forma rápida y muy vistosa de dar formato a toda la hoja a través de un tema que especifica los colores, los tipos de letra y los efectos. Se puede aplicar de forma conjunta, desplegando el botón *Temas* o bien aplicando, de forma individual, los colores, las fuentes o los efectos.

Ejemplos

Grupo *Temas*

En la ficha ***Diseño de página***, al hacer clic sobre el grupo ***Temas***, se abre un desplegable. Al moverte por encima se puede comprobar cómo cambia el contenido de la hoja de cálculo. Cuando se encuentre el tema deseado, se hace clic sobre esa opción para aceptarla. Los botones de colores, fuentes y efectos funcionan exactamente igual.

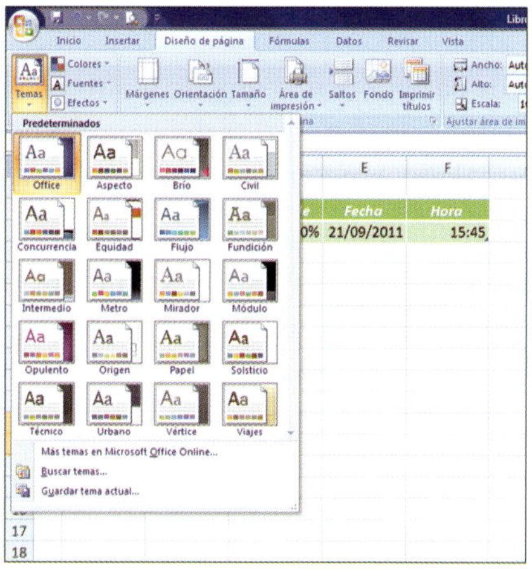

Grupo *Configurar página*

En este grupo se especifica el tamaño de los márgenes, la orientación de la hoja de papel y el tamaño (A3, A4, A5, etc.). También se puede definir el área de impresión, así como una imagen para que sirva de fondo a la hoja (por ejemplo, el logotipo de la empresa, etc.). Este grupo incluye también un selector de comando que abre el cuadro de diálogo *Configurar página.*

De este grupo, es especialmente importante la opción *Área de impresión,* que sirve para definir el área de impresión (rango de celdas que se quieren imprimir) dentro de una hoja de papel utilizando un escalado. Una vez definida el área de impresión, solo se imprimirán esas celdas.

La forma de ajustar un área de impresión es seleccionar las celdas que se quieren imprimir y después hacer clic en *Área de impresión / Establecer área de impresión.*

Ejemplos

Ficha *Configurar página*

Si en la hoja siguiente solo queremos imprimir las celdas que contienen datos, deberíamos seleccionar el rango B2:F3 y hacer clic en ***Área de impresión / Establecer área de impresión.***

	A	B	C	D	E	F
1						
2		*Número*	*Moneda*	*Porcentaje*	*Fecha*	*Hora*
3		120,56	4230,6	16,50%	21/09/2011	15:45
4						

Grupo *Ajustar área de impresión*

En este grupo se definen unos parámetros muy útiles. Se trata de ajustar la escala de la hoja de cálculo respecto a la hoja de papel. Modificando el valor porcentual de la escala, el área de impresión se imprime más grande o más pequeña.

Los parámetros de ancho y alto permiten definir cuántas hojas de papel se desea que ocupe el trabajo, tanto de ancho como de alto. Excel realizará el escalado, sin variar la relación de aspecto del área de impresión.

Así, si el área a imprimir ocupa dos páginas de ancho por seis de largo, se puede reducir a una de ancho por tres de alto, pero por mucho que se definan 10 de alto, el resultado no se estira. Esto es particularmente útil cuando se desea imprimir una tabla con un contenido extenso y no se sabe cuántas páginas ocupará. Lo habitual es asegurarse de que no se sale por la derecha de la hoja de papel (definiendo 1 página de ancho) y un número establecido de páginas de alto, para asegurarse de que cabe. Estas mismas opciones pueden ser definidas en el cuadro de diálogo *Configurar página.*

Grupo *Opciones de la hoja*

En este grupo se configuran distintos aspectos visuales de la hoja:

- *Líneas de la cuadrícula:* si se mostrarán las líneas de cuadrícula en la pantalla o esta solo mostrará el color de fondo de la hoja, así como si se imprimirán o no cuando se imprima la hoja.
- *Encabezados:* análogamente, si se quieren ver o no en pantalla y si se desea que se impriman con la hoja.

3.9 > Guardar en Excel 2007

Para guardar un libro de Excel hay que hacer clic en el botón de Office. Como en el resto de programas del paquete Office, existen las dos opciones:

- *Guardar:* en Excel, cuando ya se guardado previamente el libro, se actualiza la información guardada en la misma ubicación.
- *Guardar como:* en este caso, se puede guardar el libro en una ubicación distinta a la actual o bien guardar con otro formato. La primera vez que se utiliza el comando *Guardar* funciona igual que *Guardar como*, ya que no se ha especificado aún ninguna ubicación.

Excel 2007 ofrece la posibilidad de guardar los libros utilizando los siguientes formatos:

- **Libro de Excel:** se trata de un formato basado en el formato .xml que facilita mucho la integración con datos externos a la vez que reduce el tamaño del archivo.
- **Libro de Excel habilitado para macros:** es un formato de archivo igual que el anterior, pero que también permite guardar macros que se ejecutarán en ese libro.
- **Archivo con formato binario:** se trata de un formato de archivo binario comprimido, el cual resulta muy útil para libros complejos y cuando se precisa compatibilidad con versiones anteriores de Excel.
- **Archivo con formato Excel 1997-2003:** es el formato que han tenido los archivos que contienen libros de Excel desde la versión 1997. Es un formato útil para compartir la información con ordenadores que tienen una versión anterior de la aplicación.

Actividades propuestas

8·· Piensa en qué ficha y en qué grupo de comandos de Excel deberían encontrarse las distintas opciones que te mostramos a continuación. Después comprueba dónde están en el Excel de tu ordenador y comenta si las fichas están organizadas de manera lógica.

Cambiar el color de fondo de una celda.	Sumar.
Insertar un WordArt.	Estilos de celda.
Ortografía.	Establecer el fondo de la página.
Ordenar y filtrar.	Guardar.

Caso final 1

Formatos en una hoja de cálculo

•• Reproduce en un libro de Excel las siguientes tablas, cada una de ellas en una hoja del mismo libro.

	A	B	C	D	E
1					
2		TIPOS DE COTIZACIÓN (%)			
3		Contingencia	Empresa	Trabajador	Total
4		Desempleo tipo general	5,50	1,55	7,05
5		Desempleo Durac. Det. Tiempo completo	6,70	1,60	8,30
6		Desempleo Durac. Det. Tiempo parcial	7,70	1,60	9,30
7		Fogasa	0,20	0,00	0,20
8		F.P.	0,60	0,10	0,70

	A	B	C	D	E	F
1						
2		Código	Producto	Precio	Unidades en existencia	Fecha próximo pedido
3		10546	Zapatos tacón marrón	23,00 €	200	25-oct
4		23432	Zapatillas blancas	20,00 €	140	26-oct
5		21333	Calcetines deporte cortos	1,20 €	300	30-nov
6		24665	Calcetines vestir negros	1,40 €	600	02-dic
7		43567	Zapatos cordones marrones	26,50 €	150	05-dic
8		43256	Betún marrón	1,20 €	2500	18-ene
9		49876	Betún negro	1,20 €	80	02-feb

Primera tabla

- **Formato de fuente:** la fila 2 está escrita en fuente Calibri, tamaño 20, estilo *Negrita*. El resto de la tabla en Calibri 11, con la columna B y la fila 3 en negrita.
- **Color de relleno de las celdas:** la fila 2 y el rango C4:E8 tienen un relleno *Azul, Énfasis 5, Claro 80%*; y la fila 3 y el rango B4:B8 tienen un relleno *Gris 50%, Texto 2, Claro 80%*.
- **Alineación:** las celdas B2:E2 están combinadas. Las celdas B4:B8 están alineadas a la izquierda, el resto centradas.
- **Formato de número:** las celdas C4:E8 tienen un formato de número con dos decimales.
- **Bordes:** todas las celdas de la tabla tienen bordes de color blanco del grosor máximo.

Segunda tabla

- **Formato de fuente:** Arial de tamaño 10. La fila 2 en negrita, el resto normal.
- **Color de relleno de las celdas:** en la fila 2, naranja (RGB 255, 204, 0).
- **Formato de número:** las columnas B y C tienen formato de texto, la columna D es moneda con 2 decimales (por defecto la moneda se expresa en euros con 2 decimales), la columna ***E*** tiene un formato número con cero decimales y la columna *F* fecha del subtipo *dd-mmm*.
- **Bordes:** toda la tabla está rodeada de un borde negro de grosor medio; los bordes internos son de color negro y grosor fino.

1

Solución ··

1. Primera tabla

- Selecciona el rango de celdas B2:E2 y haz clic en *Combinar y centrar* del grupo *Alineación.*
- Escribe en cada una de las celdas de la tabla el texto indicado en el enunciado, utilizando en cada caso los formatos de fuente y número que se piden.
- Ajusta el alto y ancho de cada celda para que quepa el texto contenido en ellas.
- Ajusta las celdas B4:B8 para alinearlas a la izquierda, el resto se mantienen centradas.
- Colorea las celdas. Para ello:
  - Selecciona el rango de celdas B2:E2 y el rango C4:E8, haz clic en el icono *Color de relleno* del grupo *Fuente* y selecciona el color *Azul, Énfasis 5, Claro 80%.*
  - Selecciona la fila 3 y las celdas B4:B8, haz clic en el icono *Color de relleno* del grupo *Fuente* y selecciona el color *Gris 50%, Texto 2, Claro 80%.*
- Selecciona toda la tabla (el rango B2:E8) y abre el cuadro *Formato de celdas* (haciendo clic en el botón *Más bordes* del grupo *Fuente* o, teniendo seleccionada la tabla, pulsando el botón secundario del ratón y haciendo clic en la opción *Formato de celdas* del menú contextual). En la ficha *Bordes*, selecciona el grosor máximo de línea, el color *Blanco* y, en los bordes preestablecidos, elige *Contorno* e *Interior.*
- Haz clic en *Aceptar* y tu tabla tendrá el mismo aspecto que la que te mostramos en el enunciado.

2. Segunda tabla

- Selecciona el rango de celdas B2:F9 (las que ocupará la tabla) y configura los bordes.
- Escribe en cada una de las celdas de la tabla el texto indicado en el enunciado, utilizando en cada caso los formatos de fuente y número que se piden.
- Ajusta el alto y ancho de cada celda para que quepa el texto contenido en ellas.
- Colorea las celdas de la fila 2. Para ello, selecciona el rango de celdas B2:F2, haz clic en el icono *Color de relleno* del grupo *Fuente*. En el desplegable, haz clic en *Más colores* y allí, en la ficha *Personalizado*, selecciona *Modelo de color: RGB; Rojo: 255, Verde: 204, Azul: 0.*

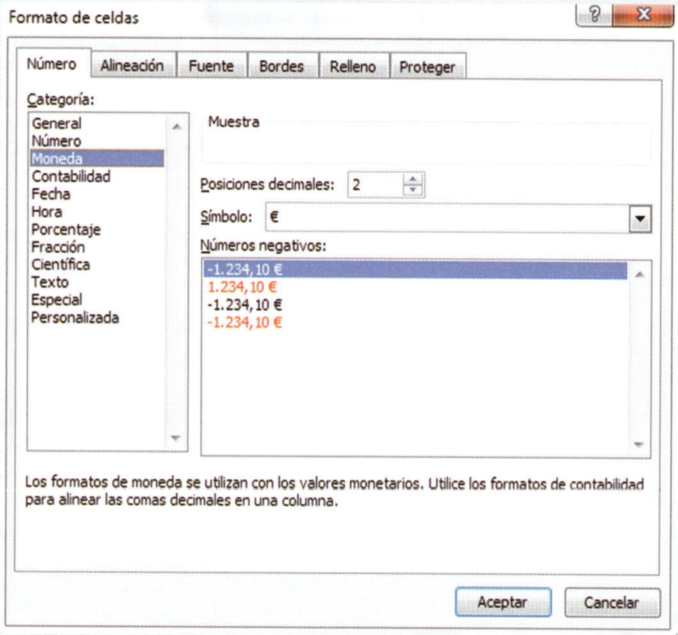

Ideas clave

HERRAMIENTAS BÁSICAS DE LAS HOJAS DE CÁLCULO
Introducción
Concepto de la hoja de cálculo
Antecedentes
Interfaz gráfica de Excel 2007
Comenzar a trabajar con Excel 2007
Seleccionar celdas
Configurar celdas
Moverse por el área de trabajo
Introducir datos en las celdas
Editar celdas
Formato de celdas
Formato de los datos
Diseño de página
Guardar en Excel 2007

OPENOFFICE CALC

(FORMATOS DE CELDAS) - 1.ª PARTE

SOFTWARE LIBRE

La funcionalidad de OpenOffice tiene muy poco que envidiar a Microsoft Excel. La interfaz de usuario y las herramientas recuerdan más a las versiones anteriores de la hoja de cálculo de Microsoft que a la versión 2007, pero es simplemente cuestión de tiempo que el paquete de ofimática libre y gratuito actualice su aspecto.

La pantalla se divide en los menús que se encuentran en la parte superior, a continuación de la barra de fórmulas. En la parte inferior de la pantalla está la barra de estado, y en la parte central se encuentra la cuadrícula de celdas. Cada celda se nombra con el nombre de la columna (letra), seguido del nombre de la fila (número). Así, la primera celda es la A1, la de su derecha la B1, y así sucesivamente.

En las celdas es donde se incluyen los datos. Además del contenido, cada celda puede tener múltiples opciones de formato. Antes de dar formato hay que seleccionar, pues el formato afectará a la celda/s seleccionada/s.

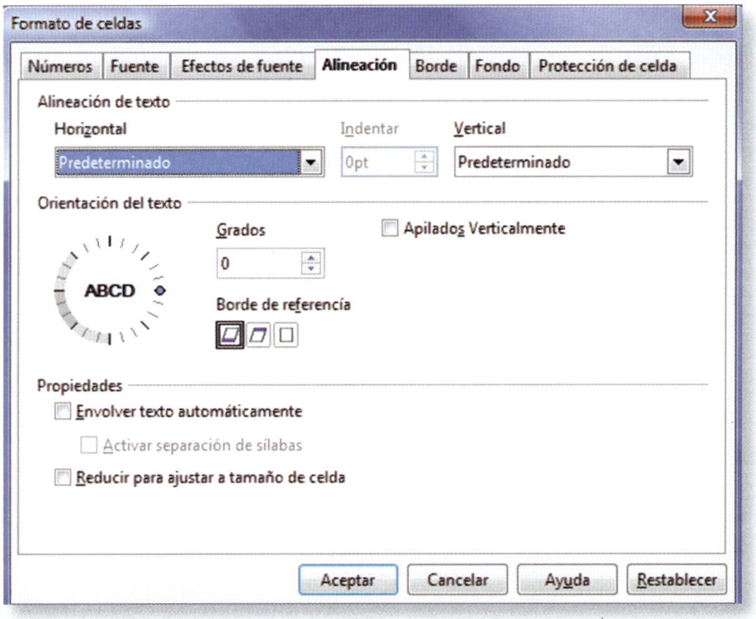

Para dar formato a las celdas hay que ir al menú *Formato,* opción *Celdas* (o pulsar la combinación de teclas <Ctrl>+<1> en el teclado), lo que conduce al cuadro de diálogo *Formato de celdas.*

En la primera ficha de este cuadro de diálogo se configura el formato lógico de los datos, si se trata de número, porcentaje, texto... En las demás fichas se configura el formato visual: fuente, efectos, alineación, borde de celda, fondo de celda o relleno. La última ficha se dedica a la protección de las celdas, donde se decide si una celda estará o no bloqueada una vez protegida la hoja.

El formato también se puede configurar a partir de los botones de las barras de herramientas. Por defecto, Calc muestra la barra de herramientas estándar y la barra de herramientas formato. Se pueden añadir o quitar desde la opción *Barra de herramientas* del menú *Ver.*

La barra de herramientas *Formato* es la siguiente:

El primer botón permite establecer formatos preestablecidos, como por ejemplo encabezados, de manera muy sencilla y rápida. A continuación están los botones referentes al formato de fuente: tipo, tamaño y estilo. Los siguientes se refieren a la alineación de los datos dentro de las celdas y, a continuación, se encuentran los formatos lógicos más importantes. Por último, las sangrías internas de la celda, los bordes, el color de fondo y el color de la fuente.

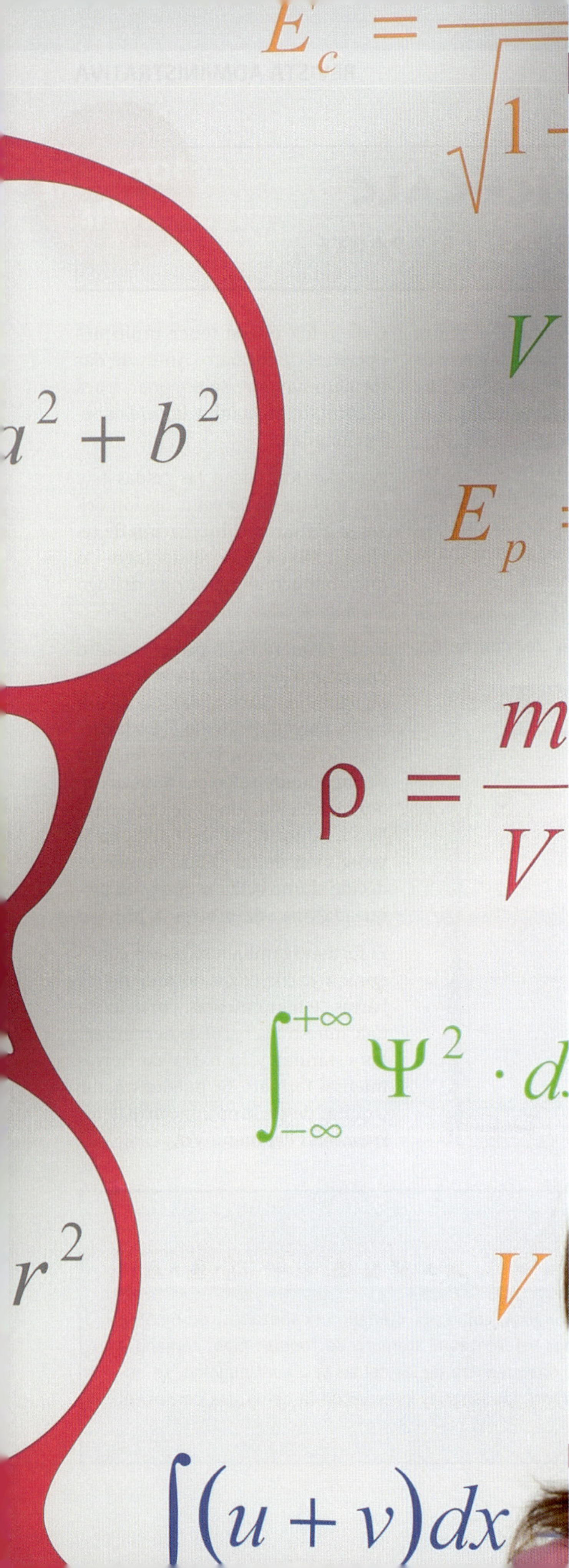

unidad **9**

Operaciones con fórmulas y funciones

SUMARIO

- Insertar fórmulas
- Autorrellenado
- Referencias relativas, absolutas y mixtas
- Funciones principales
- Funciones condicionales
- Funciones de búsqueda
- Funciones avanzadas

OBJETIVOS

- Conocer los procedimientos para utilizar referencias a celdas en fórmulas y funciones.
- Realizar operaciones con fórmulas y funciones sencillas.
- Combinar varias funciones en una sola celda.

1 >> Fórmulas básicas

Una fórmula es una expresión que se utiliza para obtener un resultado a partir de los datos incluidos en una o más celdas.

1.1 > Inserción de una fórmula

Para insertar una fórmula en Excel, hay que situarse en una celda y escribir el signo igual. De esta forma, el programa entiende que lo que viene a continuación es una fórmula. Por ejemplo, si en una celda se escribe *5+3*, Excel únicamente entiende que es un texto que se quiere escribir en la página, pero si se escribe *=5+3* la aplicación interpreta que lo que debe hacer es sumar 5 más 3.

Una vez escrita la fórmula, cuando se acepta (pulsando <Intro>), aparece en la celda el resultado de la misma. Aunque el contenido sigue siendo una fórmula, lo que se ve es el resultado. Sin embargo, al seleccionar esa celda, se aprecia en la barra de fórmulas el contenido real de la misma (Figura 9.1).

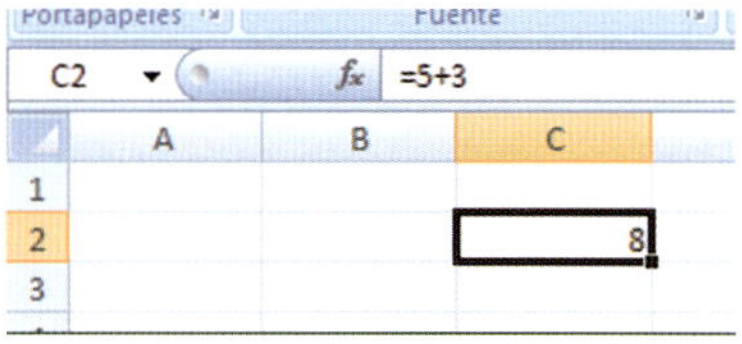

9.1. Visualización de una celda con una fórmula numérica.

La verdadera ventaja de cualquier hoja de cálculo es que no solo se puede operar con números, sino también con referencias a celdas, de tal forma que si cambian los datos contenidos en las celdas de referencia, cambiará también el resultado. En la práctica esta posibilidad simplifica el trabajo y ahorra mucho tiempo, ya que puede actualizarse el contenido de una hoja de cálculo muy extensa cambiando solo el contenido de una celda, sin necesidad de modificar las fórmulas incluidas en la hoja.

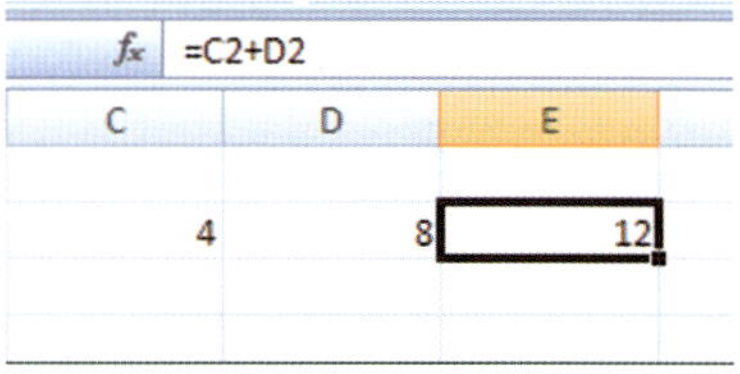

9.2. Visualización de una celda con una fórmula referenciada a celdas.

Por ejemplo, si en una celda escribimos la fórmula *=4+8*, el resultado será 12 siempre, salvo que entremos en esa celda y cambiemos la fórmula.

En cambio, si se escribe la fórmula como una referencia a otras celdas que contienen datos, al cambiar los datos de cualquiera de ellos, se actualizará el resultado.

Como se ve en la Figura 9.2, la celda E2 contiene un resultado relacionado con el contenido de las celdas C2 y D2. Si cambiamos el contenido de la celda C2 a 12, automáticamente el resultado se actualizará y el contenido de la celda E2 será 20 (Figura 9.3) y ello sin modificar la fórmula.

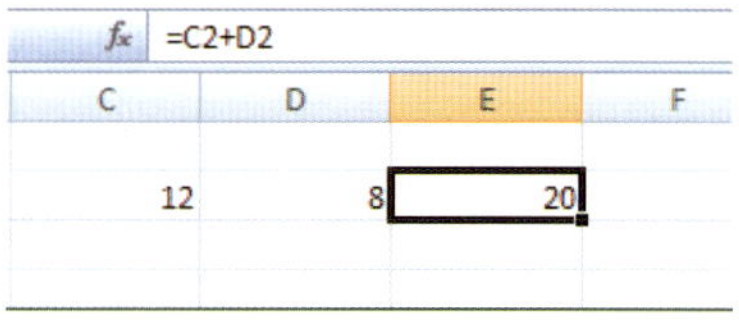

9.3. Actualización del resultado de una celda con fórmula referenciada a celdas.

Actividades propuestas

1•• Abre un archivo de Excel y dibuja la tabla que ves a continuación. En ella se indican el número de unidades que ha vendido una empresa en un mes y el precio de cada unidad. El formato del rango A2:A6 es *General* y el del rango B2:B6 es *Moneda*, con dos decimales.

	A	B	C
1	Unidades	Precio	Total
2	100	20,60 €	
3	400	10,40 €	
4	300	1,55 €	
5	200	0,40 €	
6	50	0,05 €	

a) Calcula el total de las ventas escribiendo en las celdas de la columna C (que en la imagen son azules) las fórmulas necesarias. Recuerda utilizar nombres de celdas dentro de las fórmulas.

b) Cuando hayas terminado, copia la tabla y pégala a continuación. Cambia los datos de las celdas en color amarillo (imaginando que la empresa vende más o menos unidades o que sube o baja los precios) y comprueba cómo se modifican los resultados. Guarda el archivo con el nombre *Fórmulas*.

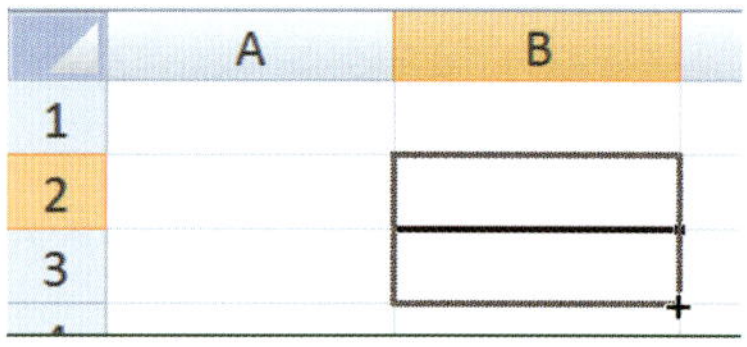

9.4. Controlador de relleno.

1.2 > Controlador de relleno

Como se puede ver en la Figura 9.4, en la esquina inferior derecha de la celda que está seleccionada existe un punto, es el controlador de relleno. Para utilizarlo, se sitúa el puntero del ratón sobre él. Cuando se convierte en una cruz negra, sin soltar el botón izquierdo del ratón, se arrastra hacia abajo.

El controlador de relleno produce distintos resultados dependiendo del contenido de la celda sobre la que se aplique:

- **Número, texto o cualquier otro valor constante, excepto fechas**: repite el valor en las siguientes celdas.
- **Fecha**: comienza una serie ascendente.
- **Fórmula**: va cambiando según se va arrastrando, modificándose las referencias de las celdas en el mismo sentido en el que se arrastra la fórmula.

Otra opción interesante es la de autorrellenar celdas en función de los datos escritos anteriormente. Si se escribe un valor en una celda, otro valor en la siguiente, se seleccionan ambas celdas y se arrastra desde el controlador de relleno de la segunda, se produce una serie que aumenta en el mismo orden que los dos números escritos y en la misma proporción que la diferencia de estos.

Por ejemplo, si se escribe *3* en la primera y *5* en la segunda, el resultado de las siguientes será ascendente (porque 5 es mayor que 3) y se incrementará en cada celda en dos unidades (que es la diferencia entre 5 y 3). Si por el contrario, escribiéramos *20* en la primera y *11* en la segunda, la serie será descendente y disminuirá en cada celda en 9 unidades (diferencia entre 20 y 11).

Actividades propuestas

2·· Abre el archivo *Fórmulas* que creaste en la actividad propuesta anterior. Copia la tabla y pégala en la misma hoja. Borra el contenido de las casillas de la columna *Total* y vuelve a rellenar dichas casillas con las respectivas fórmulas, pero esta vez escribe únicamente la primera fórmula y arrastra utilizando el controlador de relleno.

Comprueba en la barra de fórmulas cómo se ha ido copiando la fórmula y cómo se ha ido modificando. ¿Te ha resultado más fácil así o como lo hiciste en la actividad numero 1? ¿Qué ventajas tiene este método respecto a introducir las fórmulas manualmente?

3·· Abre una nueva hoja y escribe en la fila 1 los valores que ves en la imagen con sus respectivos formatos. Selecciona cada una de las celdas de la fila 1 y arrastra hacia abajo, usando el controlador de relleno. Observa lo que ocurre en cada columna.

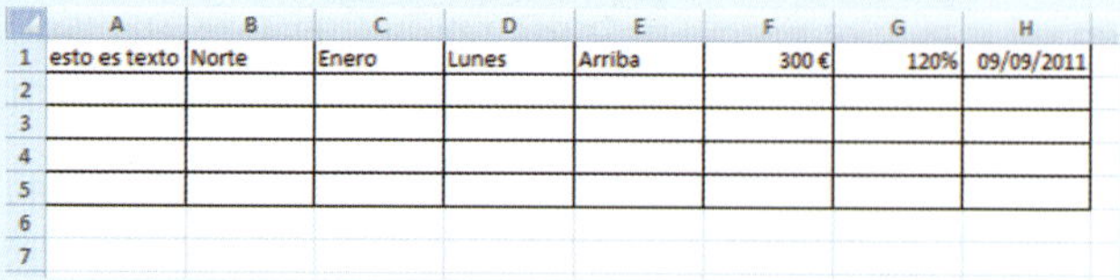

4·· Utiliza el controlador de relleno para hacer la tabla de multiplicar del 8. Crea también una lista que solo contenga números pares y otra que contenga números impares. ¿Conoces la serie numérica de Fibonacci? ¿Puedes hacerla con el controlador de relleno?

1.3 > Referencias a celdas

Hemos visto que podemos escribir una fórmula a través de los valores que queremos calcular (por ejemplo *=5+3*) o bien escribiendo el nombre de las celdas en las que están esos valores (por ejemplo *=A2+B3*). A esto último (escribir en una fórmula el nombre de una celda) Excel lo denomina referenciar esa celda. Existen varios tipos de referencias:

- **Referencias relativas:** indican la posición de una celda con respecto a aquella en que se nombra. Si en la celda C1 se nombra a la celda B1 (por ejemplo, escribiendo *=B1*), lo que realmente almacena Excel es la celda que está encima. Por eso, al utilizar el controlador de relleno para arrastrar la fórmula hacia abajo, la fórmula se modifica y actualiza las posiciones (se autorrellenarán las celdas como *=B2, =B3,* etc., es decir, las que quedan encima de cada una).
- **Referencias absolutas:** no van relacionadas con la posición de una celda, sino únicamente con su nombre. La principal consecuencia es que, al copiar la celda donde se encuentra la referencia o al arrastrarla utilizando el controlador de relleno, la referencia no varía. La nomenclatura de las referencias absolutas introduce el símbolo $ delante de la letra y el número del nombre de la celda (por ejemplo, $B$1). Si en la celda C1 escribimos la fórmula *=$B$1* y arrastramos hacia abajo, veremos que en todas las celdas la fórmula permanece invariable.
- **Referencias mixtas:** en este caso, uno de los dos elementos del nombre de la celda referenciada (la fila o la columna) permanece fijo como en las referencias absolutas, pero el otro varía según su posición, como con las relativas. También se utiliza el símbolo $, pero solo se escribe delante de la parte de la referencia que se pretende que funcione como absoluta.

Si en la celda C1 escribimos la fórmula *=$B1*, cuando copiemos o arrastremos la celda hacia abajo, nos aparecerá *=$B2, =$B3…*; es decir, no variará la referencia a la columna B (la referencia absoluta), pero sí a la fila 1 (la referencia relativa). Sin embargo si la arrastramos en horizontal, funcionará como absoluta mostrando siempre *=$B1.*

En general, se puede decir que el símbolo $ bloquea lo que tiene a continuación: en el caso $B2 bloquearía la columna (referencia mixta); en el caso B$2, bloquearía la fila (referencia mixta), y en el caso $B$2 bloquearía fila y columna (referencia absoluta).

En la tabla siguiente vemos un cuadro resumen:

Referencia	Nomenclatura	Comportamiento al copiar o arrastrar
Relativa	C4	Verticalmente, la referencia se mueve. Horizontalmente, la referencia se mueve.
Absoluta	$C$4	Verticalmente, la referencia permanece estática. Horizontalmente, la referencia permanece estática.
Mixta	$C4	Verticalmente, la referencia se mueve. Horizontalmente, la referencia permanece estática.
	C$4	Verticalmente, la referencia permanece estática. Horizontalmente, la referencia se mueve.

Casos prácticos 1

Autorrellenado y referencias a celdas

•• Partiendo de los datos que contiene la tabla que te mostramos al margen, rellena las celdas vacías de color azul, calculando el importe de la cuota de IVA y del precio IVA incluido de unas mercancías.

Para ello, utiliza el controlador de relleno y crea fórmulas con las referencias a celdas que creas oportunas.

	A	B	C
1			
2	IVA APLICABLE:	18%	
3			
4	Precio	Cuota IVA	Precio IVA incluido
5	20,60 €		
6	10,40 €		
7	1,55 €		
8	0,40 €		
9	0,05 €		

Solución •• En primer lugar, crea la tabla con los colores y marcos que te muestra la imagen. El formato de las celdas que contienen datos numéricos es, en el apartado del *IVA APLICABLE*, un formato *Porcentaje* y, en el apartado *Precio*, un formato *Moneda*.

Ahora debes calcular la cuota de IVA. Para ello, debes multiplicar el precio de la columna A por el 18%. Podrías hacerlo insertando en la celda B5 la fórmula *=200*18%*, o bien utilizando una referencia relativa, la fórmula *=A5*B2*. En ambos casos te daría el resultado correcto (36,00 €), pero tendrías que ir volviendo a escribir manualmente las fórmulas en las casillas B6, B7, B8 y B9. Una de las ventajas de una hoja de cálculo es que permite automatizar estas tareas. Si, en este caso, utilizas en la fórmula la referencia absoluta a la celda donde está el porcentaje escribiendo en la celda B5 la fórmula *=A5*$B$2*, al arrastrar hacia abajo con el controlador de relleno, observarás que, en el resto de las celdas de la columna, aparecerá automáticamente el resultado correcto.

El cálculo del precio IVA incluido es aun más simple. Dicho precio se calcula sumando el precio y la cuota de IVA. Por ello, aquí te interesa que la fórmula de la celda C5 tenga una referencia relativa a la columna A, para que al arrastrarla recoja los valores de sus respectivas celdas. Por tanto, la fórmula que debes escribir en la celda C5 es *=A5+B5* y, simplemente, arrastrar con el controlador de relleno hasta la celda C9. Cada celda tendrá las fórmulas que ves a la derecha.

	A	B	C
1			
2	IVA APLICABLE:	18%	
3			
4	Precio	Cuota IVA	Precio IVA incluido
5	20,60 €	=A5*$B$2	=A5+B5
6	10,40 €	=A6*$B$2	=A6+B6
7	1,55 €	=A7*$B$2	=A7+B7
8	0,40 €	=A8*$B$2	=A8+B8
9	0,05 €	=A9*$B$2	=A9+B9

Actividades propuestas

5•• Partiendo de los datos que figuran en la tabla que ves a continuación, que se incluye en el CD *Recursos* con el nombre *IVA*, rellena las casillas B5, C5 y D5 con fórmulas, incluyendo referencias mixtas, y después arrástralas hacia abajo para rellenar toda la tabla.

	A	B	C	D
1		IVA	ARANCEL	
2		18%	4%	
3				
4	Precio	Cuota IVA	Cuota de arancel	Precio final
5	20,60 €			
6	10,40 €			
7	1,55 €			
8	0,40 €			
9	0,05 €			

2 >> Funciones

Las funciones son fórmulas predefinidas que incluye la hoja de cálculo y que hacen que sea más simple y rápida la realización de operaciones.

Cuando se inserta una función, Excel abre un asistente que pregunta sobre el tipo de operación que se quiere realizar y los datos necesarios. Automáticamente, se realizan todos los cálculos para darnos el resultado que se pide, aplicando las fórmulas necesarias para ello.

En realidad, lo que se hace con una función se puede hacer también con fórmulas, pero se tarda mucho más y es más complicado, pues hay que escribir, en cada caso, todas las operaciones necesarias.

Por ejemplo, si queremos que en la celda B8 nos aparezca el resultado de sumar todas las celdas del rango B1:B7 podemos hacerlo de dos formas:

- Con fórmulas, escribiendo en B8: *=(B1+B2+B3+B4+B5+B6+B7)*
- Insertando en B8 la función: *=SUMA(B1:B7)*

La estructura de una función es la siguiente:

=NOMBRE DE LA FUNCIÓN(argumento1;argumento2;...;argumentoN)

Podemos insertar una función en una celda escribiéndola de acuerdo a la estructura indicada, pero la forma más habitual es seleccionando la celda y haciendo clic en el botón del asistente para insertar función ***fx***, que se encuentra junto a la barra de fórmulas.

A continuación, se abre un cuadro de diálogo para elegir la función que se quiere insertar (incluye una pequeña descripción de las características y finalidad de cada una). Una vez elegida una función, se abre otro cuadro de diálogo que explica para qué sirve la función y qué argumentos necesita.

Los argumentos que tienen su nombre en negrita son obligatorios. Junto a cada campo, hay un botón con una flecha roja que permite minimizar la ventana para seleccionar los datos sin necesidad de escribirlos. Al hacer clic en *Aceptar* la función se inserta en la celda.

2.1 > Funciones esenciales

En este apartado vamos a ver algunas de las funciones más utilizadas en Excel. En el cuadro siguiente te indicamos sus principales características. Vamos a utilizar como ejemplo un rango (A1:A6) en el que sus valores son A1 = 2, A2 = 3, A3 = 5, A4 = −2,5, A5 = en blanco, A6 = texto.

Algunas de estas funciones se aplican únicamente a celdas individuales (por ejemplo *RAIZ*), otras están pensadas para utilizarlas con rangos.

Hay que aclarar que aquí vamos a utilizar el término rango como sinónimo de conjunto de celdas, englobando tanto el rango, que ya conocemos y que incluye celdas adyacentes (B2:C14), como un conjunto de celdas dispersas por toda la tabla (B2; C5; H14; AW586). En el primer caso se utilizará como separador los dos puntos (:) y en el segundo el punto y coma (;).

Nombre	Sintaxis	Descripción	Ejemplos
Suma	=*SUMA(rango)*	Devuelve como resultado la suma de todos los números que hay contenidos dentro del rango.	=*SUMA(A1:A3)* dará como resultado la suma de los valores del rango: 2 + 3 + 5, es decir, 10.
Promedio	=*PROMEDIO(rango)*	Devuelve la media aritmética de los números contenidos dentro del rango. Esta función tiene en cuenta únicamente las celdas que contienen números, ignorando las que contengan otro tipo de datos o las que estén vacías.	=*PROMEDIO(A1:A3)* nos dará la media aritmética de los tres números, es decir, 10 / 3 = 3,33
Máximo	=*MAX(rango)*	Devuelve el valor del número más alto que se encuentra dentro del rango. Esta función tiene en cuenta únicamente las celdas que contienen números, ignorando las que contengan otro tipo de datos o las que estén vacías.	=*MAX(A1:A3)* dará como resultado el valor más alto de los tres, o sea 5.
Mínimo	=*MIN(rango)*	Devuelve el valor del número más pequeño que se encuentra dentro del rango. Esta función tiene en cuenta únicamente las celdas que contienen números, ignorando las que contengan otro tipo de datos o las que estén vacías.	=*MIN(A1:A3)* dará como resultado el valor más bajo de los tres, o sea 2.
Producto	=*PRODUCTO(rango)*	Devuelve el producto de todos los números que están incluidos dentro del rango.	=*PRODUCTO(A1:A3)* dará como resultado el producto de los valores del rango: 2 x 3 x 5, es decir, 30.
Raíz cuadrada	=*RAIZ(celda)*	Devuelve la raíz cuadrada del valor almacenado en la celda.	=*RAIZ(A1)* nos dará la raíz cuadrada del valor que está en la celda A1, en este caso, 1,4142.
Aleatorio	=*ALEATORIO()*	Es una función sin argumentos, que devuelve un número aleatorio, mayor que 0 y menor que 1. Cada vez que se actualiza la hoja de cálculo ese número cambia.	=*ALEATORIO()* nos dará un número entre 0 y 1. =*ALEATORIO()*(A1-A2)+A2* nos dará un número real aleatorio entre A1 y A2.
Valor absoluto	=*ABS(celda)*	Devuelve el contenido de una celda en valor absoluto, es decir, sin signo.	=*ABS(A2)* será 3. =*ABS(A4)* será 2,5.
Truncar	=*TRUNCAR(celda)*	Permite configurar el número de decimales a mostrar de un número o, incluso, mostrar únicamente su parte entera (si se configura el número de decimales como 0).	=*TRUNCAR(A4)* nos dará la parte entera del número, −2. =*TRUNCAR(0,2589;1)* devolverá el número, mostrando solo un decimal, 0,2.
Mediana	=*MEDIANA(rango)*	Devuelve el valor de la mediana de un conjunto de valores, es decir, el punto medio dentro de la distribución.	=*MEDIANA(A1:A3)* dará como resultado 3, que es el valor que está en medio de la serie.
Moda	=*MODA(rango)*	Devuelve el valor más frecuente, es decir, el más repetido dentro de una distribución de valores.	=*MODA(A1:A3)* no nos dará ningún resultado, pues ningún valor se repite.

Nombre	Sintaxis	Descripción	Ejemplos
Contar números	*=CONTAR(rango)*	Devuelve cuántas celdas existen dentro del rango especificado que contengan números. Como número se entiende cualquier valor numérico, incluidos porcentajes, fechas, moneda...	*=CONTAR(A1:A6)* dará como resultado 4, que son las celdas que contienen valores numéricos.
Contar espacios	*=CONTAR.BLANCO (rango)*	Devuelve el número de celdas que están vacías dentro del rango especificado.	*=CONTAR.BLANCO(A1:A6)* dará como resultado 1, que son las celdas que están vacías dentro del rango especificado.
Contar no vacías	*=CONTARA(rango)*	Devuelve el número de celdas que contienen cualquier dato dentro del rango especificado. Se incluyen las de contenido numérico así como las que contienen texto. Es decir, cuenta las celdas no vacías.	*=CONTARA(A1:A6)* dará como resultado 5, que son las celdas no vacías (cuatro con contenido numérico y una con texto).

2.2 > Funciones condicionales

Este tipo de funciones añaden una condición a las operaciones a realizar. Excel comprueba si la condición se cumple y actúa en consecuencia.

Si condicional

Se trata de la función condicional por excelencia. Devuelve el segundo argumento si la prueba lógica es cierta y el tercero si no lo es.

=SI(prueba_lógica;valor_si_verdadero;valor_si_falso)

Permite introducir en Excel la posibilidad de que sucedan dos cosas distintas en función del valor de una celda. De esta forma, combinando funciones *SI*, se puede crear un complejo árbol de decisión.

Ejemplos

Función SI

En la tabla que vemos en la imagen, queremos que en la celda que está a la derecha del precio de cada vehículo nos aparezca la palabra *CARO* si su valor es superior a los 30 000 € y *BARATO* si es inferior.

Para ello, nos situamos en la celda C2 e insertamos la siguiente función: *=SI(B2>30 000;"CARO";"BARATO")*

	A	B	C
1	**Marca y modelo**	**Precio**	
2	Mercedes clase B	32.000,00 €	=SI(B2>30000;"CARO";"BARATO")
3	Porsche cayenne	80.000,00 €	
4	Volkswagen Passat	19.000,00 €	
5	Audi A4	28.000,00 €	

En realidad, le estamos diciendo a Excel que, si es verdad que el contenido de la celda *B2* es mayor a 30 000, escriba en esta celda la palabra *CARO*, y si es falso que el contenido de la celda *B2* es mayor a 30 000, escriba la palabra *BARATO*. Como en este supuesto es verdadero que el precio sea superior a 30 000 €, el resultado de la función será *CARO*. Al arrastrar la función hacia las casillas C3 y siguientes, como la referencia B2 es relativa, se irá convirtiendo en B3, B4 y B5. En estas dos últimas celdas, el resultado de la función será la palabra *BARATO*, pues es falso que el precio del vehículo sea superior a 30 000 €.

Contar condicional

Devuelve el número de celdas de un rango que cumplen el criterio propuesto. La sintaxis de esta función es:

=CONTAR.SI(rango;criterio)

Es otra función condicional que incluye también 2 argumentos. Excel recorre el rango, pero en vez de sumar los valores como en la función anterior, únicamente dice cuántos elementos cumplen la condición (en el ejemplo anterior hay dos vehículos que sobrepasan los 30 000 €).

Suma condicional

Esta función suma los números de un rango cuando cumplen un criterio o condición. Los dos primeros argumentos son obligatorios, el tercero es opcional; si se usa se tienen dos rangos: el primero para comprobar si se cumple el criterio y el segundo para ir sumando los valores que contiene cuando esto sucede. Su sintaxis es:

=SUMAR.SI(rango;criterio;rango_suma)

Actividades propuestas

6·· Partiendo de los datos que figuran en la tabla que ves a continuación (con la que ya has trabajado en esta unidad), calcula el resultado de las celdas C10, C12, C13 y C14, utilizando las fórmulas explicadas en esta página.

	A	B	C
1			
2	IVA APLICABLE:	18%	
3			
4	Precio	Cuota IVA	Precio IVA incluido
5	20,60 €		
6	10,40 €		
7	1,55 €		
8	0,40 €		
9	0,05 €		
10		TOTAL	
11			
12	PRECIO MAYOR (IVA INCLUIDO)		
13	PRECIO MENOR (IVA INCLUIDO)		
14	PRECIO MEDIO (IVA INCLUIDO)		

7·· Copia la siguiente tabla en una hoja de Excel. Rellena las celdas vacías con funciones, para calcular la superficie de cada estancia, el volumen y cuanto tendría de lado cada una si, dada la superficie, tuviesen forma cuadrada en vez de rectangular.

	A	B	C	D	E	F	G
1							
2		Ancho	Largo	Alto	Superficie	Volumen	Raíz cuadrada
3		20	25	5			
4		20	16	3			
5		10	4	5			
6		90,25	90,25	4			
7		100	256	10			
8							
9				SUMA			
10				MAX			
11				MIN			
12				MEDIA			

8·· Abre, en tu CD *Recursos*, el archivo *Ventas* y utiliza la función *SUMAR.SI* para que en las celdas C11, C12 y C13 aparezcan totalizadas las ventas de cada una de las empresas.

9·· Abre, en tu CD *Recursos*, el archivo *Alumnos 01* y utiliza la función *SI* para rellenar las celdas del rango C2:C7 de forma que aparezca la palabra *APROBADO* o *SUSPENSO* en función de la nota del alumno.

2.3 > Funciones de búsqueda y referencia

Excel no solo puede ser utilizado como una aplicación de hoja de cálculo, sino que también puede ser utilizado como un pequeño gestor de base de datos. Muchas veces hace falta tener un listado con información almacenada sobre la que se precisa realizar cálculos matemáticos. En estos casos, son imprescindibles las funciones de búsqueda y referencia.

Siempre se va a partir de una tabla en la que estén los datos almacenados al igual que se hace en una base de datos; es decir, con los campos (cada uno de los datos) en columnas y los registros (todos los datos que afectan a un mismo artículo) en filas.

Función buscar

Esta función tiene dos notaciones posibles, una más sencilla y otra que nos permite definir más exactamente de dónde comparar y de dónde extraer los resultados:

- Recorre de arriba abajo la primera columna de la matriz (o rango) y, cuando encuentra el valor buscado, salta a la celda que se encuentra en la última columna de la misma fila y devuelve su contenido como resultado. Su sintaxis es: *=BUSCAR(valor_buscado;matriz)*
- Recorre de arriba abajo el vector de comparación (rango de una sola columna) y, cuando encuentra el valor buscado, salta a la misma fila del vector de resultado (rango de una sola columna), devolviendo su contenido como resultado. La sintaxis de esta función es: *=BUSCAR(valor_buscado;vector_comparación;vector_resultado)*

En ambos casos, es importante señalar que la columna en la que se busca debe estar ordenada de menor a mayor y que, en caso de no encontrar la coincidencia exacta con el valor buscado, siempre aproxima por defecto.

Ejemplos

Función *BUSCAR*

Partiendo de la tabla que muestra la imagen, queremos ver cuál de los vehículos que aparecen en la misma se aproxima más a nuestro presupuesto, sin superarlo. Para ello, se escribe en la celda B8 la fórmula *BUSCAR*, que realizará una búsqueda en los valores de la columna A y, cuando encuentre el valor buscado, nos devolverá el valor correspondiente de la última celda de esa fila.

En este caso nos mostrará como elección *Audi A4*.

	A	B
1	**Precio**	**Marca y modelo**
2	19.000,00 €	Volkswagen Passat
3	28.000,00 €	Audi A4
4	32.000,00 €	Mercedes clase B
5	80.000,00 €	Porsche cayenne
6		
7	**Presupuesto**	30.000 €
8	**Elección**	=BUSCAR(B7;A2:A5;B2:B5)

Función buscar vertical

La función *BUSCAR* tiene una limitación importante y es la imposibilidad de asegurarse de que encuentra exactamente lo que se está buscando. Si en vez de precios se pretendiera buscar un número de teléfono o bien un DNI, aunque estuviesen ordenados de menor a mayor, siempre cabría la duda de si se ha encontrado el dato correcto o si este no estaba en la tabla y Excel ha parado en el anterior, aproximando por defecto.

Por eso fue precisamente por lo que se creó otra función que evitaba este problema. Se trata de la función *BUSCARV*.

Esta función recorre de arriba abajo la primera columna de la matriz (o rango) y, cuando encuentra el valor buscado, salta a la misma fila de la columna que se indica en el argumento *indicador de columnas* (número natural), devolviendo como resultado el contenido de dicha celda. La sintaxis es:

=BUSCARV(valor_buscado;matriz_buscar_en;indicador_columnas; ordenado)

El resultado de esta función cambia totalmente dependiendo de cuál sea el contenido del último argumento *(ordenado):*

- Si en este argumento se escribe *verdadero, 1* o se deja en blanco, se asume que la primera columna está ordenada de menor a mayor y por tanto aproxima por defecto.
- Si se escribe *falso* o *0*, se entiende que se debe encontrar la **coincidencia exacta** con el valor buscado, dando como resultado un error si no se encuentra.

En este segundo caso, los datos de la primera columna no tienen por qué estar ordenados de menor a mayor (aunque pueden estarlo).

BUSCARV es la función más utilizada dentro de este grupo. Solamente tiene una limitación: la columna de resultados (en nuestro ejemplo, donde se muestran los nombres de los coches) debe estar situada más hacia la derecha que la columna donde se comparan los datos. El número de columna de la cual se pretende extraer el resultado (el tercer argumento) se nombra con un número, siendo la de búsqueda la 1, la siguiente hacia la derecha la 2, etc., y en este argumento no se permiten los números negativos.

Función buscar horizontal

Funciona exactamente igual que la función *BUSCARV*, pero de manera transpuesta, es decir, cuando hay que buscar en rangos de filas en vez de en columnas.

Recorre de izquierda a derecha la primera fila de la matriz (o rango) y, cuando encuentra el valor buscado, salta a la misma columna de la fila que se indica en el argumento *indicador de filas* (número natural), devolviendo como resultado el contenido de dicha celda. Su sintaxis es:

*=BUSCARH(**valor_buscado;matriz_buscar_en;indicador_filas;ordenado**)*

Si en esta función el cuarto argumento es *verdadero, 1* o si se deja en blanco, se busca el valor más cercano al solicitado, en la fila superior (ordenada de forma ascendente).

Ejemplos

Función *BUSCARV*

En el ejemplo anterior, si queremos obtener el resultado utilizando la función *BUSCARV*, la función que escribiríamos sería:

=BUSCARV(B7;A2:B5;2;1)

Si analizamos dicha función, vemos que los dos primeros argumentos son iguales a los de la función *BUSCAR*, porque el valor buscado está en la celda B7 y la matriz o rango en que hay que buscar es también A2:B5. Las diferencias vienen a partir de aquí, pues en el tercer argumento decimos a la función que busque en la columna 2, en donde están los nombres de los coches, y en el cuarto argumento escribimos *1* para indicar que la primera columna esta ordenada, por lo que nos sirve un valor que aproxime por defecto al que buscamos. Si en este argumento hubiéramos escrito *0* o *falso*, la fórmula no nos daría ningún resultado, pues buscaría un valor que fuera exactamente igual al presupuesto que tenemos y, en el rango elegido, no lo hay.

Actividades propuestas

10·· Abre la tabla que ves en la siguiente imagen, que está en el archivo *Alumnos 02* del CD *Recursos* y utiliza las funciones de búsqueda para asignar la nota correspondiente a cada alumno.

	A	B	C	D	E
1		Nota	Nota		
2	Jimena	4			
3	Laura	5			
4	Diego	6			
5	Rubén	4			
6	Sofía	7			
7	Valeria	10			
8					
9	1	INSUFICIENTE			
10	2	INSUFICIENTE			
11	3	INSUFICIENTE			
12	4	INSUFICIENTE			
13	5	SUFICIENTE			
14	6	BIEN			
15	7	NOTABLE			
16	8	NOTABLE			
17	9	SOBRESALIENTE			
18	10	SOBRESALIENTE			
19					
20	1	5	6	7	9

11·· Haz lo mismo con la siguiente tabla que está en el archivo *Alumnos 03* del CD *Recursos*. Fíjate que ahora las notas están en filas y no en columnas y que, además, no aparecen todas las notas.

	A	B	C	D	E
1		Nota	Nota		
2	Jimena	4			
3	Laura	5			
4	Diego	6			
5	Rubén	4			
6	Sofía	7			
7	Valeria	10			
8					
20	1	5	6	7	9
21	INSUFICIENTE	SUFICIENTE	BIEN	NOTABLE	SOBRESALIENTE

2.4 > Funciones financieras

Estas funciones resultan muy útiles para calcular todos los flujos de caja (cobros y pagos) que se nos presentan diariamente. Así, podemos calcular el total o la mensualidad de un crédito o una hipoteca, saber en lo que nos afectará un subida o bajada del tipo de interés, etc. Aquí vamos a estudiar las funciones más importantes de este grupo, partiendo de que el interés en todas las operaciones es compuesto (es decir, que al capital se le van acumulando sus intereses para que produzcan otros).

Función pago

Esta función sirve para calcular la cuota a pagar por cada periodo para la devolución de un préstamo. Requiere conocer el tipo de interés (que será compuesto y fijo) y la duración en periodos (sean días, meses o años) de la operación. La sintaxis de la función es la siguiente:

=PAGO(tasa;nper;va;vf;tipo)

Que es la forma que tiene Excel de expresar la función del pago:

$$PAGO = VA \cdot \frac{TASA \cdot (1 + TASA)^{Nper}}{(1 + TASA)^{Nper} - 1}$$

- *Tasa:* es el tipo de interés por periodo del préstamo. Para periodos inferiores al año, puede expresarse con fracciones (si queremos expresar un tipo del 5% anual, computado mensualmente, podemos escribir *5%/12*).
- *Nper:* número de periodos de devolución (por ejemplo, en un préstamo a devolver a dos años, si el periodo de amortización es anual, se escribirá 2, pero si es mensual se escribirá 24, que es el número de mensualidades).
- *Va:* valor actual o principal de la operación (en un préstamo, el importe que nos concede la entidad financiera).
- *Vf:* (optativo) valor final de la operación, normalmente será cero.
- *Tipo:* (optativo) si se escribe *0* indica que los pagos se hacen al principio del periodo, si no se escribe nada o se escribe *1*, se entiende que los pagos se hacen al final de cada periodo.

La función nos dará un resultado negativo, pues es la cantidad que se va descontando en cada periodo del total del capital.

Ejemplos

Amortización de un préstamo

Queremos saber qué cantidad habría que pagar para amortizar un préstamo a 5 años de 30 000 €, con un interés del 6%. Los periodos de amortización son mensuales. Los valores serán:

- *Tasa:* 6%/12 (como el préstamo se amortiza mensualmente, tenemos que hallar el tipo mensual).
- *Nper:* 60 (el plazo es de 5 años y, por tanto, serán 5*12 periodos, tantos como meses).
- *Va:* 30 000 (el importe total del préstamo).
- *Vf:* 0 (al final del año no quedará nada pendiente de pago).
- *Tipo:* como los pagos son al final de cada periodo, no hace falta que lo escribamos.

Sustituyendo los valores en la fórmula *=PAGO(6%/12;5*12;30000;0)* dará un resultado de una cuota de 579,98 €.

Al igual que se puede calcular la cuota que debe abonarse por periodo, si despejamos en la fórmula expuesta el resto de variables, se puede calcular cualquiera de ellas.

De esta forma surgen otras tres funciones.

Función valor actual

Calcula el principal de la operación conociendo el tipo de interés por periodo, el número de periodos y el pago por periodo. Los argumentos *vf* y *tipo* son optativos.

La función es:

=VA(tasa;nper;pago;vf;tipo)

Función número de periodos

Calcula el número de periodos necesario para terminar de amortizar la operación, conociendo el tipo de interés aplicado por periodo, los pagos en cada uno de los periodos y el principal. Los argumentos *vf* y *tipo* son optativos.

=NPER(tasa;pago;va;vf;tipo)

Por ejemplo, sirve para calcular el número de periodos que serán necesarios para amortizar un préstamo a interés fijo (nos dirá hasta cuándo hay que pagar).

Función tipo de interés

Calcula el tipo de interés que se aplica a la operación, dados el número de pagos, la cantidad de cada pago y el principal. Los argumentos *vf* y *tipo* son optativos.

=TASA(nper;pago;va;vf;tipo)

Esta función sirve para calcular el tipo de interés que se aplica a una operación con precio aplazado (por ejemplo, una compra a plazos).

Actividades propuestas

12·· Calcula la cantidad a pagar cada uno de los periodos en un crédito al consumo si se piden prestados 10 000 € a un tipo de interés del 7% anual. La operación dura 4 años y tiene pagos mensuales.

13·· Calcula cuánto tiempo se tarda en pagar un crédito de 30 000 € a un tipo de interés del 9% anual, con pagos mensuales de 200 € cada uno. Si se pagaran 300 € al mes, ¿cuántos meses menos habría que pagar?

14·· Una persona se compra una lavadora a plazos en un centro comercial. La lavadora al contado tiene un precio de 500 €. A plazos le ofrecen 11 pagos mensuales de 50 € cada uno. ¿Qué tipo de interés le están aplicando al pago aplazado?

15·· Una persona se compra un coche por el sistema de multi-financiación. El precio del coche son 24 000 €. Entrega 10 000 € de entrada y financia el resto a 4 años, con pagos mensuales. Al final de la operación quedan por pagar 3 000 € para que el cliente decida entregar el coche, pagar la última cuota o adquirir otro a cambio. Si los pagos mensuales son de 800 €. ¿Qué interés le están aplicando?

Caso final

2

Elaboración de presupuesto y factura

•• La empresa OMEGA DISTRIBUCIÓN realiza un estudio para seleccionar el presupuesto más adecuado a sus necesidades. Para ello, ha realizado la siguiente hoja de cálculo donde se muestra cada uno de los proveedores y los precios unitarios en función del número de las unidades pedidas. Además, se indica la fecha de entrega de cada pedido.

Elabora la siguiente hoja, incluyendo las respectivas fórmulas y funciones en las celdas J10, J11, J12, J13, C15, D15, E15, F15, C17, D17, E17, F17, C19, D19, E19, F19. Con esta información elaborada, será más fácil seleccionar el proveedor adecuado.

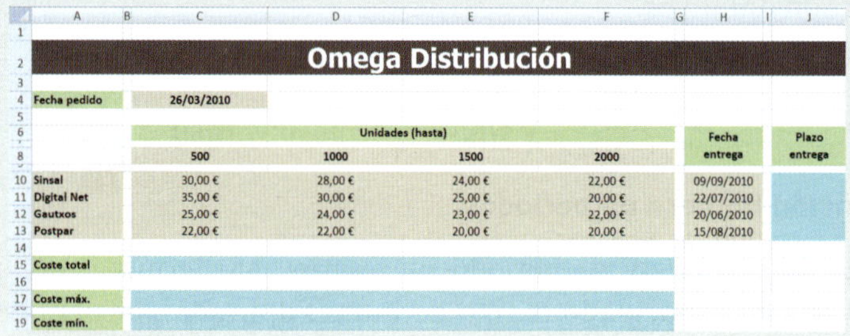

	A	B	C	D	E	F	G	H	I	J
1										
2	Omega Distribución									
3										
4	Fecha pedido		26/03/2010							
5										
6			Unidades (hasta)					Fecha entrega		Plazo entrega
8			500	1000	1500	2000				
10	Sinsal		30,00 €	28,00 €	24,00 €	22,00 €		09/09/2010		
11	Digital Net		35,00 €	30,00 €	25,00 €	20,00 €		22/07/2010		
12	Gautxos		25,00 €	24,00 €	23,00 €	22,00 €		20/06/2010		
13	Postpar		22,00 €	22,00 €	20,00 €	20,00 €		15/08/2010		
14										
15	Coste total									
16										
17	Coste máx.									
19	Coste mín.									

Una vez elaborado, guarda el libro.

Formato general:

- **Formato de celdas:** pon especial atención a las celdas combinadas y al ancho y alto de cada columna y fila. A las filas 7, 9 y 18 se les ha reducido mucho el alto y a las columnas B, G, e I se les ha reducido mucho el ancho. La columna A es un poco más ancha que las demás. Intenta que el resultado visual sea lo más parecido posible.
- **Formato de fuente:** en la fila 2 la fuente es Tahoma de tamaño 24, negrita; el resto de celdas es Calibri de tamaño 11. La columna A y las filas 4, 6 y 8 están en negrita.
- **Color de relleno de las celdas:** los colores utilizados son los siguientes: *Negro, Texto 1, Claro 25%; Verde oliva, Énfasis 3, Claro 40%; Canela, Fondo 2, Oscuro 10%; y Aguamarina, Énfasis 5, Claro 40%.*
- **Alineación:** los rangos A2:J2, C6:F6, H6:H8 y J6:J8 están combinados. Todo el texto está centrado excepto la columna A.
- **Formato de número:** las celdas C4, H10, H11, H12 y H13 tienen formato de fecha. El rango C8:F8 tiene formato de número sin decimales y el rango C10:F13 formato de moneda con dos decimales.

Con los datos de la primera parte del ejercicio, elabora la factura que el proveedor presenta a OMEGA DISTRIBUCIÓN suponiendo que ha seleccionado POSTPAR y que le va a comprar 1 000 unidades. Realiza la factura en la misma hoja de cálculo a partir de la fila 25, como ves en la página siguiente. Vuelve a guardar el libro cuando termines.

Las casillas azules se deben rellenar con fórmulas o funciones, tomando los datos de la parte superior, de forma que en la H43 se obtenga como resultado el total de la factura que POSTPAR presenta a OMEGA DISTRIBUCIÓN.

Formato general:

- **Formato de celdas:** igual que antes, presta especial atención a las celdas combinadas, así como al alto de cada fila. El ancho de cada una de ellas es, como no puede ser de otra forma, el mismo que en las celdas superiores. Intenta que el formato visual sea lo más parecido posible.
- **Formato de fuente:** en la celda C25 es Calibri tamaño 36 con inclinación ascendente 17 grados. Las celdas A26:A28 son Calibri tamaño 8. El resto de la factura es Calibri de tamaño 11.
- **Color de relleno de las celdas:** los colores utilizados tienen los siguientes nombres en la paleta de Excel 2007: *Anaranjado, Énfasis 6, Claro 40%;* y *Aguamarina, Énfasis 5, Claro 40%.*
- **Alineación de celdas:** las celdas de los siguientes rangos están combinadas: C25:D25, A26:C26, A27:C27, A28:C28, F26:H26, F27:H27, F28:H28. Las filas 26, 27, 28, 41, 42 y 43 y las celdas C30, A32 y A45 están alineadas a la izquierda. Las celdas A30, F30 y D33 están alineadas a la derecha. El resto están centradas.

2

- **Inserción de objetos:** el dibujo de la excavadora está entre las imágenes prediseñadas y se encuentra buscándola con las palabras clave "maquinaria pesada".
- **Formato de número:** la celda D33 tiene formato de número sin decimales, la H30 formato de fecha y las celdas F33, C45.D45 y E45 tienen formato de porcentaje, sin decimales. El resto de las celdas tienen formato de texto.

Solución ··

Estudio de presupuestos:

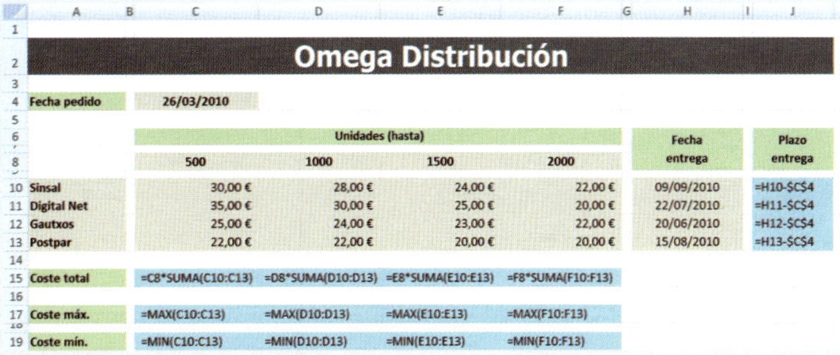

Abre Excel y crea las tablas correspondientes, según las instrucciones que se dan en el enunciado del ejercicio.

Las fórmulas a insertar serán las siguientes:

- **Celdas C15:F15:** suman las cantidades que tienen encima. Es decir, en la celda C15 aparece la suma de comprar 500 unidades a Sinsal, 500 a DigitalNet, 500 a Guatxos y 500 a Postpar.
- **Celdas C17:F17:** calculan el coste unitario más caro de cada columna, utilizando la función *MAX*.
- **Celdas C19:F19:** calculan el coste unitario más barato de cada columna, utilizando la función *MIN*.
- **Celdas J10:J13:** calculan el número de días que tarda cada proveedor en servir el pedido. Sabiendo la fecha de pedido y la fecha de entrega de cada uno de ellos, simplemente se restan.

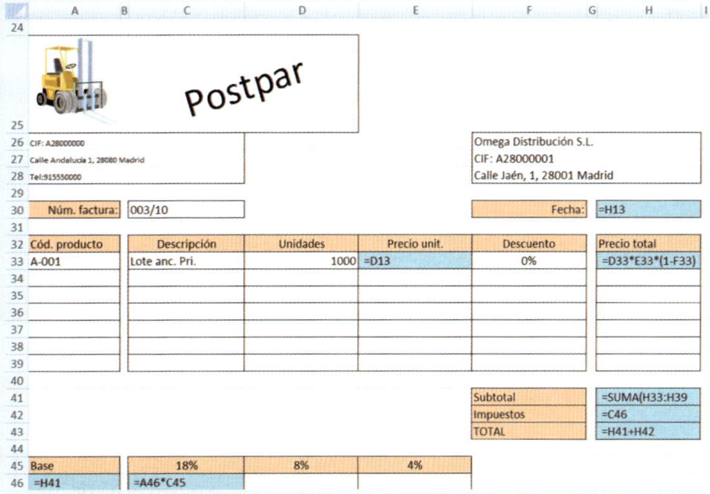

Factura:

Debajo del estudio de presupuestos, a partir de la fila 25, crea la estructura de las tablas según las instrucciones del enunciado del ejercicio.

Las fórmulas a insertar serán las siguientes:

- **Celda H30:** será una fórmula que copie el contenido de la celda H13.
- **Celda E33:** será una fórmula que copie el contenido de la celda D13.
- **Celda H33:** será una fórmula que calcule el total de los productos.
- **Celda H41:** es la suma de las celdas H33:H39.
- **Celda A46:** será una fórmula que copie el contenido de la celda H41.
- **Celda C46:** para calcular la cuota de IVA se multiplica la celda C45 por la A46.
- **Celda H42:** será una fórmula que copie el contenido de la celda C46.
- **Celda H43:** será la suma de las dos celdas que están inmediatamente encima.

Ideas clave

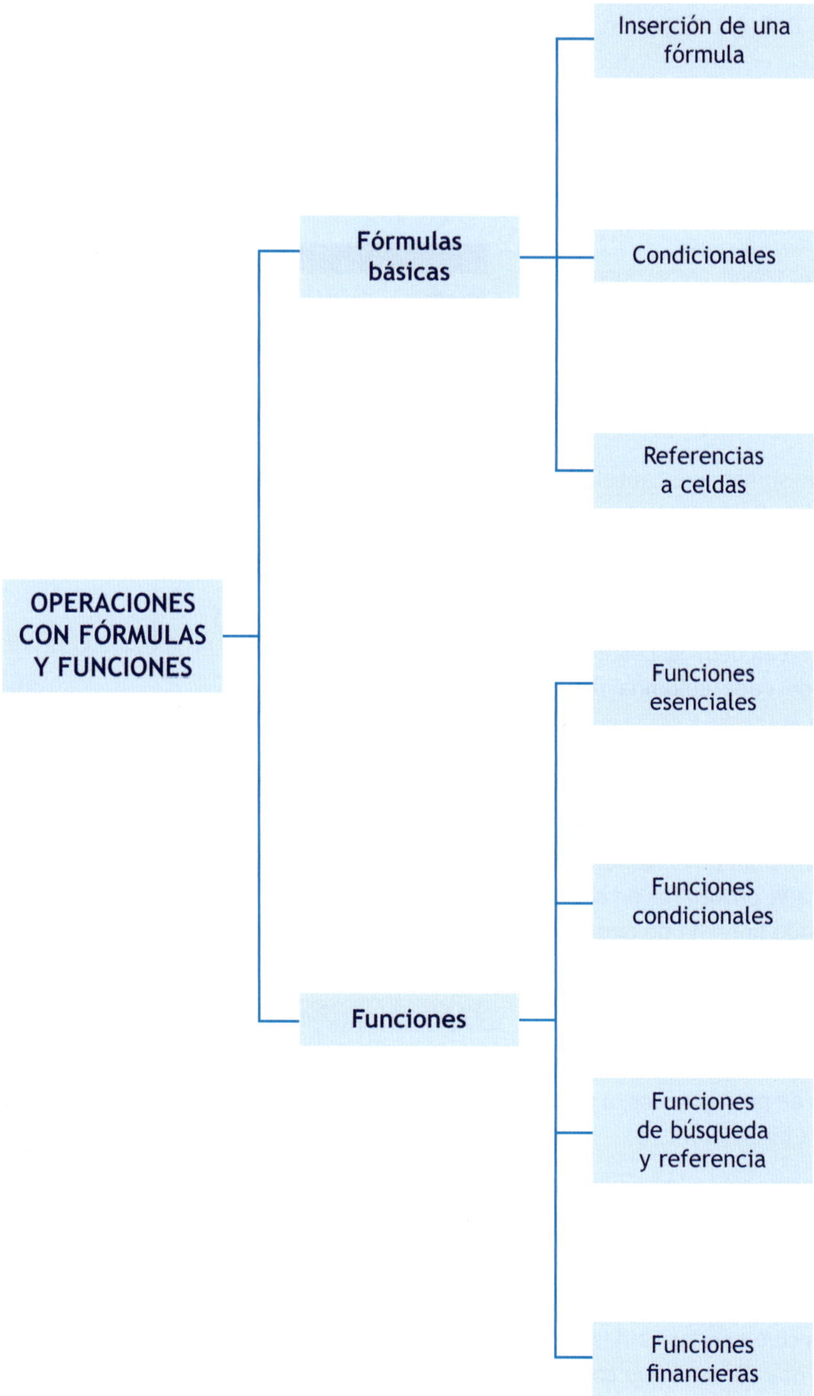
OPERACIONES CON FÓRMULAS Y FUNCIONES
Fórmulas básicas
Inserción de una fórmula
Condicionales
Referencias a celdas
Funciones
Funciones esenciales
Funciones condicionales
Funciones de búsqueda y referencia
Funciones financieras

SOFTWARE LIBRE

OpenOffice Calc

(Referencias a celdas, fórmulas y funciones) 2.ª parte

Para hacer referencia a una celda en Calc, se utiliza la letra de la columna seguida del número de la fila. Así, la primera celda es A1, la de la derecha la B1 y así sucesivamente. Cuando se nombra una celda, la referencia es relativa porque al copiarla a otra celda se modifica según su posición relativa respecto a esta. Si no se quiere que esto suceda, la nomenclatura incluye el símbolo $ antes de la letra y antes del número, por ejemplo, $C$3. Calc también admite las referencias mixtas, que funcionan como absolutas verticalmente y relativas horizontalmente (C$3) o viceversa ($C3).

Las fórmulas son operaciones matemáticas sencillas que se llevan a cabo a través de los operadores aritméticos. Estos son:

SUMA	RESTA	MULTIPLICACIÓN	DIVISIÓN	POTENCIA
+	–	*	/	^

El programa Calc de OpenOffice tiene implementadas más de 300 funciones, lo que permite obtener un resultado para cualquier problema.

Prácticamente todas las funciones de Calc tienen los mismos nombres que en Excel: *SUMA, PROMEDIO, MAX, MIN, CONTAR*, etc.

Dentro del asistente de funciones, estas se encuentran organizadas por grupos como *Matemáticas, Bases de datos, Texto, Finanzas*, etc. El asistente es bastante claro y las explicaciones ayudan a rellenar los datos necesarios para que la función realice su cometido.

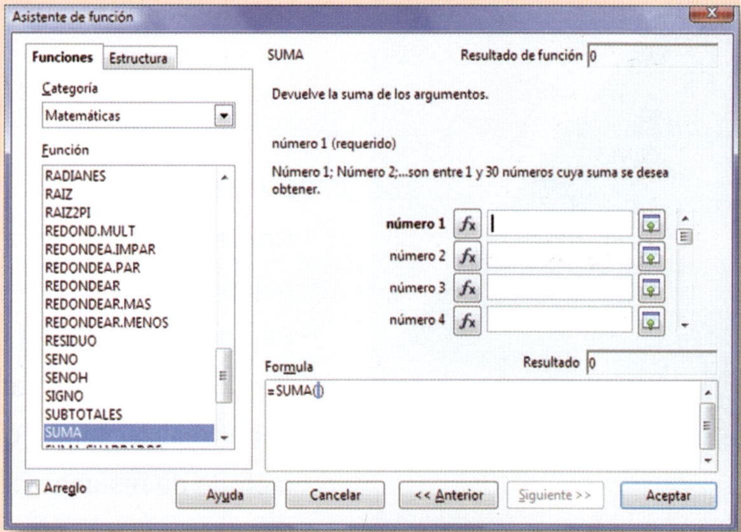

En la imagen se muestra la función *SUMA*. Se selecciona la función, se pulsa *Siguiente* y se rellenan los datos o argumentos. Al hacer clic en *Aceptar*, se obtiene el resultado en la celda correspondiente.

unidad **10**

Operaciones avanzadas con hojas de cálculo

SUMARIO

- Insertar varias funciones y elementos en la hoja de cálculo
- Bases de datos en Excel
- Tablas dinámicas
- Importación y exportación de archivos
- Uso de plantillas y macros

OBJETIVOS

- Realizar operaciones avanzadas en las hojas de cálculo.
- Representar datos en gráficos.
- Gestionar bases de datos en Excel.
- Saber realizar tablas dinámicas como método de resumen de información.
- Emplear macros y plantillas.
- Importar y exportar hojas de cálculo.

1 >> Insertar varias fórmulas en una misma celda

En alguna ocasión hay que realizar cálculos complejos o búsquedas condicionadas por algún dato que no pueden ser realizadas por una sola función. También es posible que haya que decidir entre más de dos opciones, algo que no permite la función *SI*.

Se pueden combinar funciones de varias formas, según las necesidades. Es posible que se necesiten restar o dividir dos funciones o que haga falta contener una dentro de otra. En cualquiera de los dos casos, resulta más fácil escribir las funciones que utilizar el asistente.

Ejemplos

Utilización de varias fórmulas en la misma celda

En la siguiente tabla, la celda B3 debe incluir una función que obtenga la descripción del producto, contenido en la bases de datos (tabla inferior) mediante una función de búsqueda. El rango B4:B8 se puede obtener mediante el autorrelleno, utilizando el controlador de relleno, desde la celda B3.

La celda D3 debe incluir el precio final de cada producto, dadas las unidades indicadas, obteniendo el precio y el descuento de la base de datos (tabla inferior). Hay que utilizar una fórmula que a su vez incluye varias funciones dentro de la misma celda.

	A	B	C	D
1	Ofímayor			
2	Producto	Descripción	Unidades	Precio final
3	D13		1000	
4	A10		200	
5	F12		150	
6	D13		500	
7	D13		200	
8	F12		1000	
9				
10				
11	Referencia	Descripción	Precio	Descuento
12	A10	Cuadernos A4	0,15 €	20%
13	D13	Paquete bolígrafos	10,00 €	15%
14	F12	Caja 2000 Din A-4	17,00 €	10%

La celda B3 se resuelve con la siguiente función:

=BUSCARV(A3;$A$12:$D$14;2;0)

La celda D3 se resuelve con la siguiente función:

=C3*BUSCARV(A3;$A$12;$D$14;3;0)-(C3*BUSCARV(A3;$A$12;$D$14;3;0)*BUSCARV(A3:$A$12:$D$14;4;0)

o bien:

=C3*BUSCARV(A3;$A$12;$D$14;3;0)*(1-BUSCARV(A3:$A$12:$D$14;4;0))

De esta forma, hemos insertado dentro de una misma celda una complicada fórmula que incluye dos funciones de búsqueda, ya que tenemos que obtener dos datos de la tabla que contiene la base de datos.

La primera función de búsqueda obtiene el precio unitario del producto contenido en la primera columna de la tabla superior y lo multiplica por el número de unidades indicado. Este subtotal se multiplica por un paréntesis que incluye una función de búsqueda que se resta a la unidad.

Dicha función recupera el descuento correspondiente al artículo apuntado. Al restar 1 menos ese descuento, obtenemos la cantidad que se paga, es decir, si el descuento es del 20%, al restar se convierte en 80%, que es la parte que efectivamente se debe pagar.

Ejemplos

Uso conjunto de funciones condicionales y de búsqueda

Este ejemplo es similar al anterior. Lo que se desea ahora es calcular el total, sabiendo que los descuentos se aplican, además de por productos, por tramos de unidades, siendo distinto para compras inferiores a 500 unidades que para compras superiores a 500 unidades.

	A	B	C	D	E
1	Ofímayor				
2	Producto	Descripción	Unidades	Precio final	
3	D13		1000		
4	A10		200		
5	F12		150		
6	D13		500		
7	D13		200		
8	F12		1000		
9					
10				Descuento	
11	Referencia	Descripción	Precio	<500 uds.	>=500 uds.
12	A10	Cuadernos A4	0,15 €	20%	30%
13	D13	Paquete bolígrafos	10,00 €	15%	20%
14	F12	Caja 2000 Din A-4	17,00 €	10%	15%

El rango B3:B8 se rellena exactamente igual que en el ejemplo anterior. La fórmula es:

=BUSCARV(A3;$A$12:$E$14;2;0)

El rango D3:D8 tiene un poco más de complicación. En primer lugar, hay que tener en cuenta el precio del artículo, que se halla con una función *BUSCARV*, y multiplicarlo por las unidades. Después hay que decidir cuál de las dos columnas de descuento hay que utilizar en función del número de unidades. Según se cumpla o no la condición de que las unidades pedidas sean más de 500, habrá que coger un descuento u otro.

Se debe hacer con una función *SI*, dentro de la cual habrá dos funciones de búsqueda: una que extraiga el porcentaje de la columna 4 y otro que lo haga de la columna 5.

La primera parte de la función será así:

*C3*BUSCARV(A3;$A$12:$E$14;3;0)*

Después, igual que en el ejemplo anterior, se multiplica por *(1-dto)* para restar el descuento a aplicar.

En este caso, ese descuento viene de una función *SI* que contiene dos *BUSCARV*, será:

SI(C3<500;BUSCARV(A3;$A$12:$E$14;4;0);BUSCARV(A3;$A$12:$E$14;5;0))

Para entender bien esta función, la vamos a analizar por partes. La función *SI* comprueba si las unidades son menos de 500. Si es así, se aplica el primer *BUSCARV*, que busca el contenido de la celda A3 en la tabla inferior, la de la base de datos. Una vez hallado, salta a la columna número 4, donde se encuentra el descuento del 20%.

Si, por el contrario, la función *SI* comprueba que el número de unidades no es menor que 500 (es decir, que es igual o superior), se utiliza la segunda función *BUSCARV* que, a diferencia de la primera, extrae el descuento de la columna número 5, en este caso, el 30%.

La función completa a insertar en la celda D3 queda por tanto de la siguiente forma:

*=C3*BUSCARV(A3;$A$12:$E$14;3;0)*(1-SI(C3<500;BUSCARV(A3;$A$12:$E$14;4;0);BUSCARV(A3;$A$12:$E$14;5;0)))*

El resto del rango D3:D8 se rellena arrastrando el contenido de D3 hacia abajo, utilizando el controlador de relleno.

2 >> Inserción de elementos en una hoja de cálculo

Al igual que el resto de los programas de Office 2007, Excel permite la posibilidad de insertar un gran número de elementos, tanto propios (WordArt, formas, SmartArt...) como externos (imágenes jpg, vídeos, animaciones de Flash...). La inserción de todos estos elementos en una hoja de cálculo se realiza a través de la ficha *Insertar.*

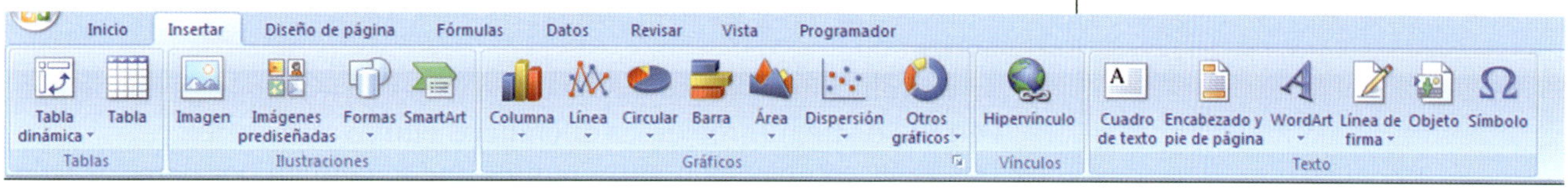

10.1. Ficha *Insertar.*

2.1 > Objetos

En esencia, la inserción se produce del mismo modo que hemos visto en Word: se sitúa el cursor en el punto donde se quiere insertar el elemento en cuestión y se hace clic sobre su icono en la ficha *Insertar.*

El resultado es un objeto que siempre está en una capa superior, puesto encima de la pantalla donde están las celdas.

En Excel no tiene sentido que se pueda incluir en línea con el texto, lo que difiere un poco de Microsoft Word, porque el contenido propio del programa no son párrafos sino información guardada en pequeñas celdas donde no cabría incluir una imagen.

Aun así, es posible que se precise insertar una imagen detrás de las celdas. En ese caso, la única opción es definir un fondo. Esa posibilidad se encuentra en la ficha *Diseño de página,* dentro del grupo *Configurar página.* Lo que se consigue es una imagen de fondo para la hoja de cálculo que, por tanto, queda detrás de las celdas.

2.2 > Inserción de gráficos

Dentro de los objetos que se pueden insertar en una hoja de cálculo, por la propia naturaleza de esta, tienen mucha importancia los gráficos.

Sucede bastante a menudo que los datos que se obtienen con Excel son demasiado extensos, con lo cual cuesta trabajo analizar los resultados. La solución a esto es utilizar un gráfico, ya que de una forma sencilla se muestra una idea que se capta de un solo vistazo.

Un gráfico, por ejemplo, nos enseña la evolución del IPC a lo largo de 12 meses, el reparto de votos en las elecciones o la comparación de ventas entre las tres delegaciones de dos empresas de un mismo sector.

Lo más importante a la hora de hacer un gráfico es decidir qué tipo de gráfico se desea. Cada uno de los tipos que incluye Excel es ideal para un cometido, pero puede no resultar adecuado para otros; por ejemplo, un gráfico que es ideal para mostrar una comparación entre las temperaturas medias de dos ciudades es posible que no sea adecuado para comprobar la evolución histórica del IBEX 35.

Tipos de gráfico

- *Columna:* comparación entre valores de una o varias series. Distribución vertical.
- *Línea:* evolución de los valores de una o varias series a lo largo del tiempo.
- *Circular:* aportación de cada uno de los valores de una serie a la suma total de todos ellos. Solo permite una serie.
- *Barra:* comparación entre valores de una o varias series. Distribución horizontal.
- *Área:* evolución de los valores de una o varias series a lo largo del tiempo. Permite distinguir mejor las diferencias entre varias series.
- *Dispersión:* comparación entre puntos que se definen por pares de valores.
- *Otros gráficos:* Excel permite otros tipos de gráficos, cada uno de ellos está indicado para una utilización concreta, como por ejemplo gráficos específicos de cotizaciones bursátiles, gráficos de burbujas, radiales, etc.

10.2. Grupo *Gráfcos*.

Ejemplos

Gráfico de columnas

Partiendo de la siguiente tabla, vamos crear un gráfico que permita una rápida comparación visual entre las temperaturas en diciembre de las ciudades incluidas en la tabla.

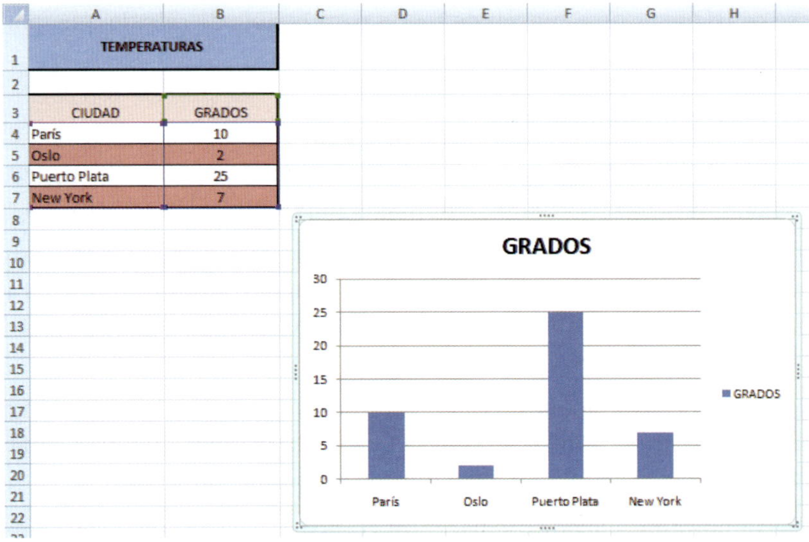

Escribimos la tabla en la hoja de cálculo. Una vez que tiene los datos y el formato deseado, seleccionamos el rango A3:B7 y, dentro de la ficha *Insertar*, en el grupo *Gráficos*, seleccionamos *Columna / Columna en 2-D* y hacemos clic en la opción *Columna agrupada*.

El resultado es un gráfico muy simple, que se puede mejorar bastante, si bien en esta primera aproximación a la creación de un gráfico se observan todas las características expuestas anteriormente. Es simple, se distinguen los datos de un vistazo y permite comparar entre sí los distintos valores de una serie (10, 2, 25 y 7).

Una vez insertado el gráfico en la hoja de cálculo, cambiar su estilo es muy sencillo con Excel 2007. Tras la inserción, puede apreciarse que la cinta de opciones ha cambiado ahora y en ella se muestran tres nuevas fichas exclusivas de los gráficos: *Diseño, Presentación* y *Formato*.

Ficha *Diseño*

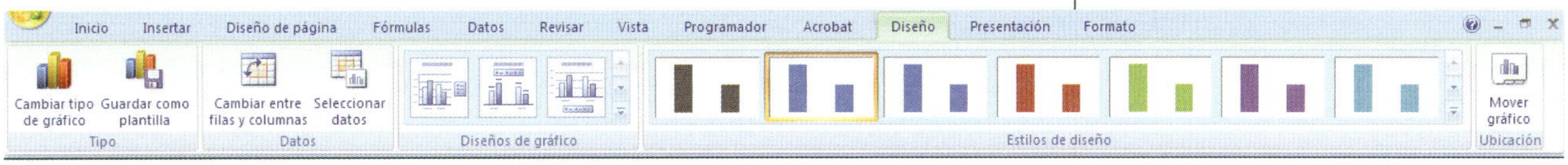

10.3. Ficha *Diseño* de *Gráficos*.

Se muestra únicamente cuando el grafico acaba de ser creado o bien cuando se hace un doble clic en un gráfico ya realizado previamente.

Tiene los siguientes grupos:

- ***Tipo:*** permite cambiar el tipo de gráfico, por ejemplo si hemos elegido uno circular y queremos cambiar a uno de barras. Si hemos personalizado el diseño y el formato del gráfico y queremos utilizarlo otra vez, lo podemos guardar como plantilla con el botón *Guardar como plantilla.*
- ***Datos:*** permite realizar cambios en la relación entre los datos y el gráfico, por ejemplo, cambiando entre filas y columnas.
- ***Diseños de gráfico:*** a través de las opciones de este grupo, se puede variar rápidamente el diseño de un gráfico. Las opciones que ofrece Excel seguramente sean suficientes para cualquier utilización, pero si se precisa se puede personalizar el diseño a mano. Los diseños incluyen todo el formato de los elementos que forman un gráfico: series de datos, líneas de división, título, rótulos, etc.
- ***Estilos de diseño:*** existen bastantes diseños para cambiar el estilo de gráfico que, lógicamente, dependen del tipo de gráfico elegido.
- ***Ubicación:*** sirve para cambiar la ubicación del gráfico seleccionado a otra hoja, manteniendo todas las referencias de los datos de forma correcta. Simplemente se le debe indicar dónde se desea ubicar el gráfico y Excel se encarga del resto.

Actividades propuestas

1·· Abre una hoja de cálculo y copia en el rango A1:C6 la siguiente tabla de datos demográficos de varias ciudades.

	A	B	C
1	DEMOGRAFÍA		
2	CIUDAD	TAMAÑO km2	HABITANTES
3	París	105,4	2.193.000,00
4	Madrid	670	3.273.000,00
5	Barcelona	98,7	1.619.000,00
6	Valencia	134,7	809.000,00
7			

A partir del rango A2:B6 de la tabla, inserta un gráfico que muestre el tamaño de cada una de las ciudades de la tabla y que tenga las siguientes características:

- Tipo de gráfico: *Columna/cilindro agrupado.*
- Estilo de diseño: *Estilo 48.*

A continuación, inserta un gráfico que muestre el número de habitantes de cada una de las ciudades.

Debes seleccionar los rangos A2:A6 y C2:C6 de forma simultánea, utilizando la tecla <Ctrl>.

Ficha *Presentación*

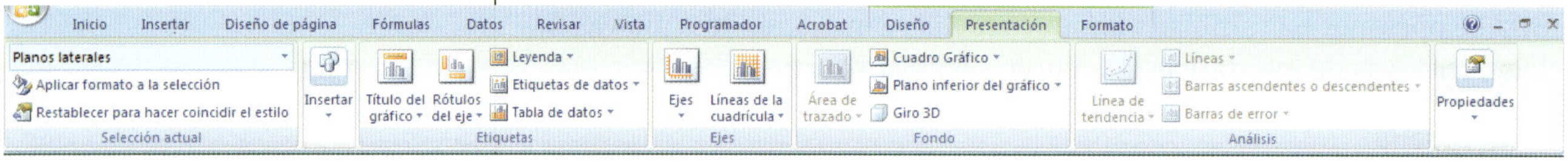

10.4. Ficha *Presentación* de *Gráficos*.

En la siguiente ficha que aparece al seleccionar el gráfico, la ficha *Presentación*, se encuentran las opciones que hacen posible dar formato a cada uno de los elementos que forman el gráfico, como los ejes, el área de trazado, etc.

Presenta los siguientes grupos:

- ***Selección actual:*** en este grupo hay un desplegable donde se elige el elemento al que se desea dar formato *(Área de trazado, Leyenda, Plano inferior...)*. Debajo, en *Aplicar formato a la selección,* se configuran los colores de fondo, los bordes, las sombras y la configuración 3D.
- ***Insertar:*** este botón permite insertar cualquier elemento dentro del propio gráfico. Los elementos (formas, imágenes y cuadros de texto) son los comunes a todo el paquete Office y el procedimiento es exactamente igual al que ya se ha visto en otros capítulos.
- ***Etiquetas:*** permite cambiar el formato de varios elementos, como son:
  - *Título del gráfico:* texto que explica qué es lo que se muestra en el gráfico; suele estar en la parte superior
  - *Rótulos de los ejes:* títulos de cada uno de los ejes, el vertical y el horizontal.
  - *Leyenda:* es un cuadro que identifica cada uno de los colores de las series con lo que contienen.
  - *Etiquetas de datos:* son los valores numéricos de cada uno de los marcadores de los valores de una serie. En un gráfico de columnas, por ejemplo, muestra un número encima de cada una de las columnas con su valor.
  - *Tabla de datos:* permite mostrar u ocultar una tabla, normalmente debajo del gráfico, que contiene los datos mostrados en el mismo.
- ***Ejes:*** permite configurar los ejes del gráfico de forma que se pueden mostrar u ocultar o bien redimensionar la escala de representación de los mismos. También permite configurar las líneas de cuadrícula, que permiten entender mejor el gráfico cuando este es muy grande o cuando contiene muchos datos.

Haciendo clic en *Ejes / Eje vertical primario / Más opciones del eje vertical primario,* se abre un cuadro de dialogo. Se puede llegar también haciendo clic en el botón secundario del ratón estando situados sobre los números del eje vertical y haciendo clic en *Dar formato a eje.* Una vez dentro del cuadro de dialogo, se puede modificar dónde empieza el eje *(Mínima)*, dónde acaba *(Máxima)* y cada cuántas unidades se visualiza una marca en el eje *(Unidad mayor)*. La opción *Unidad menor* solamente tiene sentido si se deciden visualizar las líneas horizontales de cuadrícula secundarias.

Casos prácticos 1

Formato de gráfico

•• Partiendo del primero de los gráficos creados en la actividad propuesta número 1 y utilizando lo aprendido en este epígrafe, modifica los formatos del gráfico para que tenga el siguiente aspecto:

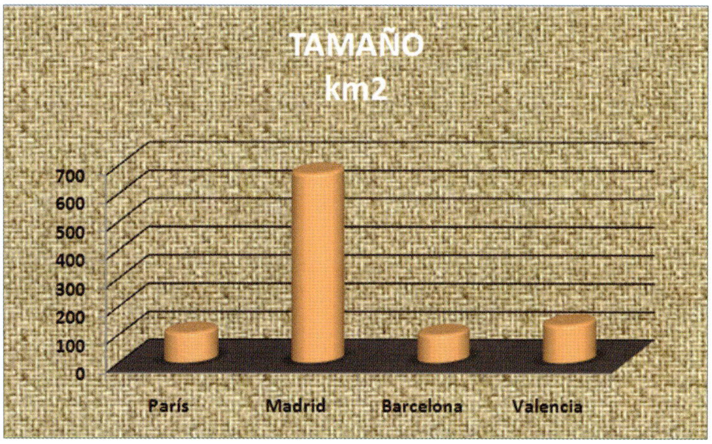

Diseño del gráfico

El área de gráfico tiene un fondo de imagen tipo esterilla.

Los planos posterior y lateral tienen un fondo transparente. Las líneas de división principales son de color negro. El texto de los ejes es de color negro y la leyenda se ha eliminado.

Solución ••

Debemos partir del gráfico que has creado en la actividad propuesta número 1. Si seguiste correctamente las instrucciones que se daban en el enunciado, el resultado debería ser como el que ves en la imagen adjunta.

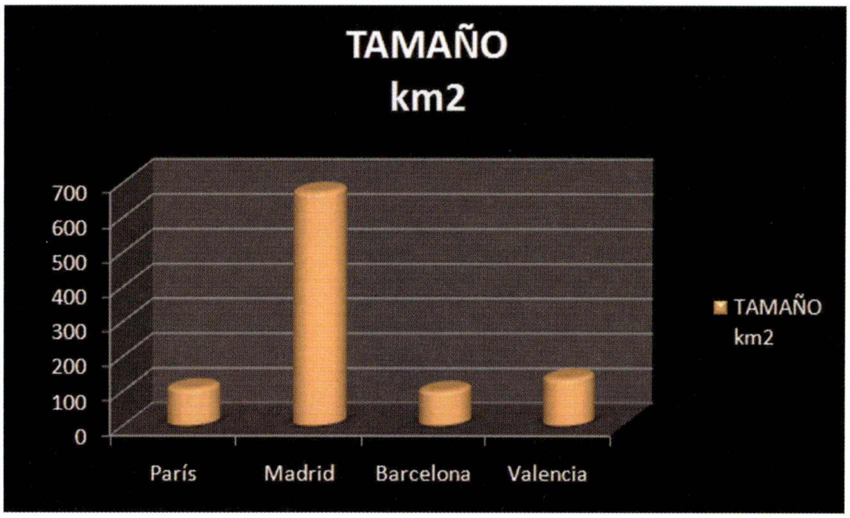

Para realizar este ejercicio:

- Todas las opciones se configuran en la ficha de *Presentación.*
- Para conseguir el fondo de esterilla debes ir a *Selección actual / Área de gráfico / Aplicar formato a la selección* o bien, estando encima del gráfico, botón derecho del ratón cuando te encuentres sobre el área de gráfico. Dentro del cuadro de diálogo que aparece, haz clic en *Relleno / Relleno con imagen o textura / Esterilla.*
- El plano posterior y lateral se hacen de forma similar: *Selección actual / Plano posterior / Aplicar formato a la selección. Y*, dentro del cuadro de diálogo, elegimos *Sin relleno*. Lo mismo para el plano lateral.
- Para cambiar el color de la fuente de los ejes, pulsamos botón derecho del ratón estando sobre cada uno de ellos y seleccionamos la opción *Fuente* para elegir color negro y estilo de fuente negrita.
- Para cambiar el color de las líneas de división principales, *Selección actual / Plano / Eje vertical (valor) / Líneas de división principales / Línea sólida* y establecemos el color negro.
- Para eliminar la leyenda, pulsamos el botón derecho sobre ella y hacemos clic en *Eliminar.*

3 >> Bases de datos con Excel

Excel es un excelente gestor de bases de datos, siempre que el formato de estas sea sencillo. Como se verá en las unidades didácticas referentes a las bases de datos, el programa específicamente diseñado para gestionarlas es Access. La ventaja de Excel es que es más sencillo de manejar y permite realizar operaciones más complejas y elaboradas con los datos incluidos en las tablas de la base de datos.

Partimos de la premisa de que las bases de datos a gestionar por Excel deben ser de una sola tabla, dejando las bases de datos con varias tablas, relacionadas entre sí, para Access. Por tanto, los datos que vamos a gestionar deben estar incluidos en una tabla formada por filas y columnas. En los títulos de columna será donde se indiquen los nombres de cada uno de los **campos**. Debajo de estos, en cada una de las filas se almacena la información de cada **registro**. Añadir información a la tabla es sencillo, tan fácil como ir escribiendo o bien insertando fórmulas o funciones.

Ejemplos

Utilización de filtros

Vamos a realizar la siguiente tabla de registro de ventas. En ella se muestran las ventas de una empresa de compraventa de coches usados.

Marca	Modelo	Cilindrada	Precio	IVA	Total
Audi	A3	1.900	18.500,00 €	18%	21.830,00 €
Seat	Ibiza	1.800	16.000,00 €	18%	18.880,00 €
Volkswagen	Golf	2.000	12.000,00 €	18%	14.160,00 €
Skoda	Fabia	1.600	11.000,00 €	18%	12.980,00 €
Renault	Clio	1.400	10.000,00 €	18%	11.800,00 €
Skoda	Octavia	2.000	20.000,00 €	18%	23.600,00 €
Seat	Toledo	2.000	14.500,00 €	18%	17.110,00 €
Renault	R12	1.200	2.000,00 €	18%	2.360,00 €
Skoda	Fabia	1.400	13.500,00 €	18%	15.930,00 €
Audi	A6	2.500	20.500,00 €	18%	24.190,00 €
Seat	Panda	1.000	9.200,00 €	18%	10.856,00 €
Opel	Calibra	2.000	6.200,00 €	18%	7.316,00 €
Skoda	Fabia	1.800	8.000,00 €	18%	9.440,00 €
Audi	A2	1.800	17.300,00 €	18%	20.414,00 €
Seat	Ibiza	1.900	18.000,00 €	18%	21.240,00 €
Opel	Tigra	1.600	5.000,00 €	18%	5.900,00 €
Skoda	SuperB	2.000	25.000,00 €	18%	29.500,00 €
Skoda	SuperB	2.000	25.500,00 €	18%	30.090,00 €
Opel	Vectra	1.900	11.500,00 €	18%	13.570,00 €
Skoda	Fabia	1.800	11.000,00 €	18%	12.980,00 €
Seat	Toledo	1.800	12.000,00 €	18%	14.160,00 €

La columna de total está calculada sumando un 18% al precio de la columna D. En la casilla F2 se ha insertado *=D2*(1+E2)* y se ha utilizado el controlador de relleno para arrastrar hacia abajo.

Lo que tenemos en la pantalla es una base de datos formada por una única tabla. Tiene 21 registros y 6 campos. Ahora vamos a extraer información de esta base de datos. Para ello, lo primero es activar el filtro. Estando dentro de la tabla, se hace clic en *Datos / Grupo / Ordenar y filtrar / Filtro*. Al hacer esto, Excel identifica perfectamente la tabla si no existe ningún formato extraño, como celdas combinadas, espacios en blanco, etc. Otra posibilidad es seleccionar la tabla entera antes de aplicar el filtro para asegurarnos de que toma perfectamente los límites de la misma.

Ahora se muestran en las celdas correspondientes a los títulos de las columnas unas flechas desplegables. Desplegando en cada una de ellas, se van eligiendo los criterios que definen qué filas se muestran y cuáles no. Es una forma de filtrar los resultados de la consulta.

En este ejemplo nos interesa mostrar solamente los registros correspondientes a los vehículos que tienen una cilindrada de 2 000. Para ello, desplegamos en la flecha de la columna *Cilindrada*.

Las tres primeras opciones sirven para ordenar los registros de la tabla según distintos criterios. *Filtrar por color* solamente estará activado cuando en esa columna haya casillas de distintos colores. En nuestro caso, las opciones serían casillas blancas o verdes. *Filtros de número* permite opciones más avanzadas en función de una serie de parámetros que se muestran en un cuadro de diálogo.

Para hacer nuestro ejercicio, tenemos que desmarcar la opción *(Seleccionar todo)* y marcar *2 000*.

	A	B	C	D	E	F
1	Marca	Modelo	Cilindrada	Precio	IVA	Total
4	Volkswagen	Golf	2.000	12.000,00 €	18%	14.160,00 €
7	Skoda	Octavia	2.000	20.000,00 €	18%	23.600,00 €
8	Seat	Toledo	2.000	14.500,00 €	18%	17.110,00 €
13	Opel	Calibra	2.000	6.200,00 €	18%	7.316,00 €
18	Skoda	SuperB	2.000	25.000,00 €	18%	29.500,00 €
19	Skoda	SuperB	2.000	25.500,00 €	18%	30.090,00 €
23						

Es importante observar que los números de fila de la parte izquierda de la pantalla están ahora en azul para advertirnos de que existen otras filas que no están visibles. Además, la flecha de la columna C muestra el símbolo del filtro para que sepamos dónde está aplicado.

Podemos aplicar tantos filtros como queramos, incluso de forma simultánea, lo que implicaría realizar consultas con el operador *AND*, es decir, el conjunto intersección formado por una condición y la otra. Para quitar los filtros aplicados, se vuelve a desplegar en la flecha y se marca *(Seleccionar todo)*.

Actividades propuestas

2·· Abre el archivo del ejemplo anterior y aplica los filtros necesarios para seleccionar:

a) Todos los coches de la marca Skoda.
b) Todos los coches de la marca Skoda, modelo Fabia.
c) Todos los coches del grupo VAG (Seat, Audi, Volkswagen y Skoda) ordenados de menor a mayor precio.

4 >> Tablas dinámicas

Muchas veces puede suceder que una hoja de cálculo tenga mucha información, tanta que sea imposible entenderla y sacar provecho de ella. Pongamos que, por ejemplo, en una hoja de cálculo se tienen almacenadas las ventas de cada comercial de nuestra empresa en cada uno de los países donde tenemos clientes y en cada fila se muestra lo que ha vendido esa persona, el importe, el país, el cliente, etc.

Realmente en esa hoja tenemos información para llegar a saber qué comercial vende más, cuál es el país que más nos compra o cómo se distribuyen las ventas por trimestres, por ejemplo. Lo malo es que tenemos tal cantidad de información que puede llevarnos mucho tiempo gestionarla para obtener datos de esas tablas.

Las tablas *dinámicas* resumen la información contenida en Excel de forma que muestran como resultado una tabla mucho más pequeña con los datos que realmente necesitamos. Así se puede sumar, contar, agrupar por fechas, etc. En definitiva, resumir datos al fin y al cabo.

El nombre de *dinámicas* viene del hecho de que existe la posibilidad de interactuar con ellas y modificarlas de una forma sencilla una vez creadas.

Una tabla dinámica, elaborada a partir de la que vimos en el ejemplo del epígrafe anterior, tiene este formato:

[redacted]	Marca						
Cilindrada	**Audi**	**Opel**	**Renault**	**Seat**	**Skoda**	**Volkswagen**	**Total general**
1000-1999	2	2	2	4	4		14
2000-2999	1	1		1	3	1	7
Total general	**3**	**3**	**2**	**5**	**7**	**1**	**21**

Como puede observarse, resume los datos procedentes de una tabla más extensa. La tabla se compone de tres partes fundamentales:

- Los datos que se añaden a la **zona de las filas** (parte izquierda), que en este caso ha sido el campo *Cilindrada.* Este campo está agrupado de forma que muestra dos intervalos.
- Los datos que se añaden a la **zona de las columnas** (parte superior), que en este caso ha sido el campo *Marca.*
- Los datos que se añaden a la **zona central de la tabla.** En este caso, han sido los precios en euros que cuesta cada uno de los vehículos. Este campo se ha configurado como cuenta, lo que quiere decir que la tabla muestra cuantos vehículos hay de cada una de las marcas y cilindradas.

Es decir, en la tabla hay dos vehículos de la marca Audi de menos de 2 000 c.c. y uno de más de 2 000 c.c.

Evidentemente esos datos están resumidos, en este caso mediante cuenta. El informe de tabla dinámica ha recorrido la tabla original y, cada vez que ha encontrado la marca Audi y una cilindrada de menos de 2 000, ha ido contando. Así lo ha hecho con todos los pares de valores formados por cada marca y cilindrada.

Ejemplos

Realización de tabla dinámica

Utilizaremos como tabla original de datos la misma que empleamos en el ejemplo del epígrafe anterior. En primer lugar, abrimos la hoja de cálculo donde está la tabla con los datos y vamos a la ficha *Insertar*, grupo *Tablas / Tabla dinámica*.

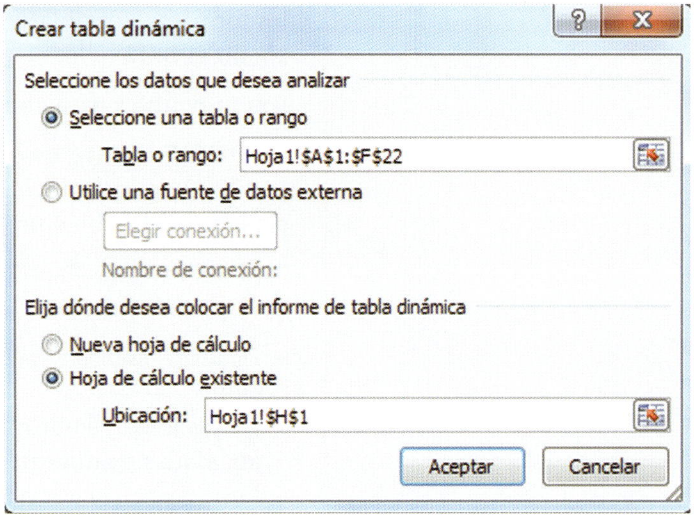

Se abre un cuadro de diálogo que solicita dos datos: la ubicación de la tabla a analizar (en nuestro caso seleccionamos toda la tabla, que incluye el rango A1:F22) y el lugar donde se desea situar la tabla dinámica, que puede ser la misma hoja, en otra hoja distinta o, incluso, crear una hoja nueva. En nuestro caso, vamos a situarla en la celda H1 de la misma hoja.

Se abre el panel *Lista de campos de tabla dinámica*, a la derecha de la pantalla, que solicita que se seleccionen los campos que se desea que formen parte del informe de la tabla dinámica. En nuestro caso, *Cilindrada*, *Marca* y *Precio*. Al seleccionarlos, Excel coloca los campos en la parte inferior del panel.

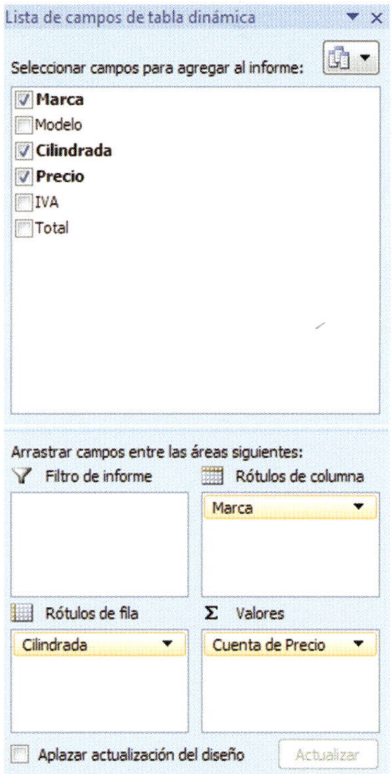

También pueden arrastrarse directamente a cada una de las áreas:

- *Cilindrada* debe ir al área *Columna*.
- *Marca* debe ir al área *Fila*.
- *Precio* debe ir al área *Valores*.

Observaremos que en *Valores* aparece *Suma de Precio*. Esto es así porque los datos que se añaden en el centro de la tabla deben quedar resumidos, sea como suma o con cualquier otro método. Para nuestro caso, debe ser *Cuenta de Precio*. Para cambiarlo, hay que hacer clic en *Suma de Precio* y seleccionar *Configuración de campo de valor.*

Una vez hecha la tabla, con el botón derecho sobre el campo de cilindrada se selecciona la opción *Agrupar* para crear los intervalos de la cilindrada y configuramos comenzar en 1 000 y terminar en 2 500 con intervalos de 1 000.

Actividades propuestas

3·· Partiendo de la misma tabla de datos, realiza las siguientes tablas dinámicas:

- Una donde se muestre el total de euros por cada marca.
- Otra donde se muestre el precio medio por cada marca.

5 >> Plantillas

Las plantillas son documentos previamente diseñados que incluyen todos los formatos, fórmulas y funciones necesarios y a los que solo se necesita añadir el contenido.

Son muy útiles para ahorrar tiempo o para estandarizar los documentos.

Excel 2007 incluye las plantillas más comunes ya instaladas, además, se pueden descargar muchas más de la página de Microsoft o de otras páginas personales. También podemos crear nuestras propias plantillas.

Para utilizar una plantilla, hay que ir a botón de Office *Nuevo.* En el menú de la parte izquierda del cuadro de diálogo existen las siguientes opciones:

- *Plantillas instaladas:* accedemos a plantillas preinstaladas en la aplicación.
- *Mis plantillas:* se abrirán las plantillas que hayamos creado y tengamos guardadas en nuestro equipo u otro dispositivo conectado al mismo.
- *Nuevo a partir de existente:* creará una plantilla a partir de un libro ya existente.
- *Microsoft Office Online:* si tenemos conexión a Internet, nos conectaremos con el centro de recursos de Microsoft y podremos descargar las plantillas que nos ofrecen en el muestrario.

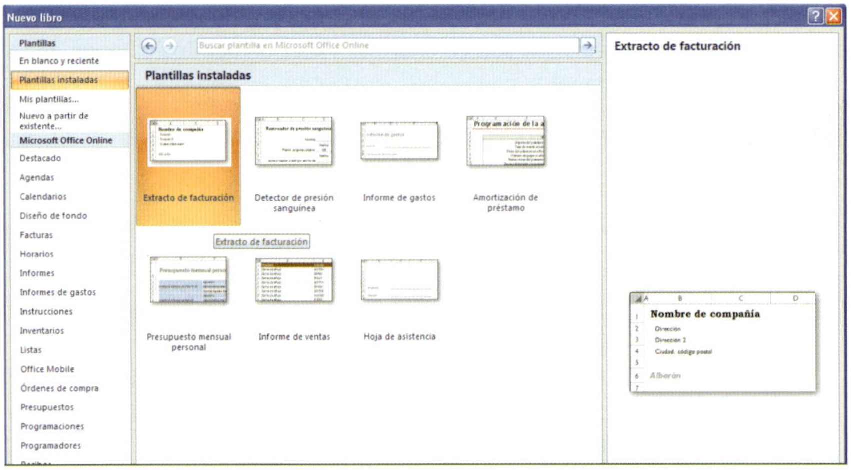

10.5. Menú *Nuevo Libro.*

Para **abrir** las plantillas existentes, se selecciona la que deseemos y se hace clic en *Crear* (si es una plantilla instalada) o en *Descargar* (si la obtenemos de Microsoft Office Online).

Una vez abierta la plantilla, se puede modificar para añadir nuestros datos, incluyendo alguna nueva fila o cambiando alguna palabra, como por ejemplo *Albarán* o *Factura* dependiendo de para qué la queramos utilizar concretamente.

Para **crear** una plantilla, se comienza un libro de Excel nuevo y se genera toda la estructura de títulos, bordes, funciones, etc., sin incluir datos, ya que después se añadirán cada vez que se utilice la plantilla. Se hace clic en el botón de Office / *Guardar como* / *Libro de Excel.*

En el cuadro de diálogo se elige un nombre para la plantilla y, lo más importante, se despliegan las opciones de *Guardar como tipo.* Allí se selecciona *Plantilla de Excel* o *Plantilla de Excel habilitada para macros.* Finalmente, se hace clic en *Guardar.*

Excel guarda el archivo en la carpeta *Plantillas* para que la próxima vez que se quiera utilizar esté disponible en el botón de Office / *Nuevo libro / Mis plantillas.*

Ejemplos

Creación de plantillas

Vamos a crear una plantilla a partir del caso final de la unidad 9.

- Abre el libro que creaste en el caso práctico de la unidad anterior.
- Selecciona todas las celdas del rango que incluye la factura de la empresa POSTPAR.
- Pégala en un libro nuevo y arregla el formato si es necesario.
- Borra el contenido de las celdas F26:H28; C30; A33:F39.
- Haz clic en el botón de Office / *Guardar como / Libro de Excel.*
- En el menú emergente, elige como nombre *Plantilla Postpar* y como tipo de archivo *Plantilla de Excel.*
- Comprueba que la carpeta donde se guardará es la de *Mis plantillas*; no cambies su ubicación. Recuerda que, si no se guarda ahí, Excel no encontrará la plantilla cuando se quiera utilizar.
- Cierra Excel. La plantilla está creada.

Casos prácticos 2

Utilización de una plantilla

•• El día 29 de febrero de 2012, don Anselmo Pacheco, gerente de la empresa APAGA Y VÁMONOS realiza una compra a nuestra empresa (POSTPAR, SA). Los datos a rellenar son los de la tabla.

Utiliza la plantilla POSTPAR para rellenar la factura y guárdala como *Factura Postpar 0134.*

Nombre	Apaga y vámonos, SL
CIF	B28123456
Dirección	Calle Vesta, s/n
Factura núm	0134
Fecha	29/02/2012
Cód prod.	B-002
Descripción	Gato 4P
Precio unit.	14,50
Descuento	40%

Solución ••

- Abre Excel y haz clic en el botón de Office / *Nuevo / Mis plantillas / Plantilla Postpar.*
- Rellena las celdas con los datos solicitados.
- Guarda el archivo creado como un libro de Excel normal.
- Ahora tendrás dos archivos, la plantilla sin modificar y un nuevo archivo de Excel con la factura emitida a la empresa APAGA Y VÁMONOS.

6 >> Datos externos

Excel permite que en una hoja de cálculo se inserten referencias a otras hojas del mismo libro, a otros libros o, incluso, que se importen datos procedentes de otras aplicaciones.

6.1 > Referencias externas a una hoja de cálculo

Muchas veces es necesario introducir en una fórmula o en una función datos procedentes de otras hojas del mismo libro, de hojas de otro libro o incluso de hojas de libros que están accesibles a través de una red local o a través de Internet.

En todos estos casos, el procedimiento es el mismo, lo único que cambia es la nomenclatura dependiendo de cuál sea el objeto al que se quiere hacer la referencia:

- **Referencia a una celda que se encuentra en otra hoja del mismo libro:** se escribe el nombre de la hoja seguido de una admiración y, a continuación, el nombre de la celda. Por ejemplo: *=Hoja2!A1* nombra la celda A1 de la hoja 2.
- **Referencia a una celda que se encuentra en otro libro de la misma carpeta:** se escribe el nombre del libro o nombre del archivo entre corchetes, a continuación el nombre de la hoja seguida por una admiración y luego el nombre de la celda. Por ejemplo: = *[Libro2]Hoja1!A1*.
- **Referencia a una celda que se encuentra en otro libro de otra carpeta distinta, dentro de la red local o en un servidor de Internet:** si el libro se encuentra en otra carpeta, se le tiene que indicar a Excel la ruta completa para llegar hasta él. La manera de hacerlo es escribir el nombre del libro tal y como se ha hecho en el ejemplo anterior. Una vez que se pulsa la tecla <Intro>, se abre un cuadro de diálogo donde hay que indicar la ubicación del archivo. Exactamente igual funcionaría en el caso de tener que hacer referencia a un libro que se encuentre en una ruta dentro de la red local o en un servidor http o ftp de Internet.

Lo menos agradable de la utilización de estas referencias externas es tener que escribirlas, por lo que es mucho más simple insertar la referencia con el ratón y dejar que la aplicación escriba automáticamente los datos necesarios.

Para ello, se abren las dos hojas de cálculo (en la que se quiere insertar la referencia y a la que se quiere nombrar en la misma) y se sigue el siguiente proceso:

- Se escribe el signo igual (=) en la celda donde se inserta la referencia.
- Se pasa a la otra hoja y se selecciona la celda o rango de celdas que se quieren referenciar.
- Se pulsa <Intro>. Automáticamente se nos abrirá la primera hoja y veremos que en la celda seleccionada aparece el mismo valor que en la celda de referencia, mientras que en la barra de fórmulas aparece la referencia insertada con un formato semejante al siguiente: *='[unidad 7.xlsx]Hoja1'!$B$4*.

Ejemplos

Utilidad de las referencias externas

Vamos a obtener el valor de una celda, a partir de datos que figuran en una página web publicada en Internet. Para ello, lo primero que haremos será buscar un archivo de Excel accesible desde Internet.

Para este ejemplo, hemos hecho una búsqueda con Google poniendo las palabras clave:

filetype:xls iae

La primera página de los resultados obtenidos pertenece al ministerio de economía y hacienda. Dicho archivo está ubicado en:

http://www.meh.es/Documentacion/Publico/DGCFEL/Compensaciones%20IAE.xls

Una vez abierto el archivo de Excel en nuestro ordenador, nos interesa hacer referencia a una de sus celdas desde otro archivo de Excel. La forma más sencilla de conseguirlo es abrir los dos archivos a la vez.

J5 | 286327,025533763

	Código provincial	Código corporación	DENOMINACION	COMPENSACION IAE EJERCICIO 2003	TELEFONÍA MÓVIL	CONSOLIDACION 2004 DE LA COMPENSACION IAE	COMPENSACION IAE INCLUIDA EN LA ENTREGA A CUENTA 2007	COMPENSACION ADICIONAL EJERCICIO 2005	CONSOLIDACION 2006 DE LA COMPENSACION ADICIONAL IAE	COMPENSACION ADICIONAL IAE INCLUIDA EN LA ENTREGA A CUENTA 2007
2				(1)	(2)	(3)=(1)-(2)	(4)=0,95*1,2429*(3)	(5)	(6)	(7)=0,95*1,0745*(6)
3	02	001	ABENGIBRE	6.948,26	525,15	6.423,11	7.584,12	1.637,69	1.637,69	1.671,71
4	02	002	ALATOZ	3.766,18	342,00	3.424,18	4.043,12	1.558,83	1.558,83	1.591,22
5	02	003	ALBACETE	1.916.858,68	129.192,34	1.787.666,34	2.110.795,97	280.499,65	280.499,65	286.327,03
6	02	004	ALBATANA	6.457,54	464,10	5.993,44	7.076,78	414,77	414,77	423,39
7	02	005	ALBOREA	15.105,41	1.835,34	13.270,07	15.668,70	970,22	970,22	990,38
8	02	006	ALCADOZO	-	-	0,00	0,00	0,00	0,00	0,00
9	02	007	ALCALA DEL JUCAR	5.860,47	2.882,94	2.977,53	3.515,73	4.755,68	4.755,68	4.854,48
10	02	008	ALCARAZ	13.171,65	6.547,13	6.624,52	7.821,94	1.207,77	1.207,77	1.232,86

Manteniendo abiertos los dos archivos, nos situamos en la celda donde queremos insertar la referencia y escribimos el signo =. Cambiamos de pantalla, visualizamos el archivo de Internet y, cuando encontremos la celda o rango en que se hallan los datos que queremos relacionar, simplemente hacemos clic en ella con el ratón. Excel se encargará de escribir la ruta que lleva hasta allí sin necesidad de que conozcamos la nomenclatura necesaria.

En este ejemplo, vamos a relacionar la celda J5 del archivo de Excel que está ubicado en el servidor del Ministerio de Economía y Hacienda con una celda de un archivo que tenemos en nuestro ordenador. De esta forma, en nuestro archivo aparecerá el dato contenido en dicho servidor de manera automática.

En la celda B2 de nuestro archivo escribimos simplemente el símbolo = y cambiamos a la otra hoja de Excel que tenemos abierta, la del Ministerio. Hacemos clic en la celda J5 y pulsamos <Intro>.

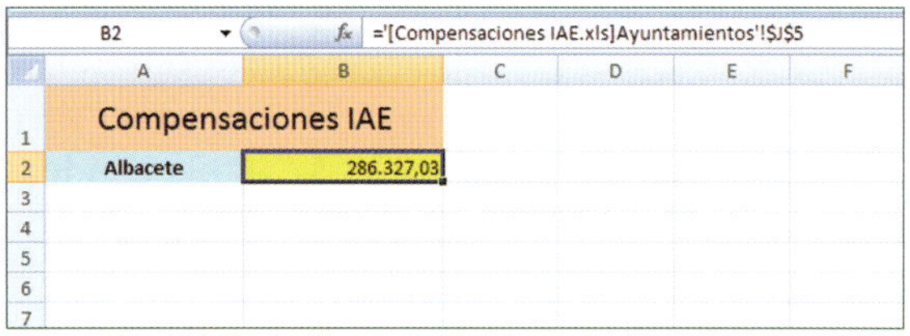

B2 | ='[Compensaciones IAE.xls]Ayuntamientos'!$J$5

	A	B
1	Compensaciones IAE	
2	Albacete	286.327,03

En la celda B2 hemos almacenado la siguiente fórmula (que Excel se ha encargado de escribir):

='[Compensaciones IAE.xls]Ayuntamientos'!$J$5

Ahora mismo es una referencia relativa porque el archivo está abierto en nuestro ordenador.

Una vez cerrado el archivo, la referencia se convierte automáticamente en absoluta, dado que la próxima vez que abramos el archivo de nuestro ordenador, no tiene por qué estar abierto el archivo de Internet y la aplicación debe saber dónde buscarlo.

La fórmula entonces se convertirá en algo parecido a lo siguiente:

=http://www.meh.es/Documentacion/Publico/DGCFEL/[Compensaciones IAE.xls]Ayuntamientos'!$J$5

Mientras ese archivo permanezca en esa ubicación, al abrir el nuestro se actualizará el dato de nuestra celda B2, tomando el contenido que exista en la celda J5 del servidor del Ministerio.

Por supuesto, con las celdas identificadas según esta nomenclatura también se pueden hacer operaciones, incluirlas en fórmulas o funciones, etc.

6.2 > Importar datos creando una conexión

Excel permite importar información desde orígenes de datos creando una conexión que relaciona la fuente de los datos con un libro de Excel.

Importar datos en Excel significa que se crea una conexión con una fuente de datos que posteriormente puede ser actualizada si el origen de los datos ha sido modificado.

Para llevar a cabo una importación de datos de este tipo, en la pestaña *Datos* hay que hacer clic en el botón *Obtener datos externos*, lo que despliega el grupo *Obtener datos externos,* en el cual se elige el tipo de origen de datos y, a continuación, se selecciona el archivo. En caso de que dentro del archivo a importar existan varias tablas (como podría ser, por ejemplo, el caso de un archivo de Access) hay que indicar cuál es la tabla deseada.

A continuación, se decide en qué celda del libro abierto se quiere pegar la información y el formato de esta (tabla, tabla dinámica o gráfico dinámico). Finalmente, se hace clic en *Aceptar.*

Excel pega la información y mantiene la configuración de la conexión de datos, que se guarda con el libro. De esta forma, cuando se deseen actualizar los datos, se hace clic en el botón *Actualizar todo* del grupo *Conexiones* de la ficha *Datos.*

Importar archivos con otros formatos

Cada vez es más común compartir datos entre distintos programas. Por ejemplo, es posible que sea necesario analizar en Excel datos procedentes de un programa de control de agentes en un centro de atención al cliente.

Para realizar este tipo de operaciones, se utiliza cada vez más el formato de archivo CSV (del inglés *comma separated values*). Los archivos *.csv* son archivos de texto plano (sin formato) separados por comas. Excel puede abrir directamente los archivos *.csv,* pero es mucho mejor hacerlo desde la ficha *Datos / Obtener datos externos / Desde texto.*

De esta forma, se abre el *Asistente de importación,* que ayuda a especificar mejor el formato. El proceso de importación dará como resultado una tabla con los datos contenidos en celdas.

El asistente consta de los siguientes pasos:

- **Paso 1:** se indica si los campos están delimitados por un carácter o son de un ancho fijo, se pide una fila para comenzar la importación y se determina el juego de caracteres utilizado en el archivo de origen de datos.
- **Paso 2:** se elige el carácter utilizado para separar los campos (en los archivos de tipo *.csv* suele ser la coma y en los archivos *.txt* el tabulador). También el carácter para especificar texto (es el carácter que especifica que la celda que contenga ese campo deberá tener formato de texto).
- **Paso 3:** se determina el formato de las celdas importadas. Se puede dejar como automático o forzar algún tipo de formato concreto.
- **Paso 4:** se indica la celda donde se quieren pegar los datos.

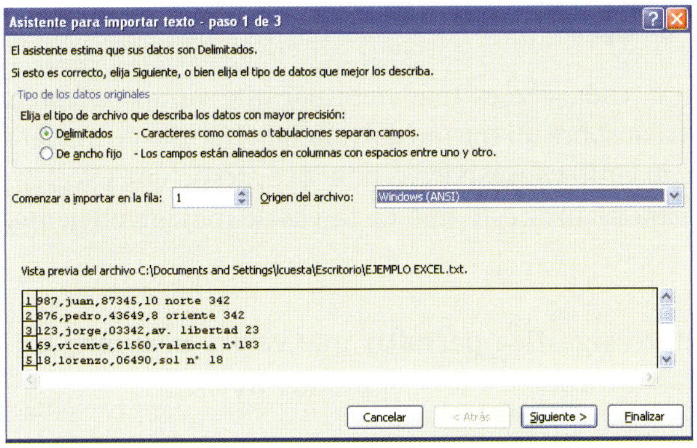

Paso 1.

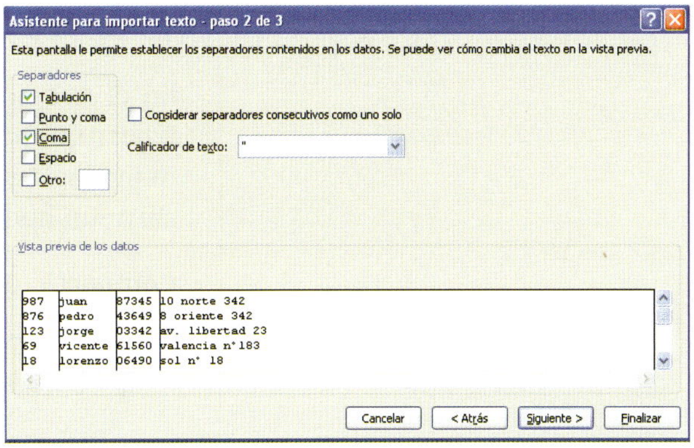

Paso 2.

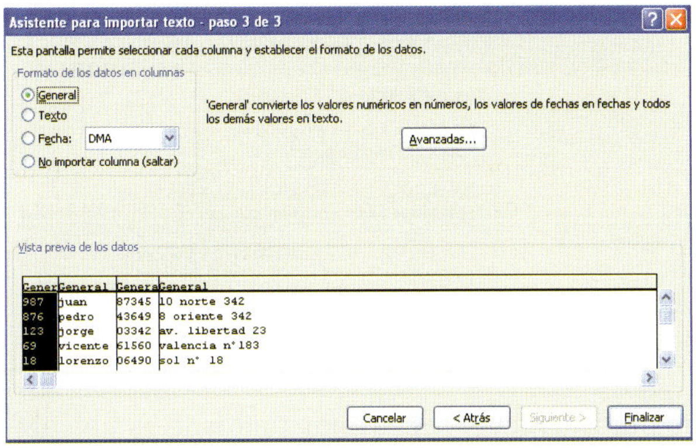

Paso 3.

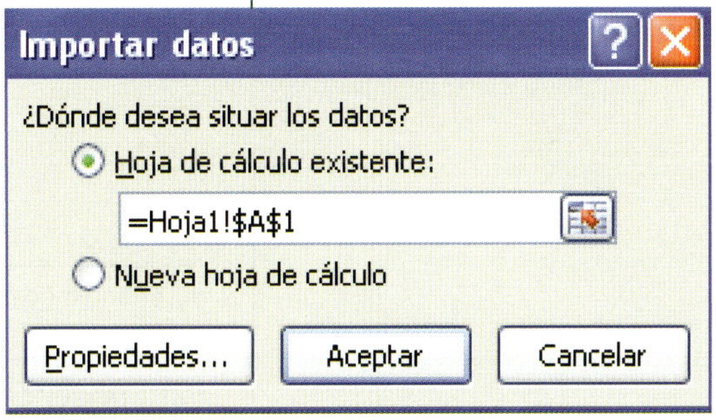

Paso 4.

Exportar archivos con otros formatos

Es posible que algunas veces se necesite guardar un archivo de Excel en formato *.csv* o *.txt* para que lo utilice otro programa, por ejemplo, Outlook o un programa de otro fabricante. A esa operación de guardar un archivo de Excel en otro formato la denominamos *Exportar*.

El procedimiento es el siguiente: se hace clic en el botón de Office / *Guardar como* / *Libro de Excel* y, en el desplegable *Guardar como tipo*, se elige el formato *Texto* (txt) o *CSV* (en este caso, la versión Excel en español separa los campos con punto y coma en vez de coma para diferenciarlo de los números decimales).

Actividades propuestas

4·· Abre Microsoft Word en tu ordenador y crea una tabla como la que se muestra a continuación.

Referencia	Descripción	Precio	descuento
A10	Cuadernos A4	0,15 €	20%
D13	Paquete bolígrafos	10,00 €	15%
F12	Caja 2000 Din A-4	17,00 €	10%

Guarda el archivo. Abre Excel e importa los datos. Debería quedar una tabla de 4 columnas y 4 filas. Guarda el archivo como CSV.

Prueba ahora a escribir lo mismo en Word separado por tabuladores en vez de en una tabla.

7 >> Trabajo en grupo

En el trabajo empresarial, cada vez es más habitual que varias personas tengan que acceder y trabajar sobre un mismo documento. Hacerlo de manera individual sería demasiado lento y muy poco productivo, por lo que Excel incluye un buen soporte para realizar este tipo de tareas de manera eficiente.

Compartir un libro

Compartir un libro significa permitir que varias personas trabajen de manera simultánea sobre el mismo libro.

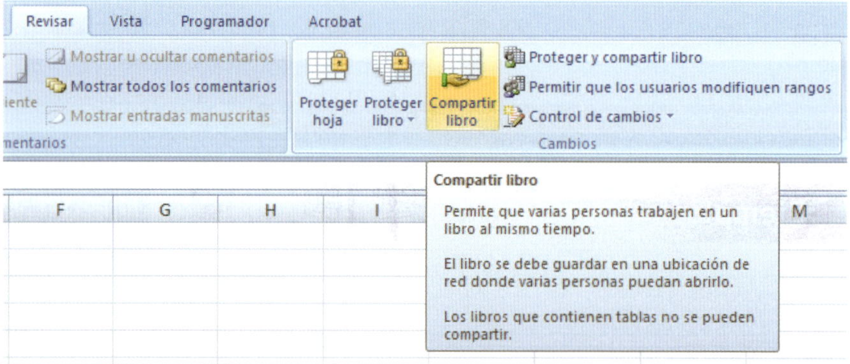

10.6. Botón *Compartir libro* activado.

Para poder compartir un libro, el archivo debe estar guardado en una ubicación a la que se tenga acceso desde varios equipos. Puede ser un disco duro en red o una carpeta de un ordenador que esté compartida.

El procedimiento para compartir un libro es: ficha *Revisar / Cambios / Compartir libro.* Si el libro aún no ha sido guardado, Excel nos pide que lo guardemos en este momento.

El autor original del libro deberá dejar configurado el formato de las celdas, celdas combinadas, imágenes, objetos, etc., porque los cambios posteriores en el formato no se guardarán en el historial de revisiones y el resto de elementos no se puede modificar.

Trabajar en grupo

Una vez compartido el libro, lo pueden abrir las personas que tengan permiso para trabajar sobre él. Para acceder a un libro compartido se hace clic en el botón de Office / *Opciones de Excel / Más frecuentes* y, en el campo *Nombre de usuario,* se escribe el nombre que nos va a identificar como editor del libro.

Desde el cuadro de diálogo *Compartir libro* del grupo *Revisar,* se puede comprobar los usuarios que tienen acceso al libro y que lo tienen abierto. También se puede quitar el permiso a alguno de ellos.

Cuando varias personas están simultáneamente trabajando sobre el mismo libro, al guardarlo se actualizan los cambios guardados por el resto de usuarios. En caso de que existan modificaciones realizadas sobre una misma celda, Excel avisa y ofrece la posibilidad de elegir el valor que se desea mantener.

8 >> Macros

Una macro es un programa escrito en Visual Basic para aplicaciones. Se crea para automatizar una tarea repetitiva, que llevaría mucho más tiempo si fuera realizada de manera manual. Las macros, por lo tanto, ahorran tiempo y reducen errores en tareas habituales, como por ejemplo dar errores formato a nuestros libros, borrar o rellenar multitud de celdas, etc.

Se puede crear una macro sin necesidad de conocer el lenguaje de programación Visual Basic, utilizando sencillas herramientas de Excel. La forma de que un usuario cree una macro es similar a cuando se utiliza un dispositivo de grabación (por ejemplo haciendo clic en el botón de *play* del vídeo), cada vez que se ejecute la grabación (por ejemplo, haciendo clic en el botón de *play* del vídeo), se repetirá la secuencia de trabajos realizados mientras se grababa la macro. Una vez creada, se puede asignar a un control como por ejemplo un botón y así ser ejecutada de manera sencilla por el usuario.

Ejemplos

Creación de macros

Vamos a crear una macro en el ejemplo que hemos visto en el epígrafe 1 de esta unidad. Se trata de agregar un botón que borre las unidades pedidas para poder volver a rellenarlas.

	A	B	C	D	E
1	Ofímayor				
2	Producto	Descripción	Unidades	Precio final	Borrar unidades
3	D13		1000		
4	A10		200		
5	F12		150		
6	D13		500		
7	D13		200		
8	F12		1000		
9					
10				Descuento	
11	Referencia	Descripción	Precio	<500 uds.	>=500 uds.
12	A10	Cuadernos A4	0,15 €	20%	30%
13	D13	Paquete bolígrafos	10,00 €	15%	20%
14	F12	Caja 2000 Din A-4	17,00 €	10%	15%

Abrimos el ejercicio que mostraba las ventas de OFIMAYOR y hacemos clic en el botón de Office / *Opciones de Excel* / *Más frecuentes* y, en el grupo *Opciones principales para trabajar con Excel*, marcamos *Mostrar ficha Programador en la cinta de opciones*. De esta forma podremos acceder a los menús donde se gestionan las macros.

En la ficha *Programador* que ahora nos aparece, hacemos clic en el botón *Grabar macro*, del grupo *Código*. El nombre será *borraunidades* (no admite espacios). Hacemos clic en *Aceptar*.

El grabador está en marcha. A partir de este momento conviene actuar teniendo muy claro lo que se quiere hacer, pues todo queda grabado en la macro y será repetido por Excel cada vez que se ejecute esta. Seleccionamos el rango C3:C8 y pulsamos <Supr>, luego hacemos clic sobre la celda C3 para dejarla seleccionada. A continuación, hacemos clic sobre el botón *Detener grabación*.

La macro ya está creada, pero ahora vamos a insertar un botón para que ejecute la macro al hacer clic sobre él. En la ficha *Programador*, grupo *Controles*, hacemos clic en *Insertar* / *Botón (control de formulario)*.

El puntero se ha transformado en una cruz. Pinchamos y arrastramos en la hoja de cálculo para especificar dónde vamos a dibujar el botón y el tamaño del mismo. Una vez que se suelta el botón principal del ratón, se abre un cuadro de dialogo donde se muestran las macros disponibles. En este caso, seleccionamos *borraunidades* y hacemos clic en *Aceptar*. Para terminar, hacemos clic sobre cualquier celda de la hoja de cálculo. El botón ya es operativo. Hacemos clic sobre el mismo y vemos que se borran las celdas que contienen las unidades. Si las rellenamos con cualquier valor y volvemos a pulsarlo, sucederá lo mismo. Para cambiar el texto del botón o para modificar cualquier otra propiedad, hacemos clic sobre este con el botón secundario del ratón.

Caso final 3

Inserción de fórmulas, funciones, gráficos y tablas dinámicas

•• Se ha realizado un estudio en un restaurante, durante seis días en los que se ha ido anotando la hora de entrada, la edad media y el importe pagado en cada una de las mesas.

Reproduce la siguiente tabla en tu ordenador e inserta:

	A	B	C	D	E
1	Día	Hora	Comensales	Edad media	Importe
2	03/01/2011	13:10	4	19	40,00 €
3	03/01/2011	13:12	6	19	64,00 €
4	03/01/2011	14:00	2	32	20,00 €
5	03/01/2011	14:10	2	20	20,00 €
6	03/01/2011	14:12	2	34	20,00 €
7	03/01/2011	14:30	4	18	46,00 €
8	03/01/2011	14:31	6	28	80,00 €
9	04/01/2011	13:00	4	18	45,00 €
10	04/01/2011	13:40	2	17	22,00 €
11	04/01/2011	14:00	3	40	30,00 €
12	04/01/2011	14:05	2	32	20,00 €
13	04/01/2011	14:06	2	24	20,00 €
14	05/01/2011	14:00	2	21	20,00 €
15	05/01/2011	14:10	4	22	48,00 €
16	05/01/2011	14:11	6	20	68,00 €
17	05/01/2011	14:30	8	28	120,00 €
18	05/01/2011	14:32	6	26	100,00 €
19	05/01/2011	14:35	3	18	60,00 €
20	05/01/2011	14:40	4	18	40,00 €
21	06/01/2011	13:10	6	30	60,00 €
22	06/01/2011	13:30	3	28	35,00 €
23	06/01/2011	13:30	2	27	26,00 €
24	06/01/2011	13:32	2	19	28,00 €
25	06/01/2011	13:34	3	20	32,00 €
26	06/01/2011	13:40	4	27	48,00 €
27	06/01/2011	13:42	5	34	55,00 €
28	06/01/2011	14:30	6	40	80,00 €
29	06/01/2011	14:32	8	20	90,00 €
30	06/01/2011	14:40	10	26	210,00 €
31	06/01/2011	14:41	4	18	40,00 €
32	06/01/2011	14:43	6	17	40,00 €

- Una función en la celda H1 que indique el número total de mesas ocupadas y otra en la celda H2 que calcule el número total de comensales durante los seis días.
- Una función en la celda H3 que muestre el total de comensales menores de 25 años y otra en la celda H4 que indique el total de comensales mayores de 25 años.
- Una función en la celda H5 que muestre la edad media máxima y otra en la celda H6 que indique la edad media mínima.
- Una función en la celda H7 que calcule la edad que más se repite.
- Una función en la celda H8 que muestre el importe máximo pagado, otra en la celda H9 que calcule el importe mínimo y otra en la celda H10 que muestre el importe medio pagado por los comensales.
- Un gráfico que muestre el reparto del total de comensales entre menores y mayores de 25 años.
- Una tabla dinámica que resuma los totales pagados según los días estudiados, compuesta de dos columnas, una con los días y otra con el total ingresado cada uno de esos días. Incluye también un gráfico que permita comparar entre sí los datos de dicha tabla.

3

Solución ··

El resultado será el que ves en la imagen:

G	H
Total mesas	31
Total comensales	131
Edad media >25	14
Edad media <25	17
Edad media máx.	40
Edad media mín.	17
Edad mas repetida	18
Importe máx.	210,00 €
Importe mín.	20,00 €
Importe medio	52,48 €

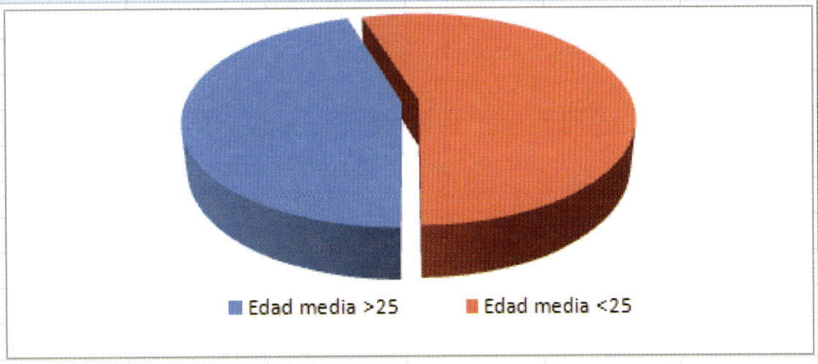

Rótulos de fila	Suma de Importe
03/01/2011	290,00 €
04/01/2011	137,00 €
05/01/2011	456,00 €
06/01/2011	744,00 €
Total general	**1.627,00 €**

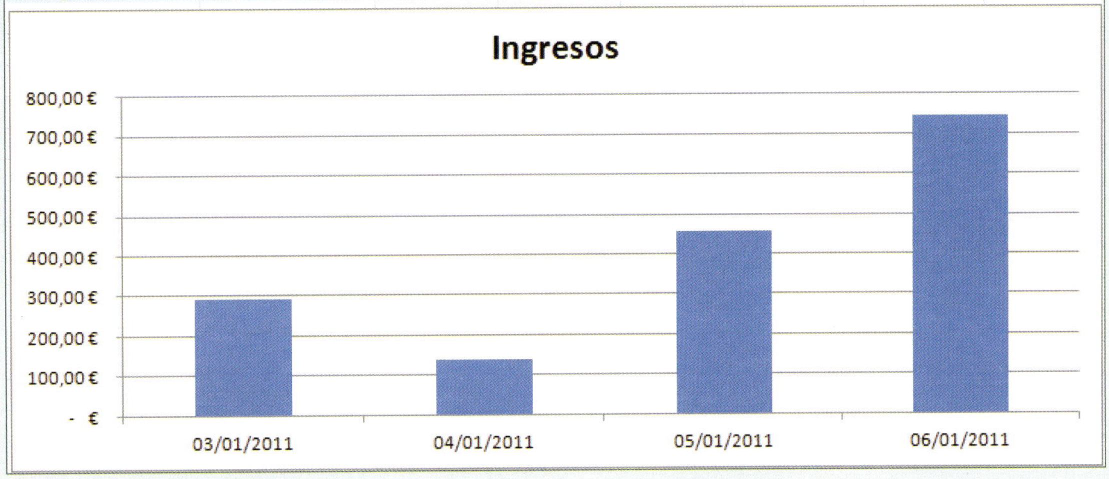

Las funciones que debes utilizar son:

CONTAR	*SUMA*	*MAX*
MIN	*PROMEDIO*	
CONTAR.SI	*MODA*	

Para hacer el gráfico circular, se debe seleccionar el rango G3:H4.

Para hacer la tabla dinámica, el rango a seleccionar es la tabla entera y después se añade el campo *Día* en la zona de *Rótulos de fila* y el campo *Importe* en la zona *Valores*, asegurándote de que queda como *Suma de Importe*.

Ideas clave

- **OPERACIONES AVANZADAS CON HOJAS DE CÁLCULO**
  - Insertar varias funciones en una misma celda
  - Inserción de elementos en una hoja de cálculo
    - Objetos
    - Gráficos
  - Bases de datos con Excel
  - Tablas dinámicas
  - Plantillas
  - Datos externos
    - Referencias externas a una hoja de cálculo
    - Importar datos creando una conexión
    - Importar archivos de otros formatos
    - Exportar archivos con otros formatos
  - Trabajo en grupo
    - Compartir un libro
    - Trabajar en grupo
  - Macros

OpenOffice Calc

(Gráficos)

3.ª parte

SOFTWARE LIBRE

Un gráfico es una representación de una tabla de datos que facilita la comprensión de los datos escritos en la misma. De un vistazo se entiende un reparto porcentual, una evolución histórica o una comparación de datos, según el tipo de gráfico que se utilice.

Para hacer un gráfico en Calc, se selecciona el rango que contiene los datos a representar y se hace clic sobre la opción *Gráfico* del menú *Insertar*, o bien se utiliza el botón que la barra de herramientas estándar tiene al efecto.

Esto inicia un asistente que tiene cuatro pasos donde se va a ir configurando el gráfico según nuestros requerimientos y gustos.

En el primer paso es muy importante elegir el tipo de gráfico adecuado según el tipo de dato que se quiere interpretar. Los gráficos de líneas sirven para estudiar evoluciones a lo largo del tiempo, los de barras o columnas para comparar datos entre sí y los de tarta o circulares para ver la aportación porcentual de cada dato a la suma total. En este primer paso también existen dos opciones muy interesantes. La primera se trata de *apilar* los datos, con lo que cada punto será la suma de varios valores sumados. La segunda es la posibilidad de suavizar las líneas del gráfico para evitar que un valor extrañamente alto o bajo estropee la representación de una tendencia.

En el segundo paso se debe comprobar si el rango de datos está correctamente definido, así como si la serie o series de datos están ordenadas por columnas o por filas. También es importante que Calc sepa si la primera fila y/o columna es de rótulos o datos. En el gráfico representado en el ejemplo es de rótulos. Si no se hubiese marcado dicha casilla, Calc representaría los nombres de los años como valores numéricos en vez de como rótulos del eje horizontal del gráfico.

En el tercer paso se configuran y modifican cada una de las series de datos definidas en el paso 2. Se puede cambiar el rango, el nombre, etc.

Por último, en el paso 4 se configuran los títulos y la leyenda. Una vez terminado el gráfico es muy sencillo modificar el tamaño o la posición del mismo utilizando las asas que rodean al objeto.

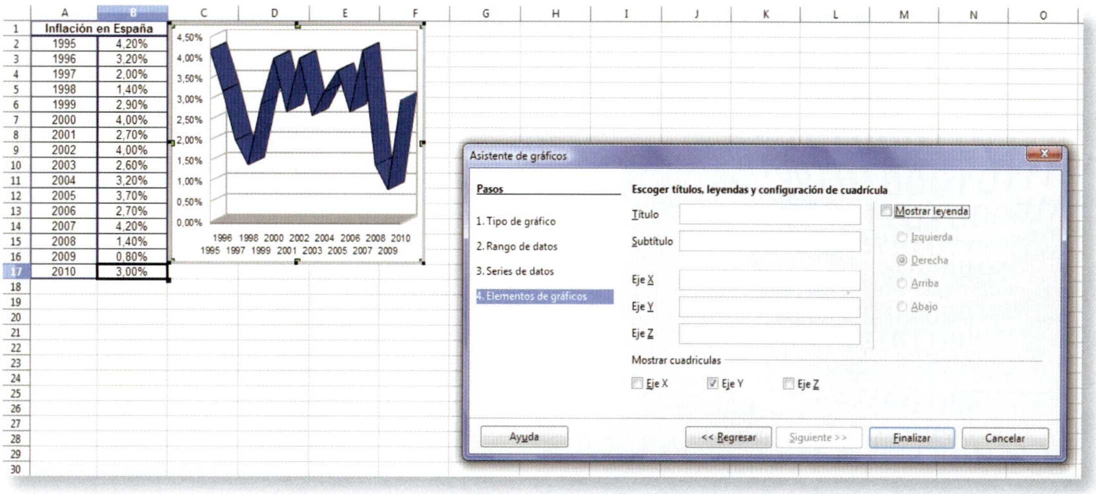

unidad **11**

Herramientas básicas de las bases de datos

SUMARIO

- Insertar fórmulas
- Autorrellenado
- Referencias relativas, absolutas y mixtas
- Funciones principales
- Funciones condicionales
- Funciones de búsqueda
- Funciones avanzadas

OBJETIVOS

- Conocer los procedimientos para utilizar referencias a celdas en fórmulas y funciones.
- Realizar operaciones con fórmulas y funciones sencillas.
- Combinar varias funciones en una sola celda.

1 >> Las bases de datos

Una base de datos es un conjunto de datos, almacenados en tablas y relacionados entre sí.

En la base de datos se almacenan archivos con toda la información necesaria para que el usuario pueda realizar una gestión adecuada: clientes, pedidos, productos; alumnos, profesores, cursos, etc.

1.1 > Interfaz gráfica de Access 2007

La interfaz gráfica de Access 2007 presenta una apariencia muy similar a la de Word y Excel.

Además, Access 2007 presenta las siguientes novedades sobre las versiones anteriores:

- Panel de exploración: aparece a la izquierda de la ventana. Muestra en diferentes apartados todos los objetos de la base de datos.
- Barra de estado: aparece en la parte inferior de la pantalla y proporciona información relativa al estado de la aplicación. En su extremo derecho aparecen diferentes botones para cambiar las vistas.
- Documentos con fichas: los distintos objetos se muestran como documentos con fichas o pestañas.

1 Botón de Office.
2 Barra de herramientas de acceso rápido.
3 Cinta de opciones.
4 Ficha.
5 Grupo de botones.
6 Botón o comando.
7 Iniciador de cuadro de diálogo.
8 Ayuda.
9 Documentos con fichas.
10 Panel de exploración.
11 Barras de estado.
12 Vistas.
13 Área de trabajo.

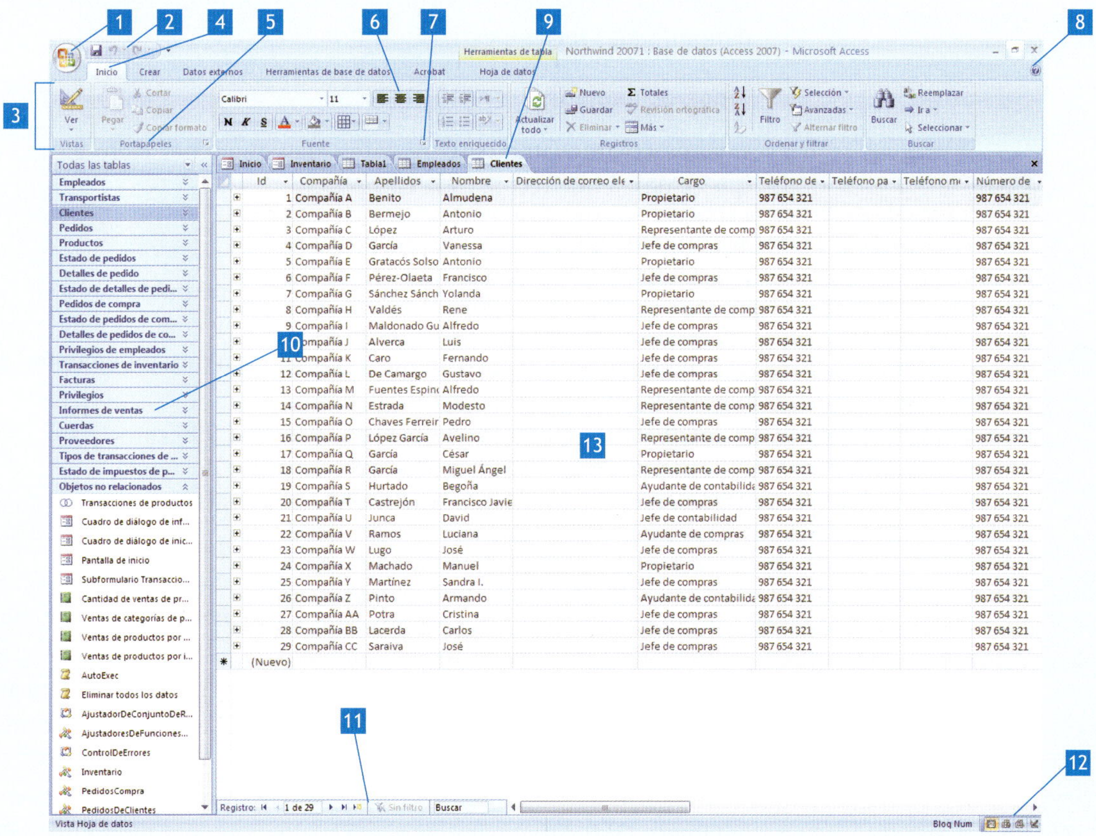

11.1. Interfaz gráfica de Access 2007.

2 >> Objetos de Access 2007

Para obtener un rendimiento adecuado al abrir una base de datos, disponemos de un gran número de objetos y conceptos con los que trabajar.

Las tablas son quizás el elemento más importante de una base de datos pues contienen toda la información, pero existen otros objetos fundamentales para sacar rendimiento a la base de datos. Estos objetos son formularios, consultas, informes etc.

2.1 > Tablas

La información guardada en las tablas se ordena en forma de filas y columnas, por lo que su apariencia recuerda a las hojas de cálculo.

- Cada fila es un elemento de la entidad que estamos viendo. Las filas se denominan también registros, ya que contienen todos los datos relativos a cada elemento.
- Una columna es un atributo que describe una cualidad de ese registro, ya sea apellidos, nombre, dirección... Las columnas se denominan también campos.

Estos objetos son imprescindibles para la existencia de una base de datos, porque sin tablas no hay datos.

Las tablas se relacionan entre sí creando entre los registros asociaciones denominadas relaciones.

Tipos de campos

Cuando creamos una base de datos, hay que tener claro el tipo de datos que se desea que recoja cada campo.

Access 2007 permite los siguientes tipos:

- **Texto.** Este es el tipo de campo predeterminado de una columna. Guarda cadenas de texto, números, fechas y cualquier dato en general con el que no se requiera hacer cálculos. Su tamaño máximo es de 255 caracteres.
- **Memo.** Para textos muy extensos (hasta 63 999 caracteres). Es útil, por ejemplo, para guardar textos explicativos o de ayuda.
- **Número.** Guarda datos numéricos con los que se pueden realizar cálculos.
- **Fecha/Hora.** Se utiliza para los datos de fecha y hora.
- **Moneda.** Para datos de moneda que contienen entre uno y cuatro decimales.
- **Autonumérico.** Es un número entero que inserta automáticamente la propia aplicación, de forma secuencial (1, 2, 3...), cada vez que se crea un nuevo registro. No se puede modificar.
- **Sí/No.** Almacena datos de tipo verdadero/falso, activado/desactivado...
- **Objeto OLE.** Sirve para incrustar o vincular cualquier objeto dentro de la columna. Este objeto puede ser un gráfico, un sonido, un documento de Word, Excel, etc.

Propiedades de campo

Los campos tienen unas características propias dependiendo de su tipo que permiten un especial control sobre su función (por ejemplo, un campo de texto tiene unas características específicas distintas de un campo de fecha y hora o de uno autonumérico). Para ver las propiedades de un campo, teniendo este seleccionado, se activa la vista *Diseño,* con lo que aparecerán en la parte inferior izquierda de la ventana dichas propiedades.

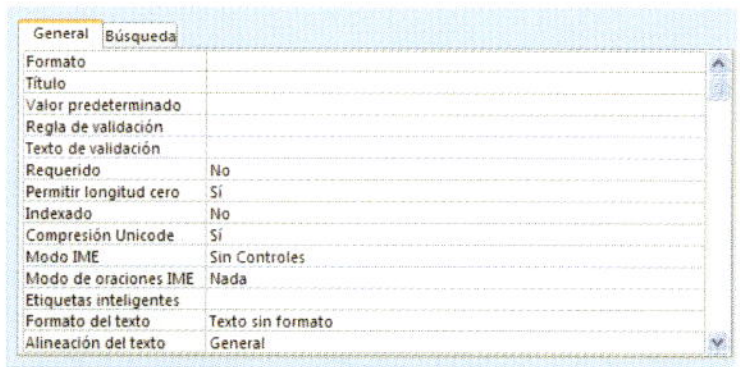

11.2. Propiedades de campo.

En la siguiente tabla mostramos las más comunes.

Propiedad del campo	Explicación	Tipo de campo	Valor
Tamaño del campo	Es el tamaño máximo que se puede insertar en el campo.	Texto	Entre 1 y 255, por defecto es 255.
		Número	Byte, Entero, Entero largo, Simple, Doble, Decimal, ID de réplica (utilizado para casos de copias de bases de datos). Los más usados son Doble y Entero largo.
		Autonumérico	Entero largo e ID de réplica.
Formato	Es el diseño de presentación del campo.	Número	Número general, euro, moneda, fijo, porcentaje y científico.
		Fecha/Hora	Fecha general; larga, mediana o corta, y hora larga, mediana o corta.
		Sí/No	Sí/No, Verdadero/Falso, Activado/Desactivado.
Máscara de entrada	Modelo estandarizado para los datos de este campo, que controlan los valores que pueden ser introducidos.	Texto	El que se seleccione; por ejemplo, si se desea que la fecha aparezca con formato dd/mm/aa, nos la mostrará así y, aunque pongamos los cuatro dígitos del año, solo nos mostrará los dos últimos.
		Número	
		Fecha	
Lugares decimales	Número de decimales.	Número	Número de decimales para ese dato, desde 0 hasta 15.
Valor predeterminado	Valor que se quiere que tome un campo por defecto.	Todos	El que se elija.
Requerido	Si el campo permite valores nulos.	Todos	Si en este campo se selecciona Sí, no se podrá dejar el campo vacío.
Indexado	Introduce un índice para facilitar las búsquedas.	Todos	No, Sí (sin duplicados), Sí (con duplicados).
Regla de validación	Limita los valores que se pueden introducir en el campo.	Todos	El que elija (puede ser que no se admitan números negativos o solo determinadas fechas, etc.).
Texto de validación	Texto que aparece si se introduce un dato que no cumple la regla de validación.	Todos	El que se configure.

2.2 > Consultas

Las consultas son operaciones de selección, modificación, inserción o borrado que se realizan sobre las tablas. Son muy útiles para manejar los datos de la base de datos.

Las consultas se utilizan, sobre todo, como filtro de registros. Es decir, para buscar las filas de una o varias tablas que cumplan una condición u otra. Por ejemplo, se puede crear una consulta para obtener los datos de los clientes que han realizado un pedido este mes, cuyo primer apellido empieza por R, que son residentes en Murcia, etc.

Además, mediante consultas es posible modificar la información de las tablas, ya que permiten realizar las operaciones de crear, eliminar y modificar filas.

2.3 > Formularios

Los formularios son objetos de interfaz gráfica con los que los usuarios de la base de datos podrán acceder a la información tanto para insertarla, como para modificarla o borrarla. Por ejemplo, un formulario de clientes, permitiría insertar en la respectiva tabla de clientes los datos de los mismos a través de una pestaña destinada a tal fin.

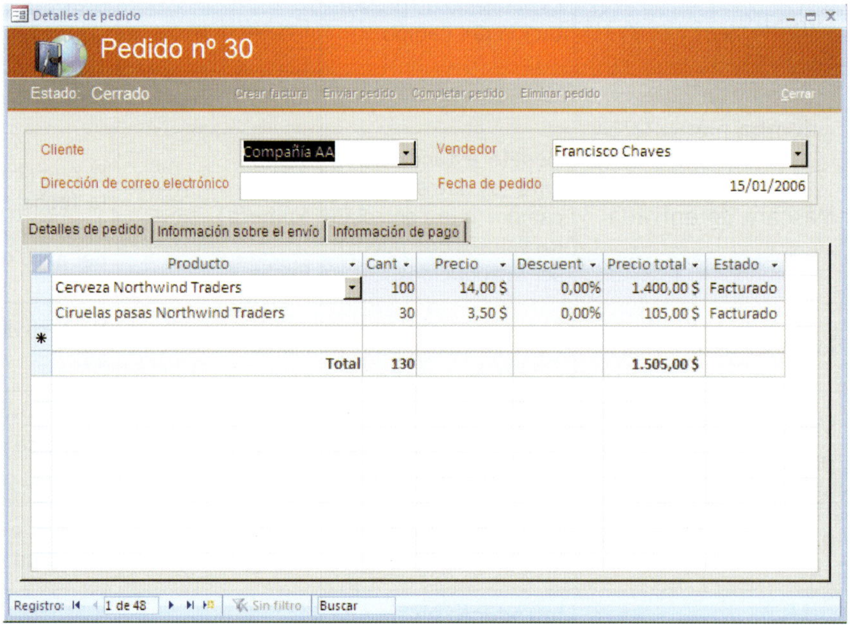

11.3. Ejemplo de formulario de clientes.

2.4 > Informes

Los informes son presentaciones de registros preparadas para ser impresas. Los registros se pueden obtener directamente de las tablas o mediante consultas.

Los informes son objetos de Access donde no se guarda información, solo se muestra. Podemos también insertar en ellos gráficos, imágenes, etc.

3 >> Trabajar con Access 2007

Cuando trabajamos con bases de datos, se nos plantean dos situaciones distintas: trabajar con una base de datos existente o bien construir una nueva base de datos desde el principio.

En este último caso, antes de comenzar a construir la base de datos, hay que realizar un análisis y estudiar cuál sería la estructura óptima de las tablas y sus relaciones. Es necesario que antes de crear una base de datos diseñemos qué queremos incluir en ella y cómo queremos que aparezca, pues una vez que esté creada la estructura nos costará mucho más modificarla.

3.1 > Pantalla de introducción

Al iniciar la aplicación Access 2007, aparece una de las grandes novedades de esta versión, como es la pantalla de bienvenida *Introducción a Microsoft Office Access.*

Esta página es un muestrario desde el que se selecciona lo que se quiere hacer con la aplicación:

- Crear una base de datos, de forma totalmente personalizada, a partir de una base en blanco.
- Crear una base de datos a partir de una plantilla.
- Abrir una base de datos existente (en el panel de la derecha se muestran las bases con las que se ha trabajado recientemente).

11.4. Pantalla *Introducción a Microsoft Office Access.*

3.2 > Crear una base de datos

Como hemos indicado en el apartado anterior, hay dos formas de crear una nueva base de datos: a partir de un documento en blanco y a partir de una plantilla prediseñada. Vamos a ver, brevemente, ambas.

Creación a partir de una base de datos en blanco

Una vez iniciado el programa, desde la pantalla de introducción, se hace clic en el icono *Base de datos en blanco,* que aparece en la parte superior de dicha pantalla.

En el panel de la derecha (Figura 11.5), se muestra el lugar por defecto donde se guardará el archivo de base de datos, pero puede cambiarse esta ubicación por medio del icono con la imagen de una carpeta. Se hace clic en el botón *Crear* y se crea una nueva base de datos, que se abrirá mostrando una nueva tabla en la vista Hoja de datos. Salvo esto, la base de datos está totalmente en blanco: no hay tablas, ni consultas, ni formularios ni relaciones. Hay que empezar de cero, aunque naturalmente partimos del modelo de datos que hemos diseñado previamente.

11.5. Creación de una base de datos en blanco.

Creación a partir de una plantilla

La segunda posibilidad es crear una base de datos a partir de una plantilla de las que proporciona Access. En este caso, hay dos posibilidades: utilizar alguna de las plantillas destacadas (ya sea de las preinstaladas en la aplicación, las llamadas *Plantillas locales* o de las disponibles *on line*) o utilizar alguna de las plantillas existentes en Microsoft Office Online.

A efectos de ilustrar la creación a través de una plantilla, utilizaremos una de la categoría Microsoft Office Online llamada *Northwind 2007.*

Para crear la base, se accede al programa y, en la pantalla de introducción, en el panel de la izquierda, se hace clic en *Desde Microsoft Office Online / Ejemplo* y se selecciona la única plantilla de ejemplo existente, que es *Northwind.*

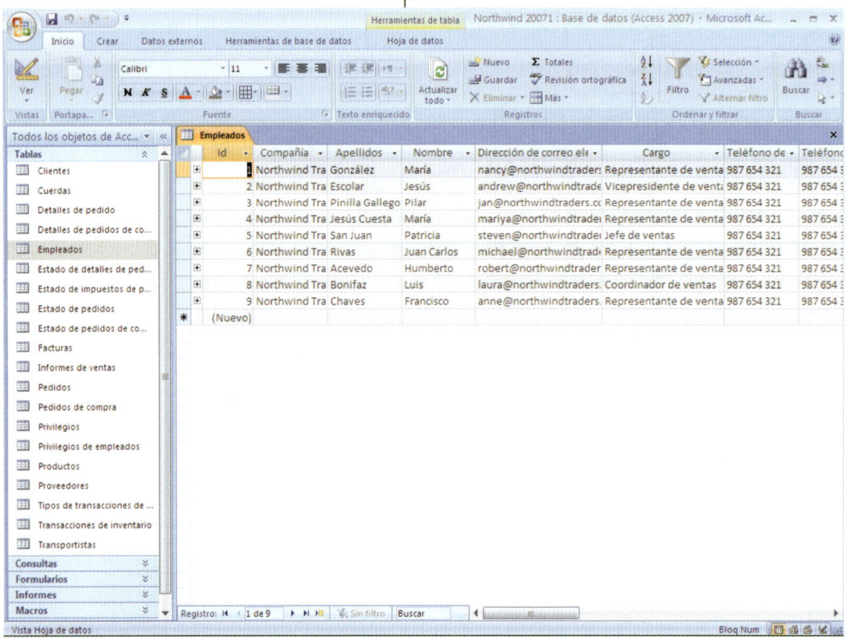

11.6. Base de datos creada a partir de una plantilla.

Después, el programa indica una ubicación por defecto para guardarla. En este caso, la base de ejemplo empieza a crearse y, una vez que se ha construido, aparece una pantalla de bienvenida, que en su parte superior muestra una advertencia de seguridad que indica que se ha deshabilitado parte del contenido de la base de datos. Se habilita usando el botón *Opciones*. Se muestra un usuario por defecto: Jesús Escolar, que está dado de alta en la base de datos de ejemplo. En este ejemplo, se accede a la base de datos con este nombre. El siguiente paso es un formulario que da acceso rápido a los objetos más comunes de este archivo.

A continuación, se abre el panel de exploración y se pueden investigar todos los objetos (tablas, formularios, relaciones, informes, etc.) que hay creados en esta base de datos de ejemplo.

En la Figura 11.6 se muestra la tabla *Empleados* con todos los registros. El panel de exploración está abierto de tal modo que se ven los objetos clasificados según el tipo.

3.3 > Guardar una base de datos

El archivo de base de datos que se haya creado puede guardarse en los formatos Access 2007, Access 2002-2003 o Access 2000. Esto lo hacemos con el botón de Office / *Archivo* / *Guardar como.* Si guardamos en cualquiera de las versiones anteriores, Access 2007 podrá abrir igualmente la base de datos, pero si se guarda con formato Access 2007, solo esta última aplicación podrá reconocer el formato. Por lo tanto, antes de guardarla, se aconseja tener claro con qué versión del programa se va a utilizar la base de datos

Extensión de Access 2007

Las bases de datos guardadas en formato de Access 2007 tienen la extensión .accbd (las versiones anteriores tenían extensión .mdb).

3.4 > Abrir una base de datos

Podemos abrir una base de datos existente de dos formas:

- Desde la pantalla de introducción, seleccionando en el apartado *Abrir base de datos reciente,* la que queramos abrir y haciendo clic sobre ella.
- Si Access 2007 ya se está ejecutando, a través del botón de Office / *Abrir,* eligiendo la ubicación y seleccionado la base de datos.

3.5 > Crear una tabla de datos

Para crear una tabla de datos, se accede a la ficha *Crear* y se hace clic en el botón *Tabla* del grupo *Tablas.*

Puede trabajarse con dos vistas distintas y cambiar de una a otra en cualquier momento. Eso sí, hay que tener en cuenta que, cada vez que se cambia de vista, debe guardarse la tabla con la que se está trabajando.

Se cambia de vista en el desplegable *Ver* de la ficha *Hoja de datos.*

- Vista *Hoja de datos:* se crean los campos que sean necesarios introduciendo nuevos valores en columnas (para campos) y filas (para registros). Es importante que a las columnas se le otorgue un nombre significativo que identifique claramente la información que se va a guardar en ellas.
- Vista *Diseño:* en esta vista, se puede apreciar únicamente la estructura de la tabla (tipo y propiedades de cada uno de los campos), no los datos incluidos en ella. Se establece qué tipo de dato se va a asignar a cada columna de la tabla a través de un desplegable.
- Vista *Tabla dinámica* y vista *Gráfico dinámico:* incorporan componentes de Office y permiten, respectivamente, analizar datos interactivos y crear gráficos dinámicos e interactivos.

11.7. Botón *Ver* desplegado.

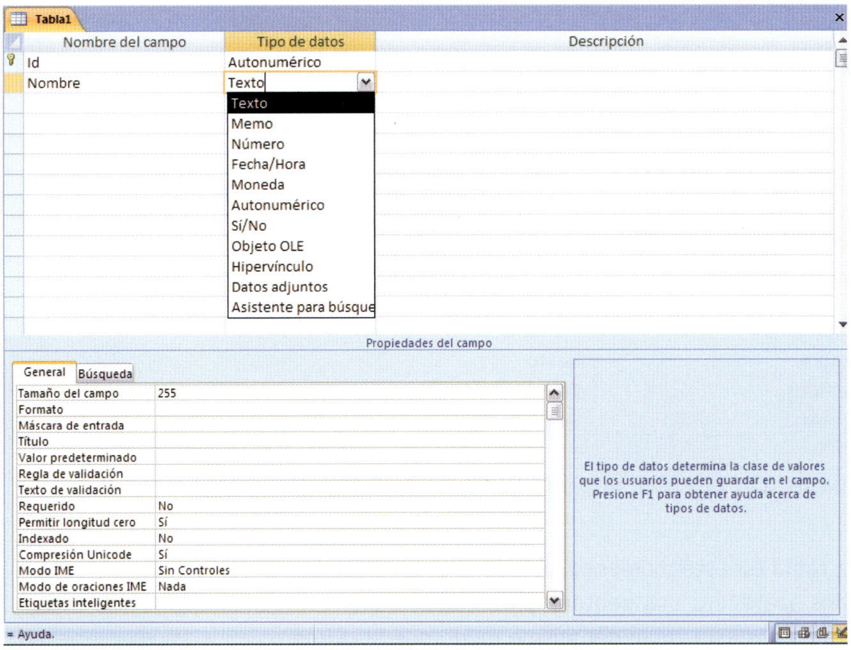

11.8. Vista *Diseño.*

Ejemplos

Creación de una base de datos a partir de una base en blanco

La base de datos constará de dos tablas, *Departamentos* y *Empleado*.

Para crear la base de datos, seguiremos los pasos que aparecen a continuación:

- Abrimos el programa Access y accedemos a la pantalla de *Introducción de Access*. Seleccionamos aquí *Base de datos en blanco* y elegimos como nombre para esta base de datos *REPUESTOS MURILLO*.
- Hacemos clic en *Crear* para guardarla en la carpeta *Mis documentos*.
- Vamos ahora a crear la primera de las tablas, que nombramos como *Departamentos* y tendrá los siguientes campos y propiedades:
  - Nombre de la tabla: *Departamentos*
  - *Id:* Autonumérico
  - *Nombre:* Texto
  - *Teléfono:* Número

Departamentos

Nombre del campo	Tipo de datos
Id	Autonumérico
Nombre	Texto
Teléfono	Número

Para crear las tablas:

- Desde la ficha *Hoja de datos*, hacemos clic en *Crear / Tabla / Ver / Vista Diseño*.
- Hacemos clic en *Guardar* y aparece la ventana *Guardar como*. Escribimos el nombre de la tabla: *Departamentos*. Para terminar, hacemos clic en *Aceptar*.
- En el área de trabajo, se muestra la tabla creada y dónde se van a definir los cambios o columnas que tendrá la tabla. Por defecto, Access crea el primer campo de índice o clave principal (*Id*, de tipo *Autonumérico*).
- Rellenamos la columna con los nombres del campo y el tipo de datos de esta tabla. Escribimos el nombre correspondiente de cada campo (*Id, Nombre* y *Teléfono*) y seleccionamos el tipo de datos en el desplegable *Tipo de datos*. Después, debemos configurar las propiedades del campo en la parte inferior del área de trabajo en la parte inferior de la pantalla. En este caso, dejamos las propiedades de campo que vienen por defecto en cada caso.

La segunda tabla, *Empleado*, tendrá las siguientes características:

- Nombre de la tabla: *Empleado*
- *Id:* Autonumérico
- *IdEmpleados:* Número
- *FechaAlta:* Fecha / Hora
- *Nombre/Apellidos:* Texto

Departamentos | Empleado

Nombre del campo	Tipo de datos
Id	Autonumérico
IdEmpleado	Número
Nombre	Texto
Apellidos	Texto
FechaAlta	Fecha/Hora

Para crearla, seguimos los mismos pasos que al crear la primera tabla. Al final, guardamos la tabla y le cambiamos el nombre.

Si queremos cambiar el nombre de la tabla en este momento, seleccionamos en la barra de herramientas de acceso rápido el icono de *Guardar*. Nos aparecerá una ventana para seleccionar el nombre elegido (en este caso, *Empleado*). Lo hacemos así y diseñamos esta tabla del mismo modo que la primera.

4 >> Herramientas de Access 2007

Para conocer las herramientas que Microsoft Access 2007 incorpora, vamos a utilizar la ficha *Herramientas de base de datos.*

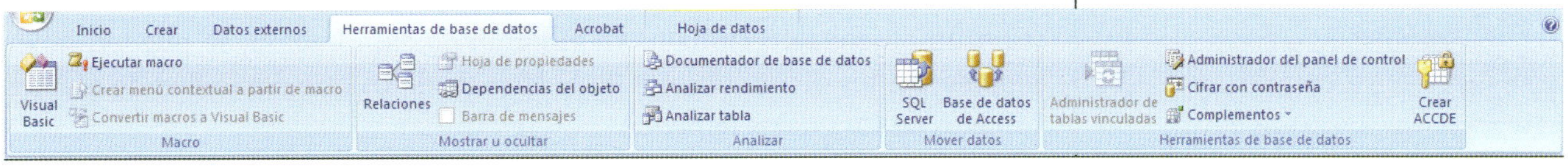

11.9. Ficha *Herramientas de base de datos.*

De esta ficha podemos destacar los grupos que veremos a continuación.

4.1 > *Mostrar u ocultar*

En este grupo se incluyen algunas opciones muy interesantes y de gran utilidad, tanto para los usuarios que están creando una base de datos, como para aquellos que acceden a una base ya creada y quieren ver el modelo de datos y las relaciones existentes entre tablas, así como modificar las mismas.

Relaciones

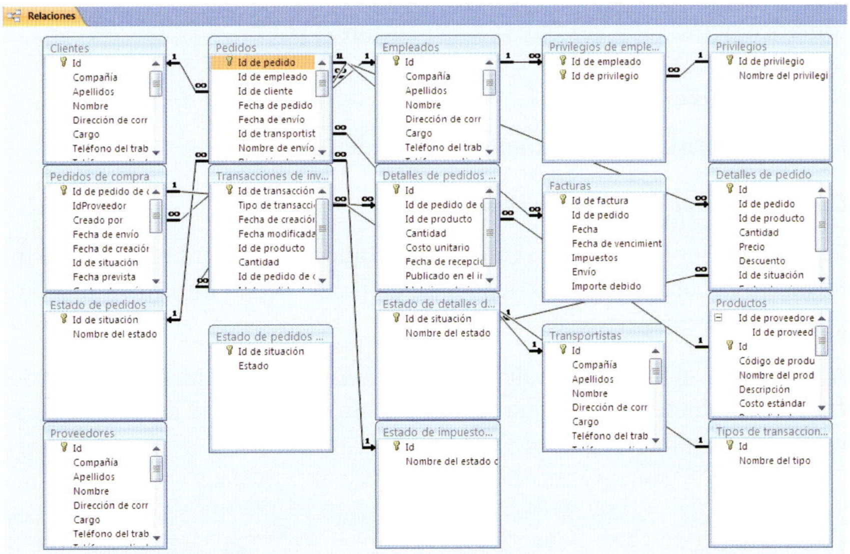

11.10. Ventana *Relaciones.*

Como se puede apreciar en la Figura 11.10, la ventana *Relaciones* puede ofrecer mucha información. Para analizar cualquiera de las relaciones, solo tienes que hacer doble clic sobre cualquier línea (relación entre tablas) y obtendrás las propiedades de la relación.

Cuando se selecciona el botón *Relaciones*, se abre una nueva ficha, *Diseño* de las *Herramientas de relaciones,* que agrupa diversas herramientas para trabajar con las relaciones. Especialmente útil es *Informe de relación,* que crea un informe que se puede imprimir.

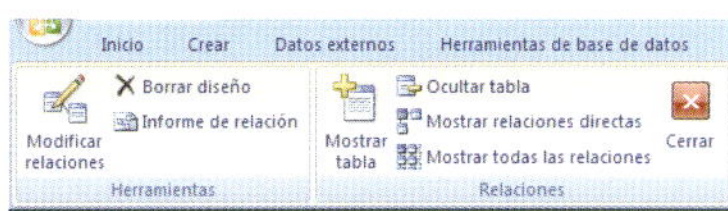

11.11. Ficha *Diseño* de las *Herramientas de relaciones.*

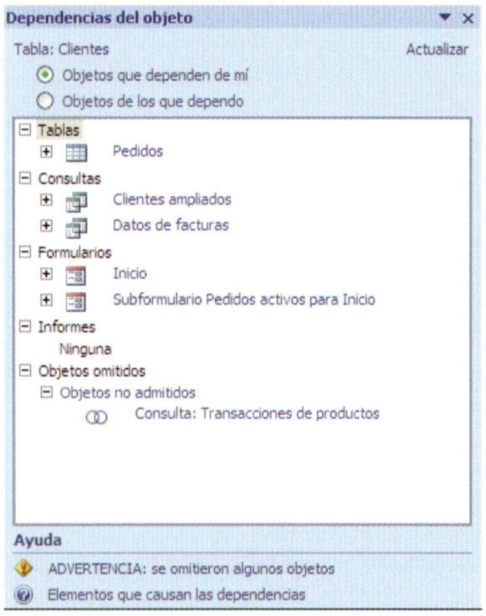

11.12. Panel *Dependencias del objeto.*

Hoja de propiedades

Muestra un conjunto de propiedades del elemento que está seleccionado en el panel de exploración (una consulta, un formulario, etc.).

Dependencias del objeto

Con un objeto seleccionado en el panel de exploración, se pueden saber cuáles son los demás objetos de la base de datos que dependen de él o los objetos de los cuales depende.

Esta herramienta es especialmente útil para los diseñadores de las bases de datos, pues, si realizan algún cambio en una tabla o formulario, se puede saber rápidamente cuáles son los objetos que se han podido ver afectados por el cambio.

4.2 > *Macro*

Estas herramientas sirven para realizar tareas automáticamente, evitando tener que seguir todos los pasos para su ejecución cada vez que se quieran llevar a cabo.

Por ejemplo, se puede insertar en un formulario de entrada de datos un botón que permita acceder a una consulta o un informe directamente y, a través de una macro, grabar todas las acciones que deberían llevarse a cabo para activar dicha consulta o informe, de manera que se ejecuten automáticamente cada vez que se haga clic en el botón.

4.3 > *Analizar*

Este grupo contiene las siguientes herramientas:

Documentador de base de datos

Esta herramienta genera un informe en donde se muestra una amplia información sobre los objetos de la base de datos. Dicho informe puede imprimirse o compartirse.

Al hacer clic sobre el botón del documentador, existe la posibilidad de decidir qué objetos van a formar parte del informe de base de datos que se va a generar (tablas, campos, consultas, etc.).

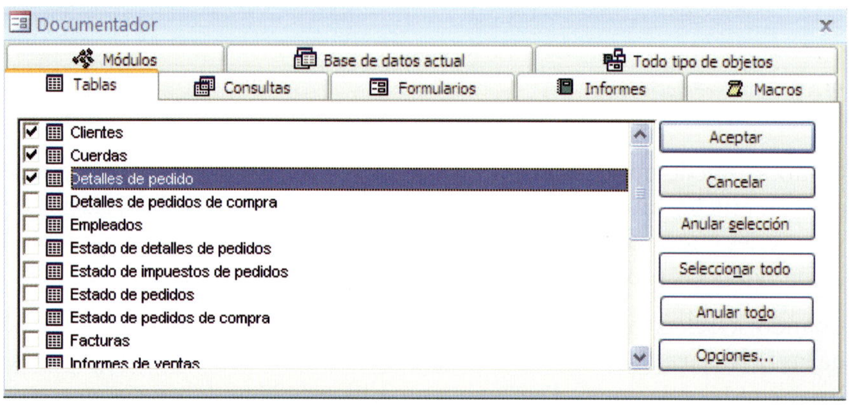

11.13. *Documentador de base de datos.*

Analizar rendimiento

A través de esta opción, se puede analizar el rendimiento de los objetos de la base de datos. De esta forma, se pueden recibir consejos, avisos de errores en la construcción de objetos, etc.

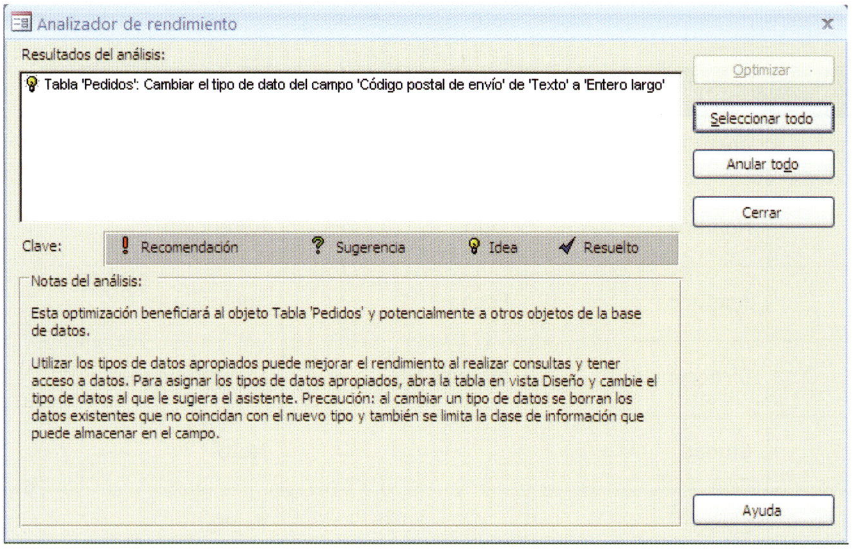

11.14. *Analizador de rendimiento.*

Analizar tabla

En ocasiones, las tablas almacenan los mismos datos muchas veces, lo que puede dar lugar a problemas, ya que estos datos duplicados ocupan mucho espacio inútil y además pueden generar errores.

A través de un asistente, esta opción ayuda a solucionar los problemas producidos por la duplicación de datos.

4.4 > *Mover datos*

Las opciones de este grupo se utilizan para la migración de datos de una base de datos a otra, así como para dividir bases de datos.

4.5 > *Herramientas de base de datos*

Contiene diversas herramientas, como *Cifrar con contraseña,* de gran utilidad para evitar el acceso a los datos por parte de personal no autorizado, asegurando el cumplimiento de las obligaciones impuestas por la Ley Orgánica de Protección de Datos de Carácter Personal.

Actividades propuestas

1·· Abre la base de datos *Northwind 2007* y, utilizando el documentador de Access 2007, genera un informe en el que se muestre la información de las siguientes tablas de dicha base: *Clientes, Pedidos y Detalles de pedidos.*

Explica la información mostrada por el documentador.

Caso final 1

Creación de base de datos

·· Crea un nuevo archivo de base de datos con el nombre *Empresas*, que estará integrado por las siguientes tablas y campos.

Empresas	Departamentos	Empleados	Incidencias	Nóminas
IdEmpresa	IdDepartamento	IdEmpleado	IdIncidencia	IdEmpleado
Nombre	Nombre	Nombre	Tipo	Retención
Dirección	Nº Empleados	Apellidos	Fecha	SueldoBase
Ciudad	IdEmpresa	Dirección	IdEmpleado	Complementos
País		Ciudad		Neto
		Cargo		Fecha
		IdDepartamento		

Solución ··

Abre Access 2007 y, una vez en la pantalla de introducción, selecciona *Base de datos en blanco*. Elige como nombre para dicha base de datos *Empresas* y guárdala en la carpeta *Mis documentos*.

- Observa que lo primero que aparece en la vista *Hoja de datos* es la primera tabla (por defecto tiene asignado el nombre *Tabla1*). Haz clic en *Ver* y cambia a *Vista Diseño*. Al hacer esto, el programa te obliga a guardarla con un nombre, escribe *Empresas*.
- El siguiente paso será crear los campos que integran la tabla. Antes de crearlos, debes pensar qué tipos de campos debes incluir para recoger la información. En este caso, todos serán campos de texto, excepto el de *IdEmpresa*, que será Autonumérico. Guarda la tabla.

Nombre del campo	Tipo de datos
IdEmpleado	Autonumérico
Nombre	Texto
Apellidos	Texto
Dirección	Texto
Ciudad	Texto
Cargo	Texto
IdDepartamento	Número

1

- Ya has creado la primera tabla; ahora continúa con la segunda. Recuerda que Access creaba la primera tabla automáticamente, pero para crear las siguientes debes hacer clic en la ficha *Crear / Tabla*. El programa creará una nueva tabla en la vista *Hoja de datos*, que deberás guardar con el nombre escogido (al pasar a la vista *Diseño*, la aplicación te obliga a guardarla). Ponle el nombre de *Departamento* a la tabla.
- Fíjate que siempre aparece la creación de la tabla en la vista *Hoja de datos*. Para crear las tablas, pasa a la vista *Diseño*. En este caso, los campos pueden ser de Texto, Numérico y Autonumérico.

Guarda la tabla.

- La siguiente tabla será *Empleados*. En este caso, los tipos de campo son Autonumérico en *IdEmpleado*, Texto en casi todos los campos y Numérico en *IdDepartamento*.
- La siguiente tabla es *Incidencias*. En este caso, el primero y el último de los campos (*IdIncidencia* e *IdEmpleado*) deberán tener un formato Autonumérico y Numérico respectivamente; los otros dos campos (Tipo y Fecha) serán de tipo Texto y Fecha respectivamente.
- Para la última tabla, *Nóminas*, los campos que tienes que crear son *IdNómina* (Autonumérico) *IdEmpleado* (Numérico), *Retención* (Numérico), *SueldoBase* (Numérico), *Complementos* (Numérico), *Neto* (Numérico) y *Fecha* (Fecha).
- Para introducir los datos con un formato concreto, existe la posibilidad de crear máscaras, que es lo que podrías utilizar aquí. Al seleccionar la casilla de *Máscara de entrada*, se abre un asistente. En la primera pantalla te indica que elijas el formato más adecuado para lo que quieres. Utiliza las máscaras adecuadas para los campos con formato Moneda o Fecha.
- Guarda la tabla y ya tienes creada la base de datos con todas las tablas. Observa el panel de exploración con las tablas, así como la vista de las relaciones. En este caso, no muestra ninguna, ya que no las hemos creado. Hemos creado unos campos, los que empiezan con Id, que son campos que identificarán a cada registro y nos servirán para crear las relaciones entre tablas.

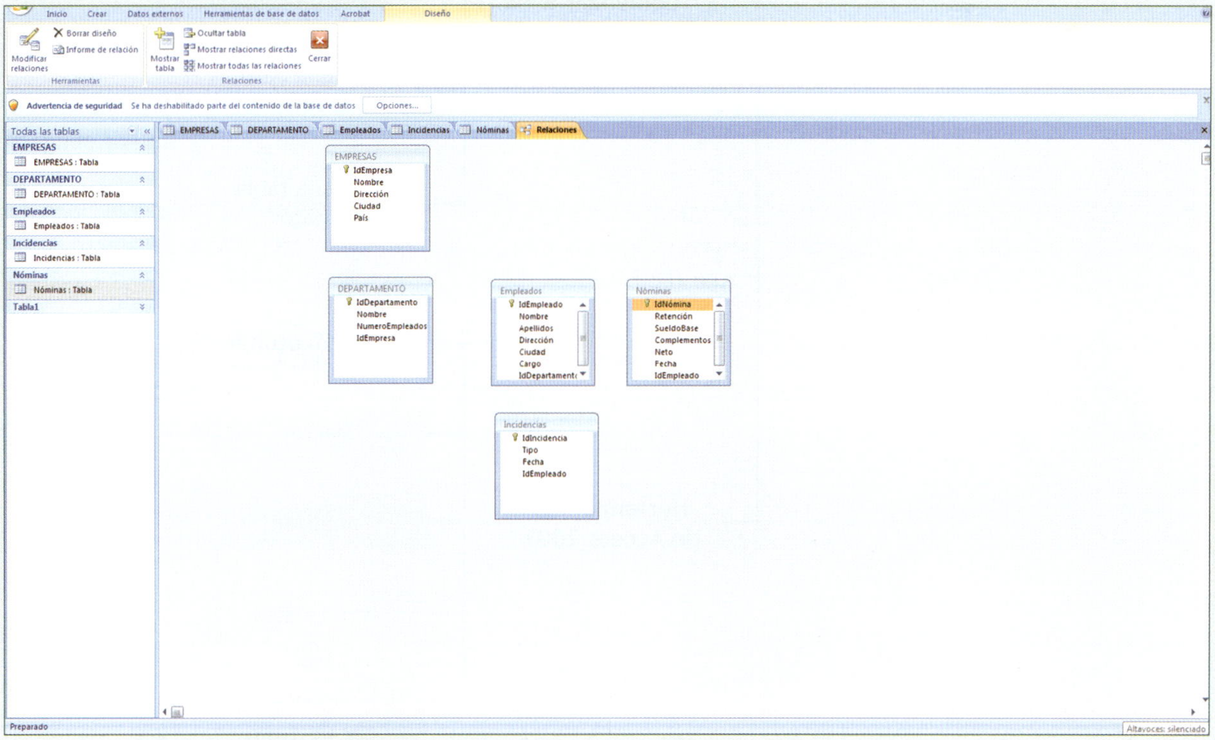

Ideas clave

- **HERRAMIENTAS BÁSICAS DE LAS BASES DE DATOS**
  - **Bases de datos**
    - Concepto
    - Interfaz gráfica de Access 2007
  - **Objetos de Access 2007**
    - Tablas
    - Consultas
    - Formularios
    - Informes
  - **Comenzar a trabajar con Access 2007**
    - Pantalla de introducción
    - Crear una base de datos
    - Abrir una base de datos
    - Crear una tabla de datos
  - **Herramientas de Access 2007**
    - Mostrar u ocultar
    - Macros
    - Analizar
    - Mover datos
    - Herramientas de base de datos

OPENOFFICE BASE

• 1.ª parte •

SOFTWARE LIBRE

Las bases de datos en OpenOffice aparecen bajo el nombre de Base, que es la aplicación equivalente a Access 2007. Si bien es una aplicación que está en un paquete de distribución gratuita, hay que destacar que no tiene tantas funcionalidades como Access 2007.

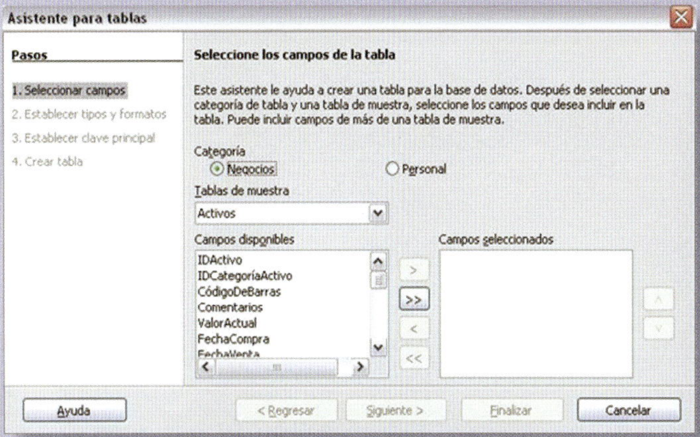

Después de realizar la instalación y pasar por los pasos previos al registro, empezamos a trabajar con Base creando una nueva base de datos. La extensión de estos archivos es .odb.

Existen cambios obvios con respecto a Access 2007: la cinta de opciones no existe y volvemos a los menús, como en versiones anteriores de Office.

Una vez creada la base de datos, el primer paso es crear tablas, lo cual puede hacerse desde la vista *Diseño* o desde un asistente, donde aparecen un conjunto de tablas predefinidas con campos ya predefinidos. Y, naturalmente, se pueden modificar las tablas una vez creadas.

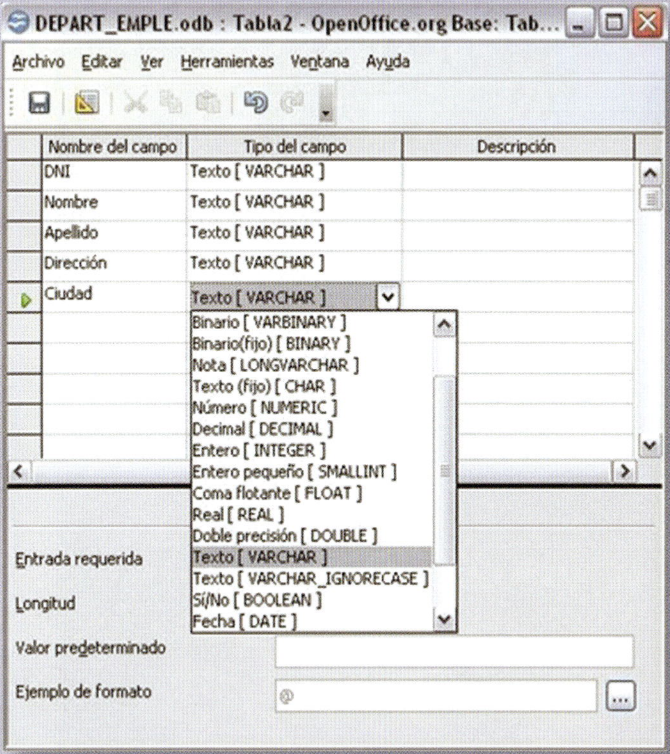

La vista *Diseño* para crear las tablas es muy similar a la de Access 2007. Se puede decidir el tipo de dato de cada una de las columnas o campos y determinar qué campo es clave primaria.

Después, existe la opción de renombrar la tabla desde el menú contextual del botón derecho del ratón o mediante los menús de la barra de herramientas.

Para crear una clave primaria, basta con seleccionar el campo (o campos), pulsar el botón derecho del ratón y seleccionar *Llave primaria*. Se guardan los cambios en la tabla y se crean todas las tablas necesarias en el modelo de datos con el que se está trabajando.

Para editar una tabla, se pulsa el botón derecho del ratón y se hace clic en *Editar*. De esta manera, podemos modificar, agregar o eliminar las columnas. En cuanto a los tipos de datos, son mucho más variados que en Access 2007, aunque muchos de ellos son equivalentes o al menos parecidos, diferenciándose en la precisión de los decimales, longitud de las cadenas de texto, etc.

unidad 12

Análisis y diseño de bases de datos relacionales

SUMARIO

- Selección de registros
- Inserción, modificación y eliminación de registros
- Conceptos fundamentales de una base de datos relacional
- Relaciones entre tablas
- Creación de bases de datos relacionales

OBJETIVOS

- Seleccionar y ordenar filas desde un formulario y desde tablas.
- Insertar, modificar y eliminar registros desde tablas y formularios.
- Crear bases de datos relacionales.
- Conocer los conceptos fundamentales de una base de datos relacional.

1 >> Operaciones con registros

Una vez que en la unidad didáctica anterior nos hemos familiarizado con los objetos de Access 2007, en esta vamos a estudiar las operaciones que se pueden realizar con los registros. En efecto, las filas o registros no son algo estático dentro de la base de datos, sino que sufren modificaciones a medida que los usuarios utilizan la información.

Es normal que un cliente sea eliminado de la tabla de *Clientes* cuando este lleva inactivo mucho tiempo o que se elimine un producto de la tabla de *Productos* si se ha descatalogado. Es habitual modificar registros, por ejemplo el precio de venta de un producto. Del mismo modo, constantemente se insertan filas al dar de alta los pedidos que cursan los clientes.

Todo esto indica que los datos no son algo estático sino que están en permanente cambio y siguen las restricciones existentes en las tablas.

Las operaciones con los registros se pueden realizar desde varios objetos de la base de datos:

- Directamente en las tablas.
- Mediante formularios.
- A través de consultas.

Los programadores que crean una base de datos tienen acceso directo a las tablas para poder manejar los datos, así como a los formularios y los informes que diseñan. Sin embargo, las operaciones sobre tablas son menos comunes para los usuarios finales de la base de datos, ya que estos no tienen acceso de modo directo a las tablas, sino a los formularios.

1.1 > Ordenar registros

Es frecuente tener que trabajar con tablas que contienen muchos registros y donde resulta complicado encontrar lo que se busca mediante un simple vistazo a la tabla.

Así, por ejemplo, una tabla con los pedidos recibidos por una empresa a lo largo de un año. La tabla los mostrará todos y en el mismo orden en el que se han insertado. Pues bien, es posible que sea preciso ver los pedidos en un orden determinado: por fechas, por orden alfabético del cliente, por la localidad donde se hizo la entrega, etc.

Estas operaciones no afectan a los datos de las tablas, es decir, por muchas ordenaciones de registros que se realicen, estos no van a sufrir ningún tipo de modificación.

Ordenar desde tabla

Los registros en la tabla están almacenados en el mismo orden en que fueron insertados, por lo que al visualizar las filas aparecerán en ese mismo orden. Sin embargo se puede modificar el orden de visualización según nuestras necesidades.

Si los datos son de tipo texto, se podrían ordenar alfabéticamente; si son numéricos, de mayor a menor o viceversa; si se trata de fechas, de más antigua a más cercana o viceversa, etc.

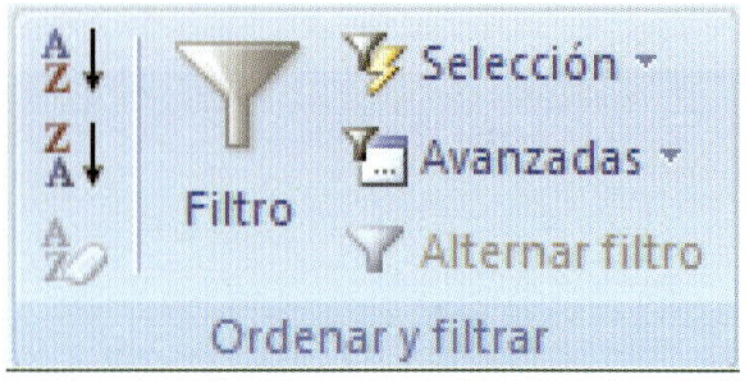

12.1. Grupo *Ordenar y filtrar*.

Para realizar estas operaciones, desde una tabla, teniendo abierta la misma, se utilizan las herramientas contenidas en el grupo *Ordenar y filtrar* de la ficha *Inicio*. En concreto, se usan los botones *AZ*↑ (orden ascendente) y *AZ*↓ (orden descendente).

La ordenación es muy simple: se seleccionan las columnas que determinarán el orden y se hace clic en el botón elegido según el tipo de ordenación (ascendente o descendente) que se desee. Aparecerá una flechita en las columnas ordenadas, indicando que se les ha aplicado un criterio de ordenación.

Hay que tener en cuenta que, cuando se ordenan las filas por una columna, todos los datos de la fila al completo se mueven con los datos de la columna ordenada.

Ejemplos

Ordenación de las filas de una tabla

Partiendo de la base de datos de ejemplo *Northwind 2007*, mostramos a la izquierda la tabla *Clientes*, tal y como se muestra por defecto en la base de datos, y a la derecha ordenada según un criterio alfabético ascendente de los apellidos de los clientes.

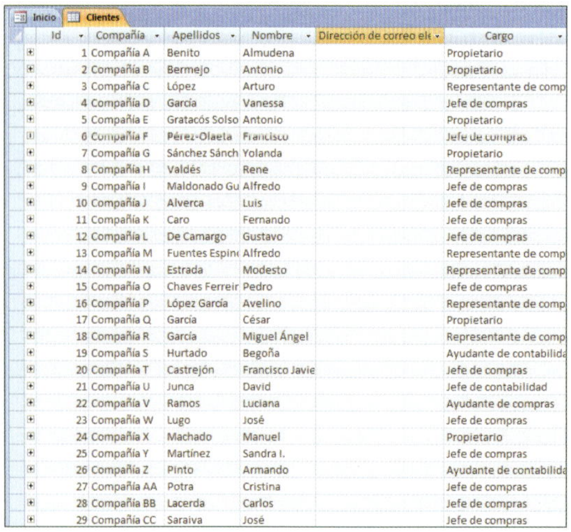

Inicio | Clientes

Id	Compañía	Apellidos	Nombre	Dirección de correo ele	Cargo
1	Compañía A	Benito	Almudena		Propietario
2	Compañía B	Bermejo	Antonio		Propietario
3	Compañía C	López	Arturo		Representante de comp
4	Compañía D	García	Vanessa		Jefe de compras
5	Compañía E	Gratacós Solso	Antonio		Propietario
6	Compañía F	Pérez-Olaeta	Francisco		Jefe de compras
7	Compañía G	Sánchez Sánch	Yolanda		Propietario
8	Compañía H	Valdés	Rene		Representante de comp
9	Compañía I	Maldonado Gu	Alfredo		Jefe de compras
10	Compañía J	Alverca	Luis		Jefe de compras
11	Compañía K	Caro	Fernando		Jefe de compras
12	Compañía L	De Camargo	Gustavo		Jefe de compras
13	Compañía M	Fuentes Espin	Alfredo		Representante de comp
14	Compañía N	Estrada	Modesto		Representante de comp
15	Compañía O	Chaves Ferreir	Pedro		Jefe de compras
16	Compañía P	López García	Avelino		Representante de comp
17	Compañía Q	García	César		Propietario
18	Compañía R	García	Miguel Ángel		Representante de comp
19	Compañía S	Hurtado	Begoña		Ayudante de contabilida
20	Compañía T	Castrejón	Francisco Javie		Jefe de compras
21	Compañía U	Junca	David		Jefe de contabilidad
22	Compañía V	Ramos	Luciana		Ayudante de compras
23	Compañía W	Lugo	José		Jefe de compras
24	Compañía X	Machado	Manuel		Propietario
25	Compañía Y	Martínez	Sandra I.		Jefe de compras
26	Compañía Z	Pinto	Armando		Ayudante de contabilida
27	Compañía AA	Potra	Cristina		Jefe de compras
28	Compañía BB	Lacerda	Carlos		Jefe de compras
29	Compañía CC	Saraiva	José		Jefe de compras

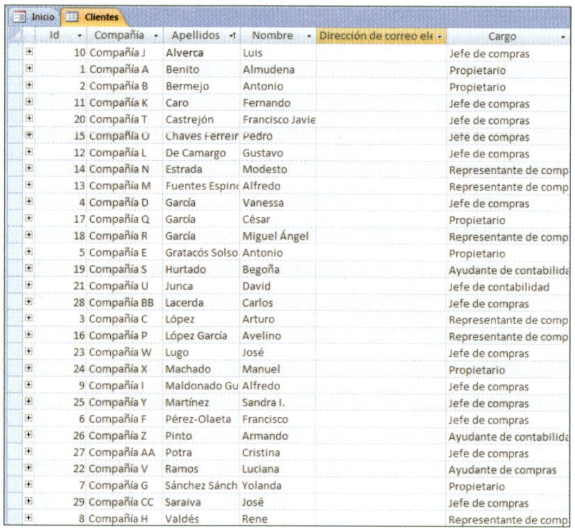

Inicio | Clientes

Id	Compañía	Apellidos	Nombre	Dirección de correo ele	Cargo
10	Compañía J	Alverca	Luis		Jefe de compras
1	Compañía A	Benito	Almudena		Propietario
2	Compañía B	Bermejo	Antonio		Propietario
11	Compañía K	Caro	Fernando		Jefe de compras
20	Compañía T	Castrejón	Francisco Javie		Jefe de compras
15	Compañía O	Chaves Ferreir	Pedro		Jefe de compras
12	Compañía L	De Camargo	Gustavo		Jefe de compras
14	Compañía N	Estrada	Modesto		Representante de comp
13	Compañía M	Fuentes Espin	Alfredo		Representante de comp
4	Compañía D	García	Vanessa		Jefe de compras
17	Compañía Q	García	César		Propietario
18	Compañía R	García	Miguel Ángel		Representante de comp
5	Compañía E	Gratacós Solso	Antonio		Propietario
19	Compañía S	Hurtado	Begoña		Ayudante de contabilida
21	Compañía U	Junca	David		Jefe de contabilidad
28	Compañía BB	Lacerda	Carlos		Jefe de compras
3	Compañía C	López	Arturo		Representante de comp
16	Compañía P	López García	Avelino		Representante de comp
23	Compañía W	Lugo	José		Jefe de compras
24	Compañía X	Machado	Manuel		Propietario
9	Compañía I	Maldonado Gu	Alfredo		Jefe de compras
25	Compañía Y	Martínez	Sandra I.		Jefe de compras
6	Compañía F	Pérez-Olaeta	Francisco		Jefe de compras
26	Compañía Z	Pinto	Armando		Ayudante de contabilida
27	Compañía AA	Potra	Cristina		Jefe de compras
22	Compañía V	Ramos	Luciana		Ayudante de compras
7	Compañía G	Sánchez Sánch	Yolanda		Propietario
29	Compañía CC	Saraiva	José		Jefe de compras
8	Compañía H	Valdés	Rene		Representante de comp

Posteriormente, cuando se cierre la tabla aparecerá un mensaje preguntando si se desean guardar los cambios. Tanto si se guardan como si no, los datos de la tabla no cambian, únicamente cambia el orden en que se muestran.

Ordenar desde formulario

En la mayor parte de los formularios también están activas las opciones del grupo *Ordenar y filtrar*. El proceso se llevará a cabo seleccionando, en vista *Formulario*, el campo que determinará el orden y utilizando los botones *AZ*↑ (orden ascendente) y *AZ*↓ (orden descendente). La particularidad de los formularios es que, con carácter general, al cerrarlos, guardarán automáticamente el último orden utilizado.

1.2 > Seleccionar registros

En el apartado anterior se vio cómo pueden ordenarse los registros que integran una tabla haciendo que esta los muestre según un determinado criterio de ordenación.

Access permite también que la tabla muestre únicamente los registros que cumplan unos determinados requisitos. Siguiendo con el ejemplo de una tabla de pedidos, es posible que únicamente sea necesario ver los pedidos realizados por un cliente determinado, los de una fecha específica o los realizados desde una localidad en concreto, etc.

Aplicando los filtros, la tabla solo mostrará los registros que cumplen con los criterios de ordenación. Por ello, a esta operación se la denomina seleccionar o filtrar.

Es importante tener en cuenta que, al igual que la ordenación, la selección o filtrado de registros no afecta a los datos de las tablas, es decir, que aunque solo se muestren en la pantalla algunas de las filas de la tabla, siguen estando ahí todas ellas; basta con desactivar el filtro aplicado y vuelven a mostrarse todas.

Seleccionar desde tabla

Para seleccionar filas, se utilizan las herramientas de selección que se encuentran en el grupo *Ordenar y filtrar* de la ficha *Inicio.*

Para estas operaciones es esencial el botón *Filtro,* que permite aplicar a los datos de la tabla un criterio de selección según el cual solo se mostrarán aquellos datos que lo cumplan.

En la Figura 12.2 se muestra el filtrado o selección a partir de una cadena de texto. En una lista aparecen los distintos valores de la columna para que, una vez marcados o desmarcados, se seleccionen en *Filtros de texto* el tipo de filtrado deseado.

Por ejemplo, el filtro *Es igual a... Benito* hará que únicamente se muestren los registros cuyo apellido sea “Benito”. Sin embargo, si se elige el filtro *No es igual a... Benito*, aparecerán los registros de todos los clientes que no se apelliden “Benito”.

Para volver a ver la lista de registros sin filtrar se hace clic en *Quitar filtro de Apellidos* (en este caso, aparece *Apellidos,* porque es la columna por la que se está filtrando).

El filtro por selección se utiliza cuando para filtrar únicamente es necesario un valor. Se hace clic en *Filtro / Selección* y posteriormente se elige el tipo de operador (*Igual a, No es igual a, Contiene* o *No contiene*). Así, en el ejemplo de la Figura 12.3, el valor que aparece al lado del operador de comparación es el valor que está seleccionado en la tabla.

La opción *Avanzadas* del grupo *Ordenar y filtrar* permite acceder a filtros personalizados que funcionarán de forma muy similar a los criterios que se especifican en el diseño de las consultas. Así, por ejemplo, se puede hacer que únicamente se muestren en la tabla los pedidos realizados entre dos fechas, o los clientes cuyo cumpleaños ha sido el último mes.

Buscar registros

La operación de buscar es muy similar a la de filtrar. En las búsquedas, se especifican unos criterios para encontrar los datos y aparecen resaltados los registros que cumplen dichos criterios.

A diferencia de los filtros (en que solo se muestran los registros que cumplen los criterios), en las búsquedas aparecen todos los registros, mostrándose de forma resaltada los registros seleccionados.

Puede accederse a las herramientas de búsqueda desde el grupo *Buscar* de la ficha *Inicio*.

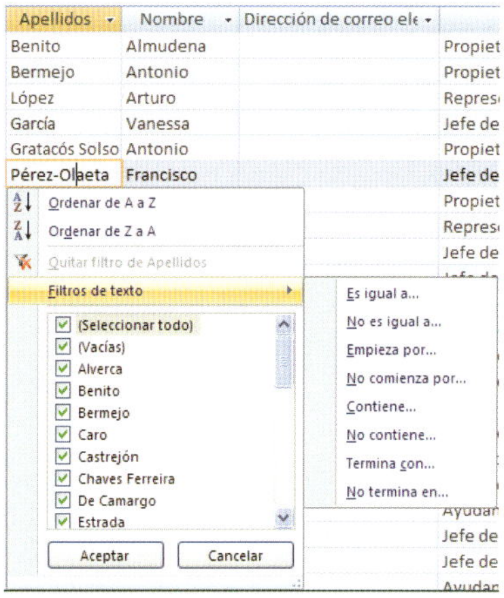

12.2. *Filtros de texto.*

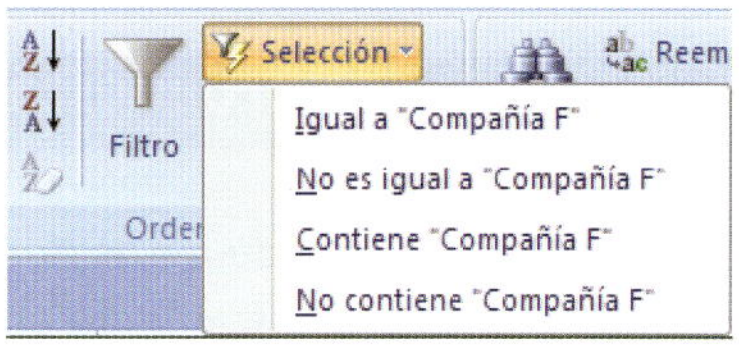

12.3. Filtro *Selección.*

Seleccionar desde formulario

Si bien las operaciones de filtrado de datos se pueden realizar directamente desde las tablas, lo más común es utilizar formularios para realizar estas operaciones. En la Figura 12.4 se muestra el formulario *Lista de clientes* de *Northwind* en la vista *Formulario*. Se trata de un formulario tipo lista, por lo que su aspecto es muy parecido al de una tabla.

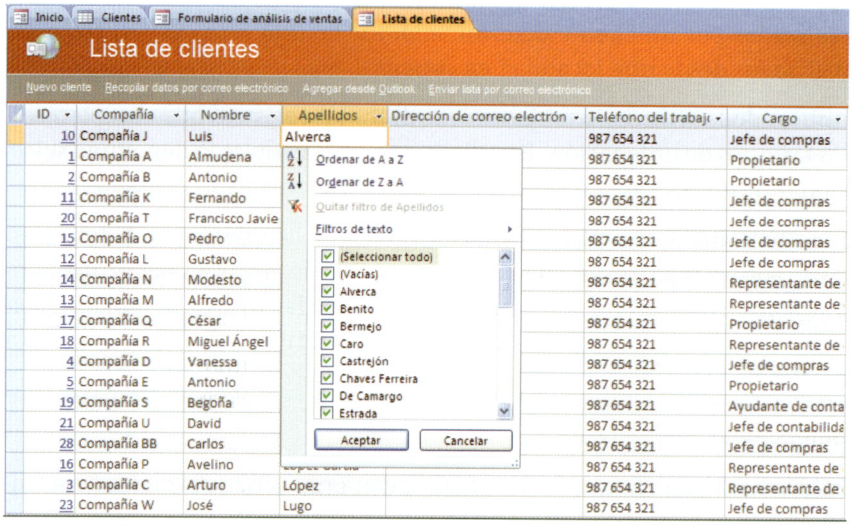

12.4. Selección desde un formulario.

En la cinta de opciones aparece el grupo *Ordenar y filtrar*, con las mismas herramientas y características que en el uso con tablas. Al activar el filtro, se muestra el mismo menú emergente que se puede ver al realizar filtrado en las tablas.

En general, en la mayoría de los formularios las utilidades de *Ordenar y filtrar* están activas, si bien en algunos aparecen inactivas. Esto es debido a que en el diseño de los formularios se estima que en algunos es mejor no dar esta opción y administrarla a través de botones o controles en el propio formulario (por ejemplo en el formulario *Detalles de pedido* de *Northwind*).

1.3 > Ordenar y seleccionar registros desde una consulta

Las operaciones de ordenación y filtrado de registros también se pueden llevar a cabo desde una consulta. Si la consulta ya existe, basta con abrirla y ordenar y/o seleccionar al igual que se hace desde una tabla. Si la consulta no existe, en el momento de su creación se determinará el orden en que se mostrarán los registros. No obstante, esto se verá con más detalle en la unidad didáctica siguiente, en el epígrafe dedicado a las consultas.

Actividades propuestas

1·· Abre la base de datos *Northwind 2007* y selecciona la tabla *Clientes* en su vista *Hoja de datos* y filtra los datos para que únicamente aparezcan los clientes de Francia.

1.4 > Insertar, borrar y actualizar registros

Cuando se crea un archivo de base de datos, aún no contiene ninguna información y los registros se irán creando (insertando) a medida que se vaya utilizando el archivo. Asimismo, los registros pueden eliminarse o actualizarse durante el uso diario de la aplicación. A continuación se tratará la realización de estas acciones desde las tablas y formularios.

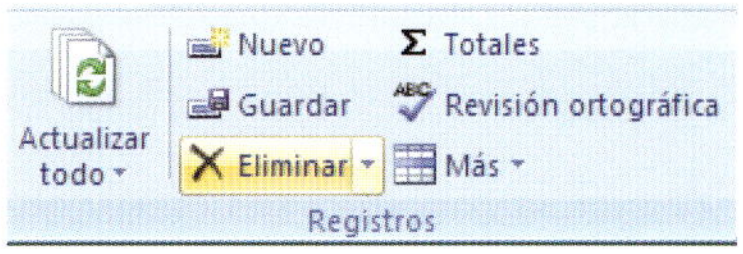

12.5. Grupo *Registros.*

Desde tablas

Insertar registros

En la barra de registros que aparece junto a la barra de desplazamiento horizontal aparecen controles que permiten moverse entre los registros. Este grupo de botones se denomina botones de desplazamiento.

12.6. Barra de registros.

Desde esta barra se puede ir al primer registro, al último o moverse al anterior o siguiente. En esta barra está también el botón *Nuevo registro,* que permite crear registros directamente.

También se pueden crear registros desde el grupo *Registros* de la ficha *Inicio,* a través del botón *Nuevo.* Al hacer clic en él, se crea un nuevo registro agregando al final de la tabla una fila completamente vacía preparada para introducir los datos que llenarán los campos que identifican al registro. Una vez completados los datos necesarios (recuerda que pueden existir columnas en las que haya que introducir datos), el registro se guarda de modo automático, solo es necesario que salgamos del registro. En ese momento la información del registro queda almacenada esperando a ser definitivamente guardada en la tabla cuando se cierren la tabla o la base de datos, o bien se guarden los cambios haciendo clic en el botón *Guardar.*

Modificar registros

Cambiar información en la tablas es muy sencillo, basta con seleccionar la celda en que se encuentre el dato que necesitamos modificar y sustituir el valor antiguo por el valor actual. Al salir del registro se almacena la información, al igual que en el caso de creación del registro.

Eliminar registros

Puede realizarse desde la cinta de opciones en la ficha *Inicio,* como ya hemos visto, o desde el menú contextual de la tabla.

Menú contextual de tabla

Se pueden realizar también operaciones con registros (crear y eliminar) haciendo clic con el botón secundario del ratón sobre el borde izquierdo de la tabla. Se abrirá el menú contextual de la tabla que permite realizar dichas operaciones.

Actividades propuestas

2·· Abre la base de datos *Northwind 2007* y selecciona la tabla *Clientes* en su vista Hoja de datos:

a) Crea dos clientes nuevos con los datos que consideres necesarios y guarda los datos.
b) Modifica los dos registros que has creado y después elimínalos.

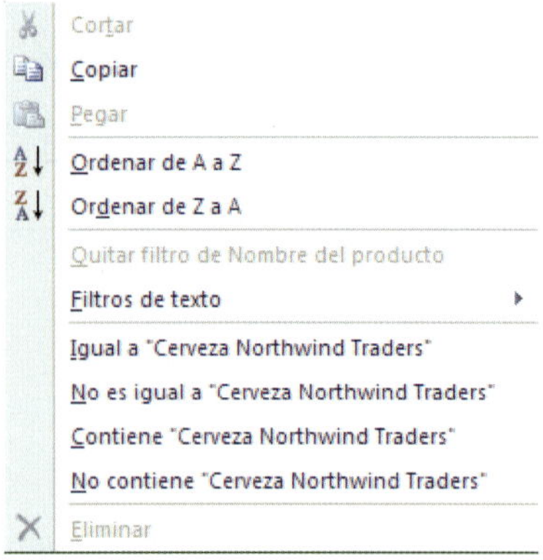

12.7. Menú emergente sobre una casilla de texto de un formulario.

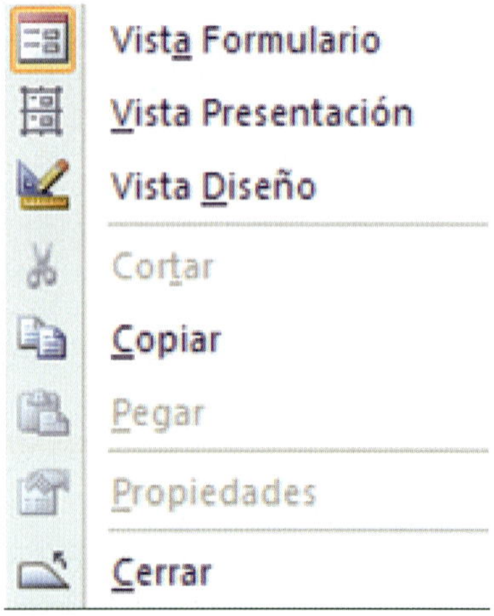

12.8. Menú emergente sobre la parte inactiva de un formulario.

Desde formularios

Las acciones de insertar, modificar o eliminar registros se realizan de forma muy parecida en los formularios y en las tablas.

En efecto, en la parte inferior de los formularios aparece la barra de registro que, a través de los botones de desplazamiento, permite realizar las operaciones del mismo modo que en las tablas.

Cuando se crea un nuevo registro, aparece una fila vacía al final de la lista del formulario, dispuesta para completar los datos.

Igualmente, desde la cinta de opciones, se muestra la ficha *Inicio* con el grupo *Registros*, que contiene las mismas herramientas que en las tablas.

Es posible que algunas funciones aparezcan deshabilitadas, ya sea debido a los permisos de acciones o porque el registro que está seleccionado no se puede borrar. Las herramientas que están disponibles casi siempre son *Nuevo* y *Guardar*.

Finalmente, también se puede usar el menú contextual del formulario activándolo con el botón secundario del ratón. Este menú varía según el tipo de formulario con el que se trabaje:

- En los formularios tipo lista (por ejemplo *Lista de empleados*), funcionará igual que hemos visto en las tablas: haciendo clic con el botón secundario sobre el borde izquierdo del formulario, se activará el menú contextual, que contiene las opciones de *Nuevo registro* y *Eliminar registro*.
- En un formulario que muestre un único registro (por ejemplo *Detalles de empleados*), habrá un menú contextual u otro dependiendo de en qué zona del formulario se haga clic con el botón secundario del ratón:
  - Al abrir el menú contextual sobre cualquier casilla de texto aparece el menú representado en la Figura 12.7.
  - Si el menú se abre sobre fuera de un cuadro de texto o de cualquier control, aparece el menú representado en la Figura 12.8.

Desde consultas

Desde la vista *Hoja de datos* de las consultas también se pueden realizar las operaciones de crear, modificar o eliminar filas o registros de forma similar a como se pueden hacer desde las tablas, fundamentalmente, mediante las opciones del grupo *Registros* de la ficha *Inicio*.

Actividades propuestas

3·· Abre la base de datos *Northwind 2007* y selecciona el formulario *Detalles de clientes:*

a) Crea un nuevo cliente mediante la barra de registro.
b) Crea otro cliente a través de las herramientas del grupo *Registros* de la ficha *Inicio.*
c) Modifica el número de fax de alguno de los clientes existentes.
d) Elimina los dos clientes que has creado.

2 >> Bases de datos relacionales

Una base de datos es un conjunto de tablas que no están aisladas unas de otras, sino relacionadas. En las bases de datos actuales, las relaciones entre tablas se establecen siguiendo los principios del álgebra relacional, de ahí que se las denomine **bases de datos relacionales.**

A lo largo de la historia de las bases de datos ha habido distintos modelos de las mismas, como por ejemplo las bases datos por archivos. Finalmente, el modelo relacional ha sido el que ha predominado sobre los demás por diferentes motivos: claridad de la información, capacidad de relacionar los registros, integridad en los datos, etc. Desde hace décadas es el modelo predominante y el estándar en el almacenamiento de la información.

Como su propio nombre indica, el pilar fundamental del modelo relacional son las relaciones entre tablas, que permiten que los registros de una tabla estén de algún modo vinculados a los registros de otra.

Mostrar las relaciones

Recuerda que, para ver las relaciones existentes en una base de datos, debes hacer clic en la opción *Relaciones* de la ficha *Herramientas de base de datos.*

Ejemplos

Relación entre dos tablas

Partiendo de la base de datos de ejemplo *Northwind 2007*, vamos a ver las relaciones existentes entre dos de sus tablas: *Clientes* y *Pedidos.*

Entre las dos tablas aparece una relación representada por la flecha. La punta de la flecha va desde la tabla referenciada a la tabla principal.

Como podemos ver en el gráfico de esta relación, existe un campo en la tabla *Clientes* que aparece vinculado con otro de la tabla de *Pedidos.* Si abrimos ambas tablas y observamos los datos, vemos que los datos de *Id* de la tabla *Cliente* se repiten en el campo *IdCliente* de *Pedidos.* De este modo es posible saber quién ha realizado cada pedido, porque si en *Pedidos* vemos el nombre de un cliente ese registro pertenece al cliente.

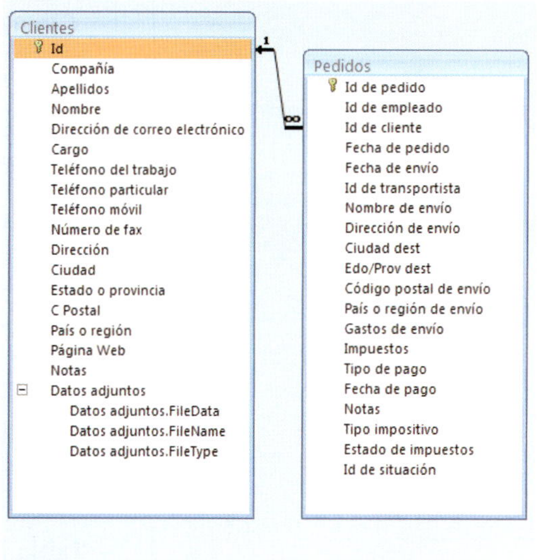

Una relación entre tablas es una asociación entre ellas, de tal modo que la información que almacenan las dos tablas está vinculada.

Una relación también tiene propiedades, que pueden verse haciendo doble clic en la relación, es decir en la línea que une las dos tablas. Se abrirá el menú que se muestra en la Figura 12.9.

En esta figura se observan algunas de las propiedades específicas de las bases de datos relacionales como *Tabla o consulta* principal, *Tabla o consulta relacionada* (en cada caso, con los campos afectados por la relación en ambas tablas), integridad referencial, etc. Se tratarán estas propiedades en los siguientes apartados.

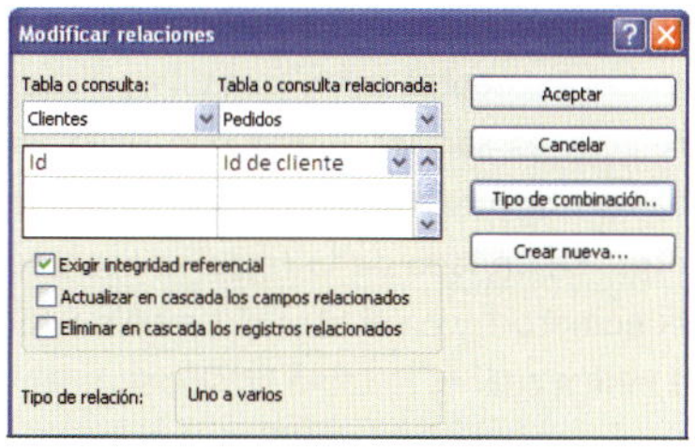

12.9. Menú *Modificar relaciones.*

2.1 > Clave primaria y clave ajena

Estos son dos conceptos fundamentales en una base de datos relacional.

- **Clave primaria, *primary key* o PK:** es el campo o conjunto de campos que identifican de modo único los registros de una tabla. Esta clave es única, es decir, en una tabla no puede haber dos registros con un valor idéntico en el campo que es PK.
- **Clave ajena, *foreign key* o FK:** es el campo o conjunto de campos de una tabla que aparecen en otra tabla como clave primaria.

Además de la denominación en castellano, incluimos la denominación en inglés y la abreviatura en inglés, ya que esta nomenclatura es muy común en manuales de bases de datos relacionales. Por lo tanto, usaremos de modo indistinto PK o clave primaria, así como FK o clave ajena. Además, para identificar las relaciones adecuadamente, utilizaremos la nomenclatura *tabla.columna,* que es obligatoria para identificar columnas en distintas tablas que se denominan igual. Así por ejemplo, para hablar de la columna *Ciudad*, de la tabla *Clientes*, diremos *Clientes.Ciudad.*

Clave primaria

Una clave primaria puede estar formada por varios campos, lo cual no indica que sean varias claves primarias, sino una única formada por varias columnas.

Ejemplos

Clave primaria y clave ajena

En el ejemplo de las tablas *Clientes* y *Pedidos*, por tanto:

- ***Clientes.Id*** **= Clave primaria =** ***Primary key*** **= PK**
- ***Pedidos.IdCliente*** **= Clave ajena =** ***Foreign key*** **= FK**

En este ejemplo, una clave primaria idónea para la tabla *Clientes* podría ser la columna *DNI*, ya que este campo cumple las siguientes condiciones: identifica a cada fila, no tiene valores repetidos (no hay dos clientes con el mismo DNI) y no tiene valores nulos (todos los clientes tienen DNI).

Junto a la clave primaria y la clave ajena, en una relación entre tablas nos encontramos con otros dos elementos básicos que nos dan una idea muy descriptiva de las relaciones existentes:

- **Tabla principal:** donde se encuentra la columna de clave primaria.
- **Tabla secundaria:** donde está la columna de clave ajena.

Botón *Relaciones*

Al hacer clic en el botón *Relaciones* se abre una ventana que muestra las relaciones existentes entre las tablas. Dichas relaciones son las líneas que unen un campo de una tabla con un campo de otra. En un lado de la relación aparece el número 1 y en el otro el símbolo ∞. El 1 indica cuál es la tabla principal, mientras que ∞ señala la tabla secundaria.

Ejemplos

Elementos de una relación entre tablas

Siguiendo con el ejemplo de las tablas *Clientes* y *Pedidos* de la base de datos *Northwind 2007*, los cuatro elementos fundamentales serían:

- Tabla principal 2007: *Clientes.*
- Tabla secundaria: *Pedidos.*
- Clave primaria: *Clientes.Id.*
- Clave ajena: *Pedidos.IdCliente.*

2.2 > Integridad referencial

La integridad referencial es una propiedad de las relaciones entre tablas que no permite la existencia en la clave ajena de valores que no existan previamente en la clave primaria. Es decir, si se marca la casilla *Exigir integridad referencial,* se le está diciendo al programa que no permita introducir datos en la tabla secundaria si no se han incluido previamente en la tabla principal.

Ejemplos

Integridad referencial

En el ejemplo de las tablas *Clientes* y *Pedidos* de la base de datos *Northwind 2007,* en la clave ajena (*Pedidos.IdCliente*) no pueden existir valores que no estén en la clave primaria de la relación (*Clientes.Id*). Es decir, al marcar *Exigir integridad referencial,* le estamos diciendo a Access que no permita que se introduzca un pedido si este no está asociado a un cliente existente en la tabla *Clientes*.

2.3 > Tipos de relaciones

Hay tres tipos de relaciones entre tablas:

- **Relación uno a uno (1:1):** por cada registro de la tabla principal solo tenemos un registro relacionado en la tabla secundaria y viceversa. Si tenemos dos tablas, una con los datos de los clientes de nuestra empresa y otra con los DNI de los mismos, la relación será de este tipo, pues cada cliente solo tiene un DNI y cada número de DNI corresponde únicamente a un cliente.
- **Relación uno a varios (1:N):** por cada registro de la tabla principal podemos tener uno o más registros relacionados en la tabla secundaria. Esta relación sería la existente entre una tabla que recogiera los datos de clientes de una empresa y otra que recogiera los datos de los pedidos. Un cliente puede tener varios pedidos, pero un pedido solo es de un cliente.
- **Relación de varios a varios (M:N):** cada registro de una tabla se puede relacionar con N registros (más de uno) de otra tabla y viceversa. Siempre que se cree una relación de este tipo entre dos tablas debe existir una tercera tabla que contenga las claves ajenas de las dos tablas principales. La tabla en la que se encuentran las dos claves ajenas se denomina **tabla de intersección.** Un ejemplo de esta es la que se puede dar entre dos tablas que recojan productos y pedidos: un pedido tiene varios productos, a la vez que un producto puede aparecer en varios pedidos.

Opciones en cascada

En el menú *Modificar relaciones,* hay otras dos casillas de verificación, asociadas a la integridad referencial: *Actualizar en cascada los campos relacionados* y *Eliminar en cascada los registros relacionados.*

Estas opciones hacen referencia a actualizaciones automáticas asociadas a cambios en las relaciones, de tal modo que, al modificar o eliminar datos en un lado de la relación, se actualizan automáticamente los datos relacionados en el otro lado de la misma.

Actividades propuestas

4·· Enumera situaciones de la vida real en las que encuentres relaciones de tipo 1:N, 1:1 y M:N.

5·· Determina en las relaciones anteriores cuáles serían las tablas principales y cuáles las secundarias, así como cuál podría ser la tabla de intersección en el caso de la relación M:N.

2.4 > Creación de relaciones entre tablas

La creación de las relaciones entre las tablas se realizará de forma distinta dependiendo de cuál sea el tipo de relación de que se trate, debido a las especiales propiedades de cada una de ellas. Se verán por separado.

Relaciones uno a varios

Se muestran en el siguiente ejemplo:

Ejemplos

Creación de relación 1:N

Vamos a crear las relaciones entre las tablas *Clientes* y *Pedidos*, de la base de datos *Suministros Elcano* que creamos en el ejemplo de la unidad didáctica anterior y que tenemos guardada en la carpeta *Mis documentos*.

Abrimos la base de datos y vamos a la ficha *Herramientas de base de datos*, donde hacemos clic en el botón *Relaciones*. Se abre el cuadro de diálogo *Mostrar tabla*, con los nombres de las tablas existentes en la base de datos para que se seleccionen aquellas entre las que se va a crear la relación. En este caso nos mostrará las dos existentes (*Clientes* y *Pedidos*). Agregamos las dos y hacemos clic en *Cerrar*.

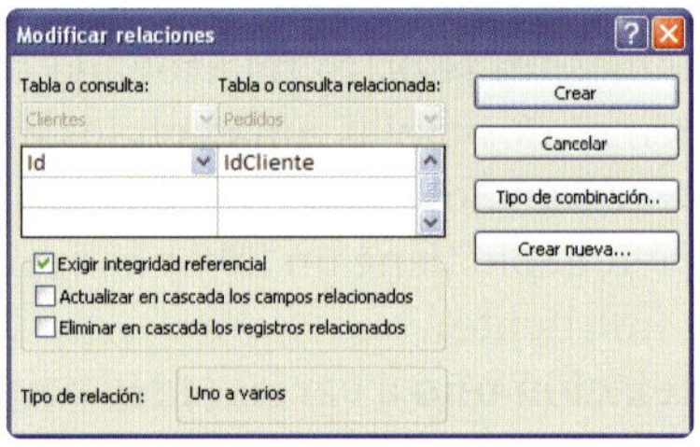

En la ventana *Relaciones* se nos muestran las dos tablas dispuestas para crear la relación. Antes de crearla deberemos hacer un esquema sobre los cuatro elementos fundamentales de la misma. En este caso:

- Tabla principal: *Clientes*.
- Tabla secundaria: *Pedidos*.
- Clave primaria: *Clientes.Id*.
- Clave ajena: *Pedidos.IdCliente*.

Ahora que tenemos claros los elementos a los que afectarán las relaciones y en qué modo, vamos al campo *Id* de la tabla *Clientes*, hacemos clic sobre él y arrastramos con el ratón hasta el campo *IdCliente* de la tabla *Pedidos*. En este momento, aparece el cuadro de diálogo *Modificar relaciones*. En la parte inferior de la ventana aparece el tipo de relación que Access asigna en cada caso en función de las características de los campos afectados por la relación. En esta ventana marcaremos la casilla *Exigir integridad referencial*. Caben dos posibilidades:

- Si las tablas no tienen datos insertados no va a haber problemas con la integridad referencial, porque todavía no se ha insertado ningún dato. Cuando se creen las filas de los pedidos se comparará el valor de *Pedido.IdCliente* con los valores que ya existan en el campo *Id* (clave primaria) de la tabla *Clientes*. Si el valor existe se creará el registro; pero si no existe, el registro de pedido no se creará, ya que faltaría la integridad referencial.
- Si las tablas tienen datos insertados, la relación se podrá crear exigiendo la integridad referencial si los registros ya cumplen esta integridad. Por ejemplo, si tenemos un valor en *Pedidos.IdCliente* igual a 15 y en *Clientes.Id* no tenemos el valor 15, al intentar crear la relación con integridad nos dará un error y no se creará la relación.

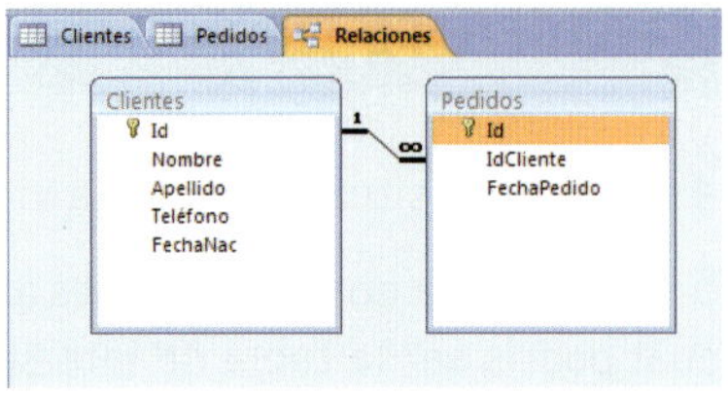

Como las tablas no tienen datos, simplemente se hace clic en *Crear*. En la ventana *Relaciones* se nos muestra la relación que hemos creado.

Relaciones uno a uno

Como ya hemos visto, en este tipo de relaciones los valores de la clave ajena no pueden repetirse, por lo tanto a los registros de la tabla principal les corresponde uno y solo un registro de la tabla secundaria.

Se mostrará la creación de estas relaciones a través de un ejemplo:

Ejemplos

Creación de relación 1:1

Vamos a crear las relaciones entre las tablas *Personas* y *Afiliados*, existentes en una base de datos llamada *Personas*.

Personas

Nombre del campo	Tipo de datos
DNI	Texto
Apellidos	Texto
Nombre	Texto
Dirección	Texto
Ciudad	Texto
CP	Número
Teléfono	Número

Afiliados

Nombre del campo	Tipo de datos
NºSS	Número
Días Cotizados	Número
Tipo Contrato	Texto
DNI	Texto

Verás que la tabla *Personas* contiene datos de determinadas personas, mientras que *Afiliados* contiene los datos de los que están afiliados a la Seguridad Social. La relación que creemos entre ellas será del tipo 1:1, pues un afiliado de la Seguridad Social se corresponde solo con una persona y viceversa.

Antes de crear la relación, la diseñamos suponiendo que la tabla principal es *Personas* y la tabla secundaria es *Afiliados*.

Para que se cree la relación 1:1 necesitamos que el campo *DNI* de la tabla *Afiliados* no albergue valores repetidos. Para ello, vamos a la vista *Diseño* de la tabla *Afiliados* y, en la columna *DNI*, establecemos la propiedad *Indexado* a *Sí (Sin duplicados)*.

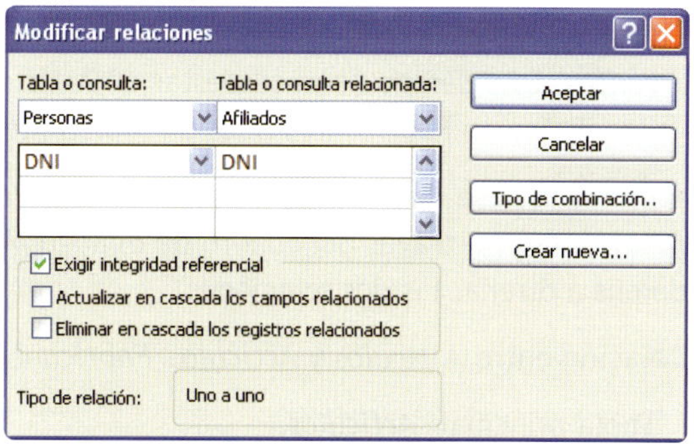

Una vez creadas las tablas y la propiedad de indexado de *DNI*, creamos la relación entre ambas. Vamos al campo *DNI* de la tabla *Personas*, hacemos clic sobre él y arrastramos con el ratón hasta el campo *DNI* de la tabla *Afiliados*.

En este momento, aparece el cuadro de diálogo *Modificar relaciones*. En la parte inferior de la ventana veremos que, en este caso, el tipo de relación asignado en función de las características de los campos afectados por la relación es *Uno a uno*. En esta ventana marcaremos la casilla *Exigir integridad referencial*.

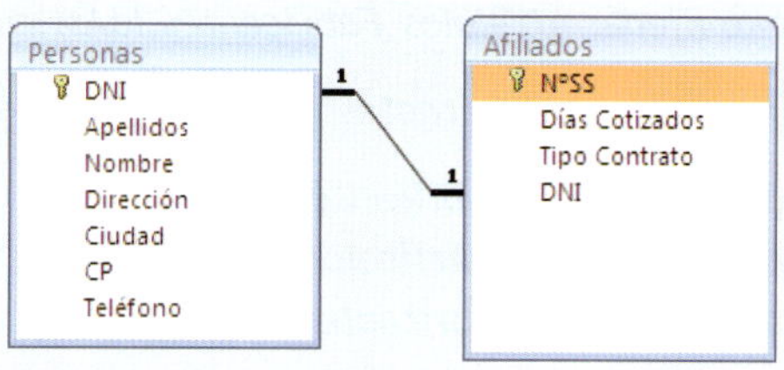

Hacemos clic en *Crear* y en la ventana *Relaciones* se mostrará la relación que hemos creado.

Relaciones varios a varios

Una relación de varios a varios (M:N) aparece cuando varios registros de una tabla se pueden relacionar con varios de la otra tabla y viceversa.

Se verá el proceso de creación de una de estas relaciones a través de un ejemplo:

Ejemplos

Creación de relación M:N

Vamos a crear las relaciones entre las tablas *Artículos* y *Fabricantes* de una base de datos, que representan los distintos artículos y los diferentes fabricantes que los distribuyen.

Un artículo puede ser distribuido por más de un fabricante, y viceversa, un fabricante puede distribuir más de un artículo, por lo que si queremos crear una relación entre las dos tablas nos encontramos con un problema: ninguna puede ser tabla principal, puesto que lo son las dos a la vez.

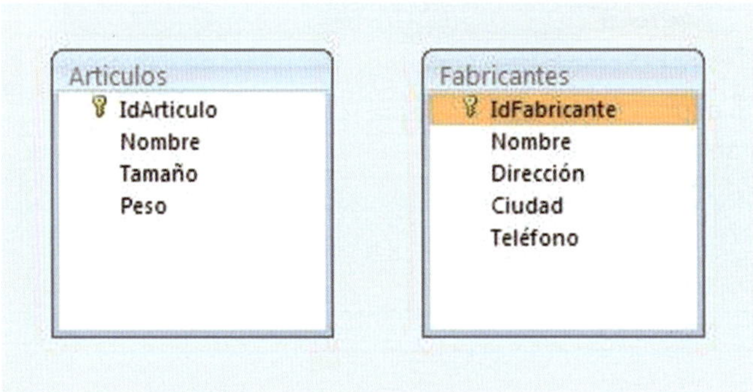

La solución es muy simple y consiste en crear una nueva tabla que tiene la clave primaria de *Artículos* (en forma de clave ajena) y la clave primaria de *Fabricantes* (también en forma de clave ajena).

La nueva tabla, a la que hemos denominado *Artículos_Fabricantes*, tendrá los siguientes campos:

- *Id:* de tipo autonumérico que servirá de clave primaria a la tabla.
- *IdArtículo:* sirve como clave ajena de *Artículos.Id.*
- *IdFabricante*: sirve como clave ajena de *Fabricantes.Id.*
- *Precio*: hemos creado este campo para guardar información adicional de la relación entre *Artículos* y *Fabricantes*. Este campo no puede estar en *Artículos* porque un artículo tiene varios precios (uno por fabricante) y tampoco en *Fabricantes* pues un fabricante tiene varias precios (uno por artículo).

Abrimos la base de datos y vamos a la ficha *Herramientas de base de datos*, donde hacemos clic en el botón *Relaciones y*, a través del cuadro de diálogo *Mostrar tabla*, añadimos la tabla *Artículos_Fabricantes* y procedemos a diseñar las dos relaciones.

Relación entre *Artículos* y *Artículos_Fabricantes:*

- Tabla principal: *Artículos.*
- Tabla secundaria: *Artículos_Fabricantes.*
- Clave primaria: *Artículos.Id.*
- Clave ajena: *Artículos_Fabricantes.IdArtículo.*

Nombre del campo	Tipo de datos
Id	Autonumérico
IdArticulo	Número
IdFabricante	Número

Relación entre *Fabricantes* y *Artículos_Fabricantes:*

- Tabla principal: *Fabricantes.*
- Tabla secundaria: *Artículos_Fabricantes.*
- Clave primaria: *Fabricantes.Id.*
- Clave ajena: *Artículos_Fabricantes.IdFabricante.*

Una vez diseñadas las relaciones, vamos a la ventana *Relaciones* y las creamos del mismo modo que hemos hecho en anteriores ejemplos. En realidad, hemos creado dos relaciones del tipo *Uno a varios* entre la tabla *Artículos_Fabricantes* y cada una de las otras dos, donde esta es la tabla hija de ambas.

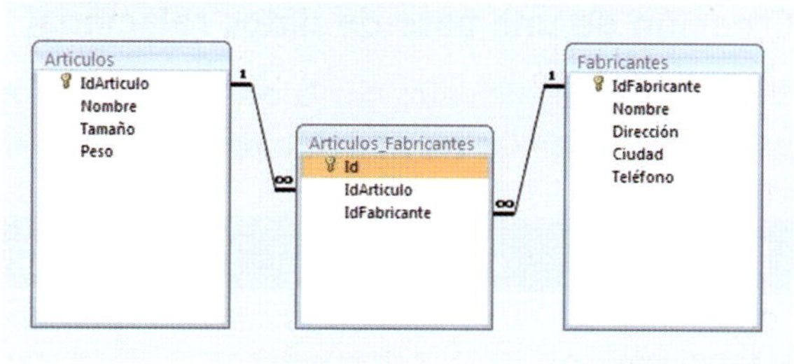

En la siguiente imagen se muestra como quedarían relacionadas las tablas en la vista *Relaciones* de la ficha *Herramientas de base de datos.*

Observa la simetría que tienen las dos tablas principales con respecto a la única tabla secundaria. Observa también que ahora somos capaces de relacionar muchos artículos con muchos fabricantes y además podemos guardar el precio de ese artículo con ese fabricante.

Si ahora vamos a la vista *Hoja de datos* de la tabla *Artículos_Fabricantes*, vemos que tiene un aspecto como el que se ve al margen.

Esta tabla muestra la siguiente información:

- Columna *Id*: campo autonumérico que sirve de clave principal de la tabla.
- Columna *IdArtículo:* campo numérico que sirve de clave ajena de la tabla *Artículos.*
- Columna *IdFabricante:* campo numérico que sirve de clave ajena de la tabla *Fabricantes.*

Hemos incluido en las tablas los datos de varios artículos y fabricantes. Podemos deducir ahora cuántos fabricantes crean el artículo 1 o qué artículos crea el fabricante 2.

Articulos_Fabricantes

Id	IdArticulo	IdFabricante
1	1	3
2	4	3
3	4	2
4	1	2
5	3	1
6	3	4
7	5	4
8	2	1
9	2	2
* (Nuevo)		

Actividades propuestas

6·· Crea las tablas *Dueños* y *Mascotas* con los siguientes campos:

- *Dueños (DNI, Nombre, Apellidos, Dirección, Ciudad, Teléfono).*
- *Mascotas (IdMascota, Nombre, Especie, Raza, DNI).*

a) Determina qué campos son clave primaria en cada tabla y cuál sería clave ajena en esta relación uno a varios.
b) Elige el tipo de dato adecuado para cada uno de los campos. Utiliza el tipo *Autonumérico* para alguna columna de la tabla *Mascotas.*
c) Analiza qué tipo de relación debe existir entre *Dueños* y *Mascotas* a juzgar por las columnas que tiene cada una de las tablas. Crea esa relación exigiendo integridad referencial.
d) Inserta registros en cada una de las tablas. ¿En qué tabla insertas primero las filas? ¿Por qué?

Caso final 1

Creación de una base de datos relacional

·· Crea una base de datos nueva con el nombre *Coches*, que estará integrada por las siguientes tablas y campos (que tendrán las propiedades señaladas entre paréntesis):

Fabricantes	Coches	Compras	Clientes	Concesionario
CodFabricante (Autonumérico)	CodCoche (Autonumérico)	CodCoche (Número)	CodCliente (Autonumérico)	CodConcesionario (Autonumérico)
Nombre (Texto)	Nombre (Texto)	CodCliente (Número)	Apellidos (Texto)	Nombre (Texto)
País (Texto)	Motor (Texto)	CodConcesionario (Número)	Nombre (Texto)	Ciudad (Texto)
	CodFabricante (Número)	Fecha (Fecha)	Ciudad (Texto)	Provincia (Texto)
	Puertas (Número)	Importe (Moneda)	Provincia (Texto)	Contacto (Texto)
	Precio (Moneda)			Teléfono (Número)

Para evitar problemas, no debes:

- Crear campos que puedan almacenar más de un dato.
- Crear campos repetidos en distintas tablas que contengan la misma información, a excepción de las PK y las FK.

Una vez creada la tabla, diseña y crea unas relaciones que cumplan los siguientes requisitos:

- Un fabricante produce varios coches pero cada coche solo es fabricado por un fabricante.
- Un modelo de coche es comprado varias veces, pero cada compra es de un solo coche.
- Cada compra pertenece a un concesionario.

Cuando hayas creado las relaciones, inserta registros en todas las tablas teniendo en cuenta la integridad referencial.

Solución ··

- Abre Microsoft Access 2007 y crea una nueva base de datos con el nombre *Coches* y guárdala en la carpeta *Mis documentos* de tu ordenador.
- Crea las tablas según el modelo expuesto en la tabla del enunciado, asegurándote de que cada campo es del tipo indicado.
- Las claves primarias de cada tabla (excepto de la tabla *Compras*) serán los campos de tipo de dato *Autonumérico*.
- La tabla *Compras* tiene las tres claves ajenas de las tablas *Clientes*, *Coches* y *Concesionario*, por lo que los tres campos que las contienen *(CodCoche, CodCliente y CodConcesionario)* en su conjunto serán la clave primaria de esta tabla.
- Para crear la clave primaria de *Compras*, abre dicha tabla en vista *Diseño*, selecciona los tres campos numéricos a la vez y asigna la clave primaria con el botón *Clave principal* de la ficha *Diseño* de *Herramientas de tabla*. Ahora tienes una única clave primaria formada por tres campos distintos.

1

- Una vez que has creado todas las tablas, comienza con el proceso de creación de las relaciones.
- Entra en la ficha *Herramientas de base de datos* y selecciona el botón *Relaciones*.
- Se abre la ventana *Relaciones*, donde aún no hay tablas agregadas. Por este motivo aparece el cuadro *Mostrar tabla* con los nombres de todas la tablas existentes en la base de datos para que selecciones aquellas entre las que crearás relaciones.
- Como vas a crear relaciones entre todas las tablas, selecciónalas todas y haz clic en *Agregar*. La ventana *Relaciones* tendrá entonces un aspecto como el siguiente:

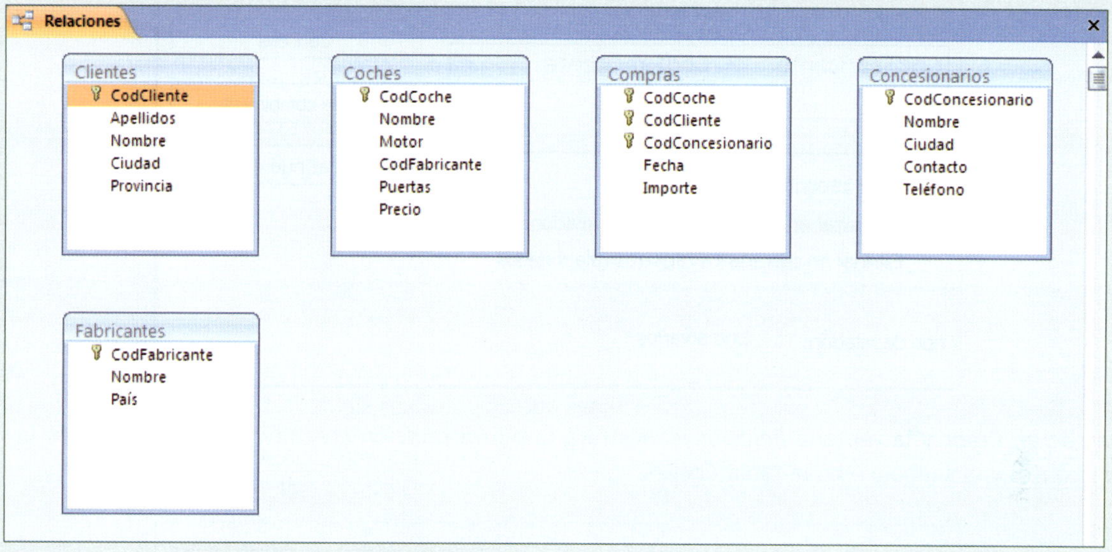

- A continuación, deberás diseñar el esquema de las relaciones que vas a crear, con los elementos de cada una de ellas. Para conseguir los resultados que pide el enunciado, deberían crearse las siguientes relaciones:

Relación	Tabla principal	Tabla secundaria	Clave primaria	Clave ajena
Fabricantes Coches	Fabricantes	Coches	Fabricantes.CodFabricante	Coches.CodFabricante
Clientes Compras	Clientes	Compras	Clientes.CodCliente	Compras.CodCliente
Concesionario Compras	Concesionario	Compras	Concesionario.CodConcesionario	Compras.CodConcesionario
Coches Compras	Coches	Compras	Coches.CodCoche	Compras.CodCoche

»

1

- Ahora que ya tienes claros los elementos a los que afectarán las relaciones y cómo lo harán, ya puedes empezar a crear la primera de ellas entre *Fabricantes* y *Coches*. Se trata de un tipo de relación uno a varios, puesto que un fabricante produce varios coches pero cada coche solo es fabricado por un fabricante.
- En la ventana *Relaciones*, haz clic sobre el campo *CodFabricante* de la tabla *Fabricantes* y arrastra con el ratón hasta el campo *CodFabricante* de la tabla *Coches*.
- En este momento, aparece el cuadro de diálogo *Modificar relaciones*. En la parte inferior de la ventana aparece el tipo de relación que Access ha asignado, que es de uno a varios. Marca la casilla *Exigir integridad referencial*.

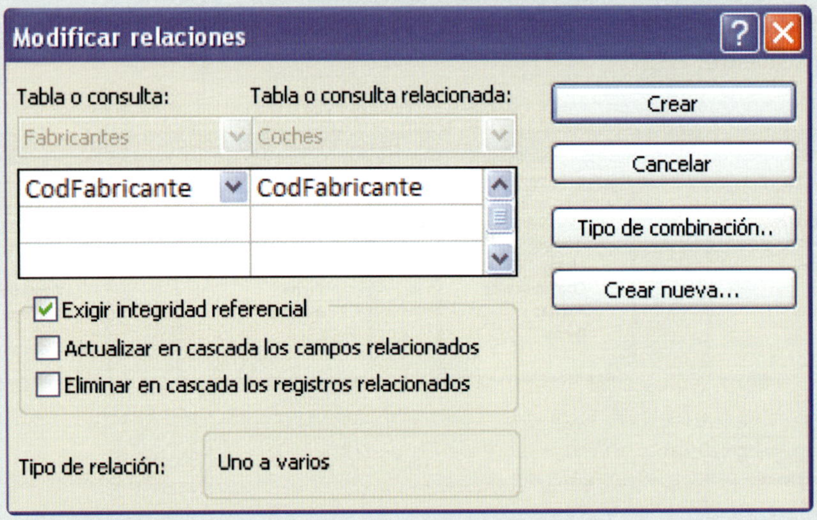

- Haz clic en *Crear* y la ventana *Relaciones* mostrará la nueva relación creada con el símbolo 1 en la tabla *Fabricantes* y el símbolo ∞ en la tabla *Coches*.

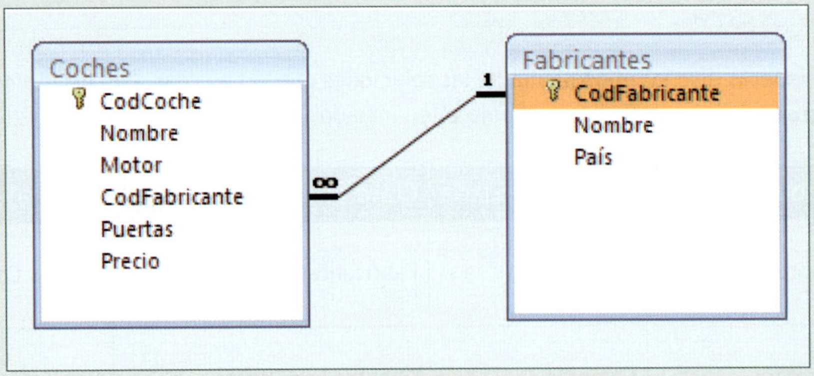

- En cuanto al resto de las relaciones que debes crear, si bien en realidad se trata de relaciones de varios a varios utilizando como tabla de intersección *Compras*, en la práctica serán relaciones del tipo 1:N entre cada una de las tablas y la tabla *Compras*. En todo caso, las tablas principales serán *Clientes*, *Concesionarios* y *Coches* y la tabla secundaria será *Compras*.
- Crea las siguientes relaciones del mismo modo que has creado la primera, seleccionando la clave primaria de cada tabla principal y arrastrándola hasta la clave ajena de la tabla *Compras*. Recuerda que, en cada caso, en la ventana *Modificar relaciones*, debes marcar la casilla *Exigir integridad referencial*.

1

- Una vez que has creado todas las relaciones, la ventana *Relaciones* tendrá un aspecto muy similar al que ves en la siguiente imagen:

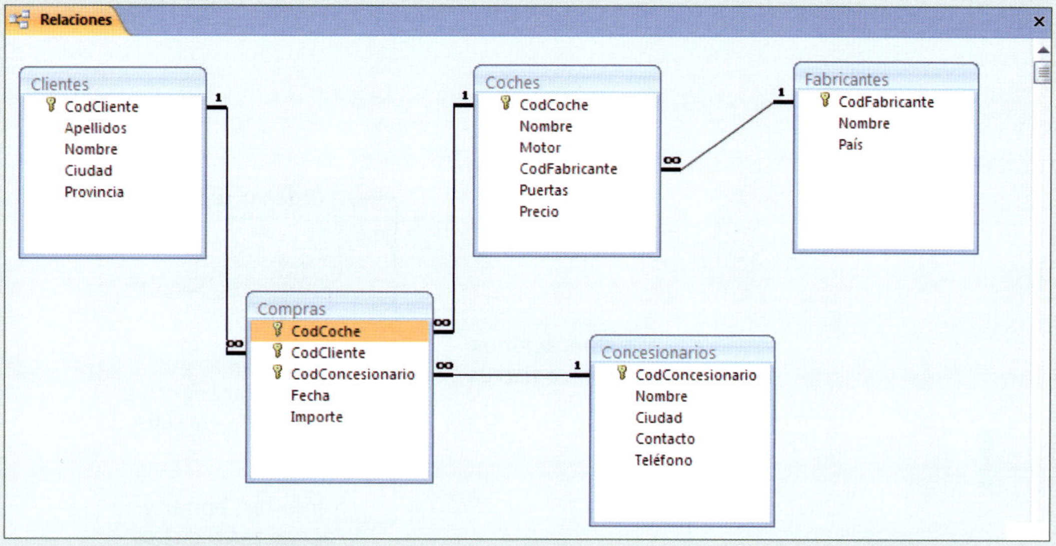

- Observa que la tabla *Compras* tiene tres claves ajenas. La clave primaria consta de tres columnas, concretamente las tres claves ajenas, ya que en la compra del vehículo hay tres implicados, el cliente, el coche y el concesionario, cuyas claves están en tres tablas distintas.
- El siguiente paso será insertar los registros en las tablas. Al hacerlo debes tener en cuenta que, como se ha exigido integridad referencial en las relaciones, para poder escribir el valor de la clave ajena, previamente debe existir ese valor en la clave principal. Por este motivo, primero debes insertar los registros en las tablas principales y después en las tablas secundarias.
- De ello se deduce que *Compras* será la última tabla en recibir los registros por ser la tabla de intersección y contener tres claves ajenas, lo que exige que existan esos valores en las claves primarias respectivas.
- Con estas normas básicas puedes elegir el orden de inserción de los registros. Nosotros te proponemos el siguiente: *Clientes* → *Concesionarios* → *Coches* → *Fabricantes* → *Compras.* En la imagen que ves a continuación, puedes apreciar una propuesta de cómo podría quedar el aspecto de la tabla *Fabricantes* con algunos registros insertados.

Fabricantes

CodFabricar	Nombre	País	*Agregar nuevo campo*
1	VOLVO	Suecia	
2	RENAULT	Francia	
3	FORD	Estados Unidos	
4	BMW	Alemania	
5	TOYOTA	Japón	
(Nuevo)			

Ideas clave

- **ANÁLISIS Y DISEÑO DE BASES DE DATOS RELACIONALES**
  - **Operaciones con registros**
    - Ordenar registros
    - Seleccionar registros
    - Ordenar y seleccionar registros desde una consulta
    - Insertar, borrar y actualizar registros
  - **Bases de datos relacionales**
    - Clave primaria y clave ajena
    - Integridad referencial
    - Tipos de relaciones
      - 1:1
      - 1:N
      - M:N
    - Creación de relaciones entre tablas

OPENOFFICE BASE
• 2.ª parte •

SOFTWARE LIBRE

Para crear una tabla más, *Departamentos*, y relacionarla con la tabla *Empleados*, se hará desde la vista diseño, añadiendo las columnas necesarias. Se han determinado como PK de *Empleados* el DNI y, como PK de *Departamentos*, *Num_Dept*. En la tabla *Empleados* también aparecerá la columna *Num_Dept*.

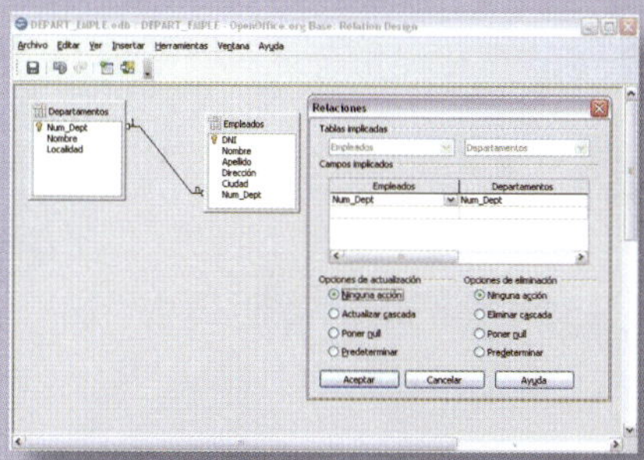

Para crear las relaciones, vamos al menú *Herramientas/Relaciones*. Aparece una ventana parecida a la de Access 2007, donde agregamos las tablas de la relación.

La agregamos y, al igual que hacíamos en Access 2007, arrastramos y soltamos la PK en la FK, es decir, desde *Departamentos.Num_Dept* hasta *Empleados.Num_Dept*.

Inmediatamente se crea la relación.

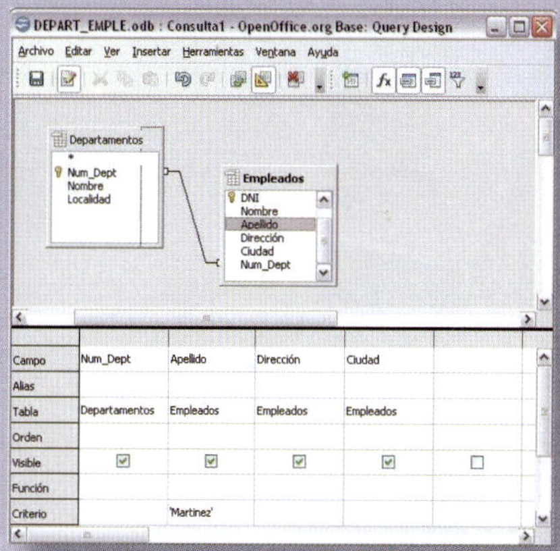

Observamos que, haciendo doble clic sobre la línea de la relación, aparece un cuadro de diálogo con las propiedades de esta.

Cabe destacar las opciones de actualización y de eliminación, que nos indican qué sucederá con los registros secundarios cuando se modifican o eliminan los registros principales.

El tratamiento de las estructuras de datos es igual que en Access 2007. De hecho, estamos hablando de un sistema gestor de bases de datos que debe cubrir las operaciones básicas.

Para crear consultas, disponemos de un método similar al de Access. Creamos una consulta nueva en modo diseño, añadimos las tablas que necesitamos en nuestra consulta y después los campos y los criterios de selección.

En este caso, estamos viendo una consulta que utiliza las dos tablas y filtra los empleados de nombre "Martínez".

Otra opción es hacer la consulta utilizando un asistente, lo que nos permite realizar selecciones, grupos, etc.

También tenemos disponible una vista de lenguaje SQL para construir consultas en este lenguaje.

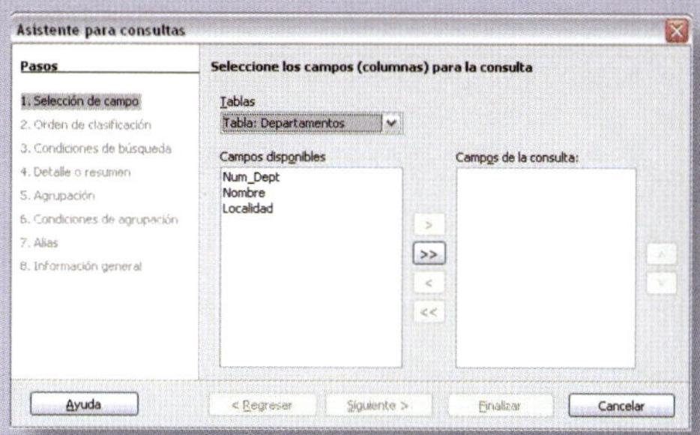

unidad **13**

Diseño de consultas, formularios e informes

SUMARIO

- Consultas
- Formularios
- Informes

OBJETIVOS

- Crear consultas en función de las necesidades del usuario.
- Diseñar formularios e informes ajustados a la información necesaria y la visualización deseada de la misma.
- Aplicar correctamente los objetos de manejo de datos: consultas, formularios e informes.

1 >> Consultas

Access 2007 incorpora determinados objetos como son las consultas, con las que se puede buscar información en las tablas de la base de datos e, incluso, modificar dicha información.

Las consultas son objetos de la base de datos que permiten filtrar los datos existentes en las tablas, realizar cálculos con ellos e, incluso, agregarlos, modificarlos o eliminarlos de una tabla.

Las consultas son absolutamente dinámicas, de modo que, cuando se cambia algún registro en las tablas, este también cambia en la consulta.

Si bien existen consultas de distintos tipos en función de la acción que se quiera realizar con ellas (selección, actualización o eliminación), su finalidad principal es la de servir como filtros de registros; es decir, mostrar las filas y columnas de una tabla que cumplan una determinada condición.

Por tanto, podemos diferenciar las consultas en dos grandes grupos:

– Consultas de selección: su finalidad es extraer los datos de una o varias tablas, filtrarlos de acuerdo a los criterios deseados y mostrarlos.
– Consultas de acción: su finalidad es llevar a cabo modificaciones en los registros de una o varias tablas.

1.1 > Consultas de selección

Este tipo de consultas son las que se utilizan para filtrar datos de una o más tablas. Una vez creadas, se guardarán en el archivo de la base de datos como un objeto más. Antes de crear una consulta, se deben tener claros varios aspectos:

– Qué se quiere buscar.
– Dónde se quiere buscar la información.
– Cómo se desean mostrar los resultados obtenidos.

Una vez definidos estos aspectos, se puede comenzar con la creación de la consulta, que se realiza desde la ficha *Crear* en el grupo *Otros*. Allí se puede crear directamente a través del botón *Diseño de la consulta* o bien mediante un asistente con el botón *Asistente para consultas*.

13.1. Ficha *Crear*.

Consultas cuyo origen de selección es una sola tabla

Este es el supuesto más simple, en el que los datos que queremos filtrar están en una única tabla.

Por ejemplo, si tenemos una tabla con los nombres de todos los empleados de una empresa y queremos que en la consulta nos aparezcan solo aquellos que se han incorporado a la empresa en el último año. Para ello, solo hay que buscar los datos en esa tabla, sin acudir a ninguna otra.

Creación a través del asistente

Ilustraremos la creación de una consulta con el asistente a través del ejemplo siguiente.

Ejemplos

Creación de una consulta de selección con el asistente

Utilizaremos la base de datos de ejemplo *Northwind 2007*, que se incluye en Access. Para ello, abrimos dicha base de datos y hacemos clic en el botón *Asistente para consultas* del grupo *Otros*, de la ficha *Crear.*

Inmediatamente se abre el cuadro de diálogo *Nueva consulta*, donde seleccionamos *Asistente para consultas sencillas* y hacemos clic en *Aceptar.* El asistente mostrará una ventana donde, en una lista desplegable, se puede seleccionar el objeto u objetos que serán el origen de la consulta. Pueden crearse consultas a partir de tablas, de consultas o, incluso, de una combinación de tablas y consultas.

Una vez elegido el origen de la consulta, en la parte inferior de la ventana se pueden elegir las columnas o campos que deseamos que aparezcan en la consulta. Para ello, se hace clic sobre el campo elegido y se traslada a la ventana de la derecha mediante los botones > (traslada ese campo) y >> (traslada todos los campos). Una vez agregados, se pueden quitar campos de la consulta con los botones < y <<.

Supongamos que seleccionamos la tabla *Productos* y queremos que la consulta nos muestre los campos *Código de producto, Nombre del producto* y *Precio listado,* debido a que queremos mostrar aquellos productos cuyo precio sea mayor o igual de 20 €.

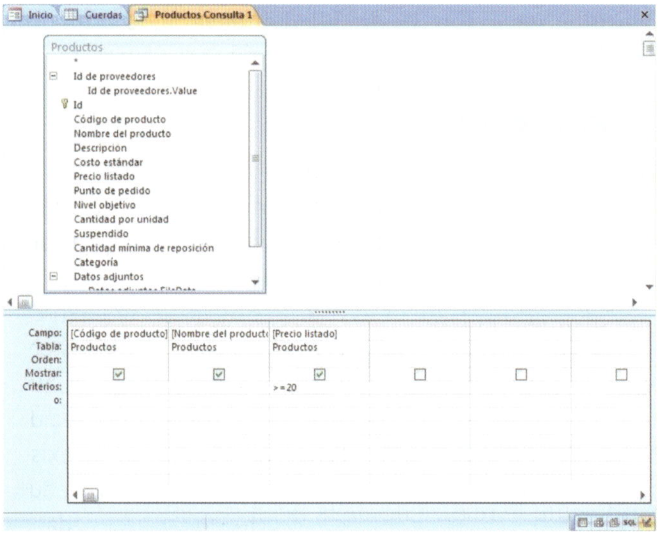

Una vez hemos seleccionado la tabla y los campos, hacemos clic en *Siguiente* y el asistente preguntará si deseamos una consulta de *Detalle* (muestra cada campo de cada registro) o un *Resumen*. En este caso, seleccionamos *Detalle,* ya que los resúmenes no son necesarios para nuestra consulta.

Hacemos clic en *Siguiente* y el asistente nos pregunta el nombre con el que queremos guardar la consulta y si deseamos abrirla o modificar el diseño de la consulta. Si seleccionamos *Abrir la consulta para ver información,* nos mostrará todas las filas de la tabla independientemente del precio; en cambio, si seleccionamos *Modificar el diseño de consulta,* podremos decidir cuáles son las condiciones de filtrado de filas, que es lo que nos interesa en este caso. Por tanto, elegimos esta segunda opción.

Elegimos un nombre para la consulta, en nuestro caso, *Productos Consulta* 1, y hacemos clic en *Finalizar.*

Se abre la consulta en la vista *Diseño* y, a partir de la misma, vamos a realizar las modificaciones pertinentes. Además, veremos que se activa la ficha *Diseño* de las *Herramientas de consultas,* que contiene las opciones necesarias para realizar dichas modificaciones.

En la parte superior de esta ventana, se muestra la tabla con todos sus campos, mientras que en su parte inferior aparece un panel (llamado cuadrícula QBE), con los apartados necesarios para configurar la consulta.

En la cuadrícula de la parte inferior de la vista *Diseño*, aparecen las siguientes opciones de configuración de la consulta:

- ***Campo:*** donde se pueden seleccionar, a través de una lista desplegable, los campos que se mostrarán en la consulta.
- ***Tabla:*** es el origen de los datos de la consulta.
- ***Orden:*** sirve para elegir el orden con el que se visualizan los registros (ascendente, descendente o sin orden). Este campo es opcional. Si no se marca, aparecen los registros en el mismo orden en el que están guardados en la tabla.
- ***Mostrar:*** es la propiedad que determina si el campo aparecerá en el resultado de la consulta. Es posible que, aunque queramos filtrar por un campo en concreto, no deseemos mostrarlo. Si no queremos que aparezca un campo, basta con desmarcarlo.
- ***Criterios:*** aquí se define cuáles son los criterios de búsqueda de registros. Se pueden insertar criterios utilizando símbolos de relación (<,>,=, etc.). Así por ejemplo, si queremos que en campo de texto nos busque el apellido *López,* se escribirá *="López"*. También se pueden utilizar otros criterios, como por ejemplo *Entre*, muy útil para buscar entre un grupo de números o entre unas fechas determinadas.
- ***O:*** en esta fila y las siguientes, se pueden añadir criterios de búsqueda adicionales a los marcados en *Criterios*.

Concretamente en este ejemplo, para que nos dé los resultados buscados (un listado de los precios iguales o superiores a 20 €), configuramos la cuadrícula del siguiente modo:

Campo:	[Código de producto]	[Nombre del product	[Precio listado]
Tabla:	Productos	Productos	Productos
Orden:			
Mostrar:	☑	☑	☑
Criterios:			>=20
o:			

- ***Campo:*** el asistente nos ha incluido los nombres de los campos seleccionados en el primer paso.
- ***Tabla:*** en este caso, como solo hemos seleccionado un origen de datos (la tabla *Productos*), únicamente nos permitirá elegir su nombre.
- ***Orden:*** seleccionamos *Ascendente* en la columna *Precio listado,* puesto que queremos que los productos nos aparezcan en la consulta ordenados por sus precios en orden ascendente.
- ***Mostrar:*** dejamos todos marcados, pues queremos que aparezcan en el resultado de la consulta.
- ***Criterios:*** en este caso, para filtrar, hemos establecido el criterio de filtrado en el campo *Precio listado*. El resultado de la consulta serán aquellos registros existentes en la tabla *Productos* cuyo valor en el campo *Precio listado* sea mayor o igual a 20. Observa que, aunque la columna *Precio listado* es de tipo *Moneda*, no insertamos el símbolo € en el criterio de búsqueda, pues nos daría un error ya que, en definitiva, es un campo numérico y estaríamos insertando un símbolo que no es un número.
- ***O:*** el criterio introducido era el único, por lo que dejamos en blanco esta y las siguientes filas.

Para ver el resultado de la consulta, hacemos clic en el botón *Ejecutar* del grupo *Resultados* de la ficha *Diseño*, que se abrió automáticamente cuando entramos en el diseño de la nueva consulta. También podemos acceder a los resultados de la consulta eligiendo *Hoja de datos* en el desplegable *Ver* del grupo *Resultados*.

Inicio | Productos Consulta 1

Código de pro	Nombre del producto	Precio lis
NWTCO-4	Condimentos de Louisiana Northwind Trad	22,00 €
NWTO-5	Aceite de oliva Northwind Traders	21,35 €
NWTJP-6	Mermelada de moras y frambuesas Northw	25,00 €
NWTDFN-7	Peras secas Northwind Traders	30,00 €
NWTS-8	Salsa curry Northwind Traders	40,00 €
NWTDFN-14	Nueces Northwind Traders	23,25 €
NWTCFV-17	Macedonia Northwind Traders	39,00 €
NWTJP-6	Mermelada Northwind Traders	81,00 €
NWTB-43	Café Northwind Traders	46,00 €
NWTDFN-51	Manzanas secas Northwind Traders	53,00 €
NWTP-56	Ñoquis Northwind Traders	38,00 €
NWTS-65	Salsa picante Northwind Traders	21,05 €
NWTD-72	Mozzarella Northwind Traders	34,80 €
*		0,00 €

El resultado es que se nos muestra una tabla en la que solo nos aparecen los productos cuyo precio es igual o mayor a 20 €, ordenados de menor a mayor, por el precio.

Creación a través de *Diseño de consulta*

Si se desea crear una consulta directamente, sin utilizar el asistente, hay que hacer clic en el botón *Diseño de consulta* del grupo *Otros* de la ficha *Crear*. Se abrirá la vista *Diseño de una consulta nueva*, mostrando un cuadro de diálogo con todas las tablas y consultas disponibles, donde se deberán añadir las tablas necesarias para hacer la consulta para, a continuación, diseñarla de la misma forma que en caso del asistente.

Casos prácticos 1

Creación de una consulta

•• Crea una consulta en la base de datos de ejemplo de *Northwind 2007* que muestre los clientes de Chicago.

Solución ••

Abre la base de datos de ejemplo *Northwind 2007* y haz clic en el botón *Diseño de consulta* del grupo *Otros,* de la ficha *Crear*. Aparece la vista de *Diseño* de una nueva consulta.

- En el cuadro de diálogo *Mostrar tabla,* selecciona únicamente las tablas necesarias para crear la consulta; en este caso solo necesitas una tabla: *CLIENTES*. Haz clic en ella y luego en *Agregar* y *Cerrar*.
- En la cuadrícula de la parte inferior, en el desplegable de la fila *Campos*, inserta los que sean significativos para la consulta, por ejemplo: *Compañía, Dirección, Ciudad*. Puedes insertar los campos a través del desplegable de la fila *Campos* o bien, simplemente, haciendo doble clic sobre cada uno de los campos en la imagen de la tabla de la vista *Diseño*.
- En el campo *Ciudad*, en la fila *Criterios*, escribe *Chicago*. No hace falta poner comillas, aparecerán después de modo automático (cualquier gestor de base de datos distingue las cadenas de texto encerrándolas entre comillas, ya sean simples o dobles).
- El diseño de la consulta queda como puedes ver en la imagen.
- Para ejecutarla y ver el resultado, haz clic sobre el botón *Ejecutar* del grupo *Resultados* de la ficha *Diseño*, que se abrió automáticamente en cuanto entraste en el diseño de la nueva consulta. Observarás que aparecen las filas que cumplen este requisito de búsqueda.
- Guarda la consulta con el nombre *Consulta Clientes Chicago*.
- Una vez guardada, si quieres volver a utilizar la consulta, simplemente accede a ella a través del panel de exploración y ejecútala. Aparecerá el resultado de la consulta, mostrando los datos. Puedes cambiar de vista desde el botón *Ver* del grupo *Vistas* de la ficha *Inicio*.

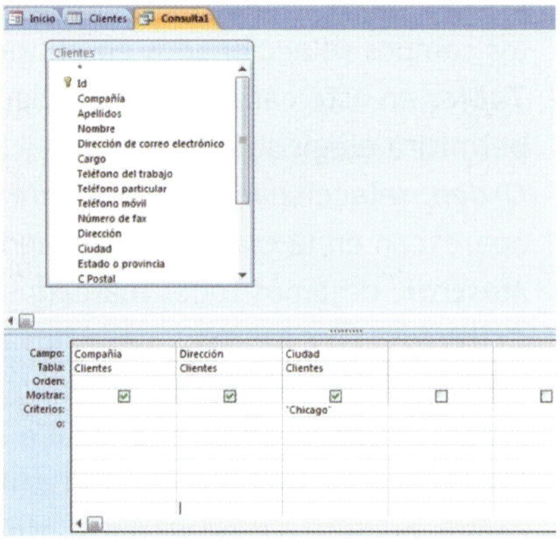

Actividades propuestas

1•• Abre la base de datos de ejemplo *Northwind 2007* y crea la siguiente consulta a través del asistente y diseñándola directamente: en la tabla Proveedores, busca todos los proveedores cuyo cargo sea "Jefe de ventas". Muestra los campos siguientes: Apellidos, Nombre, y Compañía. Guarda la consulta como *Consulta Proveedores 01*.

Consultas cuyo origen de datos es más de una tabla

Al diseñar las consultas, a veces, nos encontramos con que necesitamos extraer datos que están en más de una tabla. Por ejemplo, si deseamos consultar los pedidos que le hemos hecho a un proveedor en el mes de marzo de este año, lo más normal es que tengamos una tabla que recoja los datos de los proveedores y otra que recoja los datos de los pedidos. En este caso, obtendremos los datos del proveedor (nombre, apellidos, dirección, etc.) de la tabla *Proveedores* y los datos del pedido (fecha, importe, etc.) de la tabla *Pedidos.*

En esencia, se diseñan de forma muy similar a la que hemos visto cuando el origen es únicamente una tabla. El requisito fundamental, en este caso, es que las tablas usadas como origen de la consulta estén relacionadas.

Ejemplos

Creación de consultas en varias tablas

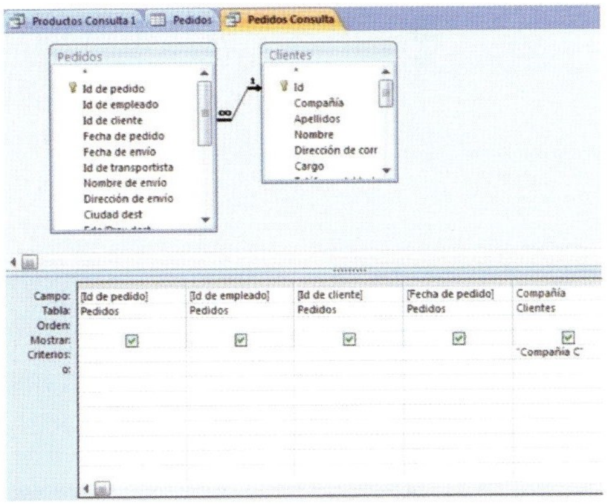

Crea una consulta en la base de datos de ejemplo *Northwind 2007* que muestre los pedidos de la Compañía C.

Abre la base de datos de ejemplo *Northwind 2007* y haz clic en el botón *Diseño de consulta* del grupo *Otros*, de la ficha *Crear.* Aparece la vista de *Diseño* de una consulta nueva.

En el cuadro de diálogo *Mostrar tabla,* selecciona únicamente las tablas necesarias para crear la consulta. En este caso, necesitas dos tablas: *Pedidos* y *Clientes.* Haz clic en ellas y luego en *Agregar* y en *Cerrar.* Necesitamos dos tablas porque tomamos el campo *Nombre de Clientes* para filtrar por *Nombre "Compañía C".* En *Pedidos* aparece *IdCliente*, aunque luego se muestre el nombre.

En la cuadrícula de la parte inferior, en el desplegable de la fila *Campos,* inserta los campos que sean significativos para la consulta, por ejemplo: *IdPedido, IdEmpleado, IdCliente*, *FechaPedido de Pedidos* y *Nombre de Clientes*. Puedes insertar los campos a través del desplegable de la fila *Campos* o bien, simplemente, haciendo doble clic sobre cada uno de los campos en la imagen de la tabla de la vista *Diseño.*

En el campo *Nombre,* en la fila *Criterios,* escribe *Compañía C.* No hace falta poner comillas, aparecerán después de modo automático (cualquier gestor de base de datos distingue las cadenas de texto encerrándolas entre comillas, ya sean simples o dobles).

El diseño de la consulta queda como puedes ver en la imagen.

Para ejecutarla y ver el resultado, haz clic sobre el botón *Ejecutar*, del grupo *Resultados* de la ficha *Diseño*, que se abrió automáticamente en cuanto entraste en el diseño de la nueva consulta. Observarás que aparecen las filas que cumplen este requisito de búsqueda.

Guarda la consulta con el nombre *Consulta Compañía C.*

Una vez guardada, si quieres volver a utilizar la consulta simplemente accede a ella a través del panel de exploración y ejecútala. Aparecerá el resultado de la consulta, mostrando los datos. Puedes cambiar de vista desde el botón *Ver* del grupo *Vistas* de la ficha *Inicio.*

1.2 > Consultas de acción

Estas consultas tienen por finalidad llevar a cabo modificaciones en las bases de datos, agregando registros, modificándolos o eliminándolos. Las distintas opciones de consultas de acción se encuentran en el grupo *Tipo de consulta* de la ficha *Diseño* de las *Herramientas de consultas.*

Consultas de actualización

Las consultas de actualización modifican los datos de una tabla. El usuario decide qué campo o campos se actualizan y también a qué filas de la tabla afectará esta actualización. La información en una base de datos no siempre es estática: a veces sufre modificaciones que requieren que, correlativamente, se modifique la base de datos.

Para crear una consulta de actualización, se genera una consulta nueva desde *Diseño de consulta,* del grupo *Otros* de la ficha *Crear.* Cuando aparezca la ventana *Mostrar tabla,* se agrega la tabla que se desea actualizar y luego se cambia el tipo de consulta haciendo clic en el botón *Actualizar* del grupo *Tipo de consulta* de la ficha *Diseño* de las *Herramientas de consultas.*

Una consulta de actualización necesita los siguientes datos:

- *Tabla:* es la tabla que sufre la modificación de registros.
- *Campo:* es el campo que se va a actualizar o el campo que sirve de criterio para ver qué filas se actualizan.
- *Actualizar a:* nuevo valor que tomará el campo que se actualiza.
- *Criterios:* su valor indica cuáles son las filas que se actualizan.

Es muy importante tener en cuenta que las modificaciones introducidas en los datos a través de estas consultas son definitivas y no se pueden deshacer.

Ejemplos

Actualización de datos a través de una consulta

En este ejemplo se muestra una consulta de actualización a través de la cual vamos a modificar el cargo al contacto de apellido *Alverca,* que pasa a ser *Propietario.*

Campo:	Apellidos	Cargo	
Tabla:	Clientes	Clientes	
Actualizar a:		"Propietario"	
Criterios:	"Alverca"		
o:			

Para ello, usando *Northwind 2007,* hemos incluido los datos necesarios:

- ***Tabla:*** los datos estarán en la tabla *Clientes.*
- ***Campo:*** el campo que se va a modificar es *Cargo* y el que sirve de criterio para la modificación es *Apellido.*
- ***Actualizar a:*** es el nuevo valor que tomará el campo, en este caso, *Propietario.*
- ***Criterios:*** solo se modificarán aquellas filas que tengan un valor en el campo *Apellidos* igual a *Alverca.*

Casos prácticos 2

Consulta de actualización

•• Utilizando la base de datos de ejemplo *Northwind 2007*, crea una consulta de actualización para bajar en un 5% el precio de todos los productos cuyo importe sea superior a 50 €.

Solución ••

- Abre la base de datos de ejemplo *Northwind 2007* y haz clic en el botón *Diseño de consulta* del grupo *Otros*, de la ficha *Crear*. Aparece la vista de *Diseño* de una nueva consulta.
- En el cuadro de diálogo *Mostrar tabla*, selecciona la tabla necesaria para crear la consulta, en este caso, *Productos*. Haz clic en ella y luego en *Agregar* y en *Cerrar*.
- Haz clic en el botón *Actualizar* del grupo *Tipo de consulta*, para definir esta.

Campo:	Precio listado
Tabla:	Productos
Actualizar a:	[Precio listado]*0,95
Criterios:	>50
o:	

- En la cuadrícula, define las propiedades de la consulta, que serán las siguientes:
  - ***Tabla:*** los datos estarán en la tabla *Productos*.
  - ***Campo:*** el campo que se va a modificar es *Precio listado*. En este caso, será el mismo campo que se modifique el que se utilice como criterio de modificación, por lo que solo es necesario incluir una columna.
  - ***Actualizar a:*** es el nuevo valor que tomará el campo. En este caso, el nuevo precio rebajado en un 5%. Como sabes, para bajar un precio en un 5%, basta con multiplicar el precio anterior por 0,95, por ello, debes escribir la expresión *[Precio listado]*0,95*. Debes incluir el nombre del campo entre corchetes, ya que hay un espacio en blanco en su nombre (si dicho nombre fuera únicamente *Precio*, no sería necesario).
  - ***Criterios:*** debes indicar cuáles van a ser las filas afectadas. En este caso, solo aquellas cuyo valor sea mayor a 50 € (recuerda que no debes poner el símbolo del €, pues es un campo de moneda y, por tanto, de tipo numérico).
- El diseño de la consulta queda como se puede ver en la imagen.
- Para ejecutar la consulta y ver el resultado, haz clic sobre el botón *Ejecutar* del grupo *Resultados*.
- Se abrirá un cuadro de diálogo advirtiendo del cambio que va a tener en la base de datos, de las consecuencias del mismo, solicitando confirmación de la modificación. En este cuadro de diálogo aparecen el número de filas que cumplen el criterio de búsqueda que hemos determinado y, por tanto, que van a ser actualizadas.
- Si estás seguro de querer realizar la modificación, haz clic en *Sí* para que se produzca el cambio en las filas.

Actividades propuestas

2•• Abre la base de datos de ejemplo *Northwind 2007*, guárdala como base de datos de Access 2007 con el nombre de *Base consultas* y crea las siguientes consultas de actualización:

a) Modifica el gasto de envío de los pedidos aumentándolo en 6 € en aquellos pedidos cuya fecha de pedido sea anterior al 01/07/2005. Observación: escribe la fecha con todos los dígitos y el carácter / separando los días, meses y años.

b) Cambia el cargo del empleado *Luis Bonifaz* a *Jefe de Ventas*.

Consultas de eliminación

Son consultas que borran registros de las tablas. Al igual que las consultas de actualización, el usuario decide cuáles son las filas que se eliminan.

Las consultas de eliminación borran parte del contenido de la tabla (filas) o todo el contenido, pero nunca una consulta de eliminación de registros eliminará la tabla completa. Es decir, la tabla sigue existiendo, pero ya no tendrá los mismos registros que antes de la consulta.

Para crear una consulta de eliminación, se genera una nueva consulta en la vista *Diseño* que incluya la tabla de la cual se desean eliminar una o más filas. Después se selecciona en la ficha *Diseño* de las *Herramientas de consultas*, el tipo de consulta, en este caso *Eliminar.*

Una consulta de eliminación necesita los siguientes datos:

- *Tabla:* es la tabla que sufre la eliminación de registros.
- *Campo:* es el campo que se va a eliminar o bien el que sirve de criterio para ver qué filas se eliminan.
- *Eliminar:* se pueden seleccionar dos opciones: *Dónde*, que señala lo que se quiere borrar; y *Desde*, que señala la tabla en la que figuran los registros que se quieren borrar.
- *Criterios:* sirve para determinar el criterio de borrado de los registros. Si no se determina ninguno, se borrarán todas las filas de la tabla.

Ejemplos

Eliminación de datos a través de una consulta

Vamos a borrar los pedidos cuya fecha de realización esté dentro del segundo trimestre de 2007. Para ello, en la base *Northwind 2007*, hemos incluido los datos necesarios:

Campo:	Fecha de pedido	Fecha de pedido
Tabla:	Pedidos	Pedidos
Eliminar:	Dónde	Dónde
Criterios:	>=#01/04/2007#	<=#30/06/2007#
o:		

- ***Tabla:*** los datos estarán en la tabla *Pedidos.*
- ***Campo:*** el campo que sirve de criterio es *Fecha de pedido.*
- ***Eliminar:*** como solo hay una tabla, dejamos lo que nos aparece por defecto *(Dónde).*
- ***Criterios:*** ya que vamos a borrar los pedidos de un trimestre, los valores que van a ser eliminados están comprendidos entre dos fechas. En este caso es necesario incluir dos veces la columna *Fecha de pedido* y establecer las fechas de inicio y fin de ese periodo.

Para ejecutar la consulta y ver el resultado, hacemos clic en *Ejecutar* y nos aparece un mensaje indicando el número de filas que se van a eliminar y advirtiendo de que los cambios no se podrán deshacer. Hacemos clic en *Aceptar* y se eliminan las filas que cumplen la condición. La tabla sigue existiendo, pero ya no incluye los pedidos correspondientes al segundo trimestre de 2007.

Actividades propuestas

3·· Abre la base de datos *Base consultas* utilizada en la actividad anterior y crea las siguientes consultas:

a) Elimina los productos cuyo costo estándar es inferior a 15 €.

b) Elimina los pedidos cuya ciudad de destino sea *Madrid.*

Consultas de datos anexados

Las consultas de datos anexados se utilizan para insertar registros en una tabla a partir de los datos recuperados de una consulta. Esto es muy útil cuando se quieren hacer copias de seguridad de una tabla, de unos registros o, simplemente, utilizar parte de la información de una tabla en otra distinta, aunque estén en diferentes bases de datos. Para insertar uno o varios registros en una tabla, se debe tener en cuenta que las filas anexadas se agregarán siempre al final de la tabla.

Ejemplos

Copia de una tabla mediante consulta

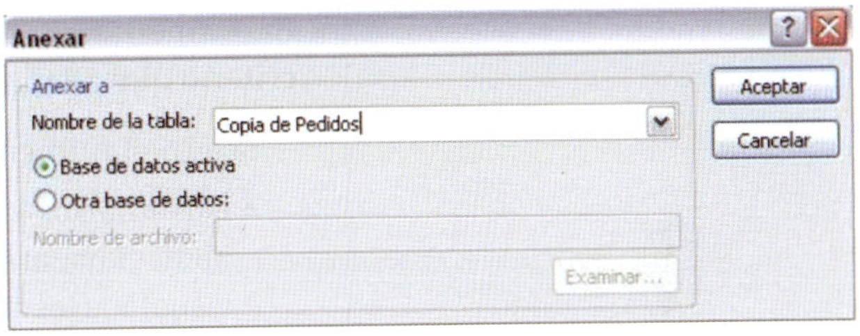

Utilizando la base de datos de ejemplo *Northwind 2007*, vamos a crear una consulta de datos anexados que inserte los registros de la tabla *Pedidos* en una tabla denominada *Copia de Pedidos*.

En primer lugar, crearemos la nueva tabla *Copia de Pedidos*, para lo cual, seleccionamos en el panel de exploración la tabla *Pedidos*, hacemos clic en ella con el botón secundario del ratón y seleccionamos *Copiar* y luego *Pegar*. En la ventana *Pegar tabla como*, marcamos en *Estructura solamente*, para que en la copia no se incluyan los datos de la tabla originaria.

Creamos una consulta en vista *Diseño* añadiendo la tabla origen de los datos, en este caso *Pedidos*, y hacemos clic en el botón *Anexar* del grupo *Tipo de consulta*, para definir esta.

Se abre una nueva ventana que nos pregunta a qué tabla se desea anexar los datos. En este caso será *Copia de Pedidos*. Hacemos clic en *Aceptar* y seleccionamos los campos de la tabla *Pedidos* que queremos anexar en la tabla *Copia de Pedidos*. Automáticamente aparece el campo de destino. Si deseamos cambiarlo, lo seleccionamos manualmente.

Finalmente, guardamos la consulta y la ejecutamos. Nos aparecerá un mensaje indicando las filas que se van a agregar y recordándonos que los cambios no se podrán deshacer. Solo nos queda comprobar que la tabla *Copia de Pedidos* tiene las mismas filas de *Pedidos*.

Copia de una selección de datos mediante consulta

Ahora, usando *Northwind 2007*, crearemos una consulta que inserte solo determinados registros de la tabla *Clientes* (aquellos cuyo apellido comience por la letra A o B) en una nueva tabla llamada *Clientes AB*.

Campo:	Apellidos	Nombre	Dirección	Teléfono móvil
Tabla:	Clientes	Clientes	Clientes	Clientes
Orden:				
Anexar a:	Apellidos	Nombre	Dirección	Teléfono móvil
Criterios:	<"C"			
o:				

Para crear esta nueva tabla *Clientes AB*, se procede igual que en el ejemplo anterior, utilizando en el panel de exploración los comandos *Copiar* y *Pegar* y eligiendo *Estructura solamente*, para que en la copia no se incluyan los datos de la tabla originaria.

Se selecciona *Anexar* como *Tipo de consulta* y, en el apartado *Criterios*, respecto del campo *Apellidos* marcamos que este sea menor que C, así se insertarán aquellos clientes cuyo apellido comience por A o por B. Guardamos la consulta y la ejecutamos. Se agregarán los registros que cumplan las condiciones establecidas.

2 >> Formularios

Los formularios son objetos de la interfaz gráfica de usuario utilizados para realizar cualquier operación sobre los registros: selección, actualización, inserción o borrado de filas.

Los formularios son muy útiles, pues permiten crear una interfaz para interactuar con el contenido de las tablas. Además, en las bases de datos prediseñadas que se comercializan para la gestión de empresas, los formularios son las herramientas que utilizarán los usuarios finales, ya que estos, generalmente, no tienen capacidad para acceder directamente a las tablas.

Subformularios

Son formularios insertados en alguna parte de otro formulario, denominado formulario principal.

Los orígenes de datos de ambos formularios deben estar relacionados.

2.1 > Clases de formularios

Básicamente existen los siguientes tipos de formularios dependiendo del criterio que adoptemos para la clasificación:

- Según el número de registros que muestran:
  - Formularios que muestran un único registro de la base de datos, si bien, el usuario tiene la posibilidad de desplazarse entre registros para visualizarlos todos.
  - Formularios que muestran más de un registro: muestran varias filas de una vez. También en este caso es posible desplazarse entre los registros para visualizar los restantes.
- Según la existencia de subformularios:
  - Formularios con subformularios: tienen la capacidad de tener incrustado otro formulario. Por ejemplo, un formulario que muestra información de los clientes y un subformulario incrustado en el principal que muestra los registros de pedidos asociados al cliente seleccionado. En los subformularios se suelen utilizar formularios de tipo lista.
  - Formularios sin subformularios: solo muestran información de una tabla o consulta.

2.2 > Creación de formularios

Como los formularios muestran datos, antes de crear uno hay que tener claro cuál va a ser su origen de datos, que puede ser tanto una tabla como una consulta. Una vez establecido el origen de datos, se determinará cuáles son los campos que se van a visualizar en el formulario de esa tabla o consulta.

Las opciones para la creación de formularios se encuentran en la ficha *Crear*, en el grupo *Formularios*, que puedes ver en la Figura 13.2.

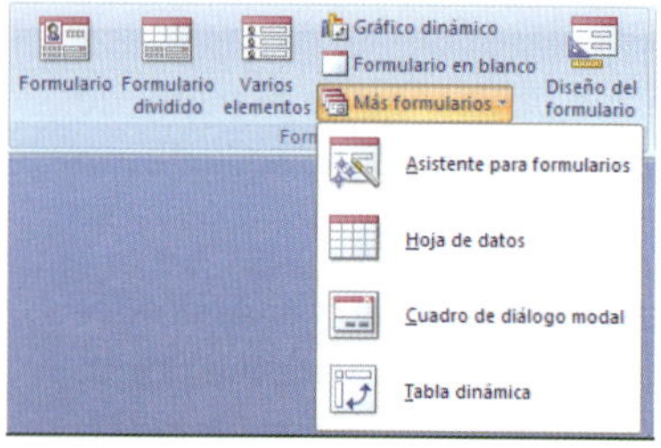

13.2. Grupo *Formularios*.

Los formularios pueden crearse de varias formas a las que se puede acceder desde los iconos de este grupo:

- *Formulario.*
- *Formulario dividido.*
- *Varios elementos.*
- *Diseño del formulario.*

Asistente para formularios

Al igual que con las consultas, se pueden crear formularios a través de asistentes. Para obtener el asistente de formularios hay que hacer clic en el botón *Más formularios* del grupo *Formularios* y, en el desplegable, seleccionar *Asistente para formularios.*

Ejemplos

Creación de un formulario con el asistente

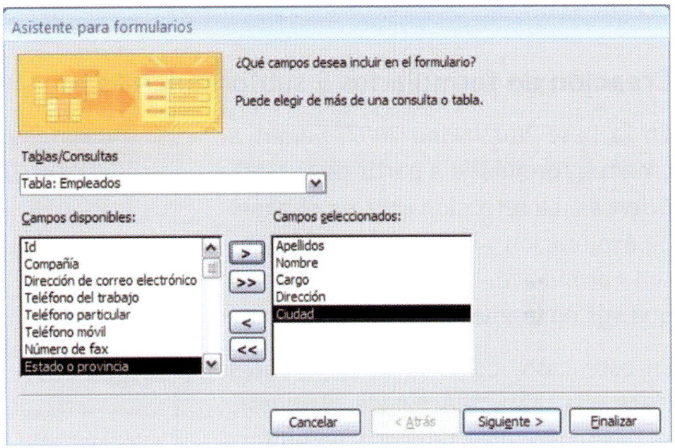

Usaremos la base de datos de ejemplo *Northwind 2007*. Para ello, abrimos dicha base de datos y hacemos clic en el botón *Más formularios* del grupo *Formularios* de la ficha *Crear* y, en el desplegable, seleccionamos *Asistente para formularios*. Inmediatamente se abre el cuadro de diálogo *Asistente para formularios*, que muestra una ventana donde, en una lista desplegable, se puede seleccionar el objeto u objetos que serán el origen del formulario (tabla o consulta). En nuestro caso, vamos a utilizar la tabla *Empleados*. En esta, elegimos los campos *Apellidos*, *Nombre*, *Cargo*, *Dirección* y *Ciudad*.

Se abre una nueva ventana para elegir la distribución del formulario, que podrá ser:

- *En columna:* aparece un único registro.
- *Tabular:* formulario en forma de listado. Aparecen varios registros.
- *Hoja de datos:* aspecto muy parecido a la vista de una tabla. Se muestran varios registros.
- *Justificado:* se muestra un único registro donde se ajustan perfectamente los cuadros de texto y las etiquetas al área disponible del formulario.

Nosotros elegimos *En columna*, hacemos clic en *Aceptar* y se abre una nueva ventana para seleccionar el estilo que se desea dar al formulario. Access nos muestra una galería de estilos disponibles para que elijamos el que se ajuste al aspecto visual que queramos dar a nuestro formulario. Es recomendable, por un lado, seleccionar un estilo sencillo y, por otro, que todos los formularios de la base de datos tengan el mismo para evitar confusiones y facilitar su configuración posterior.

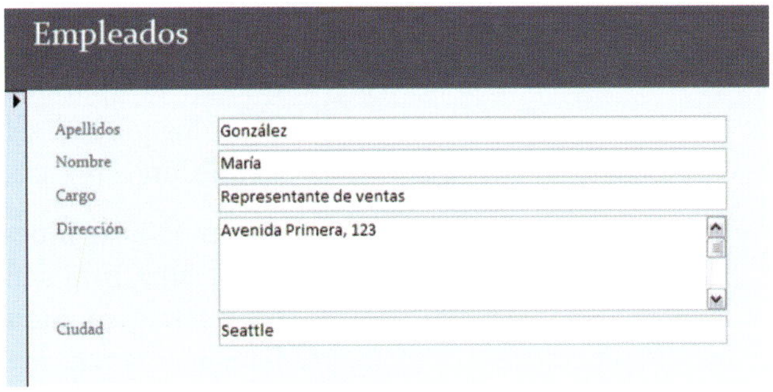

En nuestro caso, elegimos el diseño *Papel* y hacemos clic en *Aceptar*. Se abrirá una última ventana que nos solicita un nombre para guardar el formulario creado, en este caso *Empleados1*. En esa misma ventana se nos da la opción de abrir el formulario para ver o introducir información en él de acuerdo al diseño que nos ha proporcionado el asistente o bien modificar el diseño. En este último caso, se abrirá la vista *Diseño* del formulario para modificarlo según nuestras necesidades.

Nosotros seleccionamos *Abrir el formulario para ver o introducir información*, hacemos clic en *Finalizar* y el formulario creado tendrá el aspecto que ves en la imagen del margen.

Formulario

Esta opción permite crear un formulario a partir de una tabla o consulta que estén seleccionadas en el panel de exploración.

Al hacer clic sobre el botón *Formulario,* se crea un formulario cuyo origen de datos es esa tabla o consulta. El formulario creado muestra un único registro (también denominado formulario de detalle, ya que por defecto muestra todos los campos del origen) y tendrá subformulario si la tabla seleccionada tiene una tabla secundaria relacionada.

Ejemplos

Creación de formularios y subformularios

En la base *Northwind 2007,* vamos a crear un formulario a partir de la tabla *Clientes.* La seleccionamos en el panel de exploración y hacemos clic en el botón *Formulario.* Se crea el formulario que ves en la imagen.

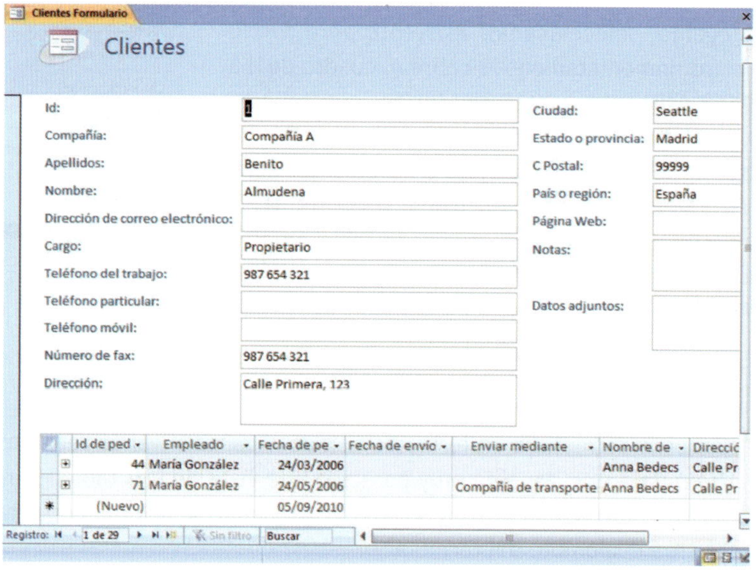

En este caso, como la tabla *Clientes* tiene una tabla relacionada *(Pedidos),* se ha creado, directamente, un subformulario dentro del formulario principal.

Vamos a interpretar el formulario. Si, por ejemplo, visualizamos el cliente número 1, que tiene dos pedidos distintos, observamos que aparecen dos barras de estado distintas, una para cada formulario.

En este supuesto, una de ellas indica que estamos en el registro 1 de 29 (de los clientes) mientras que en el subformulario estaremos en el registro 1 de 2 (de los elementos pertenecientes a ese cliente en concreto).

Formulario dividido

Cuando se crea un formulario desde el botón *Formulario dividido,* al igual que en el apartado anterior, Access crea un formulario de la tabla o consulta que esté seleccionada en el panel de exploración. La particularidad es que, en este caso, se obtiene un formulario doble.

Por un lado se muestra un registro con todos sus campos y, en la parte inferior, una lista con los elementos de la tabla o consulta a la que mira el formulario, manteniéndose seleccionado el registro que está siendo visualizado en la parte superior del formulario.

En la figura de esta página se observa un formulario dividido cuyo origen de datos es la tabla *Clientes* de la base de datos *Northwind 2007.* En la parte superior del formulario aparece el detalle (todos los campos) del registro seleccionado en la lista de la parte inferior.

Varios elementos

Al utilizar el botón *Varios elementos* para crear un formulario, aparece un formulario en forma de listado con la misma información que la que contienen la tabla o consulta seleccionadas en el panel de exploración.

Diseño de formulario

El botón *Diseño de formulario* muestra la vista *Diseño* de un formulario nuevo totalmente en blanco, es decir, sin que contenga ningún objeto (etiquetas, botones, cuadros combinados, etc.).

Utilizando esta opción se puede personalizar totalmente el diseño del formulario, si bien es mucho más laborioso que cualquiera de las opciones anteriormente vistas.

Además, en cada una de dichas opciones existe la posibilidad de seleccionar la vista *Diseño* en cualquier momento y modificar el formulario que Access nos ha creado para adaptarlo a nuestras necesidades.

13.3. Ficha *Diseño* de *Herramientas de diseño formulario*.

En la Figura 13.3, se muestra la vista *Diseño* de un formulario que toma como origen de datos la tabla *Clientes* de la base de datos de ejemplo *Northwind 2007*.

Todas las herramientas disponibles para la edición de un formulario en la vista *Diseño* están disponibles en la ficha *Diseño* de *Herramientas de diseño de formulario* que se muestra en la cinta de opciones al hacer clic en el botón *Diseño del formulario*.

La opción más importante es *Controles*, donde están incluidos todos los objetos que se pueden insertar en un formulario: campos de texto, etiquetas, botones, cuadros combinados, cuadros de lista, subformularios, líneas, imágenes, etc.

Además, una vez que se haya creado un formulario, si está activada la vista *Diseño* y se selecciona cualquier objeto, se puede hacer clic con el botón secundario del ratón sobre él y, al marcar *Propiedades*, acceder a todas las opciones de configuración referentes a dicho objeto, que pueden ser modificadas en función de las necesidades del usuario.

Actividades propuestas

4•• Crea una base de datos nueva con tres tablas relacionadas de forma que tengan una relación de varios a varios y llámala *Formularios relacionados*. Inserta filas en las tres tablas. Crea dos formularios cuyo origen de datos sea cada una de tablas principales. Cada uno de ellos debe tener un subformulario que muestre las filas de la tabla de intersección de la relación.

2.3 > Formularios con gráficos

En Access 2007 existe la posibilidad de ilustrar la información visualizada en el formulario con un gráfico que muestre un resumen de información. Por ejemplo, si se ha creado un formulario de *Clientes*, puede interesar tener un gráfico donde aparezca el número de clientes por ciudad.

Ejemplos

Creación de formularios con gráficos

Vamos a crear en la base *Northwind 2007* un formulario que muestre registros de empleados e incluya un gráfico de empleados por cargo. En el panel de exploración seleccionamos la tabla *Empleados*.

A continuación, vamos a la ficha *Crear* y, en la opción *Formularios*, seleccionamos aquel que nos muestre información de la tabla principal y que inserte a su vez el subformulario. En este caso, la opción adecuada es *Formulario*.

Una vez creado el formulario, lo visualizamos en vista *Diseño* y ampliamos el pie del formulario para insertar el gráfico en esta zona. Para ello se hace clic con el ratón debajo de las palabras *Pie del formulario* y, cuando el cursor tome la forma de dos flechitas negras, se arrastra hacia abajo.

Vamos al grupo *Controles* y allí hacemos clic en *Insertar gráfico*. A continuación, hacemos clic con el ratón en el pie del formulario y arrastramos hasta conseguir un rectángulo con las dimensiones que queremos que tenga el gráfico.

Se abre el *Asistente para gráficos* que, en primer lugar, pregunta qué tabla se desea elegir como origen de datos. Se selecciona *Empleados*. En el siguiente paso, pregunta por el campo o campos que contienen la información que se necesita para el gráfico. En este caso se elige *Cargo*, ya que se desea que muestre los empleados por cargo.

El siguiente paso será elegir un tipo de gráfico que se adapte a nuestras necesidades. En nuestro caso elegimos un gráfico *Circular en 3D*. A continuación, el asistente nos pregunta por la distribución de la información. Arrastramos el campo *Cargo* desde la parte derecha a la parte inferior y lo soltamos en el espacio donde aparece la palabra *Datos*. Ahora aparece la expresión *CuentaDeCargo*.

En la siguiente pantalla, como no deseamos que el gráfico cambie a medida que cambiamos de registro, se selecciona *Ningún campo* en ambas propiedades. De este modo, el formulario será estático, aunque cuando se inserte un nuevo cliente en la tabla, el gráfico se actualizará mostrando el nuevo número de empleados por cargo.

Se finaliza el asistente y, al pasar a la vista *Formulario*, este tendrá el siguiente aspecto.

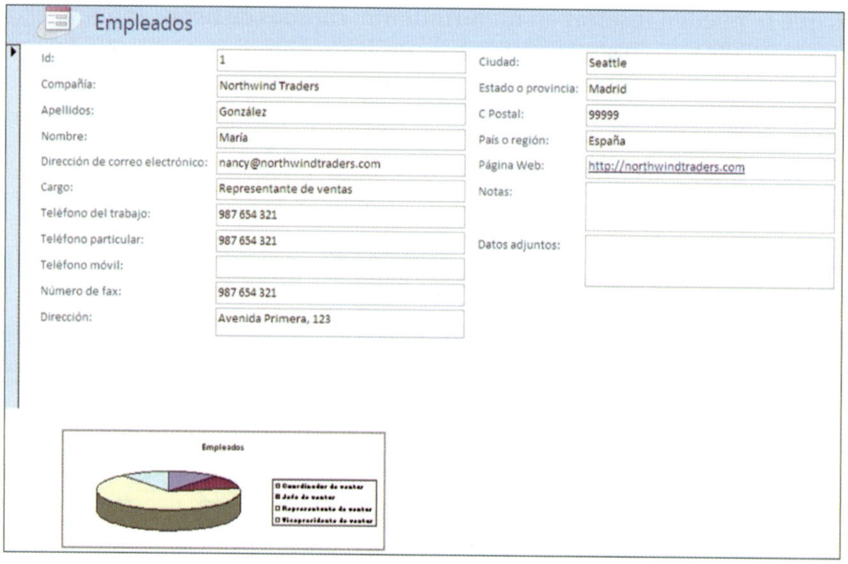

3 >> Informes

Los informes son objetos de la interfaz gráfica de usuario que permiten realizar resúmenes de información y mostrar estos listados en una página cuyo objetivo, generalmente, es su impresión.

Estos objetos presentan similitudes con los formularios. En efecto, al igual que en los formularios, los informes pueden contener subinformes, es decir, informes dentro de un informe que muestran información de alguna tabla secundaria relacionada con una tabla principal (origen de datos del informe principal).

Sin embargo, a diferencia de los formularios, en los informes no es posible modificar la información visualizada, ni siquiera insertar o borrar filas.

3.1 > Partes de un informe

La vista *Diseño* de un informe nos presenta las siguientes partes:

- *Encabezado del informe:* aparece una única vez por informe, al inicio de este.
- *Encabezado de página:* aparece una vez por página.
- *Detalle:* aparece una vez por cada fila que devuelve el informe.
- *Pie de página:* igual que el encabezado de página.
- *Pie de informe:* igual que encabezado de informe.

3.2 > Creación de informes

Las opciones para la creación de informes se encuentran en la ficha *Crear*, en el grupo *Informes.*

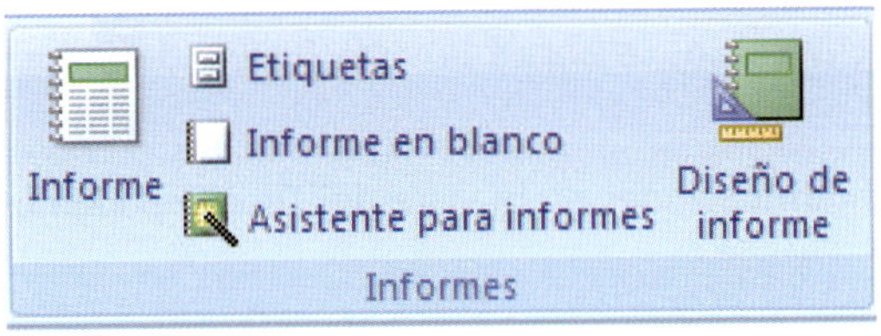

Los informes pueden crearse de varias formas a las que se puede acceder desde los iconos de este grupo:

- *Informe:* esta opción permite crear un informe a partir de una tabla o consulta que esté seleccionada en el panel de exploración.
- *Informe en blanco:* crea un informe en blanco, que se abre en vista *Presentación.*
- *Diseño de informe:* crea un informe en blanco, que se abre en vista *Diseño,* para irlo configurando. No se suele utilizar porque es mucho más simple utilizar cualquiera de las otras opciones y luego abrir la vista *Diseño* y realizar los ajustes de configuración.
- *Asistente para informes:* se crea el informe, de forma guiada por un asistente, que, paso a paso, va dando las instrucciones para la creación.

Vamos a ver con un ejemplo cómo sería la creación de un informe a través del asistente.

Ejemplos

Objeto del convenio

Vamos a crear un informe a partir de la tabla *Empleados* de la base de datos de ejemplo *Northwind 2007*, que, además, muestre un subinforme con los pedidos de cada empleado.

Para ello, abrimos dicha base de datos y hacemos clic en el botón *Asistente para informes* del grupo *Informes* de la ficha *Crear*. Se abre el cuadro de diálogo *Asistente para informes*, que muestra una ventana donde, en una lista desplegable, se puede seleccionar el objeto u objetos que serán el origen del informe (tabla o consulta). En nuestro caso, vamos a utilizar la tabla *Empleados*. En ella, elegimos los campos: *Id, Apellidos, Nombre* y *Ciudad*.

La siguiente pantalla nos pregunta si deseamos algún nivel de agrupamiento (se pueden agrupar los elementos del informe en función del concepto que elijamos), no elegimos ninguno y hacemos clic en *Siguiente*. En el siguiente paso, el asistente ofrece la posibilidad de ordenar los registros. En este caso, elegimos que los ordene por el campo *Apellidos*, en orden ascendente (es decir, por orden alfabético). El asistente pregunta por la distribución del informe, ofreciendo unas opciones muy similares a las que vimos en los formularios: *En columna, Tabular* y *Justificado*. Elegimos este último porque aprovecha mejor el espacio disponible en la hoja y en la orientación del informe. Seleccionamos *Horizontal*.

La siguiente pantalla nos ofrece la posibilidad de personalizar el informe con un estilo de los predefinidos por Access. Elegimos el estilo *Módulo*.

Finalmente, el asistente solicita un nombre para guardar el informe creado, en este caso, *Empleados*. En esa misma ventana se nos da la opción de una vista previa del informe, de acuerdo al diseño que nos ha proporcionado el asistente, o bien modificar el diseño, en cuyo caso, se abrirá la vista *Diseño* del informe para modificarlo según nuestras necesidades.

Terminando con el asistente y realizando pequeñas modificaciones en la vista del *Diseño* podemos obtener un informe como el de la imagen.

A continuación, crearemos el subinforme *Pedidos*. Para ello, abrimos la vista *Diseño* del informe, vamos al área de la sección *Detalle* y, en el grupo *Controles* de la ficha *Herramientas de diseño del informe*, hacemos clic en el botón *Subformulario / Subinforme*. Arrastramos con el ratón en el área *Detalle* para delimitar el tamaño de la ventana en que se mostrará el subinforme. Se abrirá inmediatamente un asistente para la creación del subinforme.

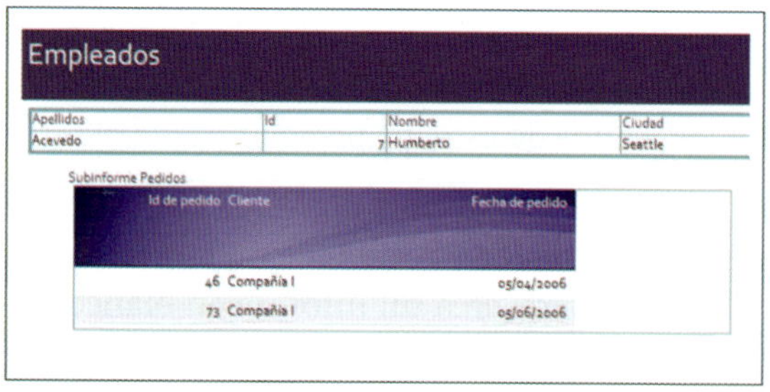

En el asistente, seleccionamos la tabla *Pedidos*; a continuación, los campos de la misma que queremos mostrar, el estilo del informe (igual que el informe principal) y el tipo de relación existente entre los registros de informe y subinforme. Si las tablas que conforman informe y subinforme están relacionadas, la relación se detecta automáticamente y es esta relación la que se debe seleccionar (aparece ya marcada). Si no, la definiremos seleccionando clave primaria y clave ajena. Hacemos clic en *Finalizar* y ya podemos ver nuestro informe de *Empleados* con los *Pedidos* respectivos.

3.3 > Informes de etiquetas

Un tipo de informe muy útil para cualquier oficina son los informes relacionados con etiquetas de sobres. Es habitual generar muchas etiquetas para pegar en los sobres con la dirección de los clientes o proveedores para posteriormente enviarles las cartas.

Esta tarea puede llevarse a cabo a través de unos informes denominados informes de etiquetas. Se configuran de forma muy similar a los informes que hemos visto, utilizando en el grupo *Informes* la opción *Etiquetas*.

4 >> La seguridad en Access 2007

Estos archivos así guardados se abrirán sin avisarnos de contenidos potencialmente peligrosos y además, se mostrará todo su contenido sin necesidad de tener que habilitarlo.

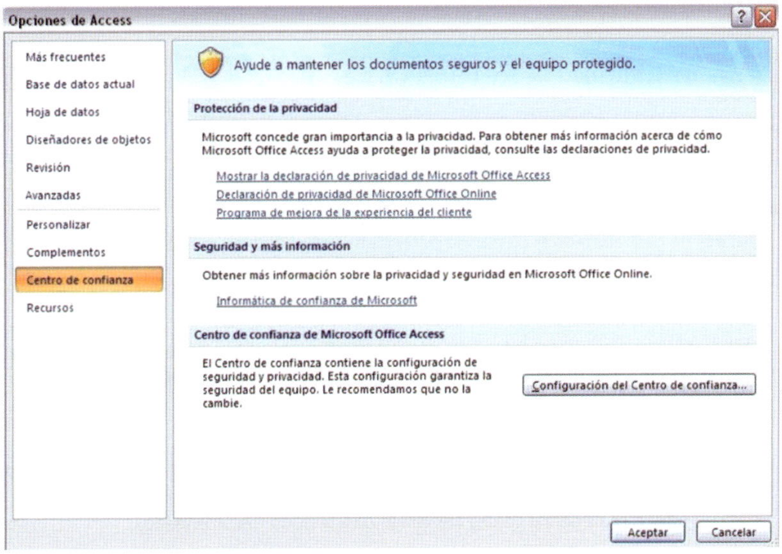

El *Centro de confianza* es un cuadro de diálogo que nos ayuda a definir *Ubicaciones de confianza* y donde podremos parametrizar todo lo necesario al respecto.

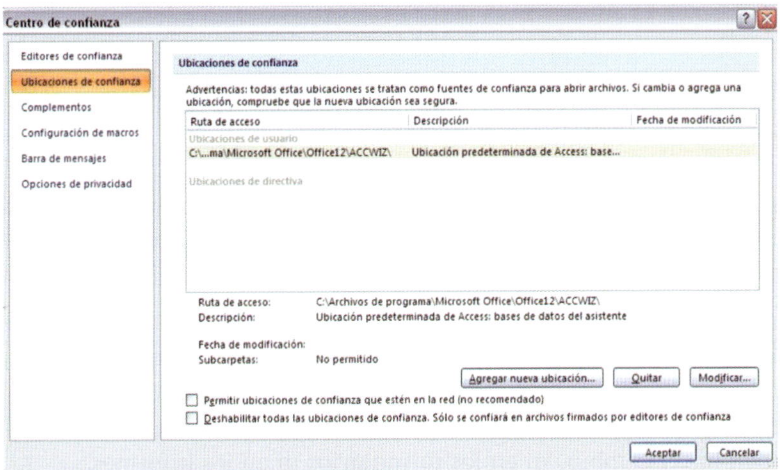

Para definir una ubicación de confianza utilizamos las *Opciones de Access 2007* accediendo al *Centro de confianza*.

Para crear una ubicación nueva haremos clic en el botón de Office / *Opciones de Access 2007 / Centro de confianza / Configuración del Centro de confianza / Ubicaciones de confianza / Agregar nueva ubicación / Aceptar.*

Si se abre una base de datos dentro de una ubicación de confianza, entonces no aparecerá ningún mensaje de seguridad. Sin embargo, si se abre desde una ubicación distinta, aparecerá la barra de mensajes, que pregunta si se habilita o no el contenido.

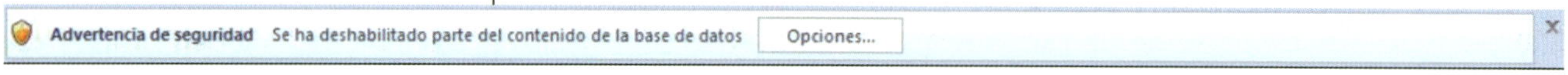

13.4. *Advertencia de seguridad.*

Accediendo a las opciones de seguridad de Microsoft Office aparece la siguiente imagen:

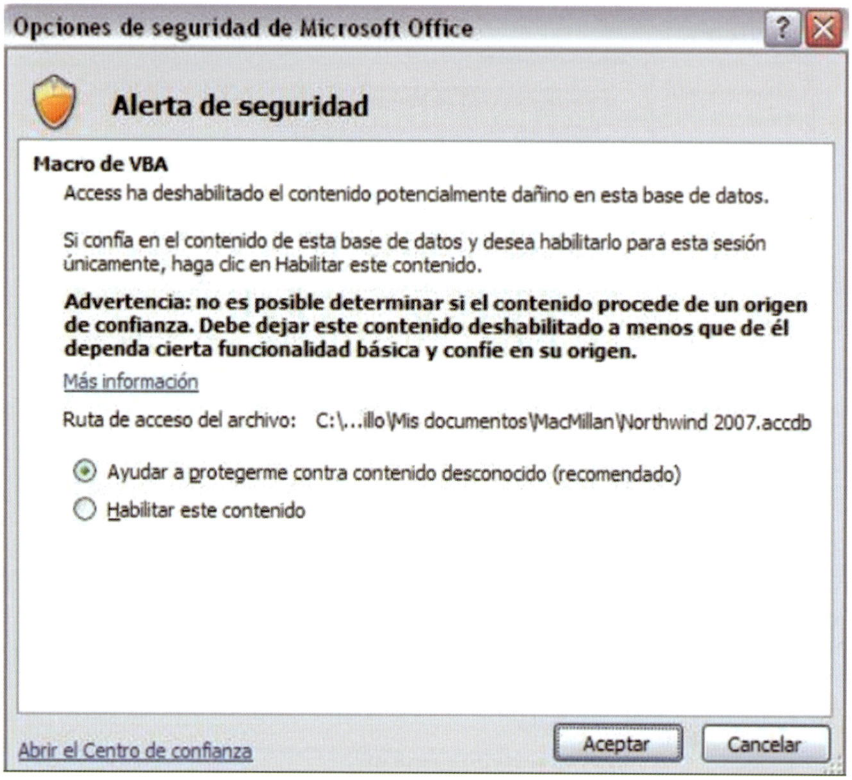

13.5. *Opciones de seguridad de Microsoft Office.*

Nos advierte de que se han deshabilitado contenidos potencialmente peligrosos (macros, consultas de acción, expresiones o código VBA). Tanto si lo habilitamos como si no, tenemos acceso a los datos. Si lo habilitamos, además de ver todo el contenido, también se ejecutan las macros.

Si se quiere distribuir una base de datos Access 2007 y que esta esté mínimamente protegida frente a cambios, es posible guardarla como un archivo .accde. Con ello se crea una copia del archivo .accdb en el que no se pueden hacer cambios ni en los formularios ni en los informes.

Para guardar una base de datos de este modo, basta con ir a la pestaña *Herramientas de la base de datos* y después a la opción *Herramientas de la base de datos* y hacer clic en el botón *Crear ACCDE*.

Se ubica el archivo donde se necesita y con ello se crea una copia que no permite cambios en los objetos, aunque sí en los datos.

Cifrar una base de datos

También es posible cifrar una base de datos, es decir, dotarla de contraseña para su apertura.

Para ello, es necesario abrirla de modo exclusivo, es decir, se abre Access 2007, se selecciona la base de datos a cifrar y, en el desplegable de la pestaña *Abrir*, se hace clic en *Abrir en modo exclusivo*. Finalmente se elige la opción adecuada.

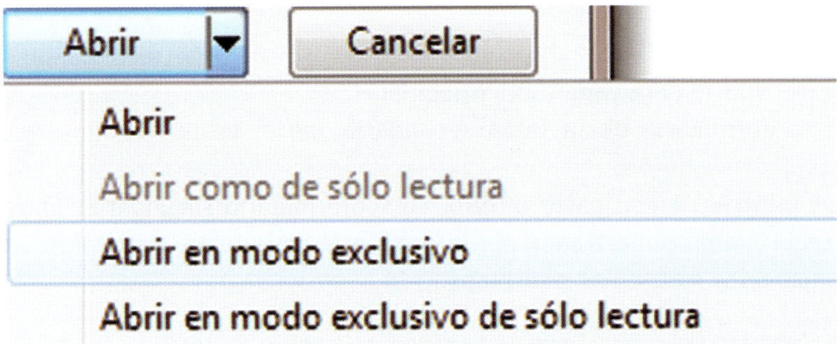

Después, en la pestaña *Herramientas de base de datos* / opción *Herramientas de base de datos*, se selecciona el botón *Cifrar con contraseña*.

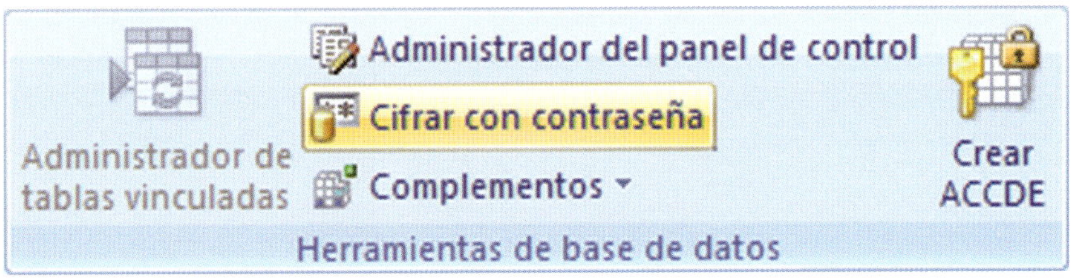

Si se desea eliminar la contraseña, solo hay que abrir la base de datos de modo exclusivo de nuevo y, siguiendo los pasos anteriores, hacer clic en el botón *Descifrar la base de datos*.

Por último, cabe mencionar que Access 2007 no crea seguridad a nivel de usuario como se creaba en versiones anteriores de Access, con el archivo .mde, donde se guardaba información de los usuarios y sus contraseñas. No obstante, si se abre un archivo de una versión anterior que tiene aplicada la seguridad a nivel de usuario, esta sigue estando vigente.

Hay que tener en cuenta que, si se convierte una base de datos de alguna versión anterior de Access con seguridad implementada a la versión de Access 2007, desaparece toda la configuración de seguridad. Pero no es lo mismo abrir una base de datos de un formato antiguo que convertirla a un nuevo formato, ya que en este caso no admite las políticas antiguas de seguridad.

Caso final 3

Creación de formularios, consultas e informes

•• Abre la base de datos *Gestión centro docente* y, en ella, crea los siguientes formularios, consultas e informes:

a) Un formulario para cada tabla principal (*Alumnos, Cursos, Módulos*). En cada formulario de tabla principal, incluye un subformulario nuevo en forma de lista, cuyo origen de datos sea la tabla secundaria correspondiente. Observa las relaciones entre tablas. Introduce datos en todas las tablas utilizando los formularios.
b) Un informe de cada tabla principal que incluya, en cada caso, un subinforme relativo a la tabla secundaria correspondiente.

Solución ••

1. Formularios

- Sigue los pasos del enunciado y crea un formulario para cada tabla principal.
- Para que los formularios muestren el subformulario de la tabla secundaria, en el grupo *Formularios*, selecciona la opción *Formulario*.
- Cada uno de los formularios principales mostrará en su parte inferior su subformulario secundario. En la imagen puedes ver el formulario de la tabla *Alumnos* mostrando el subformulario de la tabla *Matrículas*. En este formulario vemos los datos del alumno y las matrículas realizadas.

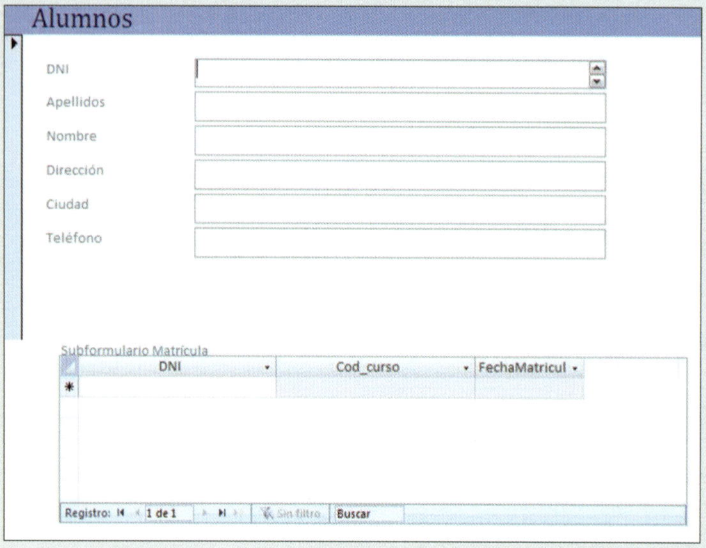

2. Informes

- En el caso de los informes, parte primero del informe de tabla principal y luego añade el subinforme.
- Para que los informes muestren el subformulario de la tabla secundaria, en el grupo *Informes*, selecciona la opción *Informe*.
- Para insertar los subinformes en cada uno de los informes, pasa a vista *Diseño*, abre el espacio existente en la sección *Detalle* e inserta un subinforme desde los controles. En el informe que tenga su origen en la tabla *Alumnos*, el origen del subformulario será *Matrícula;* en los otros tres informes, el origen del subformulario será el que corresponda por las relaciones entre tablas.

3

- El informe de alumnos y matrícula podría quedar como ves en la imagen, en vista *Diseño*.

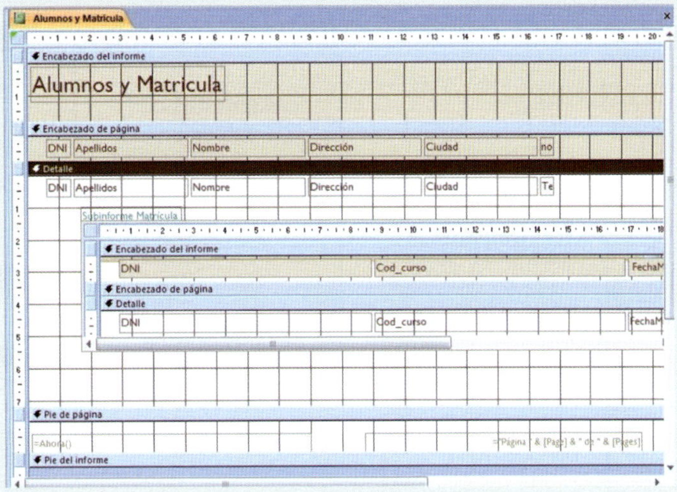

3. Registros

Para introducir registros en las tablas, utilizarás los formularios que has construido.

Primero introduce filas en la tabla *Alumnos*. Se trata de insertar filas empezando por las tablas padre en la relación 1:N, o 1:1. En el caso de relaciones N:N, siempre existe una tabla de intersección que realiza el papel de tabla hija de las dos tablas que tienen la relación N:N. Por lo tanto, esta sería la última donde se deberían introducir filas.

Una vez que hemos dado de alta filas en la tabla *Alumnos*, podemos continuar por la siguiente tabla que no tenga tabla padre. En este caso, solo queda la tabla *Cursos*.

Inserta filas en esta tabla y completa con registros la tabla *Matrícula*, pues sus dos tablas padre, *Alumnos* y *Cursos*, ya tienen filas insertadas y, por lo tanto, cuando se creen esas matrículas se les podrá asignar alumnos y cursos.

Para completar los registros, en la tabla *Matrícula* podemos utilizar cualquier formulario que acceda a esa tabla. Es interesante utilizar el formulario de alumnos y matrícula porque a medida que insertamos matrículas toman automáticamente el DNI del alumno. En este caso, el *Cod_Curso* lo introducimos directamente. Existe una técnica para hacer que en este control de *Cod_Curso* aparezca una lista con los cursos disponibles. Hay que cambiar el control desde cuadro de texto a cuadro combinado (botón derecho sobre el control) y después modificar las siguientes propiedades:

- El origen de datos será una consulta donde la primera columna sea *Cod_Curso* y la segunda *Curso*.
- El ancho de columnas será 0 y 2 respectivamente (0 cm, 2 cm).
- La columna dependiente será *Cod_Curso*.
- En la propiedad número de columnas del control establecemos el valor 2.

Como ya has completado *Alumnos*, *Cursos* y *Matrícula*, solo quedarían *Módulos* y *Notas* para facilitar la inserción de filas que dependen de registros padre, y poder así asociar de un modo rápido un registro padre a cada fila hija. Puedes repetir los pasos anteriores en cada cuadro de texto que sea clave ajena. Recuerda que la consulta origen de datos tiene que tener origen en la tabla padre, la primera columna tiene que ser la PK y la segunda columna la que quieres que aparezca para distinguir unos registros padres de otros.

Ideas clave

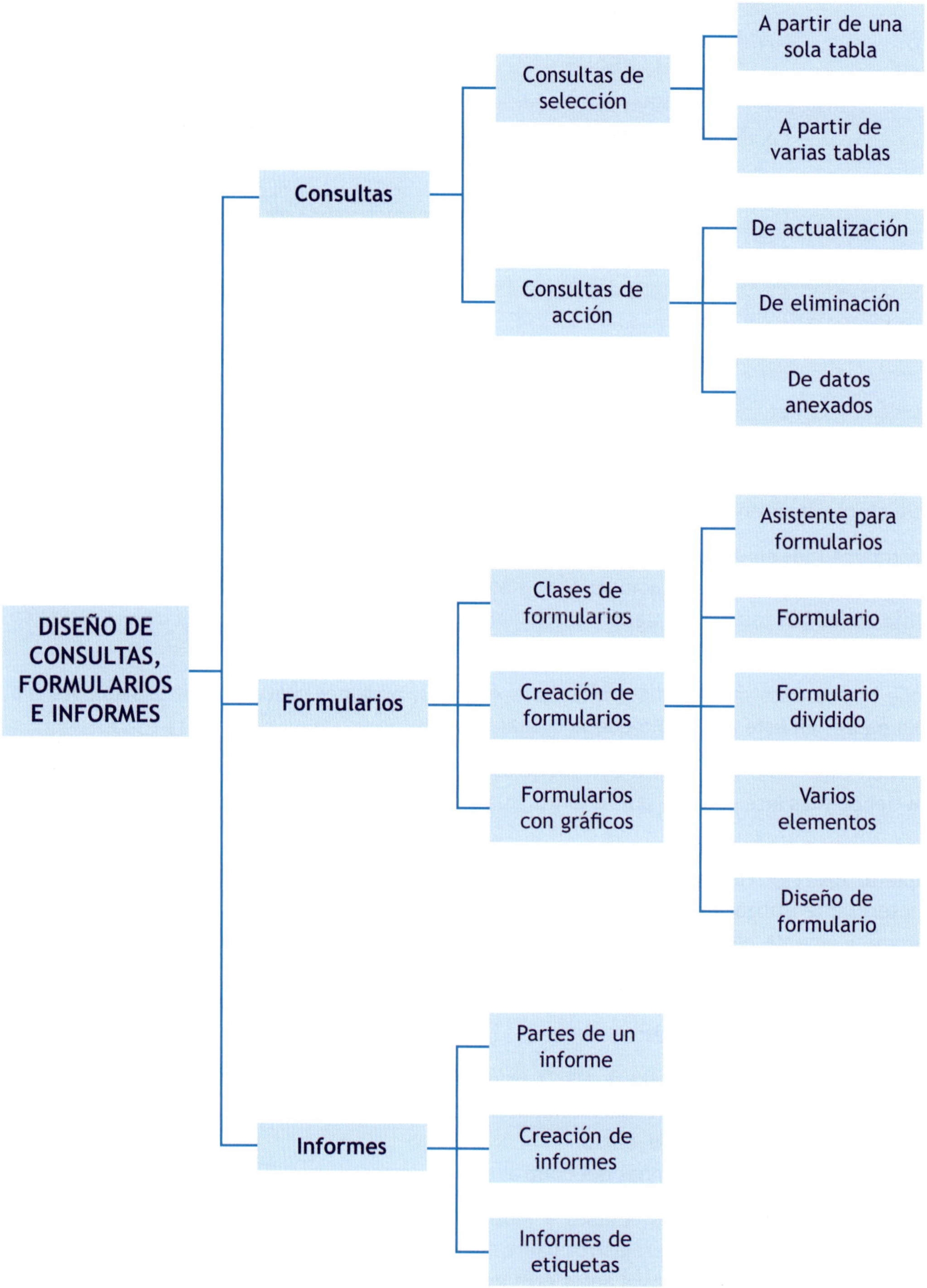
DISEÑO DE CONSULTAS, FORMULARIOS E INFORMES
Consultas
Consultas de selección
A partir de una sola tabla
A partir de varias tablas
Consultas de acción
De actualización
De eliminación
De datos anexados
Formularios
Clases de formularios
Creación de formularios
Formularios con gráficos
Asistente para formularios
Formulario
Formulario dividido
Varios elementos
Diseño de formulario
Informes
Partes de un informe
Creación de informes
Informes de etiquetas

OPENOFFICE BASE
• 3.ª parte •

SOFTWARE LIBRE

Seleccionamos los campos que se quieran mostrar, seguimos los pasos y obtenemos: *Seleccionar subformularios*, *Obtener campos combinados*, etc. Nos permite decidir cómo va a ser el comportamiento del formulario con los registros desde el siguiente paso del asistente. El resultado es un formulario sencillo mostrando un único registro.

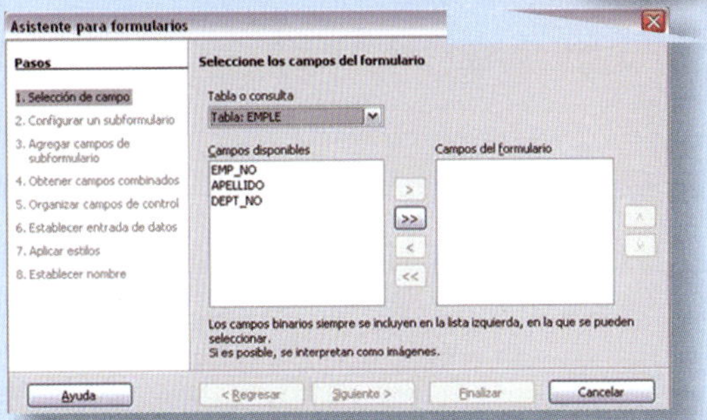

Para crear **informes** es similar:

Partimos desde el primer momento del asistente, ya que no hay otra opción.

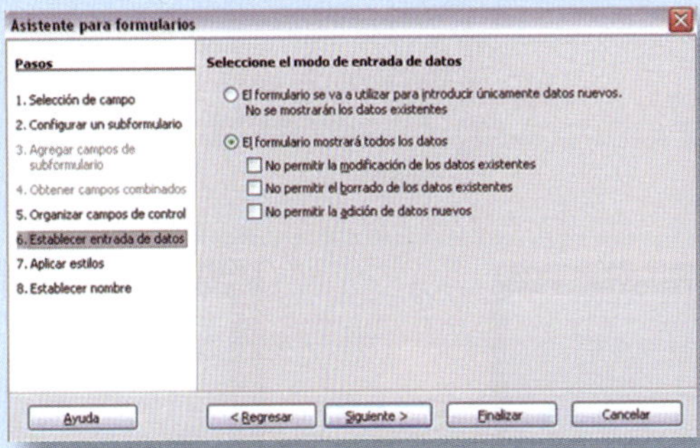

Seguimos los pasos indicados:

1. Seleccionamos la tabla o consulta que va a ser el origen de datos.
2. Seleccionamos los campos que se van a mostrar en el informe.
3. Determinamos si queremos seleccionar filas por grupos, que sirve para agrupar filas según los distintos valores del campo que decidamos realizar la agrupación. Si agrupamos clientes por *Ciudad*, por ejemplo, aparecen los clientes agrupados según las distintas ciudades.
4. Opción de ordenación nos muestra los registros ordenados por los valores de los campos que seleccionemos. Los objetos de interfaz gráfica que realizamos con Access también se pueden realizar con OpenOffice, por ejemplo, podemos hacer **formularios** e informes; los formularios desde asistente y en vista *Diseño*, y los informes solo con asistente.
   Para crear un formulario desde el asistente, basta con seleccionarlo y aparece el cuadro de diálogo de la imagen que ves en el margen derecho, donde seleccionamos la tabla o consulta de donde se tomarán los datos.

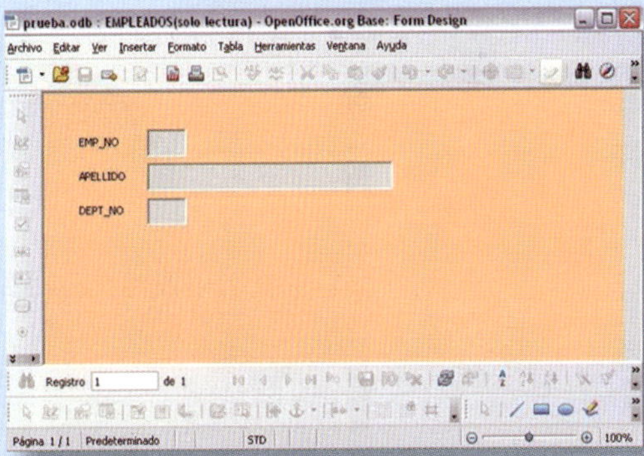

5. Después elegimos el diseño del informe, donde se puede optar por el diseño que tomara la zona de los datos y el diseño que tomarán el encabezado y pie de página.
6. Posteriormente nos da la oportunidad de cambiar el diseño del informe seleccionando simplemente en la pestaña de informes y pulsando el botón derecho / *Editar*.

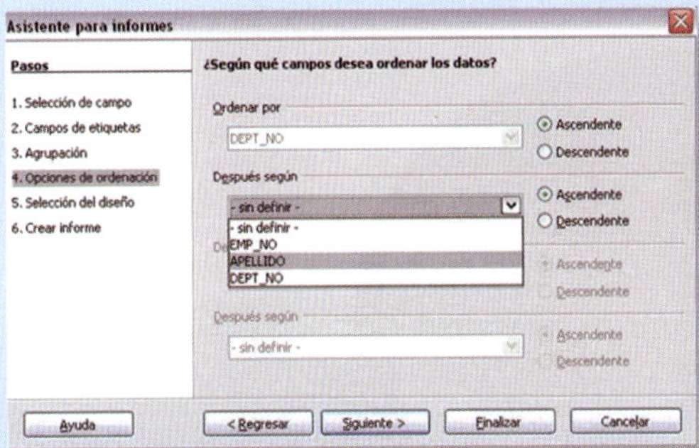

Los informes de Access 2007 son mucho más versátiles.

unidad **14**

Elaboración de presentaciones básicas

SUMARIO

- El gestor de presentaciones
- La interfaz gráfica de PowerPoint
- Creación de presentaciones
- Formato de los elementos de la diapositiva
- Formato de la diapositiva
- Inserción de elementos gráficos en las diapositivas

OBJETIVOS

- Manejar la interfaz del gestor de presentaciones.
- Distinguir los distintos tipos de diapositivas.
- Dar formato tanto a la diapositiva como a su contenido.
- Visualizar la presentación utilizando distintas posibilidades.
- Insertar y manipular dibujos, imágenes, tablas y gráficos.

1 >> El gestor de presentaciones

La aplicación que permite la creación de presentaciones se denomina gestor de presentaciones.

En esta época en la que la imagen y el sonido tienen tanta importancia, es cada vez más frecuente amenizar las exposiciones orales con imágenes, gráficos y otros elementos que capten la atención del destinatario.

Antes de la era informática se utilizaban aparatos como proyectores de diapositivas o transparencias, para ilustrar las exposiciones orales.

La llegada de las aplicaciones informáticas hizo que las exposiciones orales fueran obligatoriamente ligadas a la proyección de imágenes mediante un cañón de luz conectado a un ordenador. Así, para el profesor en el aula, el comercial que presenta su producto, el publicista que esboza su anuncio, etc., el desarrollo de las presentaciones se ha convertido en una herramienta de trabajo muy útil.

Son muchas las empresas que integran entre sus paquetes ofimáticos este tipo de software. Entre los gestores más conocidos se encuentran:

- PowerPoint (Microsoft).
- Impress (Sun Microsystems).
- Presentations (Corel).

Debido a la relevancia que tiene en el mercado, utilizaremos la aplicación de Microsoft PowerPoint para la creación de presentaciones.

Presentaciones y diapositivas

Antes de comenzar con el trabajo en PowerPoint, conviene definir los siguientes conceptos:

Una diapositiva es la imagen que se mostrará en un instante concreto.

Una presentación es un conjunto de diapositivas.

Iniciar o ejecutar una presentación consiste en visionar, a pantalla completa, todas las diapositivas que la componen.

Hay que tener claro que es diferente crear una presentación nueva que añadir una diapositiva a una presentación ya existente.

Una presentación nueva siempre partirá de una única diapositiva en blanco, vacía de contenido, mientras que añadir una nueva diapositiva siempre será a una presentación que tenga de antemano otras diapositivas ya insertadas.

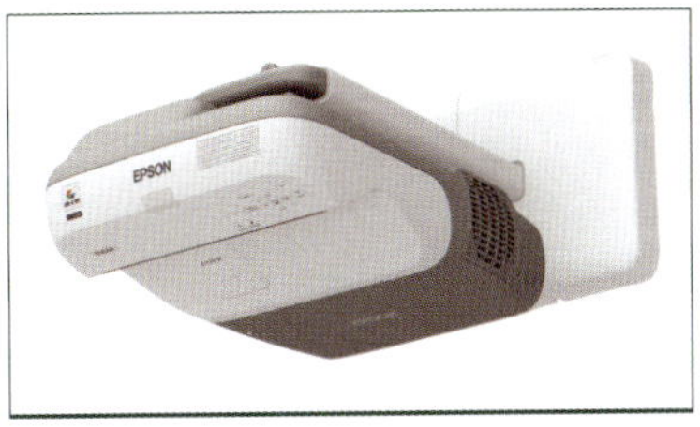

14.1. Proyector utilizado para presentaciones. Fuente: Epson.

Actividades propuestas

1·· Abre la aplicación PowerPoint y la aplicación OpenOffice Impress y busca similitudes entre ambas interfaces gráficas.

2 >> Interfaz gráfica de PowerPoint 2007

PowerPoint es una aplicación integrada en el paquete ofimático Microsoft Office. Por lo tanto, su aspecto visual es muy similar al de las otras aplicaciones que la integran, mostrando algunos de los elementos comunes a dichas aplicaciones (Word, Excel, etc.).

Al iniciar la ejecución de la aplicación, nos aparece la ventana de la Figura 14.2, en la que pueden distinguirse los siguientes elementos.

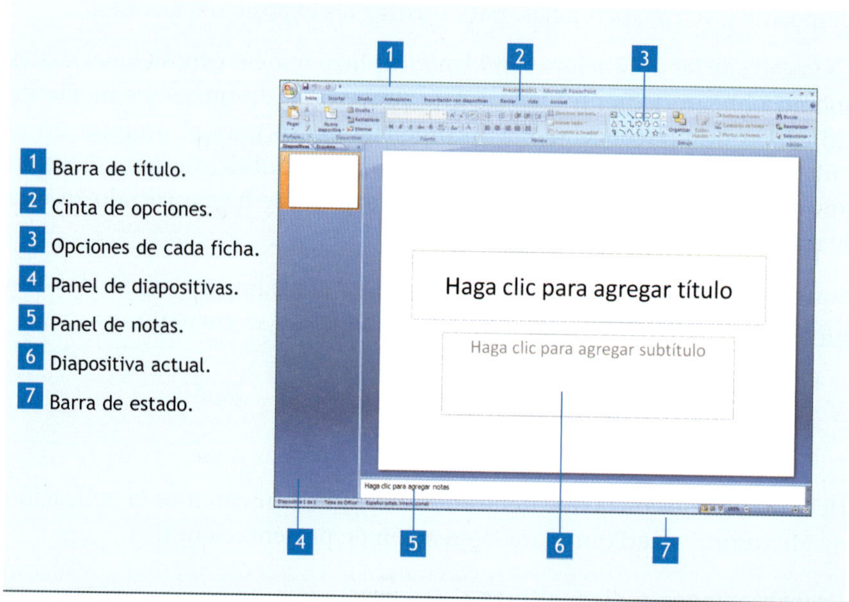

14.2. Interfaz gráfica de PowerPoint.

Barra de título

Está situada en la parte superior de la pantalla e incluye los elementos comunes a toda la *suite:* la barra de título con el botón de Office, la barra de herramientas de acceso rápido, el nombre de la presentación y los botones de control de la ventana.

Cinta de opciones

Al igual que el resto de las aplicaciones de Microsoft Office 2007, muestra todas las herramientas de la aplicación, repartidas en **fichas.**

El nombre de cada ficha hace referencia a los comandos que contiene. PowerPoint presenta fichas relacionadas con la gestión de presentaciones (por ejemplo, las fichas *Animaciones* o *Presentación de diapositivas*).

Opciones de fichas

Al hacer clic en cada pestaña de la cinta de opciones, se nos muestra una ficha con todos los comandos (u opciones) a los que se puede acceder desde esta agrupados por categorías o fichas. Para cambiar el formato del texto de una diapositiva (color, fuente, tamaño, negrita, etc.), se hace clic sobre la pestaña *Inicio,* se elige la categoría (o grupo de botones) *Fuente* y a continuación se le da al texto el formato deseado.

Aunque la apariencia visual de estas opciones es la misma que en el resto de aplicaciones de Microsoft Office 2007, las fichas en PowerPoint mostrarán unas opciones propias de esta aplicación.

En PowerPoint, la ficha *Vista* permite personalizar la interfaz de la aplicación alternando entre las distintas vistas. Además, permite colocar la regla y la cuadrícula, manejar los colores y la escala de grises, y organizar las ventanas de las presentaciones.

Panel de diapositivas

A la izquierda de la pantalla (en la vista *Normal*), tenemos una visión de todas las diapositivas que contiene la presentación. El panel tiene dos opciones de visualización:

- Vista *Diapositivas*, que presenta la secuencia en miniatura de las diapositivas que forman la presentación (Figura 14.3).
- Vista *Esquema*, donde únicamente aparece el texto escrito de cada diapositiva (Figura 14.4).

Para pasar de una vista a otra hay que hacer clic sobre las pestañas situadas en su parte superior.

14.3. Vista *Diapositivas*.

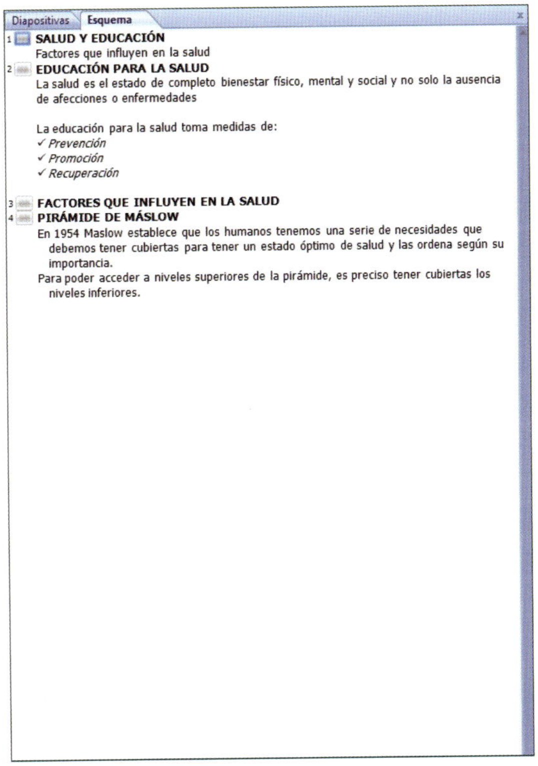

14.4. Vista *Esquema*.

El panel de diapositivas permite cambiar el orden de las diapositivas arrastrándolas con el ratón al lugar deseado dentro de la presentación.

Desde aquí también es posible eliminarlas con solo seleccionarlas y presionar la tecla <Supr>. El menú contextual sobre las diapositivas y sobre el panel permite esta y otras opciones.

Guardar como

Cuando en PowerPoint queremos guardar las presentaciones, si hacemos clic sobre el botón de Office, se nos ofrecen dos opciones con el título *Presentación de PowerPoint*. La primera de ellas guarda la presentación con formato **.ppt** (el predeterminado), mientras que la segunda lo guarda como **.pps** (con lo que siempre se abrirá en la vista *Presentación*).

Diapositiva actual

En el centro de la pantalla se puede ver la diapositiva activa que estamos diseñando en ese momento y que está seleccionada en el panel de diapositivas.

Panel de notas

En el centro de la pantalla, bajo la diapositiva actual, se encuentra el panel de notas. Es un área de texto que permite insertar anotaciones que servirán de ayuda al encargado de exponer la presentación en público.

El texto aquí escrito únicamente se verá durante el diseño, siempre desde la interfaz de PowerPoint, y nunca durante la ejecución de la presentación a pantalla completa.

Barra de estado

Aparece en la parte inferior de la pantalla y muestra información relativa al estado de la presentación actual.

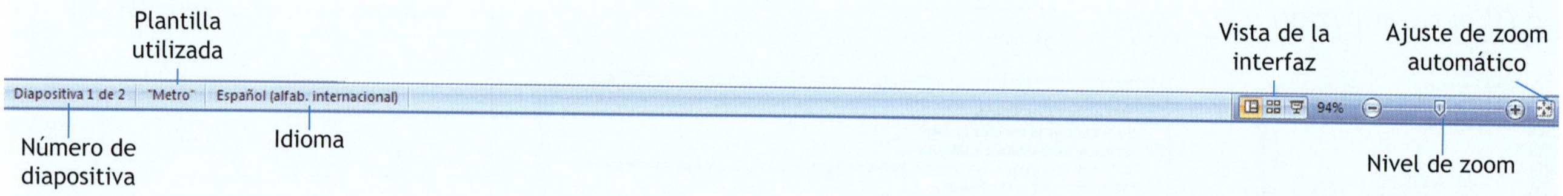

14.5. Barra de estado.

De esta barra merece especial atención la sección de vistas de la interfaz, en la que tenemos, de izquierda a derecha, los siguientes botones:

- Vista *Normal* (por defecto), imprescindible para el diseño de las diapositivas.
- Vista *Clasificador de diapositivas,* que consigue una mejor perspectiva de las diapositivas que hay, su diseño y efectos, con una vista similar al panel de diapositivas.
- Vista *Presentación con diapositivas* (tecla <F5>), con la que da comienzo la ejecución de la presentación diseñada desde la diapositiva 1.

Con la combinación de teclas <Mayúsculas>+<F5> visualizaremos la presentación desde la diapositiva que tengamos seleccionada en el clasificador de diapositivas.

Actividades propuestas

2·· Crea una carpeta con el nombre *Mis presentaciones* dentro de la carpeta *Mis documentos*. Abre PowerPoint y guarda la presentación inicial con el nombre *Presentación vacía* en la carpeta *Mis presentaciones* que acabas de crear. Cierra el archivo y vuelve a abrirlo.

3·· Imagina que estás diseñando una presentación para una exposición en público que harás dentro de un mes y allí necesitas mencionar una fecha, ¿en qué parte de la presentación insertarías ese dato para ayudarte a recordarlo?

3 >> Creación de presentaciones

En este apartado vamos a ver, paso a paso, cómo es el proceso de creación de una presentación.

3.1 > Presentación nueva

Para crear una nueva presentación, es posible partir de dos tipos de presentaciones: en blanco y con plantilla. En esta unidad se utilizarán las opciones de diseño a partir de presentaciones en blanco para que la exposición resulte más clara, aunque las herramientas son totalmente utilizables con las presentaciones basadas en plantillas.

Presentación en blanco

Al iniciar PowerPoint, en el centro de la pantalla se muestra una diapositiva en blanco con el formato básico por defecto.

Para empezar a trabajar, basta con hacer clic en los cuadros de texto y escribir. No obstante, para crear una nueva presentación hay que desplegar el botón de Office / *Nuevo* / *Nueva presentación* (Figura 14.6), elegir *Presentación en blanco* y hacer clic en *Crear*.

En ese momento se mostrará la pantalla tal y como se vio al ejecutar la aplicación por primera vez. En el centro de la barra de título aparecerá como nombre de la presentación la palabra *Presentación* seguida de un número que indica el número de archivos nuevos que se hayan creado (por ejemplo, *Presentación1* será la primera y *Presentación4* la cuarta).

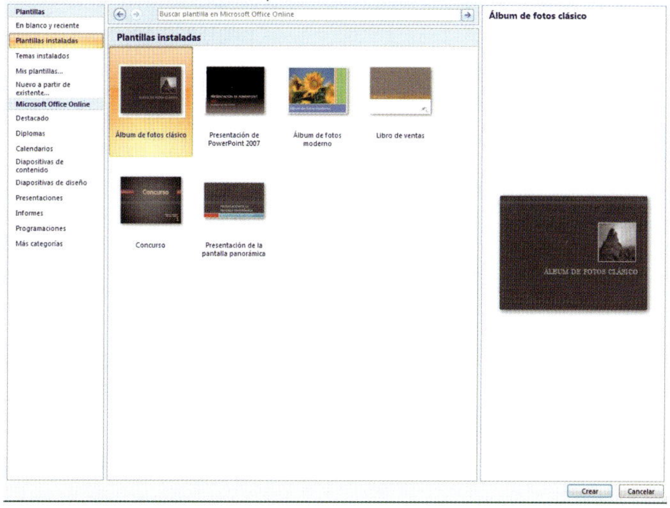

14.6. Cuadro de diálogo *Nueva Presentación* con *Plantillas instaladas*.

Para añadir contenido sobre la diapositiva basta con hacer clic sobre alguno de los dos cuadros de texto que contiene y escribir.

Presentación con plantilla

El cuadro de diálogo *Nueva Presentación* permite también la posibilidad de crear una presentación nueva partiendo de una serie de plantillas que proporciona PowerPoint, lo que simplifica mucho la tarea de configuración del diseño de las diapositivas.

En este caso, hay las siguientes posibilidades:

- *Plantillas instaladas:* se accede a plantillas preinstaladas en la aplicación.
- *Mis plantillas:* se abrirán las plantillas que se hayan creado previamente y estén guardadas en nuestro equipo u otro dispositivo conectado al mismo.
- *Nuevo a partir de existente:* creará una plantilla a partir de una presentación ya existente.
- *Microsoft Office Online:* si se está conectado a Internet, se puede acceder al centro de recursos de Microsoft y descargar las plantillas que se ofrecen en el muestrario.

3.2 > Inserción de diapositivas

Para crear una presentación, es necesario ir agregando distintas diapositivas.

Existen varias maneras de hacerlo: a través del botón *Nueva diapositiva* de la ficha *Inicio*, pulsando la combinación de teclas <Ctrl>+<M> o con el menú contextual sobre la vista *Diapositivas* del panel de diapositivas.

El botón *Nueva diapositiva* está dividido en dos partes, situadas una encima de la otra.

Al hacer clic sobre la **parte superior**, donde está el icono, se añadirá una diapositiva igual en diseño a la que se haya seleccionado y a continuación de esta (excepto si la seleccionada es la primera).

Si se hace clic sobre la **parte inferior del botón**, sobre las palabras *Nueva diapositiva* se muestra un desplegable que ofrece una serie de diseños. Para que la nueva diapositiva adopte uno de ellos, bastará con seleccionarlo.

Hay diseños en blanco, otros con cuadros de texto prefijados y otros que, además, dan la posibilidad de agregar una lista con viñetas y otros objetos (tablas, gráficos y gráficos SmartArt, imágenes y clip multimedia) haciendo clic sobre los iconos correspondientes.

Texto en las diapositivas

El texto en las diapositivas debe ir dentro de cuadros de texto.

Para insertar texto, utilizaremos los cuadros de texto que contienen las diapositivas por defecto.

Para añadir más texto insertaremos nuestros propios cuadros de texto desde el botón *Cuadro de texto* que encontramos en la categoría *Dibujo* de la ficha *Inicio*.

Alternativas de diseño

- *Diapositiva de título*: primera diapositiva por defecto, con dos cuadros de texto.
- *Título y objetos*: cuadro de texto superior y objeto central.
- *Encabezado de sección*: para separar capítulos. Solo contiene cuadros de texto.
- *Dos objetos*: título y dos objetos a ambos lados.
- *Comparación*: título, dos subtítulos y dos objetos.
- *Sólo el título*: solo un cuadro de texto.
- *En blanco*: sin contenido; pensada para un diseño personal.
- *Contenido con título*: dos cuadros de texto en la izquierda y un objeto en la derecha.
- *Imagen con título*: como el anterior, con la imagen en la parte superior y los cuadros de texto debajo.

Cambiar el diseño

Una vez elegido el diseño de una diapositiva, es posible cambiarlo sin necesidad de eliminarla. Basta con seleccionar la diapositiva y hacer uso del botón *Diseño* para elegir la nueva opción.

Actividades propuestas

4·· Abre una nueva presentación en blanco desde el botón de Office y añade una diapositiva de cada uno de los nueve tipos desde el botón *Nueva diapositiva*. Rellena los cuadros de texto que contengan escribiendo el tipo de diapositiva que es cada una. Observa el formato del texto de cada una de las diapositivas.

Guarda la presentación con el nombre *Diseño*, en la carpeta *Mis presentaciones* y ejecuta la presentación desde el principio.

3.3 > Reutilización de diapositivas

El botón *Nueva diapositiva* nos da también la oportunidad de añadir diapositivas ya creadas con tres opciones:

- *Duplicar diapositivas seleccionadas:* se añaden diapositivas iguales a las que se tengan seleccionadas (<Ctrl> + clic permite la selección múltiple).
- *Diapositivas del esquema:* añade todas las diapositivas de otra presentación que seleccionemos a través del cuadro de diálogo que nos muestra.
- *Volver a utilizar diapositivas:* permite insertar una diapositiva de otra presentación. Primero se selecciona la presentación (botón *Examinar archivo...*) y posteriormente la diapositiva a añadir.

3.4 > Eliminación de diapositivas

Existen varias formas de eliminar diapositivas:

- Seleccionar las diapositivas y acceder a la ficha *Inicio,* en el grupo de herramientas *Diapositivas* y hacer clic en el botón *Eliminar*.
- En la vista *Diapositivas,* seleccionar la diapositiva que se quiere eliminar y pulsar el botón <Supr> o bien abrir el menú contextual de las diapositivas (botón secundario del ratón) y elegir la opción *Eliminar diapositiva.*

3.5 > Ejecución de la presentación

Una vez creada la presentación, hay varias formas de iniciar su visualización a pantalla completa y de moverse por las diapositivas.

- El botón *Presentación con diapositivas* de la barra de estado visualiza la presentación desde la diapositiva seleccionada.
- En la pestaña *Presentación con diapositivas,* tanto con el botón *Desde el principio* (o tecla <F5>) como el botón *Desde la diapositiva actual* (o combinación de teclas <Mayúsculas>+<F5>), inician la presentación desde la diapositiva activa.
- En la pestaña *Vista,* el botón *Presentación con diapositivas* inicia la presentación desde el principio.

Avance y retroceso durante la ejecución

- Menú de transición: aparece de forma casi imperceptible en la parte inferior izquierda de las diapositivas.
- La tecla <Av.Pág> y la barra espaciadora avanzan a la diapositiva siguiente, <RePág> retrocede y la tecla <Esc> cancela la ejecución.

Ocultar diapositivas

Desde el panel de diapositivas, en la vista *Diapositivas*, accediendo al menú contextual de una de ellas tenemos la opción de ocultar la diapositiva durante la presentación. Para volver a contar con esa diapositiva en la presentación procederemos de la misma manera.

Actividades propuestas

5·· Abre la presentación *Diseño* que has creado en la actividad anterior. Elimina dos diapositivas y oculta otra. Guarda los cambios en esta presentación con el nombre *Diseño 2*. Ejecuta la presentación desde el principio. ¿Cómo iniciarías la presentación desde la diapositiva 5?

6·· Crea una presentación de nombre *SoloTexto* con dos diapositivas que solo tengan texto.

7·· Crea una presentación que esté formada por las diapositivas de la presentación *Diseño* y añade las diapositivas de la presentación *SoloTexto*. Guarda la nueva presentación con el nombre *Unión* y ejecútala.

4 >> Formato de los elementos de la diapositiva

Una vez que se han creado las presentaciones, el siguiente paso será dar el formato que deseemos, tanto a las distintas diapositivas como a los elementos que las componen.

En este apartado nos vamos a centrar en el formato del texto y en las formas. La principal herramienta es la ficha *Inicio* (Figura 14.7) que es la que aparece seleccionada por defecto cuando se abre la aplicación.

14.7. Ficha *Inicio.*

Esta ficha contiene elementos comunes a otras aplicaciones ofimáticas (secciones *Portapapeles, Fuente, Párrafo* y *Edición*) y otras herramientas propias de PowerPoint que facilitan el acceso rápido a algunas de las opciones más utilizadas.

4.1 > Formateo del texto

Formatear un texto consiste en cambiar su apariencia modificando atributos o propiedades como el color, el tipo de letra, el espacio entre las líneas de un párrafo, etc.

En este apartado veremos, por un lado, el formateo de la fuente y párrafo y, por otro, la configuración de la posición del texto en la diapositiva.

Fuente y párrafo

14.8. Secciones *Fuente* y *Párrafo.*

Para dar formato a la fuente (tipo de letra, tamaño, color, efectos...) y al párrafo (alineación, interlineado, orientación del texto...) utilizaremos los botones de las secciones *Fuente* y *Párrafo* de la ficha *Inicio.* A través de los cuadros de diálogo de cada sección se accede a todas las herramientas.

Posición del texto

Cualquier objeto en general, y los cuadros de texto en particular, está rodeado por líneas y puntos que facilitan distintas acciones.

Los **puntos de control** permiten modificar las dimensiones del cuadro mientras que el **punto de giro** posibilita cambiar la orientación del mismo. La forma de proceder es hacer clic sobre el punto y arrastrar la línea con el ratón o bien rotar en el caso del punto de giro.

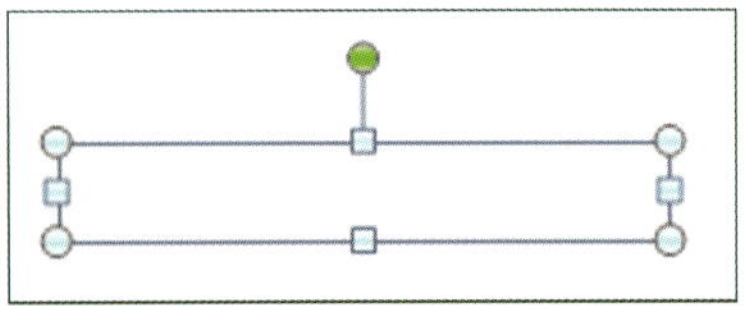

14.9. Cuadro de texto.

Es posible mover el cuadro a un área distinta de la diapositiva. Para ello se debe hacer clic sobre una línea para que aparezca el cursor de desplazamiento (puntero de cuatro flechas). El objeto se moverá en la dirección en la que se arrastre el ratón hasta que se suelte sobre la zona destino.

Para eliminar el cuadro, se debe seleccionar el objeto haciendo clic sobre cualquiera de sus líneas y pulsar la tecla <Supr>.

Casos prácticos 1

Diseño de una presentación

•• Diseña y ejecuta la siguiente presentación compuesta por tres dispositivas que deberán tener el contenido y diseño que ves a continuación.

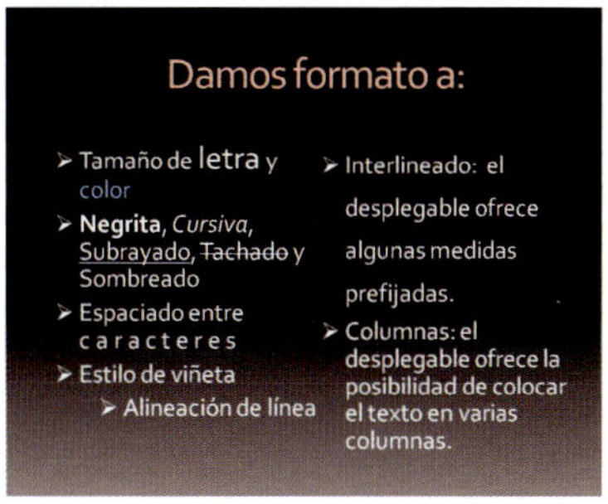

Presentación

Plantilla: botón de Officce / *Plantillas instaladas I Presentación de PowerPoint 2007.*

Primera diapositiva

- **Diseño:** *Encabezado de sección.*
- **Formato**: la que viene por defecto en la plantilla.
- **Texto:** Título: *MI PRIMERA PRESENTACIÓN EN POWERPOINT*. Subtítulo: *Utilizando una plantilla instalada.*

Segunda diapositiva

- **Diseño:** *Título y objetos.*
- **Formato de título:** fuente Corbel 48, centrado, color *Anaranjado, Énfasis 1, claro 60%.*
- **Formato de texto:** Corbel 28, excepto la tercera palabra en 37. Alineación horizontal: izquierda, excepto el quinto párrafo, que es derecha. Alineación vertical: en el centro. Símbolo de viñeta: flecha.
- **Título**: *Damos formato a:*
- **Texto:**
  - *Tamaño de letra y color*
  - *Negrita, Cursiva, Subrayado, Tachado y Sombreado*
  - *Espaciado entre caracteres*
  - *Estilo de viñeta*
  - *Alineación de línea*
  - *Interlineado: el desplegable ofrece algunas medidas prefijadas.*
  - *Columnas: el desplegable ofrece la posibilidad de colocar el texto en varias columnas.*

Tercera diapositiva

- **Diseño:** *Contenido con título.*
- **Formato de título:** fuente Corbel 48, centrado, color *Anaranjado, Énfasis 1, claro 60%.*
- **Título:** *Contenido con título*
- **Objeto de la derecha:** imagen de muestra *Pingüinos* (carpeta *Mis documentos / Mis imágenes de muestra).*
- **Objeto de la izquierda:** cuadro de texto en el que se han eliminado la viñeta y las sangrías de párrafo.
- **Formato de texto:** fuente Corbel 24, alineación centrada e interlineado múltiple en 1,3.
- **Texto:** lo formateamos a tamaño 24, centrado e interlineado 1,3. A la derecha insertamos la imagen de muestra *Pingüinos.*

»

Solución ·· En esta presentación en PowerPoint nos centraremos en la ficha *Inicio*, en las secciones de *Diapositivas, Fuente* y *Párrafo.*

1. Presentación

- Haz clic en el botón de Office / *Nuevo / Plantillas instaladas.* Selecciona la plantilla *Presentación de PowerPoint 2007* y haz clic en *Aceptar.*
- Pulsa la tecla <Ctrl> y ve seleccionando todas las diapositivas, excepto la primera, y pulsa la tecla <Supr>.

2. Primera diapositiva

- Haz clic en el cuadro de texto *Título* y escribe el texto del título.
- Haz clic en el cuadro de texto *Subtítulo* y escribe el texto del subtítulo.

3. Segunda diapositiva

- Haz clic en el botón *Nueva diapositiva* y elige *Título y objetos.*
- Haz clic en el cuadro de texto superior y escribe la frase que indica el enunciado. Selecciona el texto escrito y aplica el formato de letra tamaño 48 y haz clic en *Centrar.* Elige el color de fuente *Anaranjado, Énfasis 1, claro 60%.*
- Haz clic en el cuadro de texto central y escribe cada uno de los párrafos. Al terminar cada párrafo, pulsa <Intro>.
- Selecciona todo el texto y, en el desplegable *Columnas,* selecciona *Dos columnas.*
- Con todo el texto seleccionado, haz clic en el desplegable *Viñetas* para elegir el símbolo correcto.
- Para alinear el texto dentro del cuadro, selecciona el cuadro y haz clic en el botón desplegable *Alinear texto / En el medio.*

  Selecciona la palabra *letra* y elige el tamaño 37.
- Selecciona la palabra *color,* abre el desplegable *Color de fuente* y selecciona *Azul claro.*
- Ve seleccionando cada una de las palabras del segundo párrafo y pulsando el botón del formato correspondiente.
- Selecciona la palabra *caracteres* del tercer párrafo y, en el desplegable *Espaciado entre caracteres,* elige *Muy separado.*
- Selecciona el quinto párrafo y haz clic en el botón *Alinear texto a la derecha.*
- Selecciona el sexto párrafo, despliega el botón *Interlineado,* elige *Opciones de interlineado...* y pon como valor de interlineado *Múltiple 1,3.*

4. Tercera diapositiva

- Haz clic en el botón *Nueva diapositiva* y elige *Contenido con título.*
- Haz clic en el cuadro de texto superior y procede igual que en la anterior diapositiva.
- Haz clic en el cuadro de texto de la izquierda y pulsa <Supr> para eliminar la viñeta. Escribe el texto.
- Selecciona el texto escrito y dale tamaño 24.
- Selecciona el texto escrito. Accede al cuadro de diálogo *Párrafo* (botón con forma de flecha inclinada situado en la parte inferior derecha de cada grupo de herramientas). Pon el interlineado *Múltiple 1,3* y la alineación *Centrado.*
- Haz clic en el objeto de la derecha sobre el botón *Insertar imagen* (primer botón de la segunda fila). En el cuadro de diálogo que se mostrará, selecciona *Mis documentos / Imágenes de muestra / Pingüinos.* Haz clic en los bordes y arrastra el ratón para agrandar la imagen.

5. Final

- Guarda la presentación con el nombre *Práctica 1,* dentro de la carpeta *Mis presentaciones.*
- Ejecuta la presentación desde el principio pulsando la tecla <F5>.

4.2 > Dibujos y formas

Este grupo permite añadir dibujos y formas que den una mayor vistosidad a las diapositivas. Con las herramientas de la sección *Dibujo* insertaremos los dibujos y les daremos todo su formato.

Insertar formas en la diapositiva

Al igual que en otras aplicaciones de Microsoft Office 2007, el botón *Formas* aparece en la ficha *Insertar* como un desplegable que muestra la totalidad de las formas posibles de añadir en una diapositiva. La peculiaridad en PowerPoint es que se puede acceder a este menú también desde la sección *Dibujo* de la ficha *Inicio*. Para insertar una forma, basta con seleccionarla, hacer clic y arrastrar el ratón sobre la diapositiva. Aparecerá la forma con los puntos de control conocidos que nos permiten modificar su posición, tamaño y orientación.

Formato rápido de forma

Una vez insertada la forma, pasamos a darle formato con los botones *Relleno de forma, Contorno de forma* o *Efectos de forma* (especialmente importante en PowerPoint, pues aplica efectos como sombra, resplandor, reflejos o rotación 3D) que ya hemos visto en otras aplicaciones de Office 2007.

Organizar forma

Podemos organizar las formas a través del menú desplegable *Organizar*:

- *Ordenar objetos:* permite variar la posición de unas formas respecto a otras y al conjunto.
- *Agrupar objetos:* permite agrupar y desagrupar las formas para facilitar el desplazamiento del conjunto.
- *Posición de los objetos:* permite girar y alinear los objetos.
- *Panel de selección:* muestra un listado de todos los objetos de la diapositiva para facilitar su selección.

4.3 > Ficha *Formato*

Una vez insertada una forma en una diapositiva, se nos muestra disponible una pestaña nueva, la ficha *Formato*.

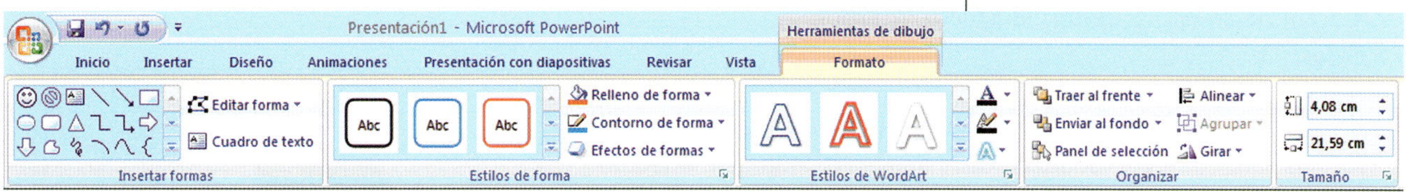

14.10. Ficha *Formato.*

La ficha *Formato* no está permanentemente en la cinta de opciones, sino que aparece cuando se seleccionan objetos a los que es aplicable. Muestra las herramientas disponibles para tratar completamente el diseño del objeto seleccionado, ya sea una forma, una imagen, un gráfico, etc.

Además, esta ficha incluye algunas otras opciones como la edición del tamaño de la forma y los textos WordArt.

Casos prácticos 2

WordArt

•• La herramienta WordArt permite crear textos con multitud de opciones de relleno de color, contorno y efectos de sombras, 3D, etc.

Solución •• Para realizar el texto indicado en WordArt, escribe en un cuadro de texto la frase indicada en el enunciado. Selecciona el texto y vete dándole el formato deseado a través de los distintos botones y desplegables que se indican a continuación:

- Estilo de WordArt: *Relleno - Fondo 1, biselado metálico.*
- Botón *Efectos de texto / Transformar / Retorcer / Curva hacia arriba.*
- Botón *Efectos de texto / Resplandor / Color de énfasis 5,* resplandor de 18 ptos.
- Tamaño y posición: alto 5 cm, ancho 20 cm.
- Botón *Relleno de texto / Azul oscuro, Texto 2, Claro 40%.*

Actividades propuestas

8•• Partiendo de una diapositiva en blanco, diseña la siguiente diapositiva y guárdala con el nombre *Formas 1*, dentro de la carpeta *Mis presentaciones*, teniendo en cuenta los siguientes datos:

a) Los rectángulos miden 5 cm de alto y 1 cm de ancho, 2,22 x 0,33 cm y 3,36 x 0,43 cm, respectivamente. Tienen un color de relleno RGB (186, 148, 120) y no tienen contorno de forma. Los rectángulos pequeños tienen 343 y 14 grados de rotación respectivamente.
b) La forma *Nube* tiene las dimensiones 5 x 4,5 cm, y un estilo de forma *Efecto intenso, Énfasis 3.*

9•• Duplica la diapositiva anterior y modifícala agrupando las formas para conseguir el diseño de la imagen del margen. Añádele un efecto de forma *Sombra / Perspectiva / Diagonal superior derecha en perspectiva.* Guárdala en la carpeta *Mis presentaciones,* con el nombre *Formas 2.*

5 >> Formato de la diapositiva

Después de ver cómo se aplica formato a los elementos que componen la diapositiva, en este apartado vamos a ver cómo se puede dar formato a la diapositiva propiamente dicha (es decir, a la base, al tapiz sobre el que se colocarán todos los demás elementos). Para ello utilizaremos las herramientas de la ficha *Diseño.*

14.11. Ficha *Diseño.*

Configurar página

Estos dos botones nos ofrecen las opciones para configurar la diapositiva: tamaño y orientación.

Temas

Son una colección de opciones de formato de las diapositivas y sus elementos que PowerPoint ofrece para facilitar el trabajo. Al desplazar el ratón tendremos una vista previa que será definitiva al hacer clic. El botón *Más* de la barra de desplazamiento nos muestra el conjunto completo y ofrece la posibilidad de utilizar temas de diseño *on line.*

Incluye los siguientes botones para personalizar el tema elegido:

- *Colores:* incluye la posibilidad de configurar combinaciones de colores para el tema o restablecer los originales.
- *Fuentes:* combinaciones de fuentes, permite crear una nueva.
- *Efectos:* combinaciones de líneas y efectos de relleno de las formas que incluyamos en la diapositiva.

Fondo

Este desplegable ofrece una colección de fondos disponibles y permite abrir el cuadro de diálogo *Dar formato al fondo* para personalizarlo.

Podemos optar entre fondos de un color, degradados y con imagen o textura y todas sus variaciones.

Actividades propuestas

10·· Diseña la siguiente diapositiva partiendo de una nueva en blanco.

El formato para conseguir ese aspecto es el siguiente:

- Tema de la diapositiva: *Urbano.*
- Colores predeterminados: *Urbano.*
- Crear nuevos colores del tema: *Texto / Fondo - Claro 1, Blanco, Texto 1.*
- Crear nuevas fuentes del tema: *Solstici.*

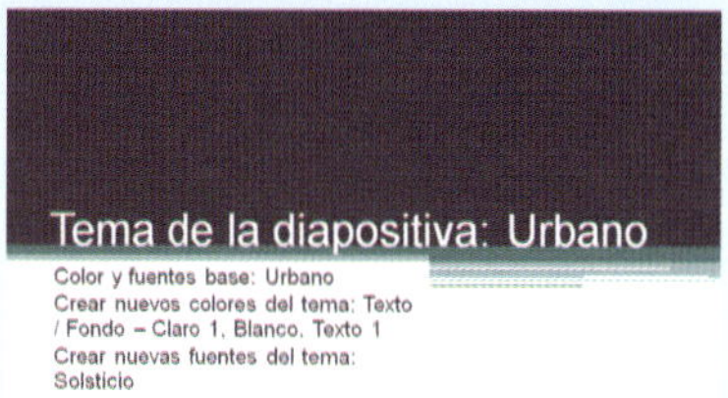

6 >> Inserción de elementos gráficos en las diapositivas

Algunas veces la información de tipo texto puede quedar más clara si se le añaden algunos elementos gráficos (imágenes, tablas y gráficos) o si, directamente, es sustituida por estos:

- Las **imágenes** aportan vistosidad a las diapositivas, aunque hay que evitar abusar de ellas para impedir que la presentación ocupe mucho espacio en el disco (lo que por ejemplo nos pueda impedir o dificultar su envío por correo electrónico). Se deben elegir formatos como .jpg antes que otras como .tif.
- Las **tablas** permiten la exposición de texto de manera clara y concisa.
- Los **gráficos** son muy útiles a la hora de representar datos numéricos o comparaciones entre distintos datos. El tipo de gráfico SmartArt es muy vistoso para representar información jerarquizada y esquemática.

Estos elementos se añaden al hacer clic en el icono correspondiente que aparece en las **diapositivas con objetos**. También pueden añadirse desde la ficha *Insertar*.

6.1 > Imágenes

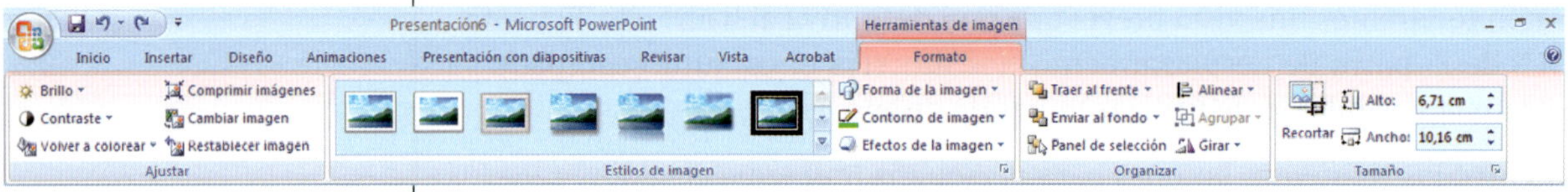

Pueden insertarse dos tipos de imágenes:

- **Imagen desde archivo:** se inserta haciendo clic sobre el icono *Insertar imagen desde archivo* y seleccionando la imagen que se desea añadir.
- **Imagen prediseñada:** hacer clic en el icono *Imágenes prediseñadas*. Aparecerá un panel en la parte derecha que permite buscar imágenes por palabras relacionadas o por colecciones. Incluso podemos acceder a colecciones de archivos *on line* y descargar más imágenes.

Al hacer clic sobre una imagen, esta se añadirá a la diapositiva y en la cinta de opciones aparecerá la ficha *Herramientas de imagen / Formato* para formatear aspectos como el brillo, contraste, forma, efectos, etc.

6.2 > Tablas

Al igual que el resto de elementos gráficos, las tablas pueden añadirse desde el icono *Insertar tabla* o desde la ficha *Insertar* (esta opción permite incluso dibujar la tabla).

Una vez insertada la tabla, ya se puede utilizar para introducir texto o moverse sobre ella del mismo modo que hemos visto en otras aplicaciones de Microsoft Office.

Para manipular la tabla, debemos seleccionarla haciendo clic en uno de sus bordes y acceder a las herramientas de la tabla, en concreto a las pestañas *Diseño* y *Presentación*.

Casos prácticos 3

Tablas

·· Diseña la siguiente diapositiva.

Modalidades contractuales

CONTRATOS	INDEFINIDOS	Contrato indefinido ordinario	
		Contrato de fomento de la contratación indefinida	
		Contrato fijo-discontinuo	
	TEMPORALES	Formativos	En prácticas
			Para la formación
		De duración determinada	Eventual
			Obra o servicio
			Interinidad
			Sustitución
			Relevo
	OTRAS MODALIDADES	En grupo	
		A domicilio	
		Puesta a disposición	

Solución ··

- Abre una nueva diapositiva en blanco con diseño de la diapositiva *Título y objetos*.
- Escribe en el cuadro de texto *Título*, *Modalidades contractuales*. El formato de texto del título es: fuente Bernard MT Condensed, tamaño 44. El formato del resto del texto es: Calibri 18.
- Haz clic en el cuadro *Objetos* y en el botón *Insertar tabla* y selecciona 4 filas y 4 columnas.
- Ve a la ficha *Herramientas de tabla / Diseño*. En la sección de herramientas, *Opciones de estilo de tabla*, quita la marca de la casilla *Fila de encabezado*.
- En la sección *Estilos de tabla* elige *Estilo medio 2, Énfasis 1*.
- Selecciona toda la primera columna. Desde la ficha *Presentación*, haz clic en *Combinar celdas*. Escribe el texto de esa celda.
- Selecciona las dos celdas centrales de la segunda columna y haz clic en *Presentación / Combinar celdas*. Escribe el texto de la segunda columna.
- Combina en horizontal las dos primeras celdas de la tercera y cuarta columna y, por separado, las dos últimas.
- Sitúate en la celda a la derecha de *INDEFINIDOS* y, desde la ficha *Presentación*, en el grupo *Combinar*, haz clic en *Dividir celdas*. Elige una división de 1 columna y 3 filas y repite el proceso en la celda a la derecha de *OTRAS MODALIDADES*.
- Escribe el texto de las dos celdas situadas a la derecha de *TEMPORALES*. Sitúate ahora en la celda a la derecha de *FORMATIVOS* y divide la celda en 1 columna y 2 filas. Divide la celda inferior en 1 columna y 5 filas. Escribe el resto del texto de la tabla.
- Selecciona la tabla haciendo clic en uno de sus bordes y, desde la ficha *Presentación*, sección *Alineación*, centra el texto a la izquierda horizontalmente y en el centro verticalmente.
- Sitúate en la primera celda de la tabla y, desde la sección anterior, elige *Dirección del texto / Apilado*. Centra el texto de la primera y segunda columna.
- Pincha y arrastra las líneas verticales de la tabla para reducir o ampliar las dimensiones de las columnas hasta adquirir el aspecto de la imagen.
- Selecciona la primera y segunda columna. Accede a la ficha *Diseño / Sombreado*, color *Azul, Énfasis 1, Claro 60%*. Selecciona el mismo color para las dos celdas a la derecha de *TEMPORALES*.
- Desde la sección *Dibujar bordes* de la ficha *Diseño*, despliega el *Color de pluma* eligiendo *Blanco, Fondo 1 / Grosor de pluma $4^{1/2}$ pto*. Haz clic y arrastra el ratón por cada línea gruesa que se observa en la figura.
- Guarda la presentación que has creado con el nombre *Tablas*.

6.3 > Gráficos

La inserción de gráficos se realiza a través de un asistente:

- Se hace clic en el icono *Insertar gráfico* de las diapositivas que contienen objetos o bien, la ficha *Insertar*, en el botón *Gráfico*.
- Se abre el cuadro de diálogo *Insertar gráfico*. Allí podremos seleccionar la categoría o forma de gráfico deseado, lineal, de barras, circular, etc. y, dentro de cada categoría, elegir una de las posibilidades de forma que nos ofrece la aplicación.
- Una vez elegido el tipo de gráfico, se abrirá automáticamente una hoja de Excel, que se muestra junto a la diapositiva de PowerPoint, en la que modificaremos los valores y textos para adecuar el gráfico a nuestras necesidades. Cada vez que se modifique un dato en la hoja de Excel, simultáneamente cambiará el aspecto del gráfico en PowerPoint.
- Para añadir o eliminar rangos en la tabla de Excel, basta con arrastrar los bordes: irán apareciendo o desapareciendo categorías, que tendrán su representación en el gráfico.
- Se abrirán tres fichas de herramientas de gráficos para su posterior tratamiento: *Diseño, Presentación* y *Formato.*

Casos prácticos 4

Gráficos

·· Diseña la siguiente diapositiva teniendo en cuenta los datos de la tabla.

	AVE	Avión	Talgo	Autobús
Madrid	8 000	10 000	4 000	2 500
Barcelona	3 000	8 000	3 000	1 000
Sevilla	5 000	3 000	1 000	2 500

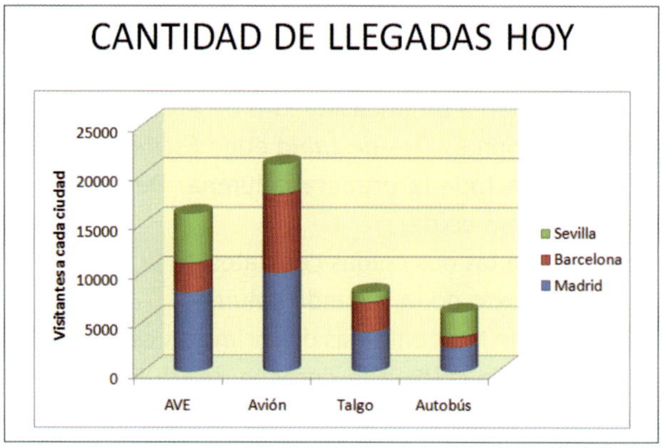

Solución ··

- Abre una nueva diapositiva en blanco, elige como diseño de la diapositiva *Título y objetos.* Escribe el título *CANTIDAD DE LLEGADAS HOY* y haz clic en el icono *Insertar / Gráfico.*
- Selecciona en las categorías *Columnas / Cilindro apilado* y haz clic en *Aceptar.*
- Modifica la hoja de Excel para incluir los datos del enunciado. Haz clic en ficha *Diseño / Datos / Cambiar entre filas y columnas* o bien en el botón *Seleccionar datos / Cambiar fila/columna.*
- Desde la ficha *Diseño,* elige el *Estilo 34.*
- Desde la ficha *Presentación,* en la categoría *Etiquetas,* selecciona *Rótulos del eje / Título de eje vertical primario / Título girado.* En el título del eje escribe *Visitantes a cada ciudad.*
- Desde la sección *Fondo,* selecciona *Cuadro Gráfico / Más opciones de planos posteriores* y selecciona *Relleno sólido / Color: Amarillo / Transparencia: 75%.* Repítelo con el plano inferior del gráfico.
- Guarda la presentación que has creado con el nombre *Gráfico 1,* dentro de la carpeta *Mis presentaciones.*

6.4 > Gráficos SmartArt

El proceso es el mismo que en el apartado anterior: primero insertamos el gráfico y posteriormente lo configuramos.

Vamos a verlo en un caso práctico.

Casos prácticos 5

SmartArt

•• Inserta en una diapositiva un gráfico de SmartArt que tenga el mismo aspecto que el que ves a continuación:

- Distribución irregular de jornada
  - Establecida por acuerdo
    - Por convenio colectivo
    - Por empresa y representantes de los trabajadores
  - Descanso mínimo
    - Diario
      - 12 horas entre jornadas
    - Semanal
      - Día y medio ininterrumpido

Solución ••

- Haz clic en en la ficha *Insertar / SmartArt.*
- En función del tipo de gráfico a representar, se seleccionará una categoría u otra. En este caso, elige *Jerarquía / Jerarquía de tabla.*
- Escribe el texto. Puedes utilizar los cuadros propios del gráfico, pero en este caso usaremos el panel de texto que aparece a la izquierda del gráfico tal y como muestra la imagen del margen. En el panel de texto se procede como si de una lista de viñetas se tratara, estableciendo los niveles que necesitemos. El gráfico se irá adaptando a lo que escribamos, creando o eliminando formas. Si se cierra este panel, estará disponible desde el borde izquierdo del gráfico.
- Accede a las herramientas del gráfico en su ficha *Diseño* para modificarlo. En este caso, deberás seleccionar *Estilos SmartArt / Recuadro.* Para el color, seleccionamos *Cambiar colores / Énfasis 2 / Esquema coloreado - Énfasis 2.*
- Para colocar el título, inserta un cuadro de texto y escribe dentro el texto *Distribución irregular de jornada.* El formato del texto es el siguiente: fuente Calibri 45, alineación centrada. Haz clic en el desplegable *Estilos rápidos / Contorno claro 1, relleno coloreado - Énfasis 2.*
- Guarda la presentación que has creado, con el nombre *SmartArt 1,* dentro de la carpeta *Mis presentaciones.*

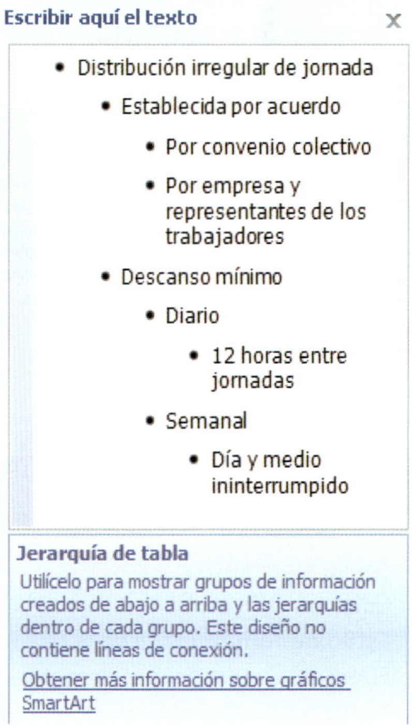

Caso final 6

Elaboración de una presentación

•• Elabora la siguiente presentación:

Diapositiva 1

Diapositiva 2

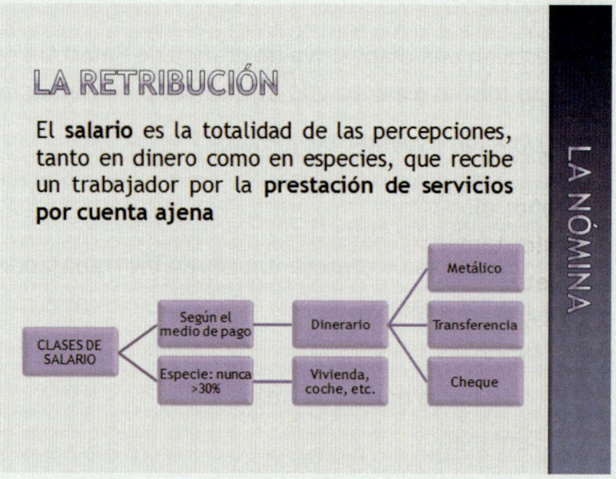

Diapositiva 3

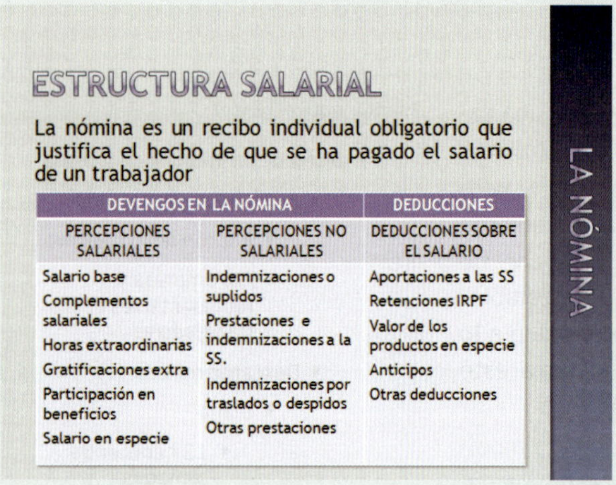

Diapositiva 4

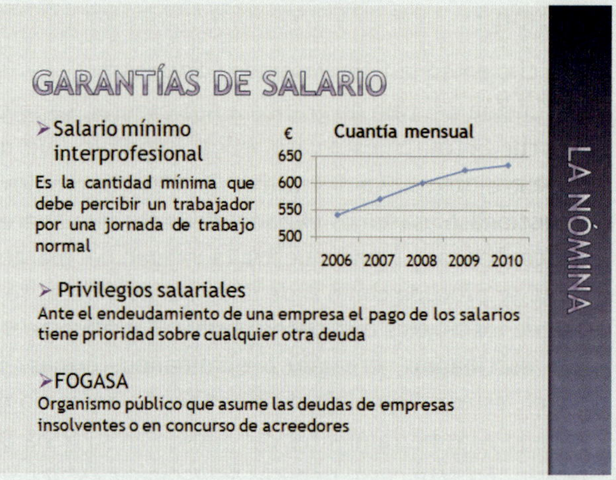

CARACTERÍSTICAS DE LA PRESENTACIÓN

Diseño general de la presentación

- **Tema:** Opulento
- **Colores:** Office
- **Estilo de fondo:** *Estilo 9*
- **Fuentes:** *Opulento*, por defecto.
- **Texto:** elige el que aparece en cada diapositiva

6

Diapositiva 1

- **Diseño:** diapositiva de *Título*.
- **Título:** tamaño de fuente 72.
- **Subtítulo:** tamaño de fuente 36.

Diapositiva 2

- **Diseño:** diapositiva de *Título y objetos*.
- **Título:** tamaño de fuente 38.
- **Objeto:** tamaño de fuente 26 y 16 en el gráfico SmartArt.

Diapositiva 3

- **Diseño:** diapositiva *Dos objetos*.
- **Título:** tamaño de fuente 38.
- **Objetos:** tamaño de fuente 24 en el texto y 18 en la tabla.

Diapositiva 4

- **Diseño:** diapositiva *Dos objetos*.
- **Título:** tamaño de fuente 38.
- **Texto:** tamaño de fuente 24 y 20. Viñeta de color púrpura.
- **Tabla:** *Estilo 2, Énfasis 4* y *Sombra con Desplazamiento diagonal abajo derecha*.

Solución ··

1. Diseño general

- Haz clic en el botón de Office / *Nuevo* / *Presentación en blanco*. La primera diapositiva que te aparecerá tiene por defecto el diseño *Título*, por lo que no la cambiamos.
- Selecciona la ficha *Diseño*. En la sección *Temas*, elige *Opulento*. En la herramienta *Colores*, selecciona *Office*. No modificamos la fuente por ser la elegida por defecto.

2. Diapositiva 1

- Haz clic en el título y escribe el texto. Selecciónalo y dale tamaño 72 desde la ficha *Inicio*. Haz clic en el subtítulo y escribe los tres párrafos. Selecciónalos y dales tamaño 36.

3. Diapositiva 2

- Añade una diapositiva con diseño *Título y objetos*. Haz clic en el título y escribe el texto. Céntralo.
- Desde la ficha *Diseño* despliega el botón *Estilos de fondo* y elige *Estilo 9*.
- Haz clic en el objeto inferior:
  - Pulsa la tecla retroceso para eliminar la viñeta que tienes por defecto. Escribe el párrafo.
  - Selecciona el párrafo y accede al cuadro de diálogo *Párrafo*. Elimina la sangría antes del texto poniéndola a 0. Pon en negrita las palabras destacadas. Justifica el texto.
  - Colócate al final del párrafo y pulsa <Intro>.
  - Haz clic en el botón *SmartArt* de la ficha *Insertar*. Elige la categoría *Jerarquía* con estilo *Jerarquía horizontal*.

»

6

- Abre el panel de texto y escribe el contenido que aparece dentro del gráfico. Cuando termines, cierra el panel de texto haciendo clic en su aspa.
- Selecciona el gráfico, accede a la ficha *Diseño* de las *Herramientas de SmartArt* y escoge entre los estilos SmartArt *3D / Polvo*. En el desplegable *Cambiar colores*, selecciona la combinación *Énfasis 4 / Relleno coloreado - Énfasis 4*.
- Selecciona todo el gráfico haciendo clic en cualquier borde y cambia el color de fuente a negro desde la ficha *Inicio*.
- Seleccionar el cuadro de texto *Título*. Cópialo y pégalo. Cambia el texto de este nuevo cuadro de texto escribiendo *LA NÓMINA*. Reduce su tamaño y, utilizando el punto de giro y el ratón, colócalo en el lugar correspondiente a la derecha de la diapositiva.

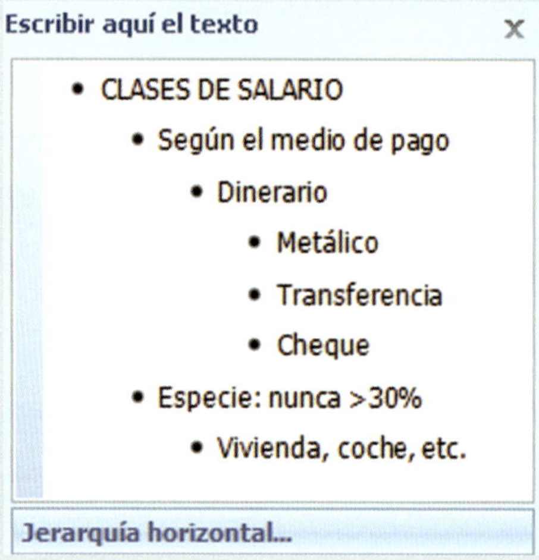

4. Diapositiva 3

- Añade una diapositiva con diseño *Dos objetos*. Haz clic en el título y escribe el texto. Céntralo.
- Copia el cuadro de texto de la parte derecha de la diapositiva anterior y pégalo en esta nueva en su lugar correspondiente.

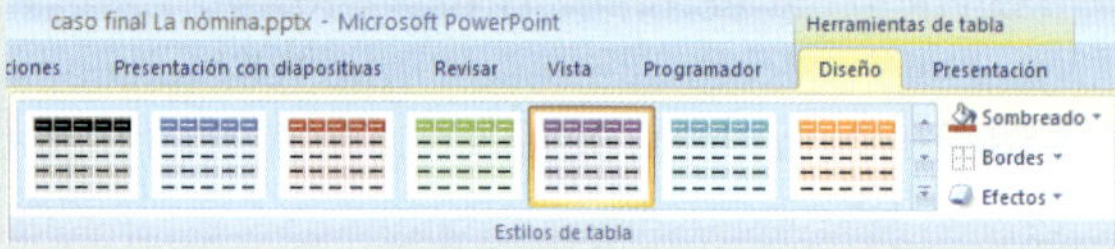

- Haz clic en el **objeto de la izquierda.**
- Pulsa la tecla retroceso para eliminar la viñeta que tienes por defecto.
- Escribe el párrafo, selecciónalo y accede al cuadro de diálogo *Párrafo*. Elimina la sangría antes del texto poniéndola a 0. Pon el tamaño de fuente a 24 y justifica el texto.
- Desde la ficha *Formato*, da a este cuadro de texto las dimensiones 6 cm de alto y 20 cm de ancho.
- Haz clic en el **objeto de la derecha.**
- Desde la ficha *Formato* da a este objeto las dimensiones 9 cm de alto y 20 cm de ancho.
- Haz clic en *Insertar tabla* eligiendo 3 filas y 3 columnas. Combina las dos primeras celdas de la primera fila. Inserta el texto en cada celda y centra las dos primeras filas.
- Selecciona la tercera fila y, desde el cuadro de diálogo *Párrafo* de la ficha *Inicio*, dale al texto un espaciado anterior de 6 puntos.
- Selecciona la tabla y, desde las *Herramientas de la tabla*, accede a la ficha *Diseño*. Escoge el diseño de *Estilo medio 2*, *Énfasis 4* y *Efecto / Sombra / Exterior / Desplazamiento diagonal abajo derecha.*
- Coloca la tabla hacia arriba arrastrándola con el ratón.

6

5. **Diapositiva 4**

- Añade una diapositiva con diseño *Dos objetos*. Haz clic en el título y escribe el texto. Céntralo.
- Copia el cuadro de texto de la parte derecha de la diapositiva anterior y pégalo en esta nueva en su lugar correspondiente.
- Haz clic en el **objeto de la derecha.**
- Haz clic en *Insertar gráfico* y selecciona *Línea con marcadores* de la categoría *Línea*.
- Inserta en la hoja de cálculo la tabla de datos que observas en la imagen.

	A	B
1		Cuantía mensual
2	2006	540,9
3	2007	570,6
4	2008	600
5	2009	624
6	2010	633,3

- Accede a la ficha *Presentación* de las herramientas del gráfico y elimina la leyenda seleccionando *Leyenda / Ninguno*.
- Desde esa misma ficha, accede a *Ejes / Eje vertical primario / Más opciones de eje vertical primario*. Escribe como unidad mínima fija 500,00.
- Desde la ficha *Insertar / Formas* añade un pequeño cuadro de texto con el símbolo € por encima del eje vertical del gráfico.

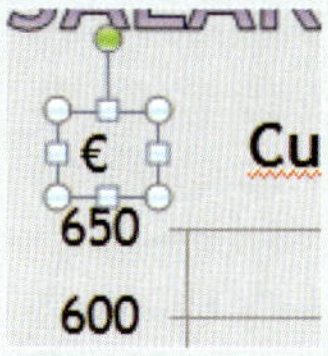

- Haz clic en el **objeto de la izquierda.**
- Selecciona el cuadro de texto haciendo clic en el borde. Accede a la ficha *Formato* y modifica el tamaño a 6 cm de alto y 9,5 cm de ancho.
- Pulsa la tecla retroceso para eliminar la viñeta que tienes por defecto. Escribe los dos párrafos que se observan a la izquierda de la tabla con los tamaños de fuente 24 y 20 respectivamente.
- Sitúate delante del primer párrafo, haz clic en el desplegable *Viñetas* y accede al cuadro de diálogo. Elige el símbolo indicado en el enunciado con color púrpura y el tamaño al 100% del texto. Acepta.
- Elimina la sangría de primera línea del segundo párrafo tal y como lo hiciste en la segunda diapositiva.
- Desde la ficha *Insertar,* añade la forma *Cuadro de texto* en la parte inferior de la diapositiva. Modifica el tamaño a 6,5 cm de alto y 20,5 cm de ancho.
- Sitúate en el cuadro de texto y escribe los párrafos pulsando un <Intro> entre el segundo y tercero. Modifica el tamaño de fuentes a 24 y 20, tal y como se observa.
- Procede como en el cuadro de texto anterior para eliminar las sangrías e insertar la viñeta.

Ideas clave

- **ELABORACIÓN DE PRESENTACIONES BÁSICAS**
  - **El gestor de presentaciones**
  - **Interfaz gráfica de PowerPoint 2007**
    - Barra de título
    - Cinta de opciones
    - Opciones de fichas
    - Panel de diapositivas
    - Diapositiva actual
    - Panel de notas
    - Barra de estado
  - **Creación de presentaciones**
    - Presentación nueva
    - Inserción de diapositivas
    - Reutilización de diapositivas
    - Eliminación de diapositivas
    - Ejecución de la presentación
  - **Formato de los elementos de la diapositiva**
    - Formateo del texto
    - Dibujos y formas
    - Ficha *Formato*
  - **Formato de la diapositiva**
    - Configurar página
    - Temas de diseño
    - Fondo
  - **Inserción de elementos gráficos en las diapositivas**
    - Imágenes
    - Tablas
    - Gráficos
    - Gráficos SmartArt

OPENOFFICE IMPRESS 1.ª parte

SOFTWARE LIBRE

Impress es el gestor de presentaciones de OpenOffice. Su interfaz gráfica sigue la estética del procesador Writer.

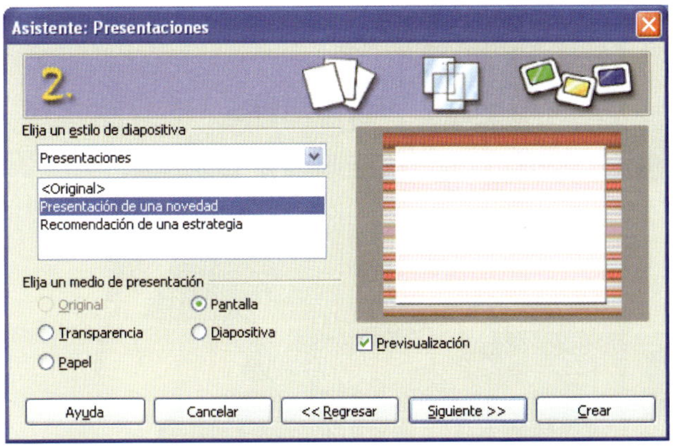

Una vez abierta la aplicación, seleccionamos *Presentación* y se lanzará un asistente que en tres pasos nos permite configurar mínimamente nuestra presentación.

Decidimos si partimos de una presentación vacía, una plantilla o deseamos abrir una existente eligiendo entre varios fondos, efectos y avances.

El menú y las barras de herramientas están disponibles de la misma forma que en el procesador Writer desde el menú *Ver / Barras de herramientas*.

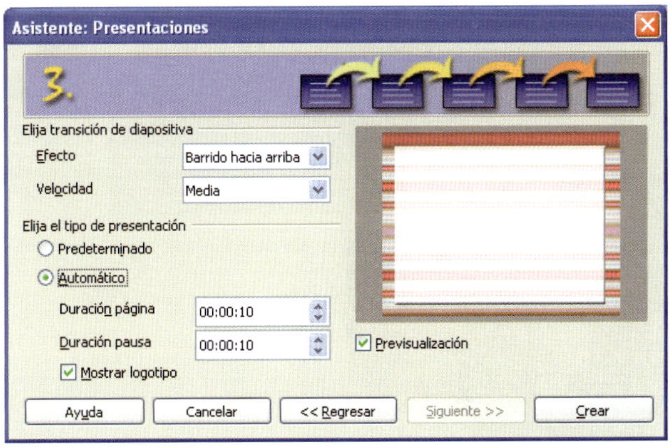

La barra de herramientas *Estándar* controla acciones básicas como *Abrir*, *Guardar*, *Cortar*, *Insertar gráfico*, *Insertar tabla*, etc.

A la derecha de la barra estándar está situada la **barra *Presentación***, que permite añadir una *Diapositiva nueva*, controlar el diseño de la misma y abrir la vista *Presentación*.

La tercera barra que aparece por defecto es ***Líneas y relleno*** que ofrece las posibilidades de estilos de líneas y sus puntas, así como distintos rellenos y efectos de sombra de los objetos.

Las pestañas situadas sobre la diapositiva controlan las distintas vistas de la presentación, pero lo realmente importante es el panel lateral ***Tareas***, que ofrece *Páginas maestras* (plantillas de colores), *Diseños* de las diapositivas, *Diseño de tabla* (añade y formatea la tabla) y controla las transiciones de la diapositiva y las animaciones de los elementos que contiene.

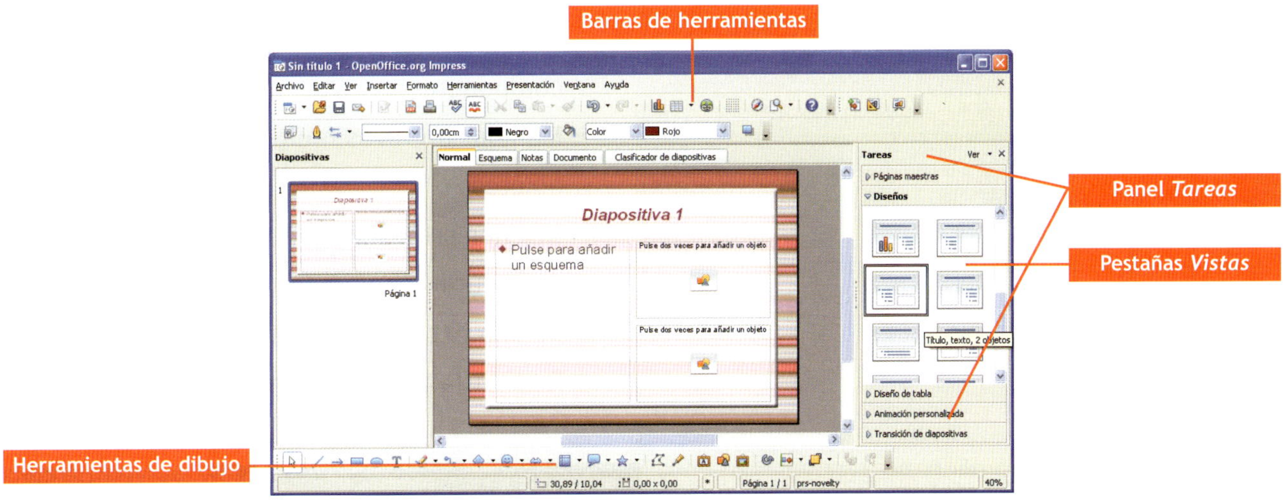

u n i d a d **15**

Presentaciones dinámicas

SUMARIO

- Animaciones gráficas de las diapositivas y sus objetos
- Presentaciones multimedia
- Elementos interactivos y otros objetos
- Control de la exposición
- Revisión y empaquetado
- Presentaciones para el público

OBJETIVOS

- Configurar distintos movimientos en las diapositivas y en los elementos que las componen.
- Manejar archivos multimedia y otros objetos.
- Diseñar presentaciones interactivas.
- Configurar y controlar todos los aspectos de una exposición oral.
- Revisar la presentación.

1 >> Animaciones gráficas

En las diapositivas y en los elementos que contienen pueden aplicarse diferentes efectos de animación en función de lo seria o informal que queramos diseñar nuestra presentación.

Además, consiguen captar la atención del destinatario a la vez que hacen dinámica la exposición oral.

1.1 > Transiciones de diapositiva

Se denomina transición al paso de una diapositiva a la siguiente.

Las transiciones se producen sin ningún efecto o movimiento y se activan con la barra espaciadora o las teclas <AvPág> y <→>.

Las opciones de presentación de las transiciones se encuentran en la ficha *Animaciones.*

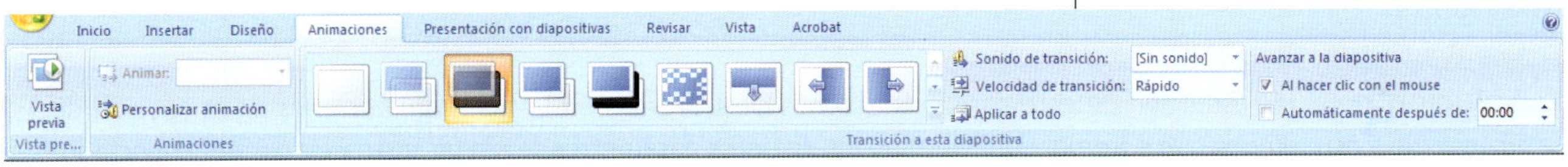

15.1. Ficha *Animaciones.*

Como se ve en la Figura 15.1, esta ficha está compuesta por los grupos *Transición a esta diapositiva, Vista previa* y *Animaciones.*

En este apartado, haremos referencia a los dos primeros.

Transición a esta diapositiva

En este grupo es posible seleccionar:

- El efecto de movimiento *(Efecto de transición)* que acompañará al paso de la diapositiva.
- El sonido que acompañará al efecto elegido; puede ser el sonido de una galería predeterminada que ofrece la aplicación o incluir un sonido (por ejemplo, una canción) que se tenga guardado en el ordenador o en un dispositivo conectado al mismo. Además, puede configurarse para que suene una sola vez o repetidamente hasta el próximo sonido.
- La velocidad con la que se producirá el efecto (rápida, media o lenta).
- Que la transición se produzca al hacer clic el usuario con el ratón o bien que una diapositiva permanezca en pantalla un tiempo exacto hasta la transición a la siguiente. Es posible seleccionar ambas opciones a la vez.
- Atribuir la transición diseñada para una diapositiva a toda la presentación *(Aplicar a todo).*

Para familiarizarse con los efectos de transición, es conveniente probar a aplicar todos ellos a una diapositiva.

Los efectos disponibles pueden verse en el panel *Efectos de transición*, al que se accede mediante el botón *Más* de la barra de desplazamiento.

Vista previa

El botón *Vista previa* permite visualizar el aspecto completo de todos los efectos que hemos incluido en cada diapositiva.

Casos prácticos

1

Transiciones

•• Abre la presentación del caso final de la unidad didáctica 12, que tienes guardada con el nombre *Caso final* en la carpeta *Mis presentaciones* y sigue las siguientes instrucciones:

- Antes de comenzar el ejercicio, selecciona *Guardar como... / Presentación de PowerPoint* y guarda la presentación con el nombre *Transiciones* en la carpeta *Mis presentaciones*.
- Diseña la transición a la primera diapositiva con efecto *Disolver*, sonido *Aplauso* y velocidad de transición media. La diapositiva permanecerá en pantalla 10 segundos o hasta que el usuario haga clic.
- Diseña la transición a la segunda diapositiva con efecto *Cuña*, sonido *Empuje* y velocidad de transición lenta. El sonido se repetirá hasta el próximo. La diapositiva avanzará después de 10 segundos.
- Diseña la transición a la tercera diapositiva con efecto *Formar un rombo*, que continúe el sonido anterior y velocidad de transición rápida. La diapositiva permanecerá en pantalla 5 segundos.
- Diseña la transición a la cuarta diapositiva con efecto *Barrido horizontal*, sonido *Redoble de tambores* una sola vez y velocidad de transición lenta. La diapositiva avanzará con el clic de ratón.

Solución •• En la resolución de este caso práctico nos centraremos en la ficha *Animaciones* en la sección de *Transición a esta diapositiva* e iremos configurando los distintos parámetros según las instrucciones del enunciado.

El aspecto que deberá tener la ficha *Animaciones*, en cada una de las diapositivas, una vez que hayas realizado el caso práctico, deberá ser igual a los siguientes:

Diapositiva 1

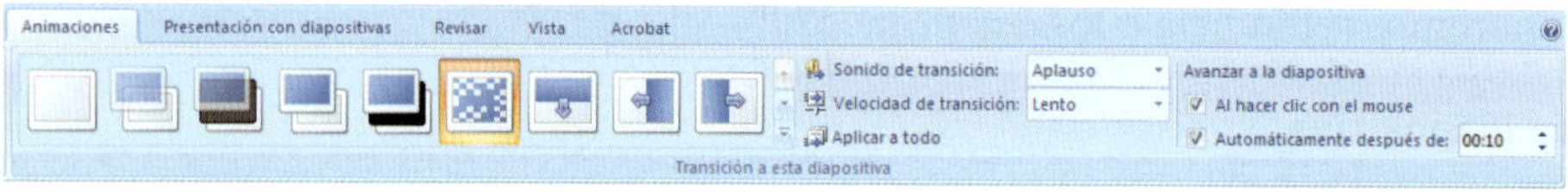

Diapositiva 2

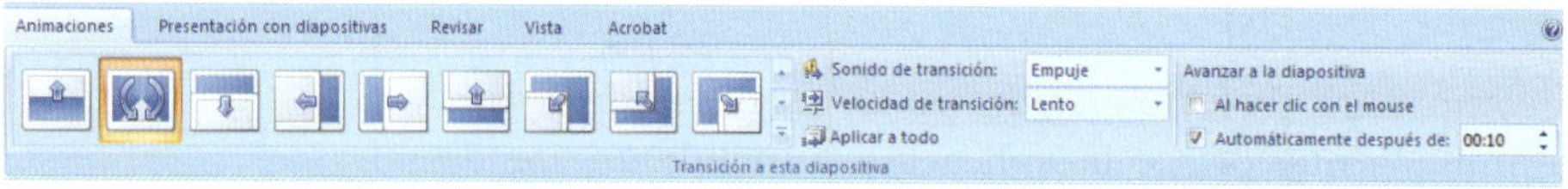

Además, hay que volver a abrir el desplegable *Sonido* y elegir *Repetir hasta el próximo sonido*.

Diapositiva 3

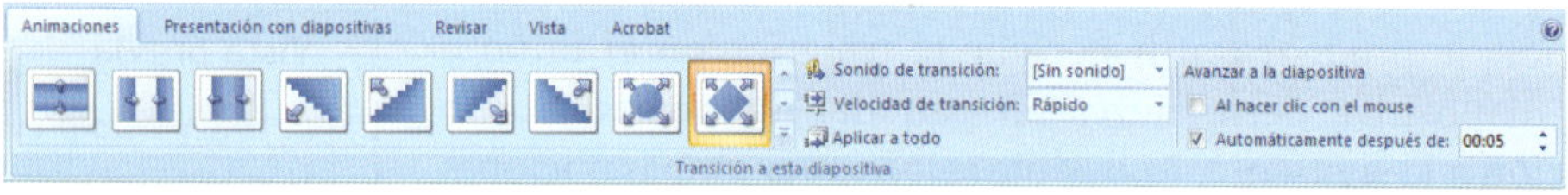

Diapositiva 4

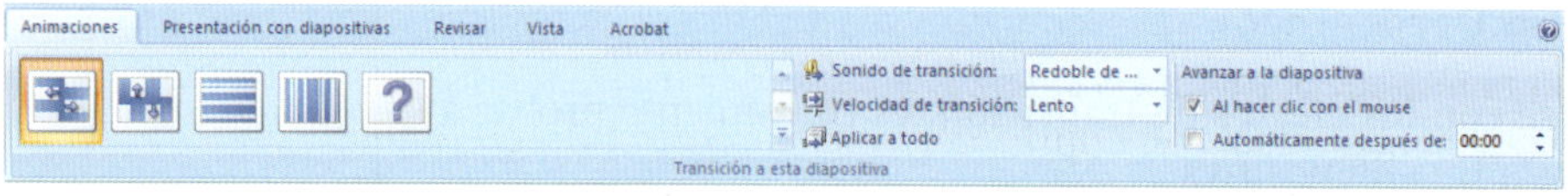

No olvides guardar todos los cambios realizados en la presentación *Transiciones*.

1.2 > Animación de objetos

Las animaciones son los efectos que se aplican a los objetos que contienen las diapositivas.

Las animaciones se añaden desde el grupo *Animaciones* de la ficha del mismo nombre.

Existen unas animaciones predeterminadas por la aplicación que pueden incluirse de forma fácil y rápida, pero además pueden configurarse animaciones personalizadas.

Animaciones predeterminadas

Para añadir una animación de las que incluye la aplicación por defecto, se debe proceder de la siguiente forma:

- En primer lugar, seleccionar el objeto al que se le va a asignar la animación.
- Desplegar el botón *Animar* del grupo *Animaciones.*
- Elegir entre *Desvanecer, Barrido* o *Desplazar hacia arriba.*
- Repetir este proceso con cuantos objetos se desee.

Cuando los objetos lo permiten, el desplegable del botón *Animar* se amplía presentando variaciones en cada uno de los efectos.

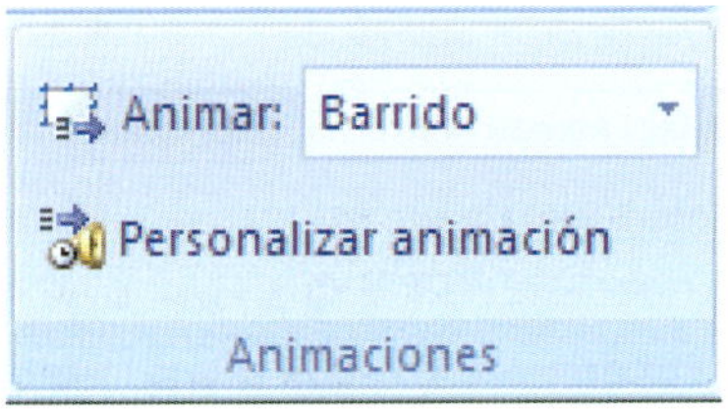

15.2. Grupo *Animaciones.*

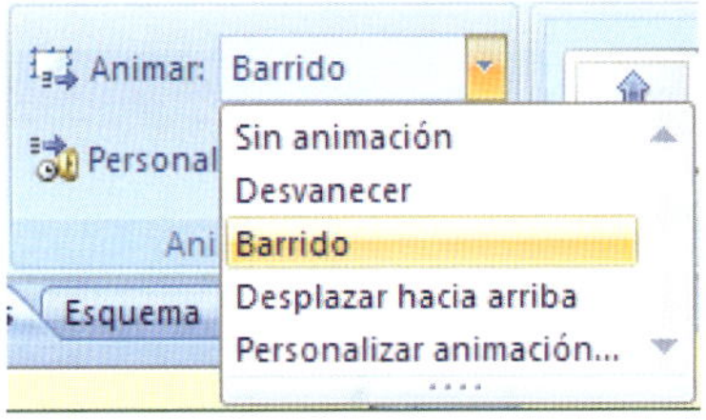

15.3. Botón *Animar* desplegado.

Actividades propuestas

1·· Diseña una presentación con el siguiente contenido y características de animación y guárdala con el nombre de *Mensajería instantánea* en tu carpeta *Mis presentaciones.*

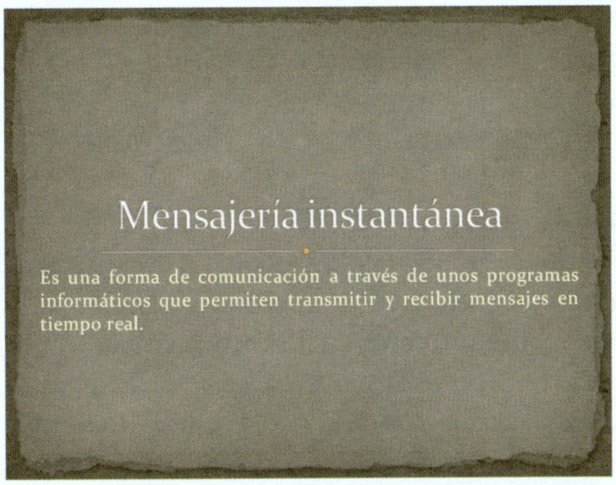

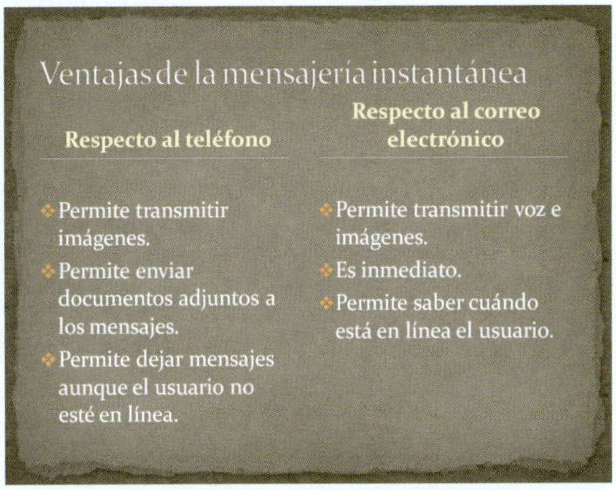

a) El tema del diseño es *Papel.* En la primera diapositiva, el título está formateado a tamaño 48 y el resto del texto a tamaño 22. En la segunda, el título está a tamaño 38 y el resto a 26. Formatea correctamente la alineación y sangrías.

b) La diapositiva 1 debe tener transición *Empujar y Cubrir / Cubrir hacia abajo,* con velocidad lenta y sonido *Campana.* Como máximo, permanecerá en pantalla 5 segundos.

c) La diapositiva 2 con la transición *Cubrir hacia arriba,* controlada por ratón.

d) Todos los cuadros de texto tienen animaciones de *Barrido.* El orden que siguen los efectos es: título, subtítulo izquierdo, cuadro de texto izquierdo, subtítulo derecho y cuadro de texto derecho.

15.4. Panel *Personalizar animación.*

Animaciones personalizadas

Además de las animaciones predeterminadas, podemos añadir más efectos y modificar la velocidad, el orden en el que se animan los objetos, etc.

Para añadir una de estas animaciones, desde el grupo *Animaciones* y, con el botón *Personalizar animación*, abrir el panel de tareas del mismo nombre, a la derecha de la interfaz de la aplicación, y proceder de la siguiente forma:

- Seleccionar el objeto al que deseamos agregar un efecto.
- Hacer clic en el botón *Agregar efecto* seleccionando el tipo y nombre de efecto.

Al ir agregando efectos, se va formando una lista con los tipos de efecto y el orden en la secuencia de movimientos. Seleccionado el que corresponda se puede eliminar, cambiar o modificar.

En la parte inferior del panel siempre está disponible *Reproducir,* visualizar la vista previa de la diapositiva y desencadenar la ejecución con *Presentación.*

Tipos de efectos:

- ***Entrada.*** Es la forma en que aparece el objeto después de cargarse la diapositiva.
- ***Salida.*** Es la forma en que desaparece el objeto.
- ***Énfasis.*** El efecto destaca el objeto con respecto de los demás y permanece en la diapositiva posteriormente.
- ***Trayectoria de la animación.*** El efecto desplaza el objeto a otra parte de la diapositiva con una trayectoria trazada o diseñada por nosotros mismos.

Modificaciones de efectos:

- ***Inicio.*** Indica la forma en que comenzará el efecto (por ejemplo, al hacer clic en la diapositiva, etc.).
- ***Propiedad.*** Característica que varía en función del efecto elegido (tamaño, dirección, etc.).
- ***Velocidad.*** Velocidad de aplicación del efecto.
- ***Reordenar.*** Al seleccionar un efecto y hacer clic en los botones de subir y bajar, se fija el orden que seguirán los efectos.
- ***Otras modificaciones.*** El menú contextual sobre un efecto muestra distintas alternativas, entre las que destaca *Opciones de efectos,* que abre un diálogo con tres pestañas desde donde se pueden modificar más propiedades, algunas de ellas diferentes para cada efecto y para cada objeto (duración del efecto, del sonido que lo acompaña, controlar los movimientos por letras, etc.).

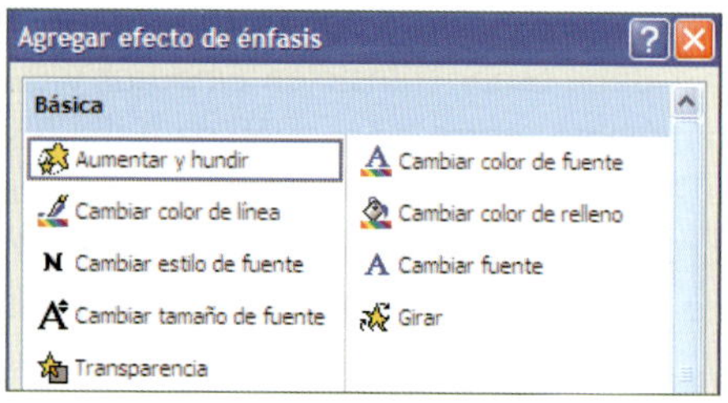

Ejemplos

Inserción y modificación de distintos efectos

- Abrimos la presentación *Animaciones* que está guardada en el CD *Recursos*. Observa que tiene el aspecto y contenido que ves a la derecha. Antes de comenzar el ejercicio, guarda la presentación con el nombre *Animaciones* en la carpeta *Mis presentaciones*.
- En la ficha *Animaciones*, hacemos clic en *Personalizar animación*.
- Seleccionamos el cuadro de texto del título y hacemos clic en el botón *Agregar efecto*. Elegimos *Énfasis / Más efectos / Moderado / Reflejos* y escogemos velocidad *Medio*.
- Ahora seleccionamos el subtítulo de la izquierda. Añadimos el efecto de entrada *Desplazar hacia arriba*. Accedemos al menú contextual del efecto eligiendo en las opciones *Animar texto: Por letra*, con sonido *Máquina de escribir* y dirección *Desde arriba*.
- Vamos ahora a añadir efectos al cuadro de texto de la izquierda. Seleccionamos el cuadro de texto de la izquierda y agregamos el efecto de *Énfasis / Girar* con velocidad *Medio*.

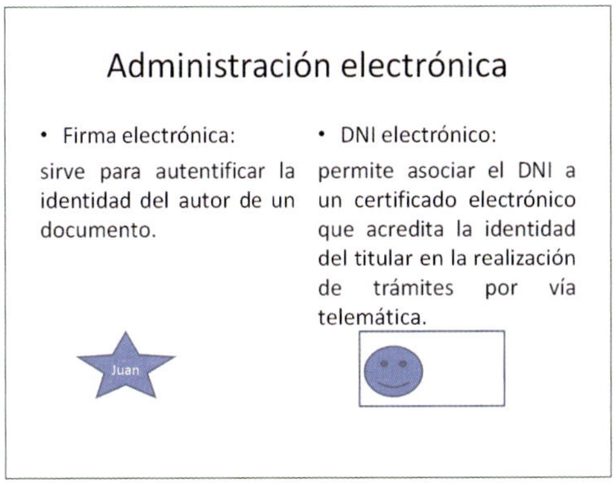

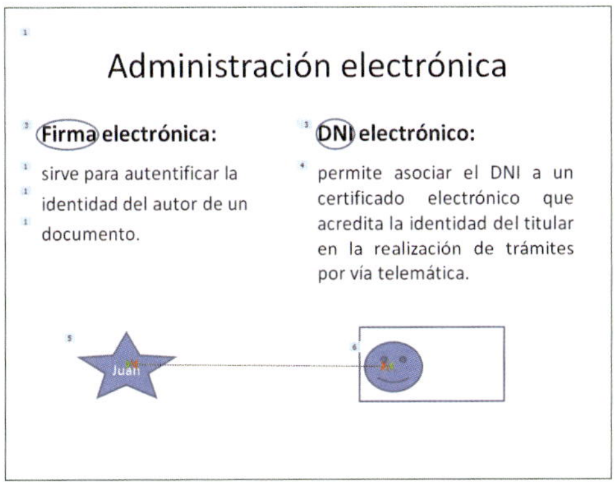

Observa que se crea un efecto por cada párrafo. Seleccionamos los efectos del segundo y tercer párrafo y elegimos *Inicio con la anterior* para que salten los tres efectos a la vez.

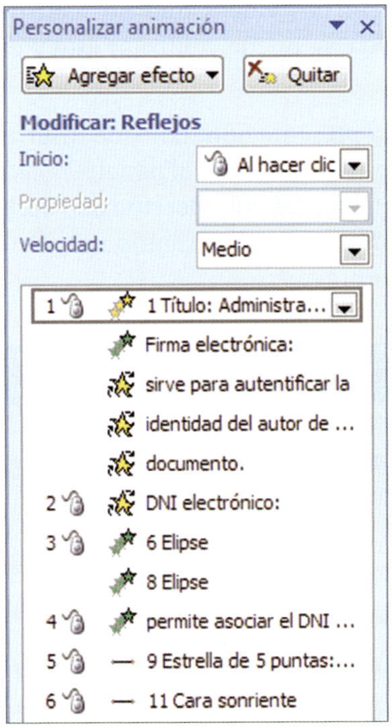

- Seleccionamos el texto de la derecha y agregamos el efecto *Énfasis / Girar* con velocidad *Medio*. Elegimos también *Inicio con la anterior* para que gire a la vez que el texto de la izquierda.
- Seleccionamos las dos elipses azules del título (hacemos clic en una, pulsamos la tecla <Ctrl> y hacemos clic en la otra) y le agregamos un efecto *Entrada / Más efectos / Básica / Desplazar hacia arriba*.
- Ahora seleccionamos la estrella azul y le agregamos un efecto de *Trayectorias de la animación / Derecha*. Este efecto saltará automáticamente después del efecto de las elipses, por tanto el inicio será *Después de la anterior*. A la forma *Cara sonriente* le agregamos un *Desplazamiento a la izquierda* que se inicie con la anterior, de manera que ambas formas se crucen.
- Modificamos las trayectorias alargándolas hasta hacerlas llegar a la figura que está en el lado contrario. Para ello, hacemos clic en la punta roja de la flecha que aparece junto a la forma y la arrastramos con el ratón hasta la forma del lado contrario, tal y como se observa en la figura.
- Visualizamos la diapositiva para comprobar que tiene la presentación deseada y hacemos clic en *Guardar*.

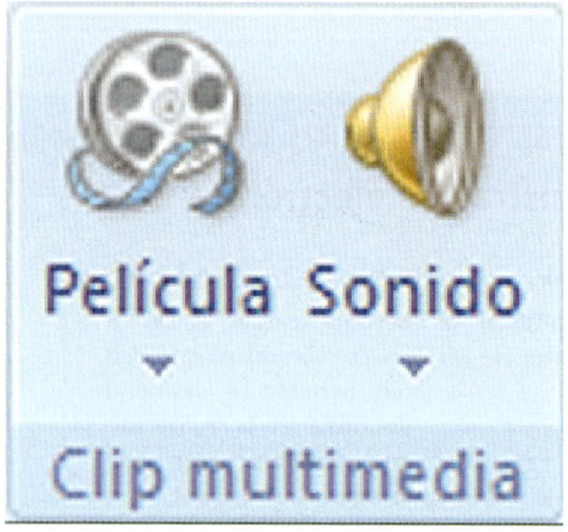

15.5. Grupo *Clip multimedia* de la ficha *Insertar.*

2 >> Presentaciones multimedia

Cuando hablamos de multimedia, inevitablemente debemos pensar en vídeos y sonidos.

Antes de seguir adelante, hay que indicar que, para evitar que las presentaciones multimedia ocupen mucho espacio, es conveniente que (al igual que se recomienda con las imágenes) los sonidos y vídeos que se añadan a las diapositivas sean de corta duración y estén en un formato comprimido (MP3).

Para insertar estos objetos, se debe hacer clic en el icono correspondiente del cuadro de objetos de la diapositiva o bien con los botones del grupo *Clip multimedia* de la ficha *Insertar*.

Si bien ambas alternativas muestran el cuadro de diálogo que facilita la inserción de un clip multimedia desde archivo, los botones de la ficha *Insertar* dan más posibilidades, pues el desplegable presenta distintas opciones.

- **Submenú *Película*:** además de la opción por defecto del botón (*Película desde archivo…*), permite buscar un vídeo dentro de la galería multimedia de Microsoft.
- **Submenú *Sonido*:** permite insertar desde archivo, buscar un sonido dentro de la galería multimedia, reproducir una pista de un CD introducido o grabar un sonido utilizando un micrófono.

Al insertar un *clip* multimedia, PowerPoint preguntará acerca de la forma en la que se desea que se inicie el archivo. Se puede establecer que se inicie de manera automática al cargarse la diapositiva o bien al hacer clic sobre el vídeo o el icono de sonido (el altavoz).

No obstante, con cualquier sonido y con los vídeos que no sean de la galería multimedia, de inicio automático, se puede controlar este y otros aspectos desde la ficha *Opciones*.

Para que un sonido acompañe a toda la presentación, hay que insertar el archivo multimedia en la primera diapositiva y acceder al panel *Personalizar animación*. En el menú contextual del efecto, deberá seleccionarse *Opciones de efectos / Detener la reproducción después de x diapositivas* (siendo *x* el número de diapositivas que tiene la presentación).

Actividades propuestas

2·· Abre cualquiera de las presentaciones creadas hasta el momento e inserta una canción para que suene durante toda la ejecución de la presentación. Guárdala con el nombre *Canción* en tu carpeta *Mis presentaciones*.

3·· Diseña una presentación que contenga lo que a continuación se detalla y guárdala con el nombre *Multimedia* en tu carpeta *Mis Presentaciones*.

a) Un sonido que se inicie al hacer clic sobre el icono de *Sonido*.

b) Dos vídeos: uno que comience haciendo clic sobre el icono de vídeo y otro que se inicie de manera automática.

3 >> Colección de objetos

En la ficha *Insertar* se agrupan todos los objetos (imágenes, gráficos, cuadros de texto, sonidos, etc.) que pueden incluirse en las presentaciones.

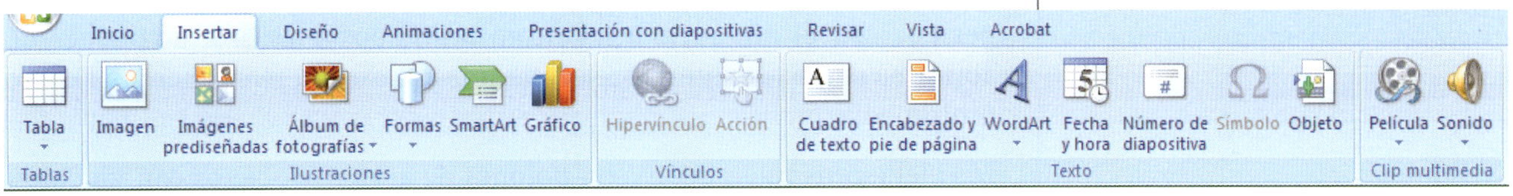

15.6. Ficha *Insertar*.

Como algunos botones de esta ficha ya son conocidos (tablas, imágenes, gráficos, formas, sonidos, películas, etc.), solo se desarrollarán en este epígrafe los que aún no se han utilizado: álbum de fotografías, vínculos, encabezado y pie de página y objetos de otras aplicaciones.

3.1 > Botón *Álbum de fotografías*

Un álbum es una colección de imágenes perfectamente colocadas en las diapositivas, con un diseño predeterminado, que puede ser configurado posteriormente.

La presentación con fotografías se crea de una forma muy rápida. Desde este botón se da la posibilidad de crear un álbum de fotografías o de editar uno ya existente. Para diseñar un álbum, se debe hacer clic en el botón *Álbum de fotografías*. Se abrirá la ventana que muestra la Figura 15.7, desde donde se pueden configurar todos los aspectos del álbum. Al hacer clic en el botón *Crear*, se genera el álbum. Basta con hacer clic sobre los objetos (textos/imágenes) y acceder a las fichas correspondientes para terminar de darle formato a la diapositiva.

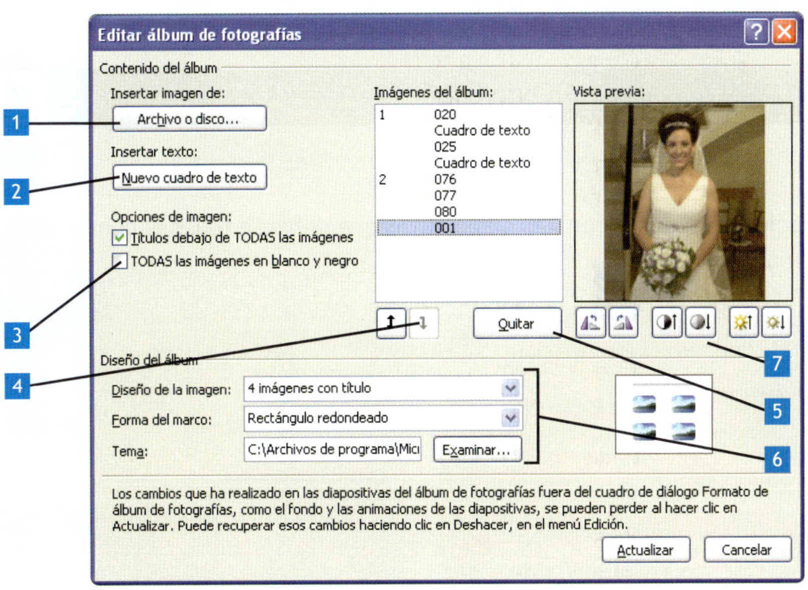

1. Seleccionar las imágenes del álbum.
2. Insertar texto a la izquierda de la imagen.
3. Colocar texto bajo las imágenes y mostrarlas en blanco y negro.
4. Reordenar los elementos del álbum.
5. Eliminar elementos.
6. Cantidad de imágenes por diapositiva, con título inferior o no. Forma del marco que rodeará a las imágenes y tema del diseño de la presentación.
7. Orientación, contraste y brillo de la imagen.

15.7. Cuadro de diálogo *Álbum de fotografías*.

15.8. *Botones de acción.*

3.2 > Presentaciones interactivas

Las presentaciones interactivas son aquellas que permiten al usuario interactuar con los elementos de las diapositivas.

A través de la acción del usuario sobre botones, texto o imágenes, se puede personalizar el itinerario a seguir en las diapositivas: ir a una concreta, abrir una página de Internet, ejecutar una aplicación, reproducir un fichero multimedia, etc.

Los elementos interactivos son botones de acción y objetos con vínculos.

Botones de acción

Los botones de acción son dibujos prediseñados que tienen asociadas acciones por defecto. Así, por ejemplo, el primer botón (Figura 15.8) lleva asociada la acción de ir a la diapositiva anterior, el quinto lleva al inicio, etc.

Se dibujan desde el botón desplegable *Formas*, que está en el grupo *Ilustraciones*. Al acabar de dibujarlos se mostrará el cuadro de diálogo *Configuración de la acción* con la acción predeterminada para ese botón, susceptible de ser modificada.

Insertar vínculos

La idea de estas herramientas de la ficha *Insertar* es seleccionar el objeto al que se le va a aplicar un vínculo y proceder de cualquiera de las dos formas siguientes:

- Haciendo clic en el botón *Acción* y eligiendo la acción deseada a través del cuadro de diálogo *Configuración de la acción*.
- Haciendo clic en el botón *Hipervínculo* y trabajando con el cuadro de diálogo *Insertar hipervínculo*. En el grupo *Vincular a* se decide el tipo de vínculo que se va a añadir. El cuadro de diálogo adoptará las opciones necesarias para su configuración.

Casos prácticos 2

Presentaciones interactivas

•• Diseña y ejecuta la siguiente presentación compuesta por tres diapositivas que deberán tener el contenido y diseño que ves a continuación.

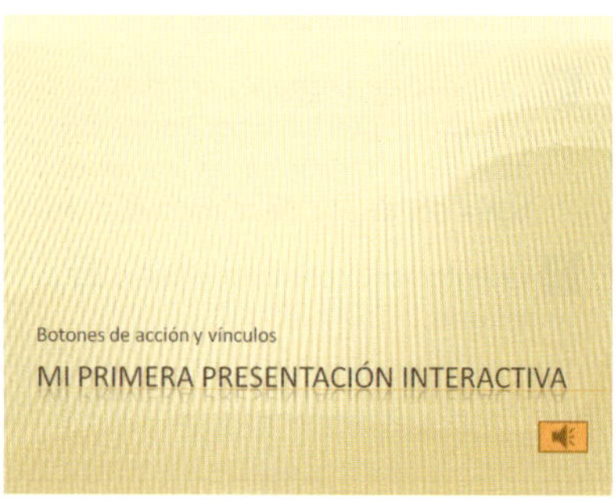

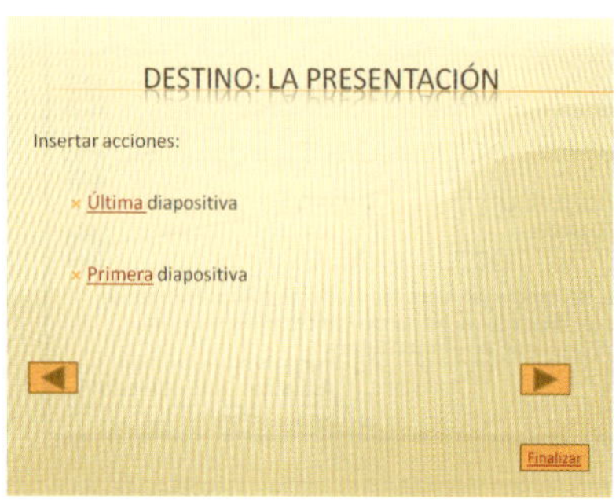

2

Primera diapositiva
- Al mover el puntero sobre el botón de acción deberá sonar la campana.

Segunda diapositiva
- En esta diapositiva insertaremos acciones y botones de acción para crear vínculos a las diapositivas que se describen en la lista.
- En la esquina superior derecha se insertará un botón con el texto *Finalizar.* Al mover el cursor sobre él, finalizará la exposición, acompañada de un sonido de aplauso.

Tercera diapositiva
- Diseña un enlace a la página web de la editorial Macmillan.
- Vincula un texto con el correo electrónico de la editorial Macmillan.

Solución ··

1. Diseño general
- La presentación tiene el diseño *Viajes*. La primera diapositiva es del tipo *Diapositiva de título*, las dos siguientes del tipo *Título y objetos*. Como este caso práctico pretende ilustrar la inserción de hipervínculos, no nos centraremos en el diseño estético, por lo que elige el tipo de fuente y el tamaño que desees, siempre que el resultado sea similar al que te mostramos.
- Guarda la presentación con el nombre *Vínculos* en tu carpeta *Mis presentaciones.*

2. Primera diapositiva
- Dibuja el botón de acción *Sonido*. En las dos pestañas del cuadro de diálogo *Configuración de la acción*, selecciona *Ninguna*. En la pestaña *Acción del mouse*, activa la casilla de verificación *Reproducir sonido* eligiendo *Campana.*

3. Segunda diapositiva
- Selecciona la palabra *Última* y pulsa el botón *Acción* de la ficha *Insertar.* En la pestaña *Clic del mouse* haz clic en *Hipervínculo a* y selecciona *Última diapositiva.*
- Selecciona la palabra *Primera* de la lista y repite el proceso escogiendo el hipervínculo a *Primera diapositiva.*
- Dibuja en la esquina superior derecha un cuadro de texto con la palabra *Finalizar*. Selecciona el cuadro de texto y haz clic en el botón *Acción*. En el cuadro de diálogo que se muestra, en la pestaña *Clic del mouse*, elige *Ninguna*. Pasa a la pestaña *Acción del mouse* y elige *Hipervínculo a / Fin de la presentación.* Activa la casilla *Reproducir sonido* y escoge *Aplauso.*
- Despliega el botón *Formas* y dibuja los botones *Siguiente* y *Anterior.* Acepta el cuadro de diálogo por defecto al terminar de trazar cada botón.

4. Tercera diapositiva
- Escribe el texto y selecciona las palabras *Macmillan profesional*. Pulsa el botón *Insertar / Acción* y, en la pestaña *Clic del mouse*, selecciona la acción del hipervínculo a valor *Dirección URL*. Saltará entonces un cuadro de diálogo en el que debes escribir la dirección web a la que quieres que lleve el enlace (en nuestro caso, **http://www.macmillanprofesional.es**). También puedes insertar el mismo enlace desde el botón *Hipervínculo* eligiendo *Archivo o página web existente*, rellenando el campo *Dirección.*
- Selecciona la dirección de *e-mail* y haz clic en el botón *Hipervínculo*. Haz clic en el botón *Dirección de correo* y rellena los campos *Dirección de correo electrónico* (en nuestro caso **mailto:info@macmillan.es**) y *Asunto.*

3.3 > Encabezado y pie de página

En el grupo *Texto* de la ficha *Insertar* se encuentran herramientas ya conocidas y utilizadas (*Cuadro de texto* o *WordArt*), así como otras nuevas como *Fecha y hora, Número de diapositiva* y *Encabezado y pie de página,* nos remiten al mismo cuadro de diálogo.

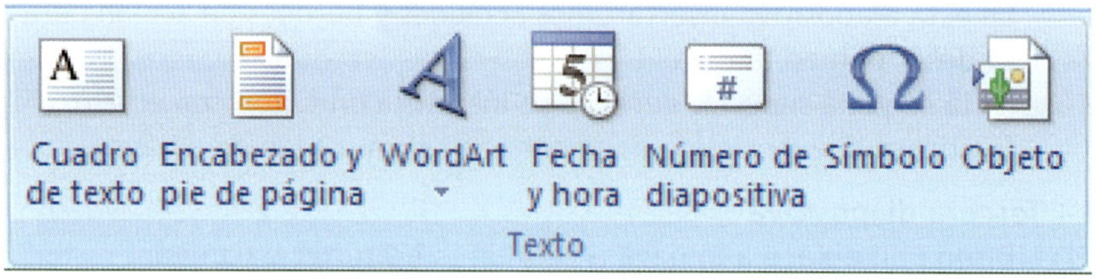

15.9. Grupo *Texto* de la ficha *Insertar.*

Desde este cuadro es posible seleccionar una serie de opciones y aplicarlas a la diapositiva seleccionada o a toda la presentación: incluir una fecha y hora, insertar el número de orden de cada diapositiva o mostrar un texto en el pie de página.

La aplicación hace que estos elementos se incluyan en una parte determinada de las diapositivas pero, como se insertan en un cuadro de texto, pueden moverse y colocarse en la parte deseada de la diapositiva.

3.4 > Objeto incrustado

Además de todos los objetos vistos con anterioridad, existe la posibilidad de insertar en las diapositivas objetos de otras aplicaciones de Windows. Así por ejemplo, se puede tener en una diapositiva una hoja de cálculo de Excel o un dibujo de Paint.

Al hacer clic en el botón *Objeto* del grupo *Texto* aparece el listado de todos los tipos de objeto que pueden incrustarse en la presentación, indicando el programa al que pertenecen.

Si, por ejemplo, seleccionamos *Hoja de cálculo de Microsoft Office Excel,* se incluirá en la diapositiva una hoja de cálculo completa y la cinta de opciones mostrará herramientas para su tratamiento. Se trabajará con ella igual que si estuviéramos en la aplicación madre y, al hacer clic fuera del área que ocupa, aparecerá incrustada en la diapositiva como si de otro objeto se tratara. Bastará con hacer doble clic sobre el objeto para tener de nuevo a la vista las opciones para su tratamiento.

Actividades propuestas

4·· Diseña una presentación con un álbum de fotos con el formato que más te guste. Añádele un pie de página excluyendo la diapositiva de título con el siguiente formato.

Abril de 2009	© Tu nombre	n.°

5·· Sin salir de PowerPoint, incrusta en una diapositiva un dibujo hecho con la aplicación Paint.

4 >> Controlar la ejecución de la presentación

La visualización de la presentación a pantalla completa tiene muchas opciones interesantes. En los siguientes epígrafes, se centrará la atención en las herramientas de la ficha *Presentación con diapositivas.*

4.1 > Presentaciones personalizadas

A partir de las diapositivas que se incluyen en una presentación, pueden crearse todas las presentaciones personalizadas que se deseen, cada una de las cuales se guardará como un nuevo archivo.

Para crear una presentación de este tipo, teniendo la presentación base abierta, se debe hacer clic sobre el botón *Presentación personalizada* de la ficha *Presentación con diapositivas.* En el cuadro de diálogo del mismo título se hace clic en *Nueva* y aparecerá la ventana *Definir presentación personalizada.*

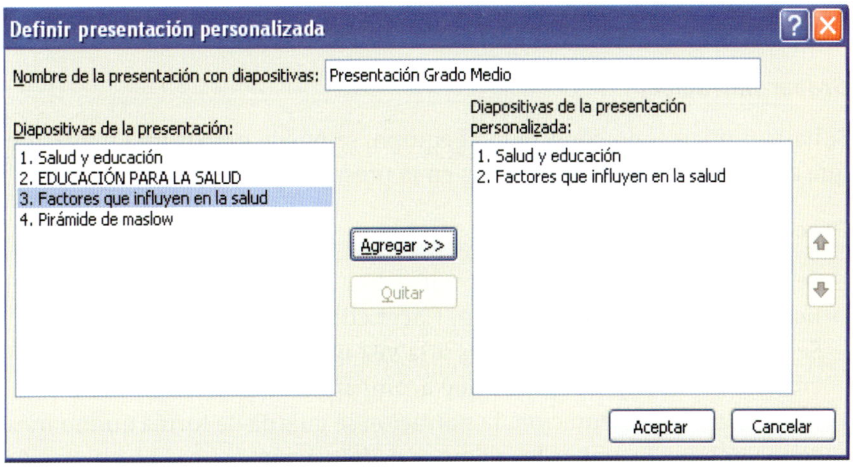

15.10. Cuadro de diálogo *Definir presentación personalizada.*

En esta ventana, para añadir una diapositiva a la presentación personalizada, se selecciona en el apartado de la izquierda y se pulsa el botón *Agregar.*

Para eliminar una diapositiva, se elige en el apartado de la derecha y se hace clic en el botón *Quitar.*

Los botones con imagen de flecha que están a la derecha de la ventana permiten actuar sobre las diapositivas para reordenarlas dentro de la presentación personalizada.

Una vez que la presentación personalizada esté creada, se podrá ejecutar de dos formas:

– Desde la ficha *Presentación con diapositivas,* haciendo clic en el botón *Presentación personalizada* y seleccionando la presentación creada.
– Durante la exposición de la presentación original, accediendo al menú contextual (botón secundario del ratón), eligiendo *Presentación personalizada* y seleccionando la deseada del listado de las presentaciones creadas.

4.2 > Configurar la presentación

El modo en el que se mostrará la presentación a pantalla completa se puede configurar para personalizar la exposición. Para ello, se debe hacer clic en el botón *Configuración de la presentación con diapositivas.*

En el cuadro de diálogo que se muestra se puede configurar:

- El tipo de presentación: a pantalla completa o en una ventana.
- Las opciones de presentación: repetir cíclicamente la exposición, inhabilitar la narración y las animaciones.
- La posibilidad de mostrar todas o solo algunas de las diapositivas.
- El avance de las diapositivas: controlar las transiciones solo con el ratón y teclado o también con los intervalos de tiempo diseñados.
- Opciones de hardware.

4.3 > Otras opciones de configuración

Además de las opciones de configuración vistas en el apartado anterior, la ficha *Configurar* muestra otras opciones interesantes.

Grabar narración

Si hay un micrófono conectado al equipo, se puede grabar una narración que acompañará a las diapositivas en la presentación a pantalla completa.

Procedimiento de grabación

- Se hace clic en el botón Grabar narración. Se abrirá una ventana con el tiempo disponible de grabación. Hacer clic en Aceptar.
- Se van pasando las diapositivas a la vez que se va narrando por el micrófono el texto que se desea que acompañe a cada una.
- Al finalizar la presentación, la narración se guarda de forma automática con la opción de grabar los tiempos de transición.

Ensayar intervalos

15.11. Cuadro de diálogo *Ensayo*.

Esta herramienta permite hacer una estimación de los segundos que tarda en visualizarse el contenido de una diapositiva y su transición para guardar el intervalo. Se configura del siguiente modo:

- Se selecciona una diapositiva. Al hacer clic en el botón *Ensayar intervalos* aparecerá el cuadro de diálogo *Ensayo*. En el centro se marca el tiempo del intervalo seleccionado para la diapositiva actual y a la derecha el total de la presentación:
  - El botón *Repetir* (a la derecha del contador de tiempo central) sirve para volver a ensayar el tiempo de la diapositiva actual.
  - El botón *Siguiente* (el primero de la derecha) sirve para avanzar a otra diapositiva. El reloj central se pondrá a cero mientras el tiempo total de la presentación seguirá avanzando.
- Para detener el ensayo, basta con cerrar el cuadro de diálogo. En este momento es posible guardar los intervalos de cada diapositiva.

Podemos utilizar o no los intervalos ensayados y guardados marcando o desmarcando la casilla de verificación *Utilizar intervalos ensayados.*

4.4 > Control de la exposición

Una vez diseñada completamente la presentación, tanto en lo referente a las diapositivas, como en la forma en que se visualizará (incluida, en su caso, la exposición oral) aún existe la posibilidad de controlar más la visualización de la presentación a pantalla completa.

El ponente podrá controlar la ejecución de la secuencia de diapositivas y otros aspectos abriendo, durante dicha ejecución, el menú contextual que se muestra al pulsar el botón secundario del ratón.

Las opciones de este menú contextual son:

- ***Siguiente:*** avanza a la siguiente diapositiva o al siguiente efecto de la misma diapositiva si es que esta se expone por partes.
- ***Anterior:*** retrocede a la diapositiva anterior o al punto anterior de la misma si esta se expone por partes.
- ***Última diapositiva vista:*** pasa a la última diapositiva vista, que no tiene por qué ser necesariamente la anterior.
- ***Ir a diapositiva:*** abre un menú para seleccionar entre todas las diapositivas de la presentación.
- ***Presentación personalizada:*** abre un menú para ejecutar una de entre todas las presentaciones personalizadas creadas.
- ***Pantalla:*** permite poner la pantalla en negro o blanco para despertar la atención de los asistentes sobre la exposición oral. También posibilita visualizar la barra de estado de Windows.
- ***Opciones del puntero:*** permite utilizar el puntero del ratón para señalar, escribir y borrar anotaciones, resaltar algo, etc., como si de una pizarra se tratara, para captar la atención del público asistente. Al finalizar la exposición se muestra un cuadro de diálogo a través del que se podrán guardar las anotaciones hechas.
- ***Ayuda:*** muestra el listado de combinaciones de teclas de acceso rápido y la función de cada una de ellas.
- ***Pausa:*** detiene o reanuda la ejecución de la presentación.
- ***Fin de la presentación:*** finaliza la exposición de la presentación desde la diapositiva en la que se ejecuta.

15.12. Menú contextual de la ejecución.

Actividades propuestas

6·· Crea una presentación con cuatro diapositivas. Mediante la opción *Ensayar intervalos*, graba una transición en la primera de 3 segundos, en la segunda de 5 y en la tercera de 7 segundos. Abre la ficha *Animaciones* y comprueba los tiempos de transición. Observa que, probablemente, los tiempos no habrán sido exactos. Guárdala en tu carpeta *Mis presentaciones* con el nombre *Intervalos*.

7·· Crea una presentación que ilustre un cuento infantil. Descarga imágenes de Internet para amenizar las diapositivas. Graba la narración del cuento y ensaya las transiciones. Visualiza la presentación. Guárdala con el nombre *Cuento infantil* en la carpeta *Mis presentaciones*.

8·· Configura la presentación *Cuento infantil* para que el usuario no pueda acelerar su transición con el teclado. Accede a *Guardar como* y guárdala en la carpeta *Mis presentaciones*, con el nombre *Transición fija*.

5 >> Fichas *Revisar* y *Vista*

A continuación se tratarán estas dos fichas, que contienen importantes opciones para trabajar con las presentaciones durante su elaboración y mejorar su resultado final.

Revisar la presentación

El hecho de que las presentaciones sean atractivas y amenas es tan importante para su usuario como que el contenido sea directo, estricto y serio.

El texto de las diapositivas es breve pero importante y debe revisarse para que no contenga errores ortográficos ni gramaticales.

A su vez, PowerPoint cuenta con la posibilidad de insertar comentarios en las diapositivas que facilitarán la tarea al orador durante la exposición de la presentación.

Todas estas herramientas de revisión se centralizan en la ficha *Revisar*, que contiene también la opción de proteger el acceso a la presentación.

Ficha *Vista*

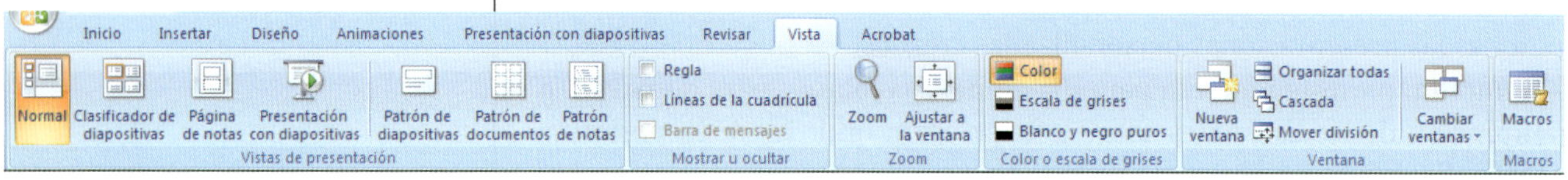

15.13. Ficha *Vista*.

Esta ficha agrupa diversas opciones referidas a la forma en que las diapositivas se mostrarán en la pantalla.

Esta ficha está compuesta por los siguientes grupos:

- ***Vistas de presentación:***
  - ***Normal:*** es la que aparece por defecto, muestra la diapositiva actual y a la izquierda el panel de diapositivas.
  - ***Clasificador de diapositivas:*** muestra miniaturas de las diapositivas de forma similar a la vista *Diapositivas* del panel de diapositivas. Facilita tareas como copiar diapositivas, eliminarlas, etc.
  - ***Página de notas:*** incluye las notas junto a cada diapositiva.
  - ***Presentación con diapositivas:*** reproduce la presentación a partir de la diapositiva seleccionada.
  - ***Patrones:*** son partes de plantillas con información sobre los elementos de las diapositivas para utilizarlos en futuras presentaciones.
- ***Mostrar u ocultar:*** donde se incluyen las reglas horizontal y vertical y las *Líneas de la cuadrícula*, que insertan en la vista una cuadrícula que permite ajustar más fácilmente la colocación de todos los elementos en la diapositiva.
- ***Zoom:*** ajusta el tamaño de la diapositiva que se muestra en pantalla.
- ***Color o escala de grises:*** muestra las diapositivas en el color elegido con el tema o en escala de grises.

– ***Ventana:*** presenta las diapositivas en varias ventanas y determina la forma en que se presentarán estas.
– ***Macros:*** permite ejecutar las macros existentes en la presentación.

En PowerPoint, para crear macros se ha de visualizar el editor de Visual Basic, en la ficha *Programador*.

Para tener acceso a esta ficha se debe hacer clic en el botón de Office / *Opciones de PowerPoint* y actualizar la casilla de verificación *Mostrar ficha Programador en la cinta de opciones.*

5.1 > Empaquetar la presentación

Empaquetar una presentación consiste en agrupar todos los archivos imprescindibles para poder proyectar la exposición desde un ordenador sin necesidad de que este tenga instalado la aplicación PowerPoint (siempre que su sistema operativo sea Windows 2000 o posterior).

Para ello, se abre la presentación que quiera empaquetarse y se hace clic en el botón de Office / *Publicar* / *Empaquetar para CD-ROM*. En el ordenador de destino, se ejecutará el archivo *PPTVIEW.EXE*.

5.2 > Presentaciones para el público

Tres son los elementos imprescindibles para realizar una presentación de este tipo: un ordenador, un proyector y un cable VGA, que tiene a ambos extremos un conector macho denominado D15 (tiene forma de D y 15 pines).

Ejemplos

Conexión y configuración de un ordenador y un proyector

Conectamos un extremo del cable VGA al puerto VGA del ordenador y el otro extremo a la salida VGA del proyector. Observando la forma del conector y del puerto VGA, nos damos cuenta de que únicamente hay una posición posible. En caso de que el proyector tuviera varias salidas libres, elegimos la salida de vídeo 1. El siguiente paso será conectar a la red eléctrica el proyector y encender tanto el proyector como el ordenador.

La configuración de los dispositivos de hardware para la exposición varía según cuál sea el tipo de proyector que se utilice. Puede que nada más encender los dos dispositivos se muestre la imagen tanto en el ordenador, como en la pantalla de proyección. Si no fuera así, deberíamos configurar el ordenador, la pantalla o ambos.

En este ejemplo, haciendo clic con el botón secundario del ratón sobre el Escritorio de nuestro ordenador y siguiendo la ruta que se observa en la figura, elegimos la salida de imagen deseada en cada momento. Debemos tener en cuenta que esta configuración será distinta según cuál sea el software de la tarjeta gráfica instalada, por lo que es posible que, en otros casos, el menú contextual sea un poco diferente.

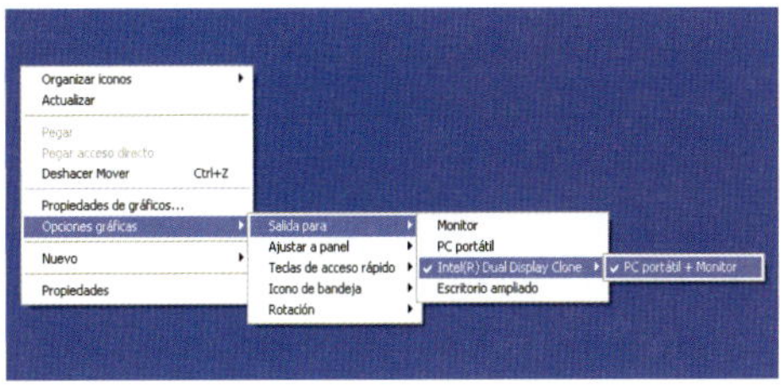

Finalmente, ajustamos el enfoque y el nivel de zoom en el proyector y ya podemos seleccionar el archivo de presentación deseado y mostrarlo en público a través del proyector.

Caso final 3

Elaboración de una presentación dinámica

•• Elabora la siguiente presentación:

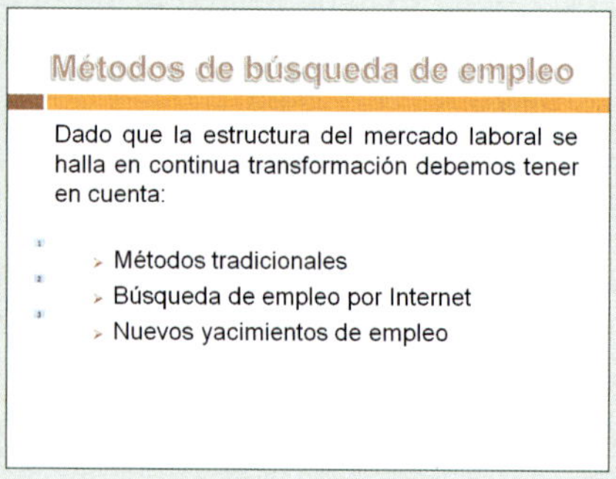

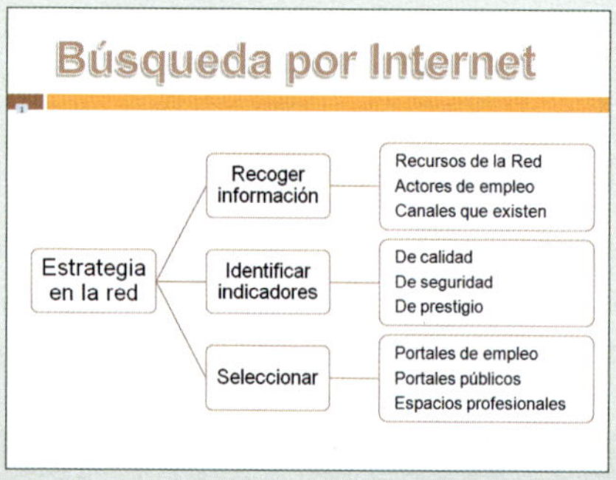

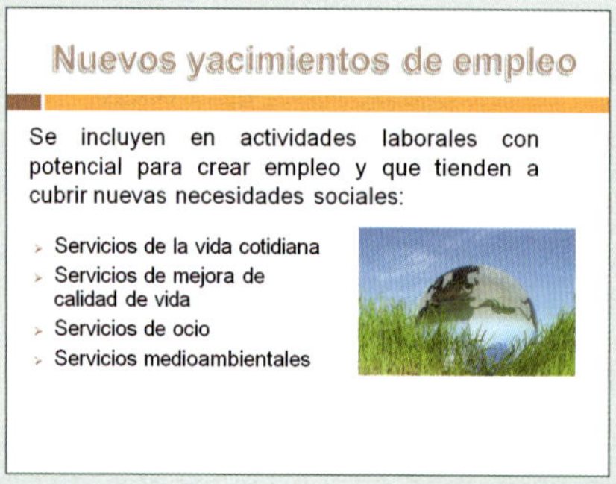

CARACTERÍSTICAS DE LA PRESENTACIÓN

Diseño general de la presentación

- La primera diapositiva contiene una imagen de fondo. En el resto, el formato de *Estilo del fondo* será de relleno sólido con color *Blanco, Fondo 1.*
- Diseño *Intermedio,* con las fuentes *Viajes.*
- Texto, el que aparece en cada diapositiva.
- El título de la primera diapositiva tiene un diseño WordArt con *Relleno / Énfasis 3, Biselado suave.* El relleno de texto *Título* es negro. El diseño del resto de títulos es WordArt *Relleno / Énfasis 3, Contorno / Texto 2.*
- En las presentaciones serias y formales las transiciones deben ser homogéneas. En este caso, la transición de todas las diapositivas es *Barrido hacia abajo,* sin sonido, lenta y controlada únicamente por el ratón.

3

Diapositiva 1

- **Diseño**: diapositiva de *Título.*
- **Imagen**: puedes encontrarla en la ficha *Insertar / Imágenes prediseñadas.*
- **Título**: *Búsqueda de empleo* (tamaño de fuente 50).

Diapositiva 2

- **Diseño**: diapositiva de *Título y objetos.*
- **Título**: *Métodos de búsqueda de empleo* (tamaño de fuente 40).
- **Texto**: *Dado que la estructura del mercado laboral se halla en continua transformación debemos tener en cuenta:*
  - *Métodos tradicionales de búsqueda de empleo* (animación de *Entrada / Aparecer*).
  - *Búsqueda de empleo por Internet* (animación de *Entrada / Aparecer*).
  - *Nuevos yacimientos de empleo* (animación de *Entrada / Aparecer*).

Diapositiva 3

- **Diseño**: diapositiva de *Título y objetos.*
- **Título**: *Métodos tradicionales* (tamaño de fuente 54).
- **Texto**:

Servicios de inserción laboral		
Públicos	*Privados*	*Otros*
Oficinas de empleo *Agencias de colocación local* *Centros juveniles* *Diputación y Ayuntamiento*	*Empresas de trabajo temporal (ETT)* *Consultoras de RRHH* *Sindicatos* *Agencias privadas de colocación*	*Prensa* *Páginas amarillas* *Boletines oficiales* *Contactos personales* *Centros educativos*

Recursos de prensa (animación del cuadro de texto *Barrido / Por párrafos de 1º nivel*)

Expansión y empleo	www.expansionyempleo.com
El Mundo	www.elmundo.es
El País	www.elpais.com
ABC	www.abc.es
Busca Medios	www.buscamedios.com

Diapositiva 4

- **Diseño**: diapositiva de *Título y objetos.*
- **Título**: *Búsqueda por Internet* (tamaño de fuente 54).
- **Gráfico**: el que se observa en la imagen (animación *Entrada / Sutil / Expandir* - Lento).

Diapositiva 5

- **Diseño**: diapositiva *Dos objetos.*
- **Título**: *Nuevos yacimientos de empleo* (tamaño de fuente 42).
- **Texto**: el que se observa en la imagen (animación *Entrada / Barrido*, velocidad Lento, inicio: *Con la anterior*).
- **Imagen**: *Insertar / Imágenes prediseñadas*, buscar *global* (misma animación que el texto).

»

3

Solución ··

1. Aspectos generales

- Aplica a toda la presentación las normas generales de diseño que se exponen en el enunciado.
- Haz clic en el botón de Office / *Nuevo* / *Presentación en blanco*. La primera diapositiva que te aparecerá por defecto tiene el diseño de título, por lo que no debes cambiarlo. Desde el botón *Nueva diapositiva* de la ficha *Inicio*, inserta el resto de diapositivas de la presentación con los diseños que indica el enunciado.
- Para configurar las transiciones de las diapositivas, debes acceder a la ficha *Animaciones* y allí seleccionar las opciones que se observan en la figura y hacer clic en *Aplicar a todo*.

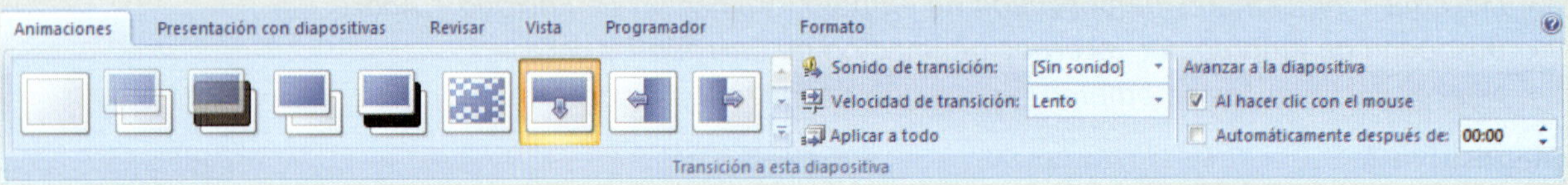

2. Diapositiva 1

- Accede a la ficha *Diseño*. Pon la imagen como fondo de la diapositiva mediante el botón *Estilo de fondo / Formato de fondo*. Se abrirá el cuadro de diálogo *Dar formato al fondo*, donde en el apartado *Relleno* deberás seleccionar *Relleno con imagen o textura / Insertar de: Imágenes prediseñadas* y busca *comunicaciones*.
- Haz clic en el título y selecciona la ficha *Insertar / WordArt*. Allí elige el estilo que se indica en el enunciado y escribe el texto. Desde la ficha *Formato*, elige *Relleno de texto* negro, redimensiona el título a 2,4 cm de alto y 19,4 cm de ancho y sitúalo en el lugar correspondiente.
- Selecciona el cuadro de texto *Subtítulo* y pulsa la tecla <Supr>.

3. Diapositiva 2

- Añade una diapositiva con diseño *Título y objetos*. Haz clic en el título e inserta el texto WordArt con el estilo que se indica en el enunciado. Da formato al fondo de esta diapositiva y las siguientes desde la ficha *Diseño* a través del botón *Estilos de fondo / Formato de fondo*.
- Haz clic en el objeto y escribe el texto. Elimina la sangría de párrafo y configura las viñetas desde la ficha *Inicio* / botón desplegable *Viñetas / Viñetas de flechas*.

3

- Selecciona los párrafos con viñetas. Desde el cuadro de diálogo *Párrafo* pon una sangría antes del texto de 2,5 cm.
- Selecciona el párrafo de la primera viñeta. En la ficha *Animaciones*, pulsa *Personalizar animación / Agregar efecto / Entrada / Más efectos... / Básica / Aparecer.* Repite los pasos con los otros dos.

4. Diapositiva 3

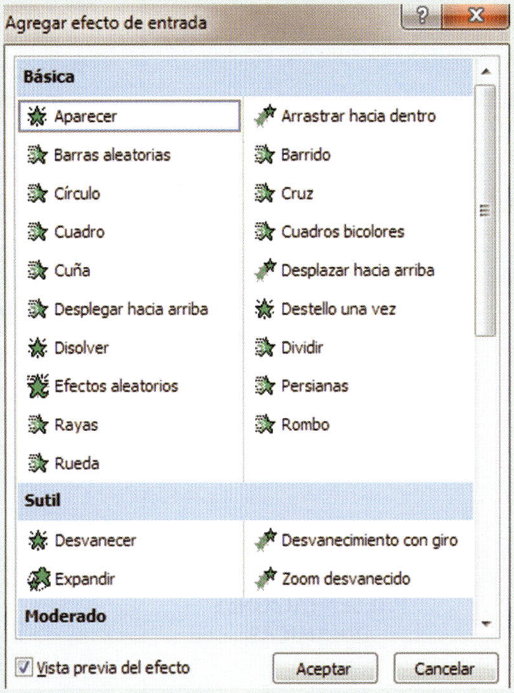

- Añade una diapositiva con diseño *Título y objetos*. Configura el título y el fondo como lo hiciste en la diapositiva anterior.
- En el objeto inferior, haz clic en el icono *Tabla* para insertar una tabla de 3x3. Desde la ficha *Presentación* de *Herramientas de tabla*, combina las celdas de la primera fila. Escribe el texto y da a la tabla un *Estilo medio 4 - Énfasis 3.*
- Desde la ficha *Insertar* dibuja un cuadro de texto por debajo de la tabla y añade el texto. Puedes visualizar la regla desde la ficha *Vista* para ayudarte con las tabulaciones. Comprueba que los hipervínculos se han generado correctamente seleccionando el texto y accediendo a la ficha *Insertar / Hipervínculo.*
- Selecciona el cuadro de texto haciendo clic en uno de sus bordes y, en la ficha *Animaciones*, haz clic en *Animaciones / Barrido hacia abajo / Por párrafos / Por párrafos de 1er nivel.*

5. Diapositiva 4

- Añade una diapositiva con diseño *Título y objetos* con el formato de las anteriores.
- En el objeto inferior haz clic en el icono *SmartArt* y añade el gráfico con el diseño *Jerarquía etiquetada horizontal* y estilo *Relleno simple*. Sube el tamaño de las fuentes.
- Selecciona el gráfico y, en *Animaciones* en el panel *Personalizar Animación*, selecciona *Agregar efecto / Entrada / Más efectos... / Sutil / Expandir*, con velocidad *Lento*.

6. Diapositiva 5

- Añade una diapositiva con diseño *Dos objetos* con el formato de las anteriores.
- En el objeto izquierdo añade el texto y en el derecho inserta la imagen prediseñada global.
- Selecciona el cuadro de texto, haz clic en *Animaciones / Personalizar animación / Agregar efecto / Entrada / Más efectos... / Básica / Barrido*, con velocidad *Lento*.
- Selecciona la imagen y añade la misma animación que al cuadro de texto. Modifica los inicios de todas las animaciones de la dispositiva al valor con la anterior.

Ideas clave

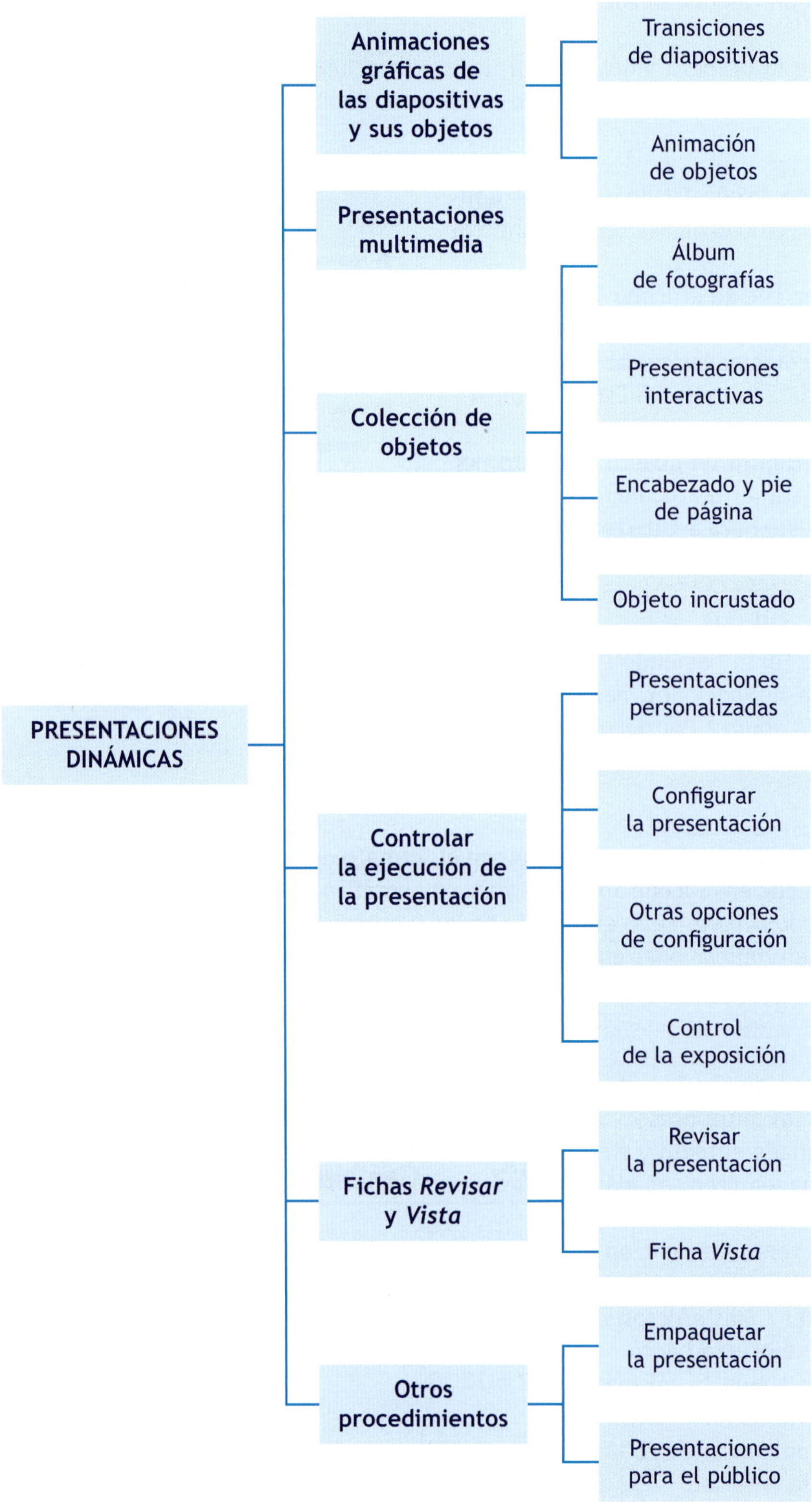
PRESENTACIONES DINÁMICAS
Animaciones gráficas de las diapositivas y sus objetos
Transiciones de diapositivas
Animación de objetos
Presentaciones multimedia
Colección de objetos
Álbum de fotografías
Presentaciones interactivas
Encabezado y pie de página
Objeto incrustado
Controlar la ejecución de la presentación
Presentaciones personalizadas
Configurar la presentación
Otras opciones de configuración
Control de la exposición
Fichas *Revisar* y *Vista*
Revisar la presentación
Ficha *Vista*
Otros procedimientos
Empaquetar la presentación
Presentaciones para el público

OPENOFFICE IMPRESS 2.ª parte

SOFTWARE LIBRE

TRANSICIONES

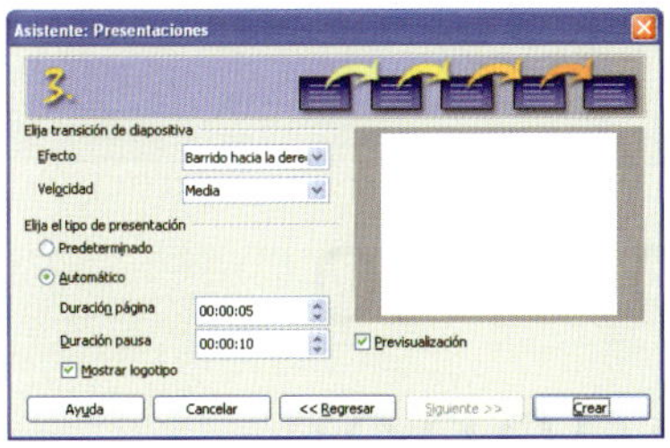

El gestor de presentaciones Impress permite insertar en las diapositivas todas las funcionalidades de movimiento vistas en PowerPoint. A la hora de crear una presentación nueva, el asistente nos permite en su paso 3 elegir el tipo de efecto, la velocidad y la duración de la transición que tendrán las diapositivas.

El tipo de **presentación predeterminada** configura la transición de las diapositivas a través del ratón, mientras que, en la automática, la duración se controla en pantalla y la pausa que se realizará entre la finalización y el inicio de la presentación de nuevo.

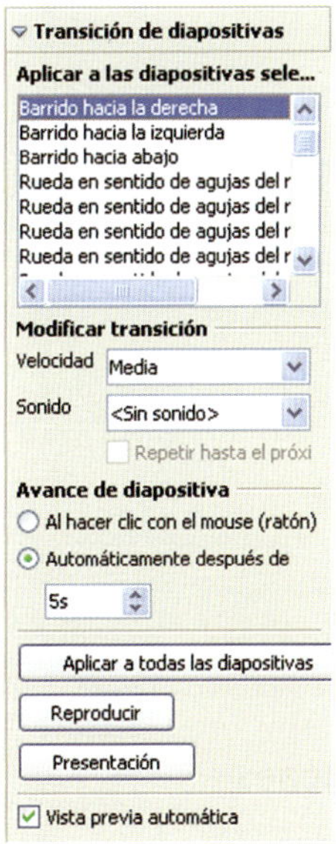

Una vez creada la nueva presentación, el panel lateral *Tareas,* en su opción *Transición de diapositivas,* ofrece la posibilidad de seleccionar una transición distinta (efecto, velocidad, sonido y avance) para cada una o dotar a toda la presentación de la misma configuración mediante el botón *Aplicar a todas las diapositivas.*

ANIMACIONES

Para agregar animaciones sobre los objetos de las diapositivas abriremos el panel lateral ***Animación personalizada,*** cuya interfaz gráfica es muy similar a la vista en la unidad. La diferencia radica en el cuadro de diálogo *Animación personalizada* y en sus opciones. En este caso, se abre tras el botón *Agregar* en vez de la sucesión de menús desplegables vistos en PowerPoint.

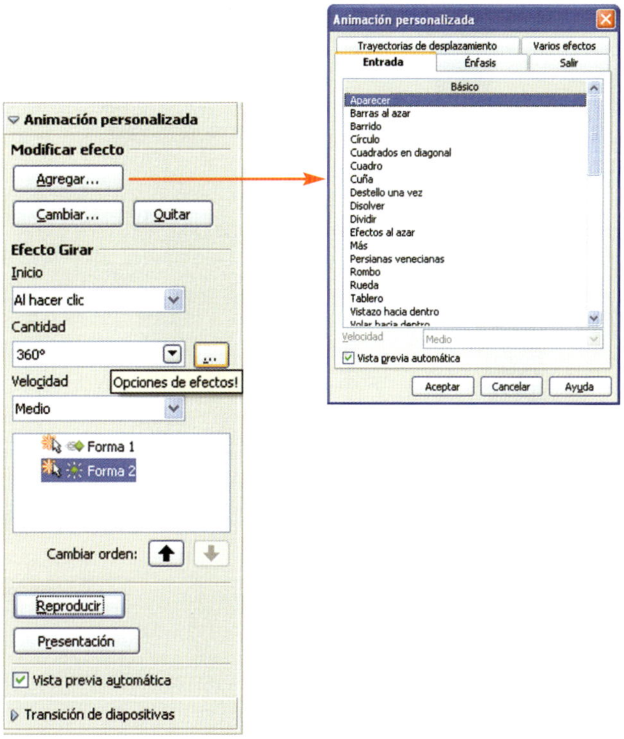

HIPERENLACES

Para añadir un hiperenlace, seleccionamos el objeto deseado y accedemos al menú *Insertar / Hiperenlace.*

El manejo de la ventana *Hiperenlace* permite establecer el destino del enlace tal y como ha quedado expuesto en la unidad.

CONTROL DE LA EJECUCIÓN

El **menú *Presentación*** permite abrir los paneles laterales vistos además de ofrecernos la tecla <F5> para visualizar la presentación, crear una **presentación personalizada**, etc. Con la opción ***Configurar la presentación*** decidimos el tipo de vista (pantalla o ventana), el puntero, etc.

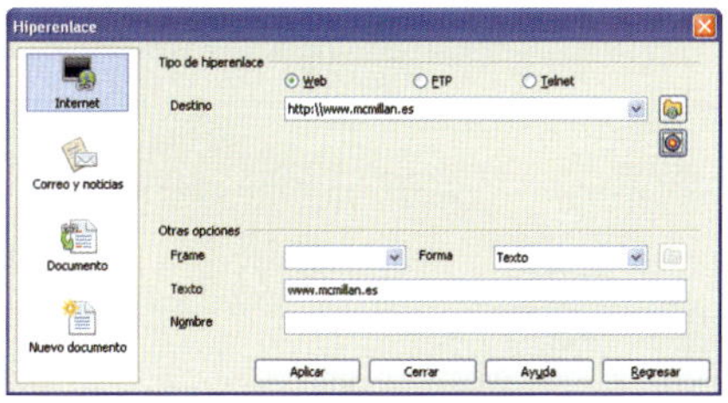

unidad 16

Tratamiento de imágenes

SUMARIO

- Programas de diseño gráfico
- Tipos de imágenes. *Raster* y vectoriales
- Tipos de ficheros
- Programa GIMP

OBJETIVOS

- Distinguir los tipos de imágenes y elegir la más adecuada para cada situación.
- Dibujar y crear imágenes mediante capas usando un programa específico.
- Aprender a retocar y corregir fotografías digitales desde el ordenador.

1 >> Programas de diseño gráfico

Para realizar tareas de tratamiento de imagen existen multitud de programas. Los programas de diseño gráfico están orientados a la creación de imágenes o bien al tratamiento de imágenes mediante la modificación de dibujos o fotografías.

El programa más conocido para el tratamiento de imágenes es Adobe Photoshop, si bien hay otros programas de diseño gráfico que también son muy utilizados, como Paint Shop Pro o GIMP.

Otros programas están más orientados al diseño vectorial, como son Illustrator o CorelDraw. Los dibujos vectoriales pueden ser escalados a cualquier tamaño sin pérdida de calidad, pero por el contrario no permiten representar imágenes demasiado reales.

En esta unidad vamos a utilizar el programa GIMP, un excelente programa que permite muchas posibilidades de edición y creación de gráficos, está en continuo desarrollo y además tiene la ventaja de tener una licencia de uso GNU, de uso público, que impide que nadie se apropie del programa para venderlo y utilizarlo en su propio beneficio.

Existen otros programas específicos para la edición y el retoque de fotografías que cada día se venden más, dado que las cámaras fotográficas réflex digitales cada vez están más extendidas. Un ejemplo es el Nikon Capture NX.

Tipos de imágenes digitales

Existen distintos tipos de imágenes digitales, todas ellas con sus virtudes y sus inconvenientes, en función del trabajo que se quiera realizar. Un documento digitalizado es la representación del documento original mediante su imagen.

Existen dos tipos básicos de archivos: los archivos de texto (archivos ASCII) y los archivos binarios. Dentro de estos últimos, se encuentran los archivos gráficos de imágenes digitales. Las imágenes se pueden representar de dos formas: a través de una imagen de barrido *(raster)* o a través de una imagen vectorial.

Imágenes *raster*

Una imagen de barrido *(raster)* consiste en un mapa de bits que representa en la pantalla del ordenador una rejilla de puntos o píxeles, en color o en blanco y negro, formando así una imagen digital. Al proceso de convertir una imagen a este tipo de representación se le denomina rasterización o digitalización.

Existen dos variables a tener en cuenta en este tipo de imágenes: el número de píxeles y la profundidad de color.

El número de píxeles indica el número de puntos que contiene la representación de esa imagen en la pantalla de ancho y de alto.

Cuantos más píxeles más definición tendrá la imagen, ya que recogerá más cantidad de información.

Adobe Photoshop

Aparece en 1990, creado específicamente para el sistema operativo Macintosh, pero posteriormente se editó también para PC. Es de la compañía Adobe y se ha convertido en el más extendido dentro del sector. No obstante, las últimas versiones son complicadas de utilizar y, sobre todo, tienen un coste de compra bastante alto.

Descarga de GIMP

GIMP puede ser descargado libremente de cualquiera de las páginas de Internet que lo ofrecen y utilizarse sin límites en nuestros equipos. Una excelente página web para comenzar a aprender es, sin duda, la página hispana del proyecto GIMP: www.gimp.org.es/.

Profundidad de color

Una imagen con una profundidad de 16 colores ($2^4 = 16$), tendrá menos calidad que una imagen con una profundidad de 256 colores ($2^8 = 256$), porque se dispone de una paleta con menos posibilidades para asignar a cada uno de los píxeles.

16.1. Combinación de colores básicos.

Megapíxel

Las cámaras de fotos digitales utilizan la unidad megapíxeles, que no quiere decir otra cosa que millones de píxeles. Una cámara de 10 Mpx almacena cada fotografía tomada en un *raster* de 3 872 × 2 592 píxeles.

Cuando la imagen solo presenta los colores blanco y negro, solo se asigna un bit (0 ó 1) por píxel. Cuantos más tonos tenga la imagen, en escala de grises o color, mayor será la profundidad de color. La profundidad de color especifica el número de colores disponibles en la paleta para asignar a cada uno de los píxeles.

Cuando se escanea una imagen, es importante definir la resolución con la que el escáner va a digitalizar. Esta resolución se mide en dpi *(dotst per inch*, puntos por pulgada), que es la unidad que relaciona las pulgadas (unidad física del papel) con los píxeles (unidad de la imagen digitalizada). Así, al escanear, por ejemplo, un DIN A4 a 300 dpi, se obtendrá una imagen de 2 480 × 3 508 puntos.

Si la imagen está definida en el sistema de color RGB, cada color se forma mediante la suma de los tres colores primarios (rojo, verde y azul) en distintas proporciones. La ausencia de todos ellos es el negro y la suma de los tres es el blanco. A combinarlos de dos en dos se consiguen los colores secundarios.

Las imágenes de barrido o *raster* pierden calidad a medida que se va haciendo zoom sobre ellas: no son escalables, frente a las vectoriales, que sí lo son.

Imágenes vectoriales

Las imágenes vectoriales se basan en formas geométricas definidas según sus atributos. De esta forma, las imágenes no pierden calidad por mucho que se aumenten. Además, las imágenes vectoriales se definen almacenando dónde empieza la línea, dónde acaba y cuál es el color. Debido a esto, generalmente es necesaria una menor cantidad de información que cuando definimos el color de todos y cada uno de los puntos que forman una imagen *raster*.

Al proceso de convertir una imagen *raster* en una vectorial se le llama vectorización y debe hacerse a mano, perfilando la imagen original.

Las imágenes vectoriales son muy utilizadas para crear logotipos y anagramas de empresas, así como para planos y en general cualquier diseño vectorial, como por ejemplo piezas industriales. Además, las impresoras de tipo *plotter* y los *plotters* de corte (para hacer diseños sobre vinilo) trabajan con este tipo de imágenes. También se emplea este formato para las tipografías o fuentes que se utilizan en los procesadores de texto y programas de maquetación.

El uso de estas imágenes está también muy extendido en el diseño 3D, donde se pueden definir trayectorias de desplazamiento de piezas previamente definidas en tres dimensiones. Es el caso de los juegos de consola y PC, en donde las figuras están formadas por polígonos.

Actividades propuestas

1·· Según el número de colores que hay en el sistema RGB, ¿cuántos bits han sido necesarios para definir la imagen de la Figura 16.1?

2 >> Dispositivos de captura

Cámara digital

Hoy en día, las cámaras digitales se han impuesto totalmente en el mercado doméstico y cada vez más en el profesional.

El principio de funcionamiento de todas las cámaras digitales es el mismo. Disponen de un CCD (dispositivo que digitaliza la imagen) situado tras un objetivo que le hace llegar la imagen. Cuando se pulsa el disparador, el CCD memoriza la imagen y la almacena en la memoria de la cámara. Normalmente esa memoria es una tarjeta extraíble. De la calidad del CCD (número de píxeles y profundidad de color) y del objetivo (aberraciones, luminosidad, enfoque, etc.) depende la calidad de la imagen obtenida en este proceso.

El formato en el que se almacenan las imágenes es *raster* y el archivo suele ser JPG, en las cámaras de consumo doméstico, y TIFF o RAW, en las digitales de uso profesional.

Para transferir las imágenes al ordenador, se puede conectar la cámara mediante el puerto USB o bien extraer la tarjeta y situarla en el lector de tarjetas del ordenador o en algún lector externo. Windows reconoce el dispositivo como una unidad de almacenamiento externa desde la cual podemos copiar los archivos al disco duro local.

16.2. Cámara digital.

Escáner

Si la imagen a tratar en el ordenador se encuentra en papel, el dispositivo a utilizar es el escáner, que convierte la imagen en papel en un archivo digital (JPG o TIFF). El procedimiento de escaneo se realiza mediante una luz y una fotocélula que recorren la imagen transformándola en puntos de colores.

La calidad de la imagen escaneada viene dada por el número de puntos (se mide en puntos por pulgada) y por la profundidad de color. Ambas magnitudes son configurables desde el software que incluye el escáner. A más resolución, se crearán más puntos, por lo que la imagen será más grande en la pantalla del ordenador. A más profundidad de color, cada uno de los puntos precisará de un tamaño mayor para definir el color. Si, por ejemplo, la imagen tiene 256 colores, el tamaño necesario en cada punto serán 8 bits ($2^8=256$).

Los escáneres más comunes son los de sobremesa. Bajo la tapa tienen una superficie plana de cristal sobre la que se apoya el documento a escanear. La luz y la fotocélula se mueven por debajo del cristal. Para ello, se sitúa el documento sobre el cristal mirando hacia abajo y se abre el programa de escaneo en el ordenador o bien se accede desde dentro del programa de diseño (opción *Importar* o *Crear*, dependiendo del programa, que suele estar en el menú *Archivo*).

El procedimiento varía dependiendo del escáner instalado, se hace clic en el botón de *Previsualizar* o *Mostrar* y el escáner previsualiza la imagen en la pantalla. Podemos ajustar el área a escanear y después hacer clic en *Explorar*. Una vez finalizado el escaneo, se guarda la imagen.

Formato de captura

El formato de captura de imágenes con un escáner suele ser TIFF. Casi todos los programas de escaneo son capaces también de guardar en JPG, dado que TIFF es un formato que ocupa mucho espacio en el disco.

3 >> Formatos de archivos gráficos

Existen multitud de tipos de ficheros en los que se pueden almacenar las imágenes digitales. Algunos son específicos de ciertos programas, otros se pueden tratar con varios programas distintos y otros se han convertido poco a poco en estándares dentro del diseño gráfico.

A continuación vamos a detallar algunos de los tipos más importantes de ficheros *raster*, así como las ventajas y desventajas que tienen, en función de cómo almacenan la información.

Tipo/Extensión	Descripción	Ventajas	Inconvenientes
BMP (*Bit MaP*, mapa de bits)	Almacena la información de cada punto de imagen con un número determinado de bits. Cuantos más bits, mayor tamaño. Es muy común el formato de 24 bits por punto. No utiliza compresión.	Es compatible con cualquier programa. No pierde calidad al guardarlo.	Este tipo de archivos pueden llegar a ser muy grandes.
JPG-JPEG *(Joint Photographic Experts Group)*	Imagen comprimida. El nivel de compresión es variable.	El archivo ocupa menos espacio. Es ideal para fotografías e Internet.	Pierde calidad cada vez que se guarda.
GIF *(Graphics Interchange Format)*	Permite utilizar compresiones sin pérdida de calidad, mediante el algoritmo LZW. Permite profundidad de color hasta 256 colores e imágenes animadas.	Imágenes que ocupan poco espacio, ideales para dibujos con pocos colores. Los GIF animados se utilizan mucho en Internet.	La escasa profundidad de color no lo hace apto en fotografía cuando se requiere cierta calidad.
PNG *(Portable Network Graphic)*	Soluciona la limitada paleta de las imágenes GIF. Soporta hasta 24 bits por punto. El algoritmo de compresión no tiene pérdida.	Presenta casi todas las ventajas del GIF, además de una mayor profundidad de color. Sirve para fotografías.	No admite imágenes animadas. Está menos extendido que el JPG o el GIF.
TIFF-TIF *(Tagged Image File Format)*	Además de toda la información de la imagen, contiene etiquetas con información adicional.	Permite compresión sin pérdida de calidad. Posibilidad de guardar información adicional y más de una capa.	Son archivos muy grandes. No todos los programas de diseño gráfico los pueden abrir.

Como ejemplo, una fotografía de tamaño 20 cm × 15 cm, escaneada a 300 puntos por pulgada de resolución y 16 millones de colores de profundidad ocupará el siguiente tamaño dependiendo de su formato:

- Almacenada en TIFF, ocupa más de 11 MB.
- En BMP, el tamaño es similar.
- En GIF, el tamaño disminuye a menos de 2 MB, pero la profundidad de color se queda en 256 colores, con lo que se perderá calidad.
- En PNG, ocupa 4,5 MB, manteniendo la resolución y la profundidad de color, pero con compresión.
- En JPG, ocupará entre 2,5 MB y 20 KB en función de la calidad con la que se quiera comprimir la imagen. La compresión JPG resume la cantidad de información por punto basándose en la información de los puntos contiguos. Así, consigue un tamaño menor de archivo a costa de perder definición de imagen.

4 >> GIMP

Por la forma en que se organiza la interfaz de GIMP, se observa que no se trata del típico programa embutido dentro de una ventana, ya que aparecen tres ventanas sobre el contenido de nuestra pantalla del ordenador.

La ventana central es la ventana en la que aparece la imagen. La de la izquierda, la caja de herramientas, y la de la derecha, la del cuadro de diálogo de *Capas, Canales, Rutas, Deshacer*. Esta última puede estar configurada de distintas formas.

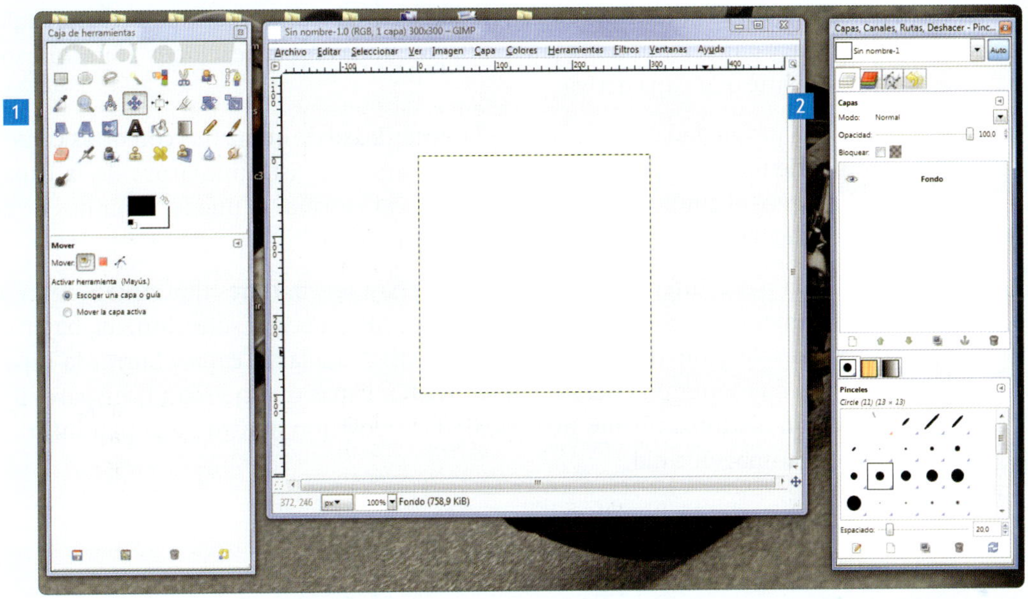

1 Caja de herramientas.

2 *Capas, Canales, Rutas, Deshacer.*

16.3. Interfaz de GIMP.

4.1 > Ventana *Capas, Canales, Rutas, Deshacer*

La ventana de *Capas, Canales, Rutas, Deshacer* se encuentra en la parte derecha de la pantalla. Incluye cuatro pestañas: *Canales*, *Rutas*, *Deshacer* y *Capas*.

En la parte inferior de la ventana hay un empotrable donde se pueden incluir más diálogos como *Pinceles*, *Patrones* o *Degradados*.

Capas

GIMP funciona mediante capas, como casi todos los programas de diseño gráfico. Las capas deben entenderse como una pila de papeles transparentes. Al modificar cualquier imagen, para poder conservar el original, lo más conveniente es trabajar con capas, duplicando una capa o creando una nueva de modo que los cambios solo afecten a la capa en la que se está trabajando. Además, se pueden ocultar, mostrar, cambiar el orden, establecer la opacidad, etc.

Las capas se configuran en el diálogo *Capas*, dentro del cuadro de diálogo *Capas, Canales, Rutas, Deshacer*, que suele estar en forma de ventana en la parte derecha de la pantalla.

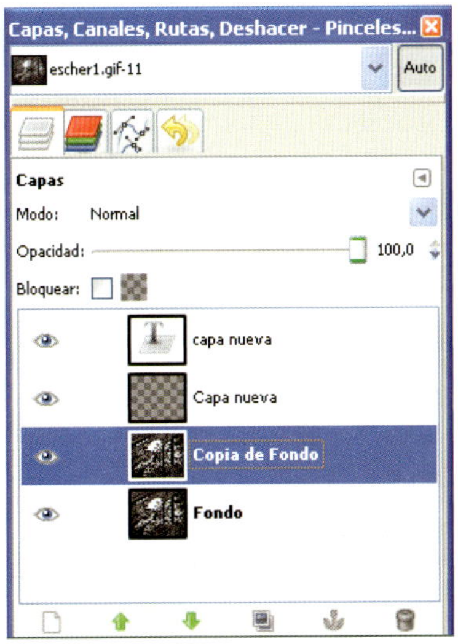

16.4. Diálogo de *Capas, Canales, Rutas, Deshacer.*

Cada una de las capas tiene su propio nombre y aparecen representadas en forma de pila. En la Figura 16.4 de la página anterior se observa una capa *Fondo* sobre la que se encuentran otras dos capas, *Copia de Fondo* y *Capa nueva*, y finalmente una capa de texto.

Cada capa puede mostrarse u ocultarse haciendo clic sobre el icono con un ojo. Igualmente, se puede modificar la opacidad de cada capa, es decir, qué cantidad de colores de las capas que están debajo deja pasar a través suyo. La opacidad de la capa se regula desde un 0% (totalmente transparente) hasta un 100% (totalmente opaca).

La imagen que aparece en la ventana de *Imagen* es el resultado de la combinación de todas las capas visibles. No obstante, para editar una capa debe estar seleccionada (en azul), ya que las modificaciones afectarán solamente a la capa activa.

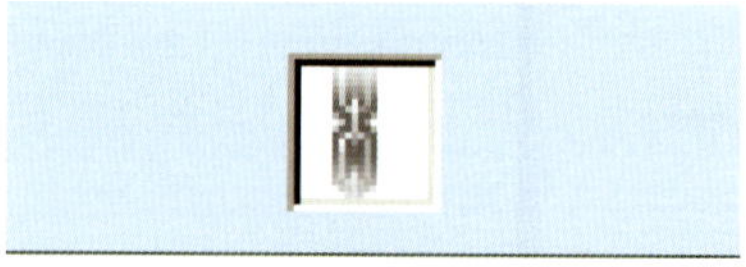

16.5. Símbolo de enlace entre capas.

Otra propiedad de cada capa es la posibilidad de enlazarse con otras capas. Haciendo clic en el espacio entre el ojo y la vista miniatura de la capa, aparece el símbolo de una cadena. De esta forma, se pueden unir dos o varias capas para que siempre se muevan juntas.

En la parte inferior del diálogo *Capas* hay seis botones que sirven, respectivamente, para crear una capa nueva, subir la capa seleccionada, bajar la capa seleccionada, duplicar la capa activa, anclar la capa y borrar la capa. Hay que tener en cuenta que, si existen capas que no sean transparentes o con distintos niveles de opacidad, su posición dentro de la pila influirá en la imagen final.

4.2 > Caja de herramientas

En la caja de herramientas se encuentran, en primer lugar, las herramientas necesarias para dibujar, pintar, escribir, seleccionar y, en general, crear o modificar las imágenes. Estas herramientas son muy parecidas en todos los programas de diseño gráfico existentes en el mercado.

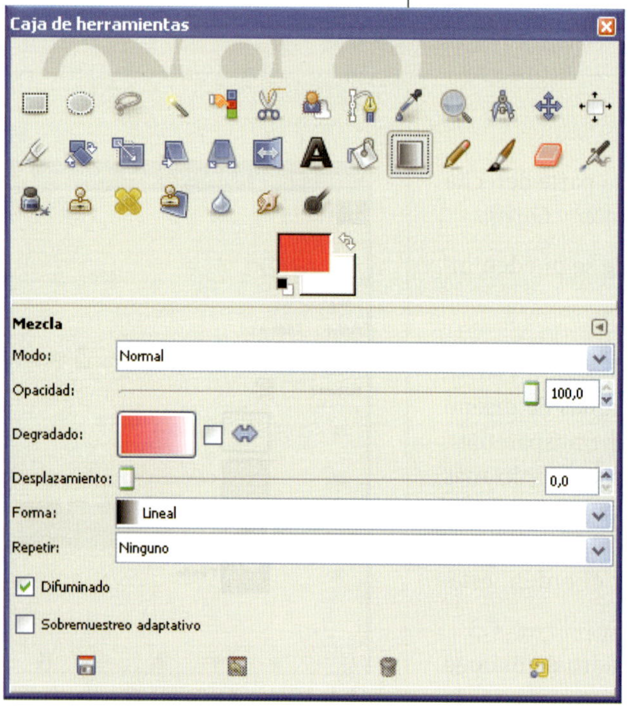

16.6. Caja de herramientas.

Debajo de las herramientas se encuentran los colores activos predefinidos, de frente y de fondo, que por defecto son el negro y el blanco. Haciendo clic sobre ellos, se abre un cuadro de diálogo que permite cambiarlos por otro color. También se pueden intercambiar entre ellos o bien restaurarlos de nuevo a negro y blanco.

Debajo de los colores predefinidos hay un área empotrable. Es una parte de la ventana donde se pueden añadir cuadros de diálogo que se vayan a utilizar con frecuencia. Para añadirlos, hay que hacer clic en el botón *Configurar esta solapa*, que se encuentra en la parte superior derecha de este área, y a continuación, en el menú desplegable, hacer clic en *Añadir solapa*. También se puede hacer arrastrando con el ratón la ventana, una vez abierta, sobre el área empotrable.

Al final de esta ventana, aparecen las opciones de la herramienta seleccionada en ese momento, que cambian cada vez que se elige una herramienta.

Por último, en la banda inferior de esta ventana, hay unos botones que permiten modificar los parámetros configurables de cada herramienta.

Herramientas de pintura

Las más básicas son las que corresponden en la Figura 16.6 con el tercer, cuarto y sexto icono, que son el lápiz, el pincel y el aerógrafo.

- ***Herramienta lápiz.*** Consiste en una herramienta para dibujar líneas de trazado libre. Realiza un trazo rudo y definido. Para dibujar con el lápiz, se hace clic con el botón izquierdo al comienzo del trazo que se quiere realizar, se arrastra el cursor y se suelta el botón del ratón cuando se acaba el trazo.
- ***Herramienta pincel.*** Es, con diferencia, la herramienta más utilizada. Los bordes del trazo dibujado con el pincel están más difuminados que los dibujados con el lápiz.
- ***Herramienta aerógrafo.*** Dibuja un trazo más difuminado que con las dos herramientas anteriores. Además, la opacidad depende de la velocidad que se utilice.

En la parte inferior de la caja de herramientas suele estar el menú de opciones de cada herramienta. Lo más destacable de las opciones de herramientas del lápiz, el pincel y el aerógrafo es:

- ***Opacidad.*** Para cualquiera de las tres herramientas vistas, la opacidad es la intensidad de la pintura que se deposita sobre la capa que se está dibujando. A más opacidad, menos veces hay que pasar el pincel para rellenar de un color sólido la capa.
- ***Pinceles.*** Define el tipo de pincel o brocha, es decir el tipo de huella que se va dejando sobre la capa. Hay brochas más o menos difuminadas, más grandes, más pequeñas e incluso brochas que dibujan confeti.
- ***Escala.*** No define otra cosa que el tamaño de la brocha.
- ***Desvanecimiento.*** Si se activa, se produce una disminución gradual de la intensidad del brochazo según se va alargando este.
- ***Incremental.*** Si se activa esta opción, la opacidad va aumentando cada vez que se pasa por encima de la misma área con un mismo brochazo. Si está sin marcar, al volver a pasar por encima, la herramienta no actúa.
- ***Herramienta borrador.*** Esta herramienta borra alguna zona de la imagen sustituyéndola por el color de fondo. Se utiliza igual que las anteriores.
- ***Herramienta de relleno.*** Rellena áreas de la imagen con el color de primer plano solo con hacer un clic sobre ellas. La pintura se extiende siguiendo las áreas que tengan un color similar.
- ***Herramienta de clonado.*** Es una herramienta muy utilizada en retoque fotográfico. Sirve para clonar una porción de imagen en otra o, lo que es lo mismo, eliminar algo en una foto sustituyéndolo por otro trozo de esa misma foto. En otras palabras, se pinta usando porciones de la imagen.

Uso del teclado para dibujar

Mientras se están utilizando estas herramientas, las teclas <Ctrl> y <Mayúsculas> del teclado son bastante útiles. Con <Mayúsculas> se consiguen líneas rectas y con <Ctrl> + <Mayúsculas>, líneas restringidas a ángulos de 15 grados.

Si se pulsa <Ctrl> mientras se hace un clic con la herramienta en el dibujo, se captura el color del píxel y se sitúa como color de primer plano (conmuta momentáneamente a la herramienta *Recoge-color*).

Forma de clonar

Para utilizar el tampón de clonar, hay que pulsar la tecla <Ctrl> a la vez que se hace clic en la parte de la imagen que se desea duplicar, haciendo trazos en la parte que se quiere sustituir. Así, se va eliminando una parte de la imagen que va siendo clonada desde otra parte. Las opciones de brocha, tamaño y opacidad son las mismas que en las herramientas anteriores.

Otras herramientas

Otras herramientas interesantes para utilizar de forma habitual en GIMP son las siguientes:

- ***Zoom.*** Sirve para alejarse o acercarse a la imagen. Cada vez que se hace clic en la imagen se acerca. En opciones de herramienta se puede configurar para alejar.
- ***Recoge-color.*** Sirve para copiar el color de una parte de la imagen y utilizarlo con las herramientas de dibujo. Haciendo un clic sobre un color de la imagen se establece como color primario. Haciendo un clic mientras se mantiene pulsada la tecla <Ctrl>, se establece como color secundario.
- ***Texto.*** Inserta texto en la imagen. Al utilizar esta herramienta se abe un cuadro de dialogo con opciones para escribir el texto deseado. Al hacer clic en cerrar, GIMP crea una nueva capa de texto sobre la imagen.

Actividades propuestas

2·· Realiza el dibujo que aparece en la ventana de la figura en GIMP. Las tres primeras líneas de la primera columna se han hecho cambiando de herramienta. El cuarto y quinto dibujo de la primera columna se han dibujado siguiendo trazos rectos con el pincel, y las de la segunda columna, con la herramienta pincel, cambiando el tipo de brocha.

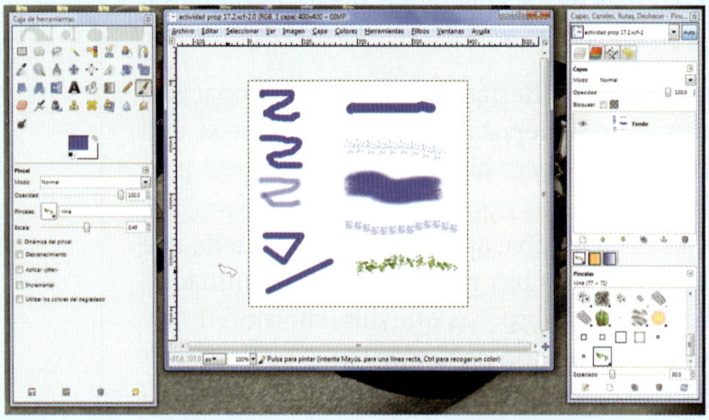

3·· Guarda el archivo anterior en tu ordenador, primero con formato GIF y luego en formato JPG con calidad 10.

Compara el tamaño de ambos archivos y su calidad, volviendo a abrirlos.

4·· Abre la fotografía *Castillo* que puedes encontrar en el CD *Recursos*. Elimina la papelera y el pararrayos con la herramienta de clonar.

Herramientas de corrección

Las herramientas de pintura que se explican a continuación son herramientas que se utilizan para retocar o corregir imágenes. Pertenecen a las herramientas de dibujo, pero se trata de **herramientas de corrección o retoque**.

- ***Herramienta de saneado.*** Es muy parecida al tampón de clonar, pero mantiene la luminosidad de la zona. De esta forma se evitan los incómodos bordes en los límites.
- ***Herramienta de clonación de perspectiva.*** Se utiliza igual que el tampón de clonar pero cuando se ha modificado la perspectiva de la imagen previamente.
  Cuando la aplicamos sobre una imagen modificada con la herramienta de perspectiva, realiza la clonación desde la imagen de origen y después aplica la perspectiva.
- ***Herramienta de enfoque y desenfoque.*** Produce un efecto de enfoque o desenfoque en los píxeles por los que va pasando. Se puede modificar la opacidad de la herramienta, el tamaño de la brocha (escala) y la tasa. Es importante tener en cuenta que cada vez que se vuelve a pasar por una misma zona se incrementa el efecto. La tasa define la intensidad con la que se aplica el efecto.
  Para conmutar entre los dos modos, enfoque o desenfoque, se puede marcar esta opción en la parte inferior del cuadro propiedades de la herramienta o bien con la tecla <Ctrl> mientras se aplica el efecto.
- ***Herramienta de emborronado.*** Mezcla los colores de los píxeles por los que se va pasando. Las opciones a modificar son prácticamente las mismas que en la herramienta anterior: opacidad, tamaño de la brocha y tasa.
- ***Herramienta de marcado a fuego/quemar.*** Al aplicarla se subexponen (ennegrece) o sobreexponen (blanquea) los píxeles por los que va pasando el cursor. Aparte de la opacidad y el tamaño de la brocha, hay que definir el rango con en el que se quiere aplicar esta herramienta. Se trata de decidir si se quiere que afecte solo a los píxeles oscuros, a los medios tonos o a los claros. También hay un control de exposición para hacer el efecto más o menos exagerado.

Actividades propuestas

5·· Abre la imagen de la actividad anterior, que está guardada con el nombre *Castillo* en el CD *Recursos*. Utiliza la herramienta de enfoque y desenfoque para dar más importancia a un elemento respecto a otro. Si se desenfoca todo lo que está en primer plano, se consigue centrar más la atención en el castillo.

Prueba también a dar un efecto al cielo, seleccionándolo y aumentando el contraste. Empieza con valores altos para ver el efecto que produce, pero te darás cuenta de que todas estas herramientas deben producir efectos sutiles para que resulten creíbles.

Herramientas de selección

Estas herramientas permiten seleccionar una parte de la imagen para moverla, aplicar un efecto, cambiar un color o realizar cualquier otra modificación.

- ***Herramienta de selección rectangular.*** Realiza selecciones rectangulares o cuadradas. Para utilizarla, se hace clic con el ratón y se arrastra para ir generando el rectángulo alrededor de la zona que se quiera seleccionar.
- ***Herramienta de selección elíptica.*** Realiza selecciones elípticas o circulares. Se utiliza mucho en combinación con un alisado o un difuminado. Para utilizarla, se hace clic con el botón izquierdo del ratón, se arrastra para ir generando la elipse y, cuando se tiene el tamaño deseado, se suelta el botón.
- ***Herramienta de selección libre.*** El lazo hace las selecciones siguiendo un trazo libre que se define a mano alzada con el ratón. Mientras se mantiene pulsado el botón izquierdo del ratón, se va generando una línea irregular.

  Al soltarlo, se une automáticamente el último punto del trazo con el primero, siguiendo una línea recta.
- ***Herramienta de selección difusa.*** La varita mágica selecciona de manera automática áreas contiguas de color. Se comienza haciendo clic y se irán seleccionando las áreas de color similar al píxel donde se inició. Funciona muy bien en imágenes de colores sólidos y con bordes bien definidos, pero con imágenes más complejas es necesaria cierta experiencia para obtener buenos resultados.
- ***Herramienta de selección por color.*** Es muy similar a la varita mágica. Al utilizarla, se seleccionan todos los píxeles de la imagen que tengan un color similar a aquel donde se ha hecho clic, pero no implica que los píxeles deban estar juntos.
- ***Herramienta de tijeras inteligentes.*** También se denomina tijeras de selección. Ayuda a seleccionar áreas definidas con bordes donde cambia el contraste. Se utiliza de manera parecida al lazo a mano alzada. Cada vez que se hace clic, se activa un punto de control que GIMP une con el anterior siguiendo la línea de mayor contraste. En la Figura 16.7 se aprecian estos puntos de control de esta herramienta. Se crea una selección irregular de manera sencilla. Para terminar la selección, se cierra haciendo clic sobre el primer punto de control.
- ***Herramienta de selección del frente.*** Es una herramienta que sirve para seleccionar objetos que estén en un primer plano en una fotografía. Hay que seguir varios pasos:
  - Seleccionar a mano alzada el objeto de forma aproximada.
  - Dibujar una línea que cruce el primer plano que se quiere seleccionar sin pintar nada del fondo.
  - Pulsar la tecla <Intro>.

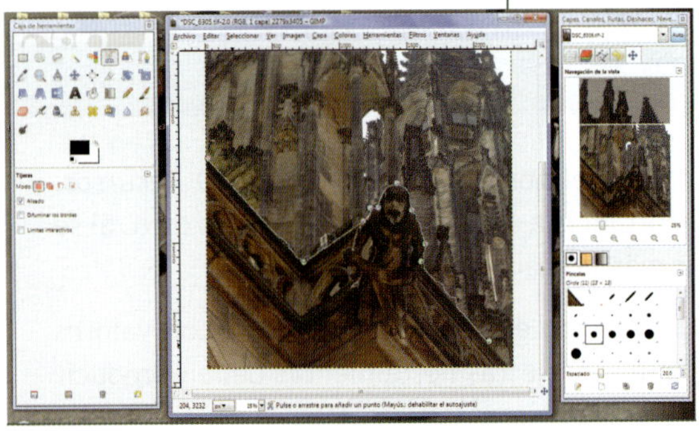

16.7. Selección con la *Herramienta de tijeras inteligentes*.

Herramientas de color

Estas no se encuentran en la caja de herramientas, sino en el menú *Herramientas / Herramientas de color.*

Veamos dos de las herramientas de color más utilizadas en el tratamiento de imágenes: *Brillo y contraste* y *Niveles.*

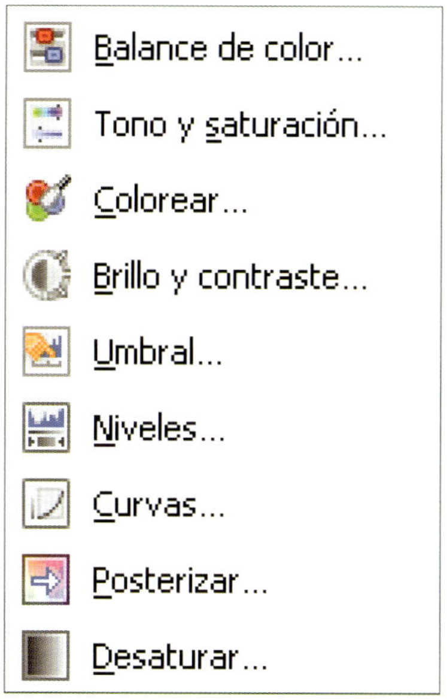

16.8. Herramientas de color.

- ***Brillo y contraste.*** Cuando se trabaja con fotografía digital, prácticamente siempre se debe retocar alguno de estos valores. Es conveniente trabajar con capas a la hora de aplicar estas modificaciones, para lo que es necesario seleccionar esa capa en el cuadro de diálogo *Capas*. Si se quiere que afecte a una zona de la imagen, hay que asegurarse de que está seleccionada según lo explicado en el epígrafe anterior. Para modificar los valores de brillo y contraste, se mueve el marcador correspondiente a derecha o izquierda. Si está activada la casilla de verificación de vista previa, se observarán en la propia imagen los cambios que se van haciendo. Al modificar estos valores, hay que tener en cuenta que los valores negativos restan brillo o contraste a la imagen respecto el valor actual, mientras que los positivos añaden brillo o contraste.
  Existe un botón para editar estos ajustes como niveles dentro de la curva del histograma, pero es mucho más sencillo hacerlo desde aquí.
- ***Niveles.*** La utilización de esta herramienta es una forma más avanzada de ajustar los niveles de luz dentro de una imagen. Para ello, se parte del histograma. Un histograma es una gráfica en la que se representan en el eje X los tonos de la imagen, desde el más oscuro hasta el más claro, y en el eje Y el número de píxeles de cada nivel. El histograma representado en la Figura 16.9 muestra una imagen con bastantes píxeles oscuros y pocos claros, excepto en el nivel más claro, que aumenta un poco. Se trata de una fotografía a contraluz. El ajuste se realiza moviendo los tres marcadores del histograma, que corresponden a los tonos oscuros, medios y claros. Más abajo, hay otros dos deslizadores que controlan el rango de los niveles de salida, descartando todos los tonos que queden fuera del rango.

Herramientas de transformación

Con este tipo de herramientas se consigue modificar la imagen, recortándola, rotándola, deformándola, etc. La forma de utilizarlas es bastante intuitiva y, además, resulta bastante similar entre sí.

- ***Herramienta de alineación.*** Cuando se trabaja con varias capas, permite alinearlas para que los objetos que contienen se dispongan de la manera deseada. Lo primero es seleccionar un objeto con un clic de ratón, que automáticamente seleccionará la capa que lo contiene. Se pueden seleccionar múltiples capas manteniendo pulsada la tecla <Mayúsculas> mientras se hace clic.
- ***Herramienta mover.*** Mueve la imagen o una selección de ella sobre la capa. Resulta muy útil para situar selecciones que se pegan desde otras imágenes o para encuadrar una imagen en una capa más pequeña.

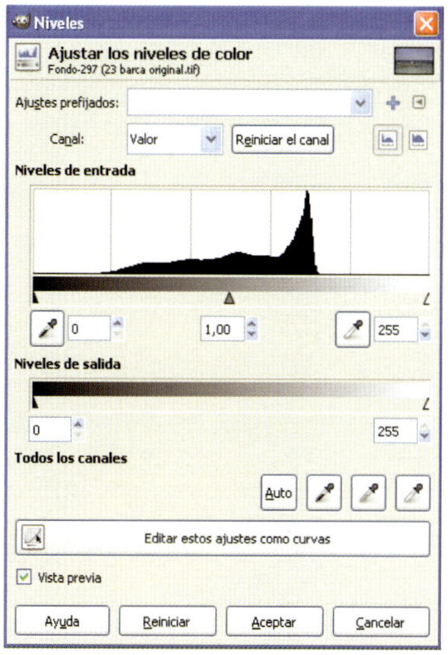

16.9. *Niveles.*

- ***Herramienta de recorte.*** Permite recortar una parte de la imagen haciendo que el resto de la imagen se pierda. Es ideal para encuadrar correctamente fotografías o dibujos.

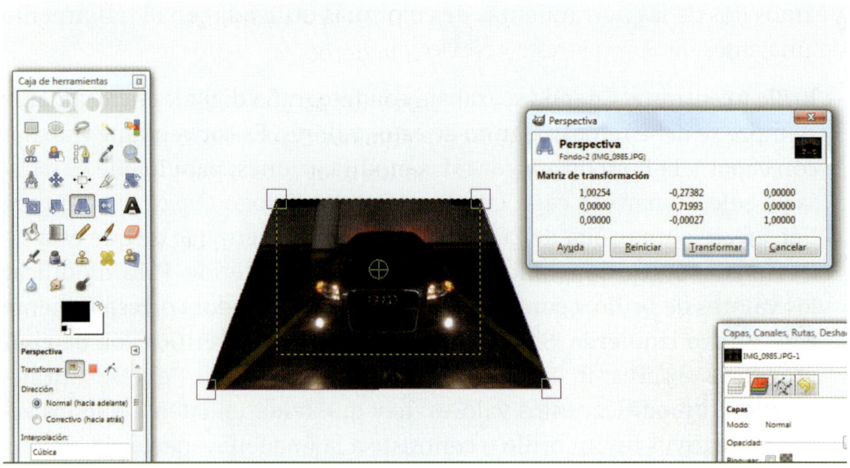

16.10. Selección con la *Herramienta de recorte.*

- ***Herramienta de rotación.*** Sirve para girar la imagen un número determinado de grados. Es ideal para corregir fotografías torcidas.
  Para utilizar esta herramienta, se puede hacer clic en el icono *Herramienta de rotación* de la caja de herramientas. Como siempre, se pueden configurar las distintas opciones en la parte inferior de la caja de herramientas. Indica si la rotación aplicada va a afectar a la capa que está activa, a una selección o a una ruta. Haciendo clic sobre la imagen, se puede girar arrastrando con el ratón a pulso o bien mediante el deslizador del cuadro de diálogo.
- ***Herramienta de escalado.*** Cambia el tamaño de la imagen en píxeles. Las opciones de la herramienta son las habituales en las demás herramientas de transformación. No obstante, hay que dedicar especial atención al tipo de interpolación.

La experiencia en el tratamiento de imágenes y fotografías nos ayudará a elegir la forma de interpolar. La imagen nueva tendrá menos píxeles que la anterior, por tanto hay que buscar un método o algoritmo que especifique cómo resumirán esos píxeles la información de todos los sustituidos.

- ***Inclinar [Shear].*** Inclina la capa en el sentido X o Y deformando el contenido de la misma, que pasa de tener forma rectangular a forma de paralelogramo.
- ***Perspectiva.*** Deforma la capa estirándola, desde cada una de sus cuatro esquinas, para poder modificar la perspectiva de la imagen que contiene. Es útil para retocar fotografías hechas con un objetivo gran angular y ajustar las líneas paralelas.
- ***Voltear.*** Voltea la capa horizontal o verticalmente, convirtiendo la imagen en lo que sería un reflejo de sí misma. Se puede utilizar para invertir una imagen tomada a través de un espejo o bien de forma artística para añadir un reflejo a una fotografía.

Casos prácticos 1

Retoque de una fotografía

·· Abre la imagen *Supermotard* del CD *Recursos* y realiza las siguientes operaciones, con el fin de conseguir el resultado de la fotografía que está a la derecha:

a) Utiliza las herramientas de colores y luz para retocar el brillo y contraste de la imagen.
b) Utiliza el tampón de clonar para eliminar de la imagen el piloto del fondo, que emborrona la composición.
c) Enfoca o desenfoca a cada uno de los pilotos para comprobar cómo se puede conseguir centrar la atención en una parte concreta de la fotografía.
d) Realiza otros retoques como aumentar el contraste del asfalto o rotar la imagen.

Solución ··

Lo primero es crear una capa igual que la que tiene la imagen para evitar estropear la fotografía. Se duplica la capa haciendo clic en *Capa / Duplicar* capa y se trabaja sobre esta. Una vez terminado el trabajo, se puede conmutar entre una y otra para comprobar la diferencia.

a) En el menú *Colores*, opción *Niveles* se pueden variar tanto los niveles de entrada como los de salida y retocar la luminosidad de las zonas claras, medias y oscuras. Los tres controles del histograma son los niveles de entrada correspondientes a las tres zonas y los controles de abajo corresponden a los niveles de salida. Se puede además variar independientemente para cada canal de luz (rojo, verde y azul) o hacerlo de forma conjunta, que es lo más habitual.

b) Para eliminar el piloto del fondo lo más cómodo es comenzar ampliando la imagen. Elige la *Herramienta de clonado*. Para seleccionar el origen a clonar se pulsa <Ctrl> y se hace clic con el ratón sobre la imagen. Entonces, al hacer clic con el ratón se va clonando ese origen.

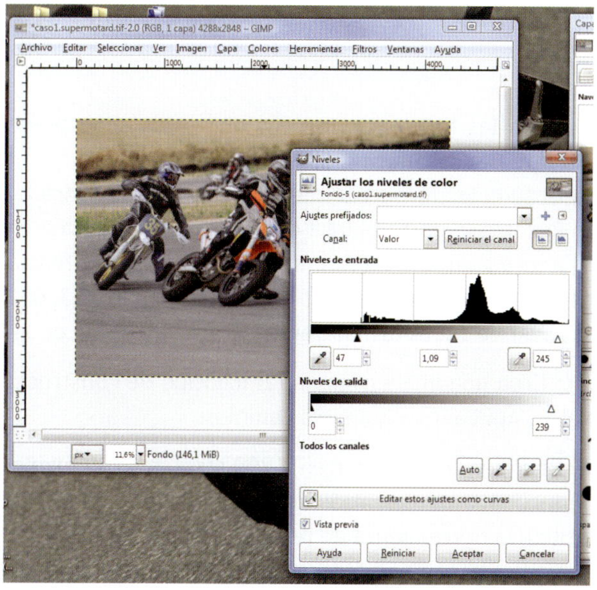

»

1

Utilízala en el mismo sentido siempre para que al ir clonando se mantenga la distribución de elementos de la foto, es decir, si estás clonando un trozo del muro negro, que sea a la misma altura, para que haya una continuidad óptica. Es bueno comenzar con un pincel de tamaño pequeño para que sea más exacto y luego utilizar uno más grande para unificar zonas. Al acabar, hay que desenfocar o emborronar la zona con la herramienta correspondiente.

c) Utiliza las tijeras magnéticas para seleccionar al piloto con el dorsal 35. Utiliza la *Herramienta de desenfocar* dentro de la selección hasta conseguir el efecto deseado.

d) Selecciona el asfalto.

Puedes utilizar las tijeras de selección, con la imagen ampliada o bien utilizar la selección difusa (varita mágica). Aumenta el contraste en colores, brillo y contraste. Para rotar la imagen debes ir al menú *Herramientas / Herramientas de transformación / Rotar,* o bien pulsar <Mayúsculas>+<R>.

Actividades propuestas

6·· Descarga del CD la imagen *Formas.tif*. Una vez abierta, observa que se trata de una imagen compuesta por tres capas, una para cada objeto.

a) Sitúa las formas de manera que estén superpuestas entre sí. ¿Existe alguna forma de poner el cuadrado delante del círculo?
b) Ordena las formas de menor a mayor, una sobre la otra.
c) Recorta la parte blanca de la imagen y guárdala en formato de GIMP.
d) Ahora guárdala en formato GIF y después en formato JPG con una calidad del 80%.
e) Abre las dos últimas imágenes y amplíalas al 300%. ¿Se notan diferencias de calidad entre ellas?
f) ¿Cuál de todas las imágenes de este ejercicio ocupa más espacio en disco? Razona los resultados.

7·· Crea una imagen similar al logotipo de construcciones Zoilo en una imagen nueva de 400 píxeles × 400 píxeles. Aplica los siguientes cambios:

a) Redimensiona la imagen a 200 píxeles × 200 píxeles.
b) Inclínala en el sentido del eje X un valor de 50. Observa cómo las líneas rectas del rectángulo se inclinan. Utiliza la herramienta de perspectiva ampliando de los deslizadores inferiores y estrechando de los superiores.
c) Voltea la capa de fondo, tanto horizontal como verticalmente, y observa si el texto sufre variación.

Caso final 2

Edición de una imagen

·· Abre la foto *NYC.tif* del CD *Recursos*. Realiza los retoques necesarios para que esté perfecta en cuanto a color, luz, etc.

Realiza un cartel con ella para una agencia de viajes que vende viajes románticos. Cuando acabes, guárdalo en formato nativo de GIMP y en JPG y luego compara los resultados.

El texto a introducir es:

Fantastic travel / Escapadas en pareja Precios especiales / Calidad contrastada ¡¡RESÉRVALO!! Calle del avión, 3, 28970 - Becerril (915550000)

El resultado final del cartel debe quedar como el que ves a continuación:

2

Solución ··

Primero, para conseguir que la imagen quede clara, elimina a todas la personas que aparecen en la foto. Con la *Herramienta de clonado* del programa GIMP retoca toda la imagen hasta dejarla como ves a continuación.

Después clona las zonas de agua que tengan la misma luminosidad (aproximada). Utiliza una opacidad baja, ya que es mejor dar dos pasadas suaves que una fuerte.

Utiliza el cuadro de diálogo de *Niveles* para ajustar las luces claras, medias y sombras a tu gusto, y el de *Canales*, para hacer lo propio con los colores, si quieres resaltar alguno respecto a los otros. También puedes seleccionar una parte de la fotografía para oscurecerla o aclárala sin tocar el resto.

Por ejemplo, seleccionando el agua se puede dar un tono más azulado. Accede al menú colores, balance de color, moviendo los controles hacia el cyan y hacia el azul. Puedes experimentar con otras combinaciones y comprobar los resultados. Recuerda que los valores extremos generan efectos poco creíbles, pero tal vez produzcan efectos artísticos interesantes.

2

Para hacer los recuadros donde vamos a escribir el texto, lo primero es crear una capa nueva.

Crea una nueva capa desde el menú *Capa,* selecciona la opción *Capa nueva,* con el mismo tamaño que la capa de fondo y con relleno de tipo *Transparencia,* que son las opciones que ofrece GIMP por defecto. En este momento, tendremos la capa *Fondo* y una nueva capa encima de esta. Se denomina *Capa nueva* y está visible porque el ojo está activado pero, al no tener nada dibujado, no afecta a nuestra foto, ya que es transparente.

Estando en la nueva capa, se selecciona un área de la imagen con la *Herramienta de selección rectangular.* Se rellena de un color con la herramienta de relleno (bote de pintura) Por ejemplo, de color negro. Aparece entonces el rectángulo con un aspecto sólido. Para conseguir la transparencia se actúa sobre la opacidad de la capa.

Para añadir el texto, se elige la herramienta correspondiente y automáticamente GIMP creará una nueva capa de texto. Se abre una ventana flotante donde se escribe el texto y, en la caja de herramientas, se seleccionan las opciones correspondientes a tipo de fuente, tamaño, color, alineación, etc. La caja de texto se puede mover para situarla en el punto deseado de la imagen. Una vez creada se puede volver a modificar, estando en la capa correspondiente y utilizando otra vez la herramienta de insertar texto.

Una vez terminada la imagen, gúardala en formato .xcf (formato propio de GIMP para que se conserven todas las capas y la calidad). De esta forma se podrá modificar la imagen en el futuro sin problemas.

Gúardala también como .jpg y compara el tamaño de ambos archivos.

Ideas clave

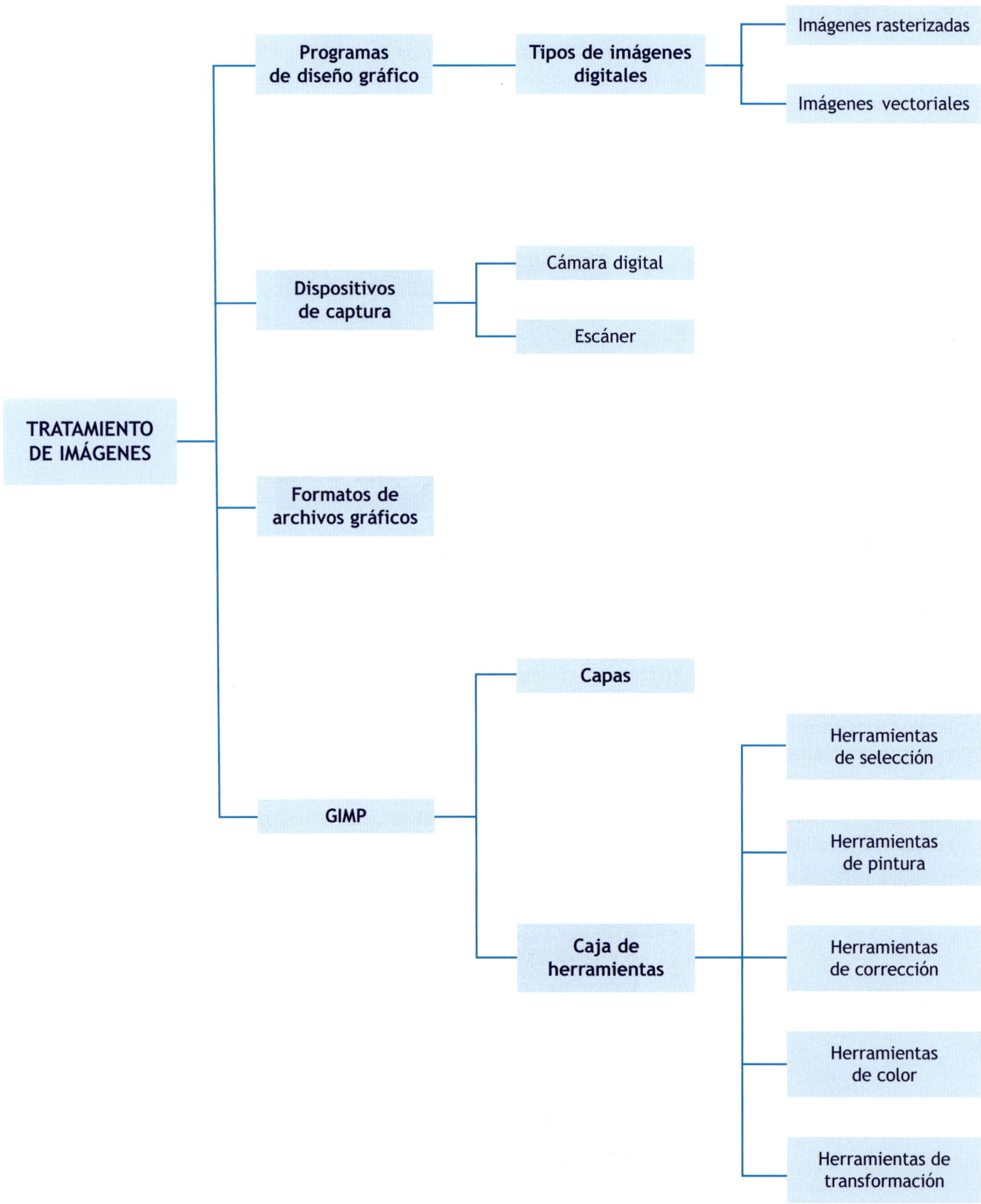
TRATAMIENTO DE IMÁGENES
Programas de diseño gráfico
Tipos de imágenes digitales
Imágenes rasterizadas
Imágenes vectoriales
Dispositivos de captura
Cámara digital
Escáner
Formatos de archivos gráficos
GIMP
Capas
Caja de herramientas
Herramientas de selección
Herramientas de pintura
Herramientas de corrección
Herramientas de color
Herramientas de transformación

Ice Cream Sandwich incluirá herramientas de edición de imágenes

Los usuarios de la próxima versión de Android podrán recortar sus imágenes, enderezarlas o aplicarles un montón de filtros y efectos.

El lanzamiento de **Ice Cream Sandwich**, la próxima versión del sistema operativo Android se producirá en cualquier momento, y mientras tanto queda tiempo para ir hablando sobre algunas de las cosas que podría incorporar, como un conjunto de herramientas creativas.

Todo apunta, aseguran desde Android Police, que los dispositivos basados en Android incorporarán **capacidades para la edición de imágenes** y, para demostrarlo, cuentan con una serie de iconos que representan varias acciones, desde recortar y enderezar fotografías, hasta añadir filtros y perfilar imágenes, sin olvidar las casi dos docenas de efectos diferentes.

Son muchos los que consideran este añadido a Android un paso muy inteligente por parte de Google, ya que los programas de filtros han atraído a los usuarios desde que aparecieron en las tiendas de aplicaciones.

Las cámaras de los *smartphones* se están convirtiendo en un elemento a tener en cuenta por parte de los usuarios, que ven finalmente cómo un único dispositivo puede realizar la mayoría de las funciones multimedia y de ocio que necesitan.

Los usuarios móviles no solo están aprovechándose de esta tendencia, que lleva a los fabricantes a **incorporar ópticas con más calidad**, sino también de sensores que les ayudan a que las imágenes sean más nítidas.

Hay que recordar además que **Facebook ya ha incorporado un editor de imágenes en la red social**, algo que ya hizo Google+.

Publicado por Rosalía Arroyo
Las nuevas tecnologías al instante

unidad 17

Montaje de vídeos

SUMARIO

- Formatos de vídeo digital
- *Codecs*
- Programas de edición de vídeo. Windows Movie Maker
- Interfaz de Windows Movie Maker
- El panel de tareas
- Importar archivos
- Editar vídeo y sonido
- Agregar imágenes, títulos y créditos
- Finalizar la película

OBJETIVOS

- Conocer las particularidades del vídeo digital y la operativa de edición de vídeos.
- Realizar todos los pasos necesarios para crear y presentar una película partiendo de fragmentos, archivos de vídeo, imágenes y audio.

1 >> Grabación de vídeo

Las imágenes de vídeo se pueden almacenar de dos maneras, en formato analógico y en formato digital.

La grabación analógica se basa en plasmar en una cinta magnética cada cambio en la luz como una variación de la intensidad eléctrica, obteniendo de este modo infinitos niveles. La desventaja de este sistema es que la grabación es frágil y las cintas se deterioran rápidamente con el tiempo.

Por su parte, la grabación digital se basa en capturar la imagen real y convertirla en una serie de puntos. De esta forma, la calidad de la imagen está delimitada por la resolución elegida al grabar, la cual, por muy grande que sea, nunca llegará a igualar el número de puntos de la realidad, que son infinitos.

La grabación digital tiene una ventaja importante respecto a la grabación analógica: puede almacenarse en multitud de soportes, algunos de ellos de larguísima pervivencia en el tiempo como el CD o el DVD.

A continuación, vamos a estudiar los distintos formatos de vídeo digital con los que se puede trabajar, así como las características principales de cada uno de ellos.

1.1 > Formatos de vídeo digital

Los formatos de vídeo digital más usuales son los que se describen en la siguiente tabla:

Formato	Resolución	Imágenes por segundo	Tasa de transferencia
MPEG-1. Calidad cercana al VHS	352 × 288	25 fps	1,2 Mbps
Nota: El MPEG-1 parte 3 es el estándar de audio que se conoce comúnmente como MP3.			
MPEG-2. Definido para la TV digital	352 × 480 1 920 × 1 080 720 × 576	25 fps	De 4 Mbps a 6 Mbps
MPEG-3	Formato abandonado. Anexado a MPEG-2		
MPEG-4. Contiene todos los estándares anteriores	Variable	25 fps	De 5 Kbps a 5 Mbps
Nota: una de las partes del MPEG-4 (a las versiones se les denomina partes) es la que ha dado lugar al MP4. No debe confundirse el estándar MP4 con los reproductores MP4, que son reproductores portátiles de audio y vídeo, con un nombre comercial que suena superior al MP3.			

PAL es el sistema de codificación y transmisión de televisión analógica a color utilizado en la mayoría de los países africanos, asiáticos y europeos, además de Australia y algunos países latinoamericanos.

Otros sistemas de codificación en uso son el NTSC, utilizado en casi toda América, Japón y el Sureste Asiático, y el SECAM, utilizado en Francia, en algunos países del Este de Europa y África. El sistema PAL deriva del NTSC, incorporando algunas mejoras técnicas.

La tabla anterior se basa en el sistema de codificación estándar PAL de imagen para Europa. En Estados unidos se utiliza el estándar NTSC, que tiene 29,9 fotogramas por segundo.

Los formatos de vídeo, tanto analógicos como digitales, son dependientes de las zonas geográficas. Existen seis zonas geográficas incompatibles entre sí, de forma que los reproductores que se venden en cada una de ellas solo sirven para los soportes audiovisuales que se venden en esa misma zona.

Las razones son comerciales, para evitar la importación paralela y no autorizada de material audiovisual. Este problema se agudizó al popularizarse el soporte DVD, que permite distribuir las películas con multi-idioma.

1.2 > *Codecs*

Los archivos de vídeo digital sin comprimir tienen tamaños muy grandes. Por eso, a la hora de digitalizar la imagen se utilizan los *codecs*.

Un *codec* (codificador-decodificador) consigue un tamaño mucho menor al codificar la imagen en función de unos algoritmos, que son reglas matemáticas. Existen *codecs* que no implican pérdida de calidad, pero habitualmente es mucho más interesante utilizar *codecs* que permitan una reducción sustancial de tamaño a cambio de una pequeña pérdida de calidad.

La codificación se realiza al crear el vídeo y la decodificación cuando se quiere visualizar el vídeo en tiempo real. Por tanto, para poder ver un vídeo debemos tener el mismo *codec* que se utilizó para crearlo.

Los *codecs* más comunes son los siguientes:

- **DivX.** Se ha convertido prácticamente en un estándar dentro del vídeo digital, pero se utiliza cada día menos porque hace algún tiempo que las últimas versiones son de pago. Por este motivo, algunos programadores que formaron parte de su desarrollo crearon otro *codec,* que es libre: el XviD. Los *codecs* de DivX se pueden descargar de www.divx.com.
- **XviD.** Desde hace poco, el XviD ha superado en popularidad al DivX y se ha acabado imponiendo en el mercado. La forma de funcionar es muy parecida, por lo que no posee ninguna ventaja técnica, pero lo realmente importante es que se trata de un *codec* de libre distribución. Todas las codificaciones que existen parten de una fuente original, controlada por sus creadores. Se pueden descargar los *codecs* XviD de www.xvid.org.
- Existen otros *codecs,* como **MPEG-2** o **MP3**, que no es necesario descargarse, porque ya están implementados en el Windows Media Player y la mayor parte del software de reproducción de vídeo y audio.

Además de Windows Media Player, exiten otros reproductores que incluyen multitud de *codecs* o que bien se conectan a Internet en el momento de abrir un archivo para localizar el *codec* correcto.

¿Por qué se llama DivX?

DivX es un juego de palabras sobre un antiguo sistema de protección de los DVD originales, que se dejó de utilizar hace tiempo.

¿Por qué se llama XviD?

XviD lo crearon un grupo de programadores que salieron del proyecto DivX cuando este comenzó a ser de pago. Fíjate que el nombre es el mismo, leído al revés.

Actividades propuestas

1·· Busca en el CD los archivos de vídeo correspondientes a esta unidad. Abre uno de ellos para comprobar que tu ordenador es capaz de leerlos. Si no es así, comprueba qué *codecs* te hace falta descargar de Internet.

2 >> Programas de edición de vídeo. Windows Movie Maker

El trabajo de edición de vídeo es un proceso mediante el cual se elabora un proyecto audiovisual a partir de fragmentos grabados previamente.

La edición de vídeo se ha realizado tradicionalmente en estudios de grabación, por parte de profesionales especializados. Con la aparición de los ordenadores personales y, sobre todo, con el aumento de las prestaciones de velocidad y capacidad de almacenamiento de estos, surge la edición digital. En este caso, el proceso de edición se realiza introduciendo los fragmentos de vídeo, las imágenes y los sonidos en el ordenador, para proceder a la edición y producción dentro del equipo.

El resultado final estará en formato digital, en un archivo guardado en el ordenador, desde donde se puede obtener una cinta de vídeo, un disco de DVD o cualquier otro formato.

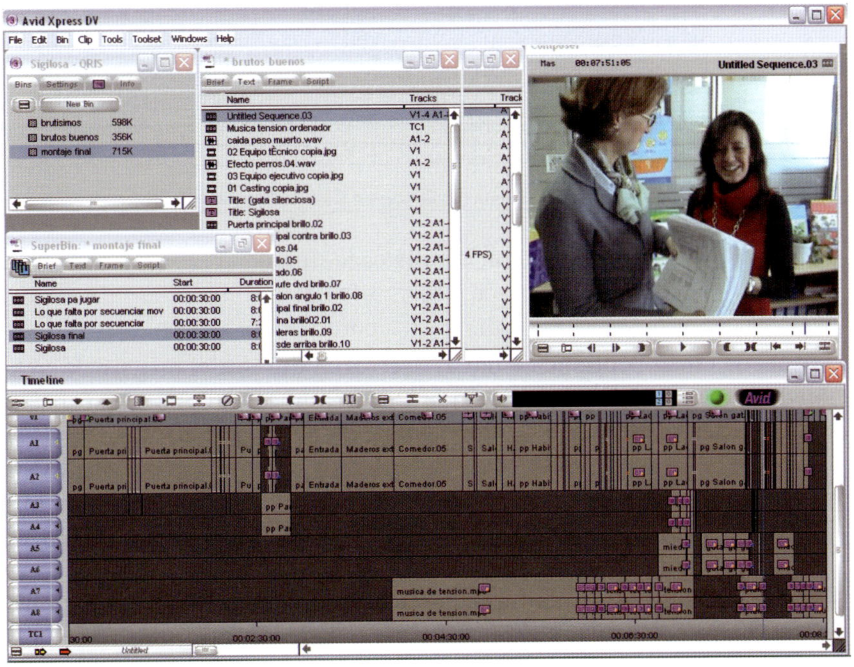

17.1. Pantalla de Avid Xpress.

En esta unidad se va a utilizar el programa Windows Movie Maker. La estructura y la manera de trabajar de todos los programas de edición de vídeo resultan muy similares, aunque Windows Movie Maker está incluido en el sistema operativo Microsoft Windows XP, por lo que tiene un coste menor. Permite capturar vídeo desde un dispositivo externo para posteriormente editarlo en el ordenador cortando y pegando fragmentos, añadiendo transiciones y efectos y, por último, títulos y créditos.

Una vez editado un vídeo, se puede distribuir en CD, DVD, correo electrónico, etc. Es más, Windows Movie Maker incluye un asistente para subir la película directamente a algún proveedor de alojamiento de vídeos.

Audiovisual

El término audiovisual surge en Estados Unidos con el estreno de *El cantor de Jazz* (1927), la primera película sonora de la historia del cine.

Programas de edición de vídeo

Los programas informáticos más utilizados en la actualidad para realizar labores de edición de vídeo son: Avid Xpress, Pinnacle Studio, Ulead Videostudio, Soy Vegas Movie Studio, Adobe Premiere, Apple Final Cut Studio y Edius Pro.

3 >> Interfaz de Windows Movie Maker

La apariencia de la aplicación Windows Movie Maker es la que se muestra en la Figura 17.2:

1 Barra de menús.

2 Barra de herramientas.

3 Panel de tareas de película.

4 Panel de colecciones.

5 Pantalla de vista previa.

6 Escala de tiempo/guión gráfico.

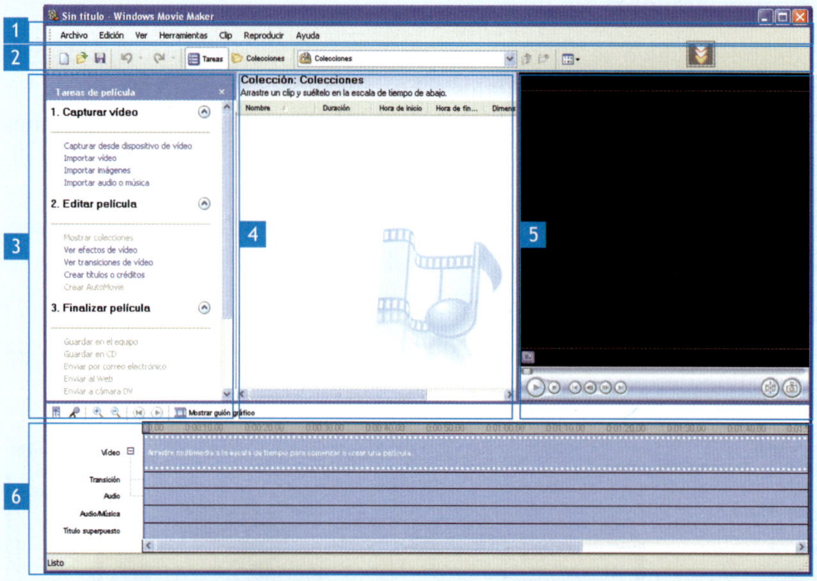

17.2. Apariencia de Windows Movie Maker.

A continuación, trataremos con detalle cada una de las zonas anteriores.

Panel de tareas

El panel de tareas contiene las tareas necesarias durante el proceso de creación de una película. Permite efectuar las tareas más habituales en función del punto del proceso de creación de película en el que estemos.

Las opciones disponibles en este panel son las siguientes:

- ***Capturar vídeo.*** Ofrece opciones para añadir los fragmentos con los que crearemos la película.
- ***Editar película.*** Se encuentran aquí diversas opciones de visualización y creación de películas, así como el asistente de creación automática de películas denominado AutoMovie.
- ***Finalizar película.*** Ofrece opciones para guardar la película final en el equipo o en un CD grabable, para enviarla por correo electrónico, subirla a una web o guardarla en cinta en una cámara DV.
- ***Consejos para la creación de películas.*** Este panel también contiene consejos para ayudarnos en la creación de la película.

Panel de colecciones

Este panel contiene los clips de vídeo, fotografías y sonidos que hemos añadido al proyecto para posteriormente trabajar con ellos y mezclarlos en nuestra película. Los archivos añadidos se organizan en colecciones, agrupados por similitud o por cualquier otro concepto, que nos ayudarán a encontrarlos mejor al trabajar con ellos.

Desde este panel, se pueden arrastrar los archivos a la escala de tiempo para añadirlos a la película o bien al monitor para visualizarlos. Cualquier cambio que se realice en estos archivos afecta únicamente a la película que estamos creando dentro de Movie Maker y nunca al archivo original guardado en el ordenador.

Pantalla de vista previa o monitor

Mediante el monitor se pueden visualizar los vídeos del panel de colecciones o bien el vídeo completo del proyecto para tener una vista previa de cómo está quedando. Incluye los botones de reproducción y dos botones muy útiles, uno para capturar un fotograma y otro para dividir ese clip en dos más pequeños, cortándolo por el punto actual. De esta forma, se puede desechar una parte, repetirla o intercalar otro clip.

Guión gráfico/escala de tiempo

La parte inferior de la pantalla contiene el panel más importante de todo el programa, que es donde se va a ir configurando la película, donde se van añadiendo fragmentos de vídeo, imágenes, sonidos, efectos, etc., y donde se sincronizan todos ellos para obtener el resultado. Hay dos formas de visualización de este panel:

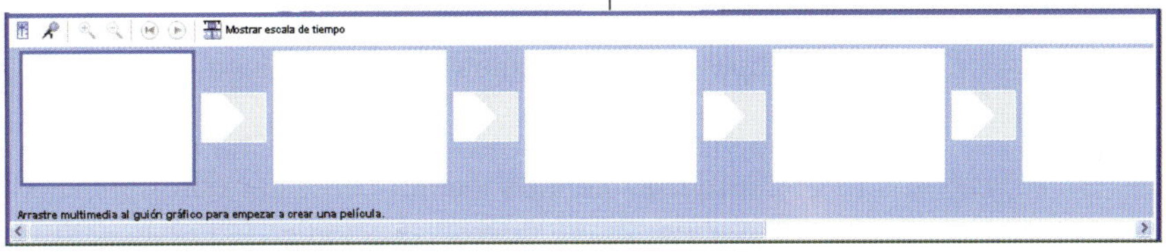

17.3. Guión gráfico vacío.

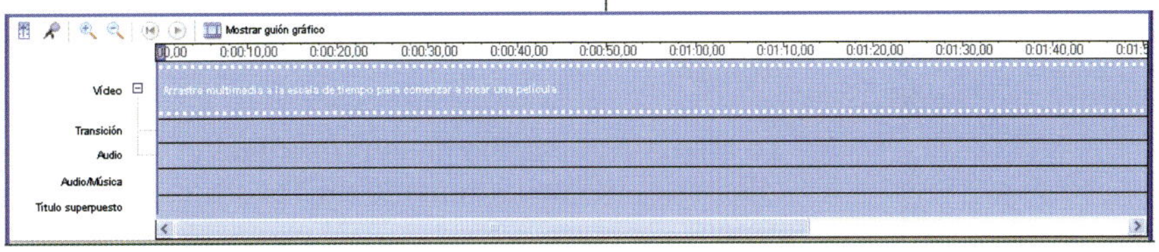

17.4. Escala de tiempo vacía.

- **Guión gráfico.** Se puede utilizar para visualizar el orden de los clips del proyecto y modificarlo de forma sencilla. También permite comprobar cualquier efecto o transición de vídeo que se haya agregado.
- **Escala de tiempo.** Puede utilizarse para revisar o modificar la duración de los clips del proyecto, ajustar los niveles de audio, coordinar los fragmentos de los archivos, recortar porciones, etc.

  La escala de tiempo se divide en varias pistas, que son porciones paralelas dentro de la misma unidad temporal y que, por tanto, se van visualizando al mismo tiempo.

  - **Pista *Vídeo*.** Contiene clips de vídeo, imágenes o títulos agregados al proyecto.
  - **Pista *Transición*.** Contiene las transiciones de vídeo. Puede aumentarse o reducirse la duración de las mismas.
  - **Pista *Audio*.** Contiene el audio incluido en los clips de vídeo agregados al proyecto. Al eliminar una de las dos partes, elimina también la otra.
  - **Pista *Audio/Música*.** Contiene los clips de audio agregados independientemente. También se pueden agregar clips de vídeo a esta pista para que se reproduzca el audio incluido en ese archivo. Esta pista de audio es independiente de la de vídeo. Se editan de forma independiente.
  - **Pista *Título superpuesto*.** Contiene los títulos y créditos agregados a la escala de tiempo. Se pueden agregar varios en puntos diferentes de la película. Se superponen al vídeo visualizado y es posible variar su duración.

4 >> Creación de un vídeo

A continuación tienes un resumen del guión de la película que vamos a crear, *Y si (La presentación de Sophie:*

Y si (La presentación de Sophie)

Hoy es un gran día para Sophie, después de unos meses de intenso trabajo está a punto de hacer la presentación al departamento de Alemán de uno de los institutos más grandes de Madrid, con la que se juega conseguir una gran adopción.

En la oficina se ultiman los preparativos.

Sophie habla con su equipo y se prepara para salir a dar la presentación. Cierra la puerta y se pone delante de la cristalera.

Sophie sale del despacho y se pone entre Chus y Christiane.

Sophie llama a Ventas pero comunican.

Sophie y Christiane salen juntas y Chus y Alba detrás. Sophie está a la izquierda de Christiane mientras intenta contactar con Ventas. Van por el pasillo y a la altura de la puerta de emergencias Sophie contacta con Ventas y responde Susana. (Se introducen en el ascensor y se cierra la puerta.)

Finalmente Sophie ha conseguido salir de la oficina. Su objetivo está claro, conseguir la adopción, aunque se siente algo intranquila con el pedido del Sr. Roldán.

Ya en marcha camino de la presentación Sophie recibe una nueva llamada telefónica, del departamento de Tesorería.

Sophie está muy disgustada, sin móvil, sin transporte pero ella es una mujer con recursos... a ver si logra al menos salvar la adopción porque con el Sr. Roldán no va a ninguna parte.

Afortunadamente ve pegado a una cabina el número de teléfono de un taller de coches. Sophie se aventura a llamar al taller.

Sophie empieza a desarrollar el mismo tic que la Reme y se rinde. Se la ve ir camino de la oficina repitiendo el tic.

FIN

Dispones del guión completo en el CD *Recursos.*

4.1 > Añadir archivos

El primer paso para comenzar con un proyecto es añadir los archivos que van a conformar el vídeo para realizar el trabajo de edición. Los vídeos, sonidos e imágenes se pueden importar desde archivos o bien se capturan desde dispositivos de grabación como, por ejemplo, una cámara de vídeo.

Importar archivos

Importar un archivo es especificar la ubicación del mismo. Debe estar almacenado en una ruta accesible por la aplicación Movie Maker, por ejemplo el disco duro local del ordenador. El archivo original, una vez importado, no debe moverse ni cambiarse de nombre, dado que Movie Maker crea un acceso directo del mismo, en lugar de copiarlo.

Para importar un archivo, existen dos posibilidades:

- Hacer clic en *Archivo* de la barra de menú y seleccionar *Importar en colecciones.*
- En panel de tareas, hacer clic en *Importar vídeo* del grupo *Capturar vídeo.*

Se abrirá el cuadro de diálogo *Importar archivos,* donde seleccionaremos la ubicación del archivo o archivos a importar. A continuación, haremos clic en el botón *Importar.*

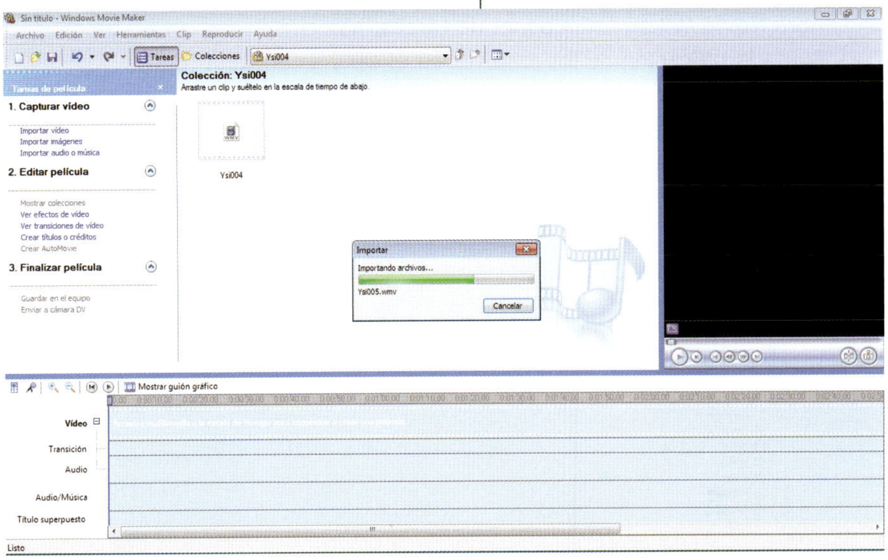

17.5. Importando archivo.

En el siguiente cuadro de diálogo se puede elegir partir el vídeo en clips más pequeños. Deberemos marcar la opción *Crear clips para archivos de vídeo* para que el programa realice automáticamente las particiones siguiendo los cambios de tomas.

Una vez finalizado el proceso de importación, el clip de vídeo aparece en el panel de colecciones.

Los archivos de sonido e imagen se importan siguiendo el mismo método.

Capturar desde dispositivo de vídeo

Capturar un archivo de vídeo supone obtenerlo en tiempo real desde un dispositivo externo de grabación como una videocámara.

Movie Maker admite dispositivos de grabación analógicos o digitales. Las limitaciones vienen marcadas por el propio hardware del ordenador. Las capturas analógicas se realizan conectando el dispositivo a una tarjeta sintonizadora, normalmente a través de un cable con conector RCA. Por su parte, para las capturas digitales necesitaremos conectar una videocámara digital DV al puerto IEEE1394 FireWire.

Casos prácticos

1

Importar archivos

•• Todos los casos prácticos propuestos en esta unidad están orientados a un solo proyecto: la edición de una película a partir de una serie de archivos que se encuentran en el CD *Recursos*. El primer paso es importar todo el material necesario, para lo cual busca en el CD *Recursos* todos los archivos correspondientes a la película *Y si (La presentación de Sophie)* e impórtalos en tu ordenador.

Solución ••

Para importar los archivos de la película *Y si (La presentación de Sophie)*, debes seguir los siguientes pasos:

- Inserta el CD *Recursos*, que contiene los archivos que quieres importar en el ordenador.
- Abre Movie Maker. En el panel de tareas, haz clic en importar vídeo.
- Busca la ubicación de los archivos en el CD y selecciona todos.
- Marca la opción de *Crear clips para archivos de vídeo* y haz clic en el botón *Importar*. Ten en cuenta que el proceso puede tardar bastante. Los archivos importados requieren un proceso de postproducción (de ahí que se les denomine *brutos* de la película) para lograr el resultado deseado.

El resultado de la importación será el siguiente:

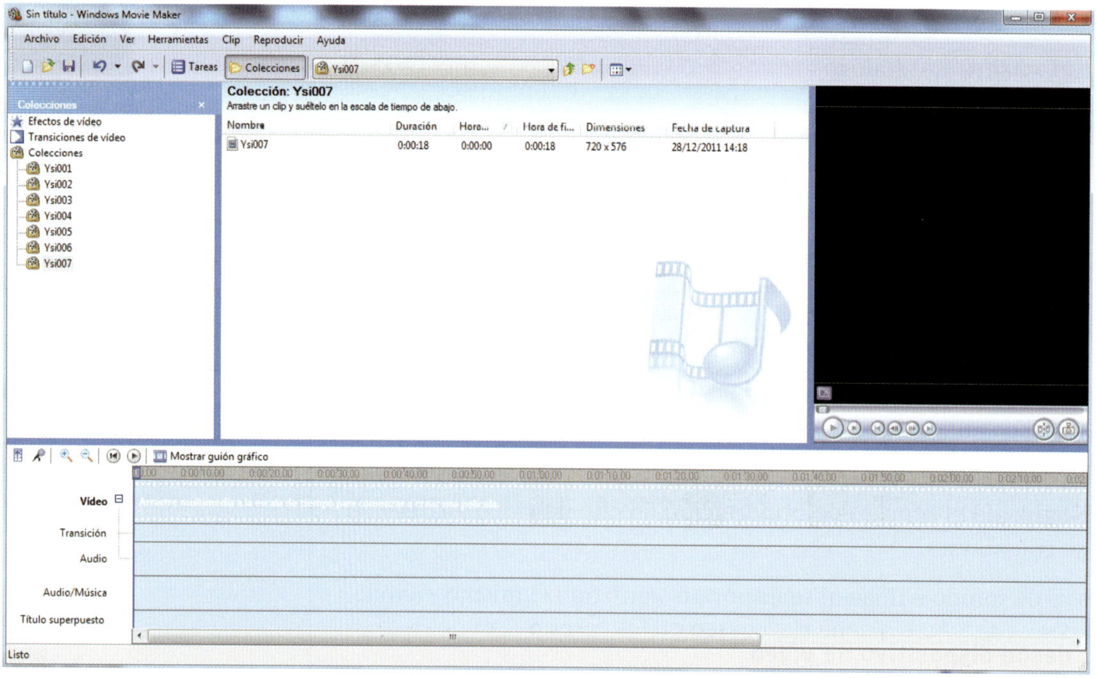

Como puede observarse, Movie Maker ha creado una colección para cada clip de vídeo. Haciendo clic en el botón *Colecciones* de la barra de herramientas, se visualizan todas las colecciones existentes.

Es importante recordar que los archivos originales no pueden cambiar de ubicación, por lo que cada vez que se trabaje con ellos el CD deberá estar insertado en el equipo.

Durante toda la unidad tendrás que ir realizando el mismo proceso con algunos archivos de audio e imágenes que necesitarás para ir realizando el montaje de la película.

Casos prácticos 2

Ordenar colecciones

·· Organiza todos los clips de vídeo importados en el caso práctico anterior dentro de una sola colección.

Solución ··

- Crea una nueva colección. Para ello, haz clic con el botón derecho sobre *Colecciones* en el desplegable del panel de colecciones a la izquierda de la pantalla.
- Nombra la nueva colección como ***Y si***.
- Arrastra los clips importados dentro de esta. Es posible que, durante el proceso de importación anterior, Windows Media Maker haya creado una carpeta para cada archivo. Si es así, deberemos extraer los archivos de cada una de ellas y borrarlas.

El resto de archivos de imágenes y vídeos que vayas importando a lo largo de la unidad los deberás guardar de la misma manera.

Una vez organizados los archivos, se visualizan antes de proceder al montaje de la película. Para visualizar un archivo, se arrastra sobre el monitor o se selecciona y se hace clic en el botón *Play* que se encuentra debajo de la pantalla de vista previa. Si el archivo tiene audio también se reproduce.

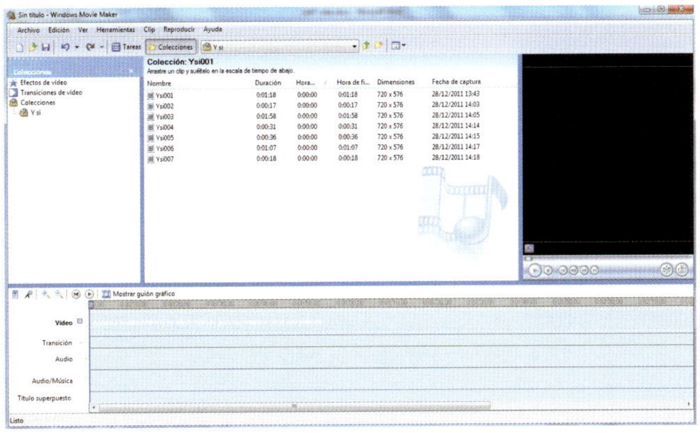

Casos prácticos 3

Guardar el proyecto

·· Guarda el proyecto que hemos creado en los casos prácticos anteriores.

Solución ·· Selecciona *Archivo / Guardar proyecto* en la barra de herramientas o bien *Archivo / Guardar proyecto como*, dependiendo de si deseas actualizar el proyecto guardado o bien guardarlo con otro nombre o en una ubicación distinta.

Guardar el proyecto permite conservar el trabajo realizado. Al salvar un proyecto, se guarda la organización de los clips, las transiciones, los efectos de vídeo y el resto de ediciones. En el transcurso de la unidad, según vayas avanzando en la realización de la película, acuérdate de ir guardando para no perder tu trabajo.

4.2 > Editar vídeo

Para editar una película, se trabaja con distintos archivos sobre la escala de tiempo. Visualizar el resultado de esta forma, en lugar de como guión gráfico, permite más control sobre esta fase del proceso.

Añadir clips a la línea de tiempo

Para añadir vídeos a esta parte de la pantalla se utiliza el intuitivo método de arrastrar desde el panel de colecciones. Una vez arrastrado el vídeo desde el panel de colecciones sobre la pista de vídeo, el resultado será como el siguiente:

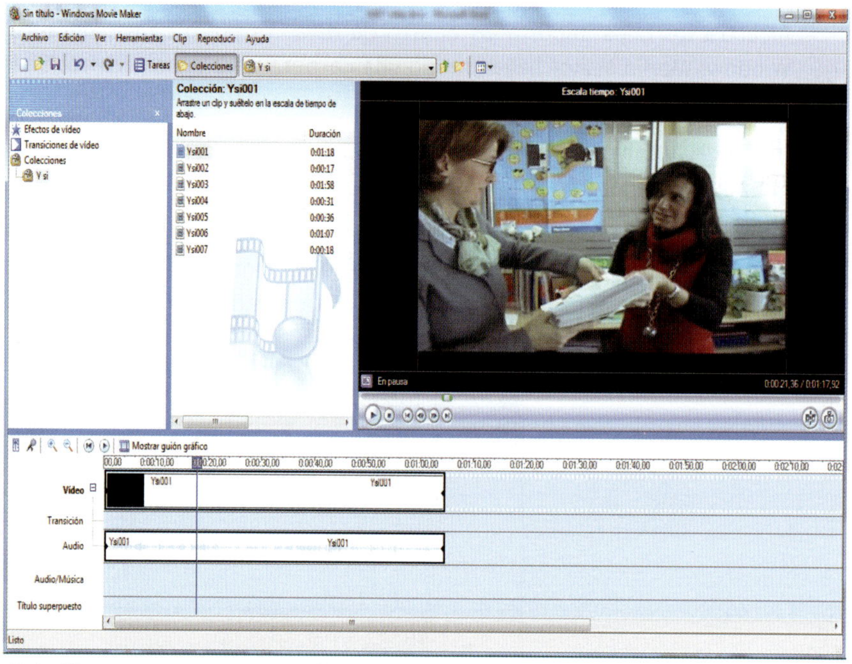

17.6. Clip arrastrado a la pista de vídeo.

Si no se visualiza la pista de vídeo expandida con las líneas de vídeo, transición y audio, podemos hacer clic en el botón que despliega estas tres pistas, que está junto al nombre de la pista de vídeo.

Se puede ver que el clip de la Figura 17.6 comienza en el momento 00:00 y llega hasta 01:05 minutos aproximadamente. También se observan los dos canales de audio (estéreo), uno representando la intensidad de sonido hacia arriba y el otro hacia abajo en la pista de audio.

La escala de tiempo contiene una serie de botones en la parte superior izquierda:

17.7. Barra escala de tiempo.

- *Establecer niveles de audio.* Controla el nivel relativo de audio entre la pista de vídeo y audio/música añadida.

- ***Narrar escala de tiempo.*** Permite añadir una narración que se incluirá como pista de audio a la película. Es necesario un micro conectado al PC.
- ***Acercar escala de tiempo / Alejar escala de tiempo.*** Aumentar y disminuir, respectivamente, el zoom sobre la escala de tiempo.
- ***Rebobinar escala de tiempo o guión gráfico.***
- ***Reproducir escala de tiempo.***
- ***Mostrar guión gráfico del proyecto / Mostrar escala de tiempo del proyecto.***

Seleccionar clip. Efectos de audio y vídeo

Para aplicar efectos de audio y vídeo a un clip, primero se selecciona el clip. Para ello, hay que hacer clic sobre el clip que se encuentra en la línea de tiempo, que de esta forma aparecerá resaltado como en la Figura 17.8:

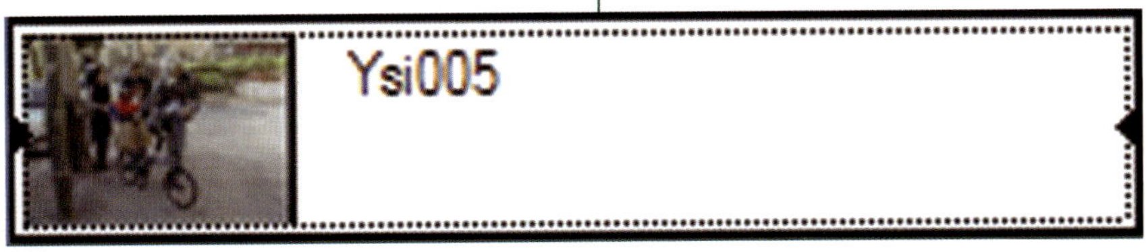

17.8. Clip seleccionado.

Haciendo clic en *Clip* aparecen entre otras la opción *Audio y vídeo*, donde añadimos los efectos a aplicar al clip, mediante la adición o la supresión de efectos de vídeo.

También se puede acceder a los efectos de audio y vídeo haciendo clic con el botón derecho del ratón sobre el propio clip. La tercera forma es desde el grupo *Editar película* del panel de tareas de película, haciendo clic en *Ver efectos de vídeo*. De esta tercera forma, además podremos previsualizarlos en el monitor.

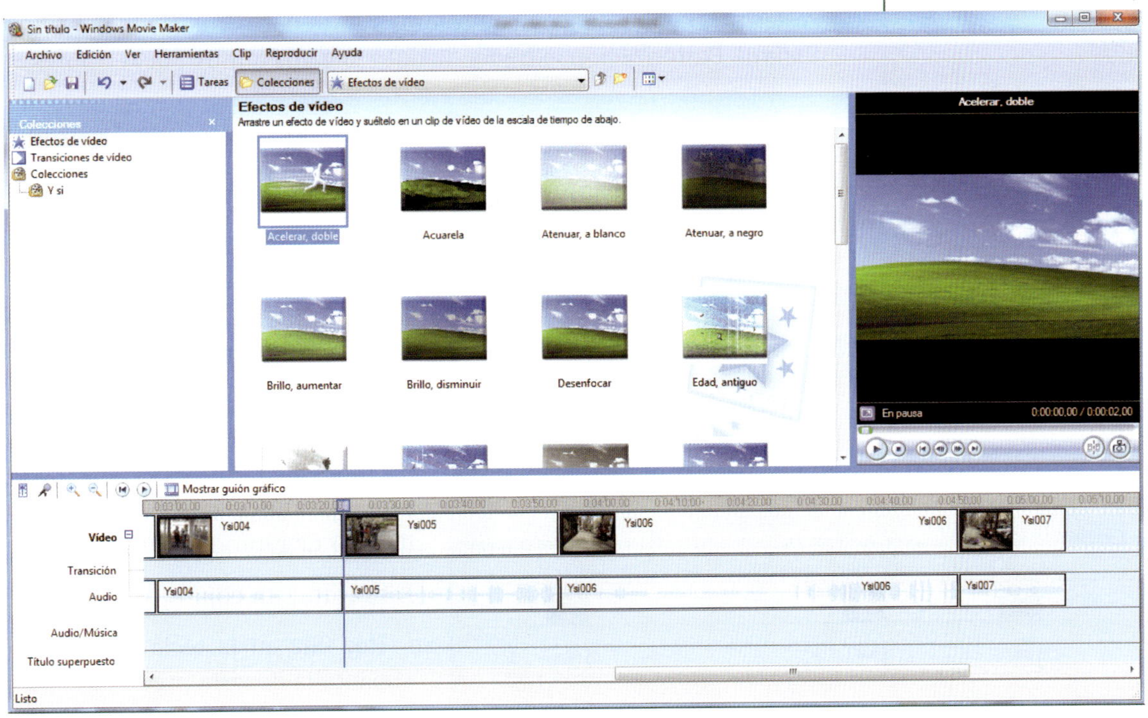

17.9. Ver efectos de vídeo.

Una vez insertado el efecto o efectos en un clip, aparecerá una estrella para recordar que el clip incluye uno o varios efectos.

Los efectos de vídeo que podemos seleccionar son:

Efectos			
Imagen	**Artísticos**	**Fundidos**	**Movimiento**
- Aumentar brillo - Disminuir brillo - Desenfocar - Escala de grises - Grano de película - Reflejar - Rotar	- Acuarela - Edad - Grano - Matiz - Difuminar - Pixelar - Posterizar - Tono sepia - Umbral	- Atenuar a negro - Atenuar a blanco - Resaltar desde negro - Resaltar desde blanco	- Acelerar - Ralentizar - Simplificar dentro - Simplificar fuera

Entre todos los efectos de vídeo disponibles, los más habituales son:

- ***Acelerar***. Acelera la velocidad del clip al doble de su velocidad normal. Si se quiere acelerar cuatro veces, se añade el efecto dos veces.
- ***Simplificar dentro***. Hace un *zoom in*, es decir, acerca la imagen.
- ***Simplificar fuera***. Hace un *zoom out*, es decir, se aleja de la imagen.
- ***Atenuar a negro/blanco***. Fundido a negro/blanco para acabar una escena.
- ***Resaltar desde negro/blanco***. Fundido desde negro/blanco para comenzar una escena.
- ***Matiz***. Cambia todo el espectro de colores.
- ***Posterizar***. Reduce la gama de colores a unos pocos colores planos.
- ***Umbral***. Posterización extrema. Reduce la gama a muy pocos colores.

Situar el indicador de reproducción

El indicador de reproducción puede ser situado en cualquier punto de la película simplemente pulsando sobre la barra de búsqueda (zona superior de la escala de tiempo, donde se representan los minutos y segundos).

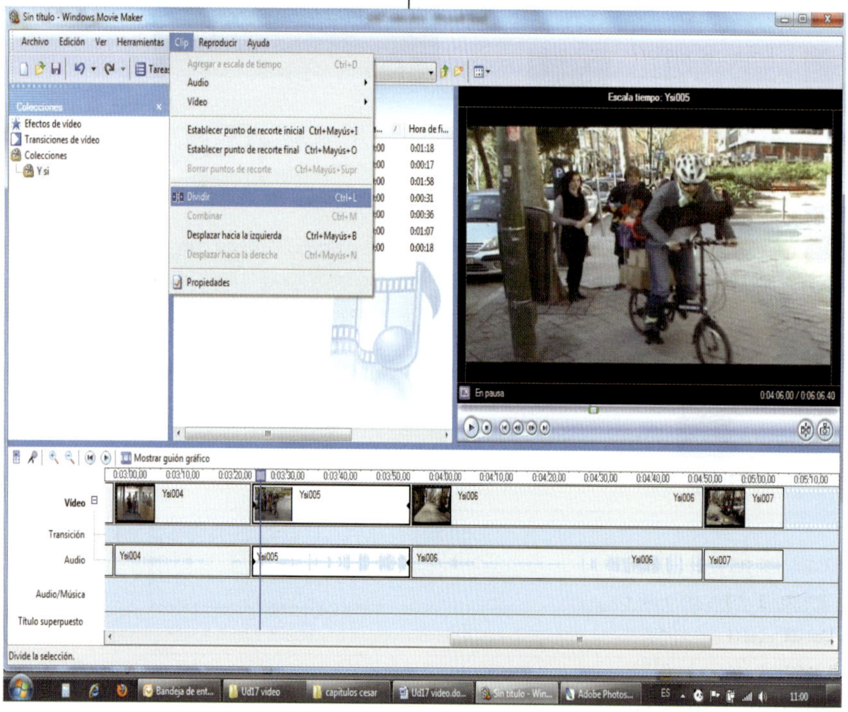

17.10. Dividir clip.

Dividir clip

Dividir clip es una herramienta para separar el clip de vídeo en dos fragmentos. Se suele utilizar para eliminar uno de los dos posteriormente.

En la escala de tiempo, se puede observar una línea azul que avanza indicando qué punto de la película se está reproduciendo. Se trata del indicador de reproducción.

Para cortar un clip:

- Haz clic en la tecla *Pause* de la pantalla de vista previa.
- Haz clic en *Clip* en la barra de menús y selecciona *Dividir.*

Esto último también puede hacerse pulsando las teclas <Ctrl> + <L>.

4.3 > Editar sonido

Hay dos formas de utilizar el sonido en Movie Maker. La primera es el sonido propio de los clips de vídeo y la segunda es añadir sonidos adicionales en la pista correspondiente, para agregar una banda sonora, una narración, efectos, etc.

En el caso de querer añadir archivos de música, organizarlos, moverlos, etc., el procedimiento es similar al de los clips de vídeo. De hecho, los archivos de sonido se representan en la línea de tiempo de forma paralela a los clips de vídeo. Si nos fijamos en la línea de tiempo, se observa que cada una de las pistas tiene un nombre distinto:

- **La pista de *Audio*** está bajo la pista de vídeo. Si no está visible es porque la pista de vídeo no está expandida. Haz clic en el botón con el símbolo + que hay junto al nombre de la pista y se desplegará esta opción. Es importante recordar que todo lo que se edite sobre esta pista afectará a la de vídeo, ya que ambas están unidas. Si, por ejemplo, se divide la pista de audio por un punto concreto, la pista de vídeo también quedará dividida por ese mismo punto.
- **La pista de *Audio/Música*** está debajo de la de audio. Es una pista independiente, ya que lo que hagamos sobre ella no afecta a la pista de vídeo. Es ideal para añadir la banda sonora, efectos de audio, una narración, etc.

1 Pista de *Audio* del clip.

2 Pista de *Audio/Música* añadida.

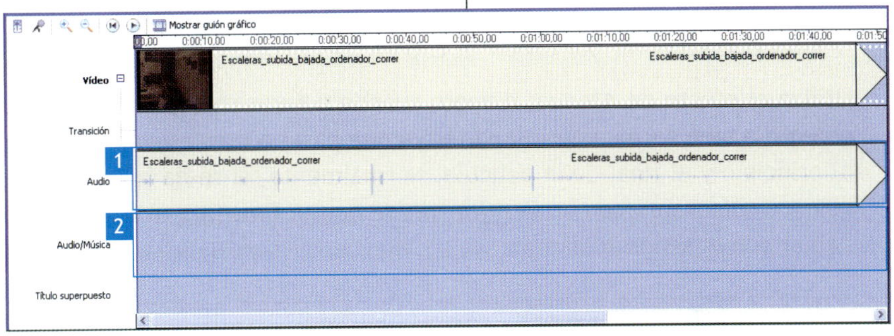

17.11. Pista de *Audio/Música*.

Para modificar las propiedades del sonido, basta con hacer clic con el botón derecho del ratón sobre el clip de audio o bien seleccionar *Clip / Audio* en la barra de menús.

Las opciones de *Audio* disponibles son:

- ***Silenciar***. Quita totalmente el sonido del clip.
- ***Intensificar***. Aumenta el volumen del clip.
- ***Atenuar***. Disminuye el volumen del clip.
- ***Volumen***. Permite modificar el volumen del sonido de manera más precisa.

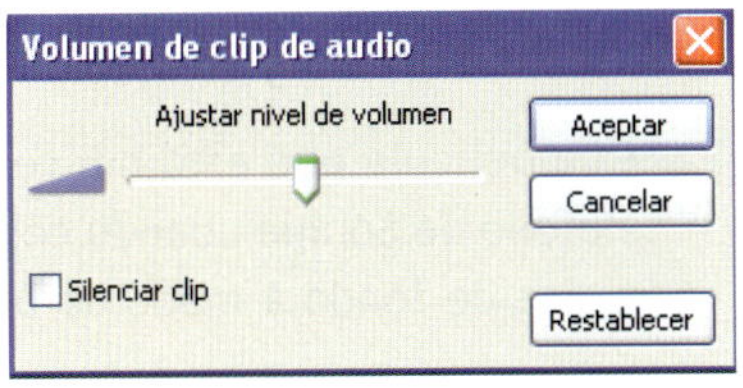

17.12. *Volumen de clip de audio.*

En el menú de herramientas encontramos otra opción bastante interesante que hace referencia al sonido. Se trata del nivel de balance entre el audio correspondiente al clip de vídeo y el audio correspondiente a la pista de *Audio/Música*.

17.13. *Niveles de audio.*

Con esta herramienta, podemos darle más importancia a la banda sonora que al propio sonido registrado por la cámara cuando se grabó el clip o viceversa. La ventaja de este control es que no anula ninguno de los dos sonidos. Aunque añadamos música a una grabación hecha por nosotros, podremos mantener de fondo los murmullos, aplausos, ruidos, etc. De este modo, contribuiremos a que el resultado no sea excesivamente artificial.

Casos prácticos 4

Añadir, cortar clips y aplicar efectos

•• Completa la pista de vídeo con los clips necesarios para la película *Y si (La presentación de Sophie)*. En los casos en que sea necesario, corta los clips y agrega efectos.

Esta puede ser la parte más larga del proyecto. Apóyate en el guión de la película.

Solución •• Para seguir editando la película, deberemos continuar arrastrando clips a la escala de tiempo y ordenándolos de manera lógica para que tengan sentido. Tal vez alguno de los clips haya que cortarlo porque es demasiado largo o porque una parte del clip ha quedado desenfocada o mal encuadrada. En este caso, deberemos utilizar la herramienta *Dividir clip*.

Algunos clips pueden estar oscuros o ser demasiado claros. Es posible modificar la luminosidad utilizando el efecto de *Aumentar brillo*.

Además, tal vez te sea interesante emplear algún efecto más, por ejemplo *Simplificar dentro*, que realiza un *zoom in* y nos puede resultar útil para dar importancia a un primer plano. Podría emplearse, por ejemplo, si quieres dar importancia al informe resumido del colegio que Chus le entrega a Sophie o el anuncio del taller de coches de la cabina de teléfono. Si no te convence cómo queda el efecto de forma continua en todo el fragmento, puedes optar por dividir el clip en tres trozos y aplicarlo únicamente al segundo de los fragmentos.

Utiliza el efecto de *Atenuar a negro* cuando quieras mantener el suspense al final de una escena hasta la siguiente o bien para cortar cuando haya que pasar a otra escena sin demasiada relación. Desde luego también al principio y al final de la película. Normalmente, si se ha terminado un clip con un *Atenuar a negro*, el siguiente comenzará con un *Resaltar desde negro*. Prueba a utilizarlo cuando Sophie se mete en su despacho a hablar con el señor Roldán.

Casos prácticos 5

Añadir sonido y música

•• La película que estamos realizando deberá incluir sonidos añadidos a modo de efectos especiales como el teléfono de Sophie cuando contesta, algún pitido de coches o ruido de la calle cuando va con la bicicleta, una música de fondo a modo de banda sonora o cualquier otro que se te ocurra.

Busca algunos sonidos por Internet, guárdalos en tu equipo e impórtalos al proyecto. Recuerda que deben estar siempre en la misma ubicación cada vez que abras el proyecto en Movie Maker.

Solución ••

Para añadir los sonidos al proyecto, importa los archivos desde el panel de tareas, tal como se ha explicado anteriormente en la unidad. Una vez importados los archivos de audio, arrástralos al punto correspondiente de la línea de tiempo. Modifica también los niveles de audio y ajusta el volumen, por ejemplo el de algún vehículo.

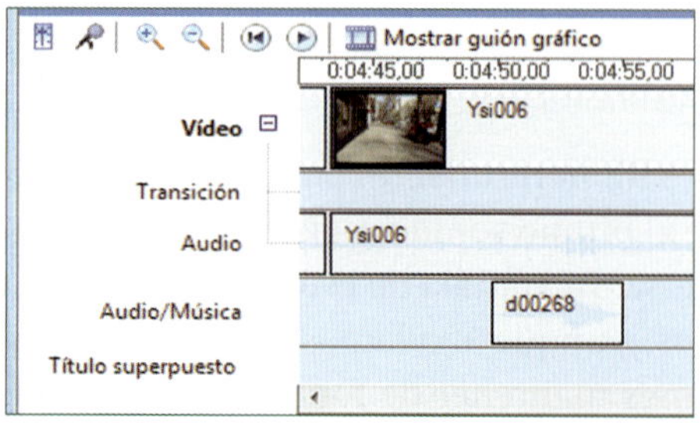

4.4 > Agregar imágenes

Durante el transcurso de la película, es probable que sea necesario insertar imágenes fijas, como por ejemplo fotografías. Estas también se pueden utilizar para crear los títulos de crédito finales o iniciales, si bien ambos pueden ser creados con un complemento que en versiones anteriores de Movie Maker había que descargarse, pero que en la actualidad ya viene incluido. La ventaja de utilizar imágenes radica en poder añadir logotipos o fotografías en lugar de texto simplemente.

Una utilidad concreta sería utilizar Movie Maker para componer una presentación de imágenes fijas sucesivas que van pasando mientras suena una música de fondo. Es algo parecido a las presentaciones de PowerPoint, pero con ciertas ventajas, como por ejemplo poder reproducirla en cualquier ordenador sin necesidad de tener instalado el PowerPoint, ya que el Windows Media Player viene incluido siempre con el sistema operativo Windows.

Para insertar una imagen en una película, el primer paso es importar el archivo que contiene dicha imagen al proyecto. Para ello, debe seguirse el método que se ha explicado anteriormente para importar vídeos y sonidos:

- En el panel de tareas, hacer clic en *Importar imágenes.*
- Seleccionar las imágenes deseadas a partir del cuadro de diálogo *Importar archivo* y hacer clic en el botón *Importar.*

Movie Maker admite los tipos de archivos más habituales (bmp, gif, jpeg, tiff, png, etc.).

Una vez importada la imagen, basta con arrastrar a la línea de tiempo y situarla en el punto donde se desee, dentro de la pista de vídeo.

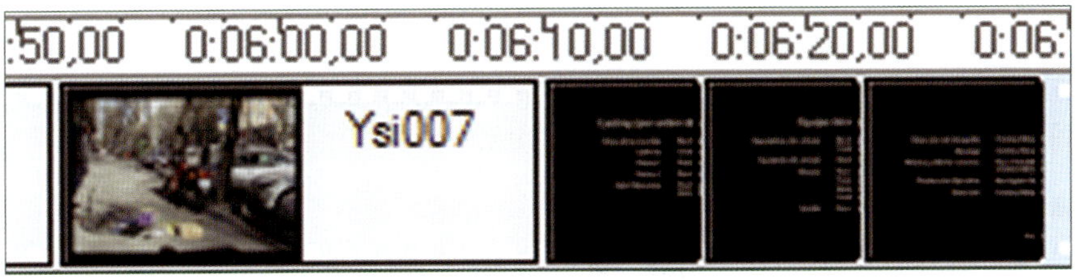

17.14. Créditos.

En la Figura 17.14, se aprecia la última escena de la película y, a continuación, tres imágenes fijas correspondientes a los créditos de la película. La duración de cada una de ellas es de cinco segundos, que es la predeterminada en Movie Maker.

Se puede modificar la duración de una de las imágenes situando el puntero en el borde derecho y, cuando se convierta en dos flechas rojas, arrastrar hacia la derecha para cambiar el tamaño. Al cambiar el tamaño se modifica la duración.

Dado que las imágenes se encuentran en la pista de vídeo, a todos los efectos se tratan como un clip de vídeo más, pero con el movimiento congelado y sin sonido. Así pues, podemos trabajar con ellas del mismo modo que con los clips de vídeo, aplicándoles efectos artísticos, atenuaciones de entrada o salida, dividiendo la imagen en dos clips, etc.

Cambiar la duración predeterminada

Para cambiar la duración predeterminada al insertar una imagen, se siguen los siguientes pasos:

- *Herramientas / Opciones / Opciones avanzadas / Duración de imagen.*

A partir de ese momento, afectará a cada imagen nueva que se añada.

4.5 > Agregar títulos y créditos

Movie Maker permite añadir texto directamente sobre un proyecto. Esto puede hacerse en distintos lugares de la línea de tiempo, ya sea al principio de la película, al final, entre dos clips o bien superpuesto sobre un clip.

Para agregar texto, se pueden utilizar dos procedimientos:

- Desde el menú *Herramientas,* seleccionando *Títulos y crédito.*
- Desde el panel de tareas, haciendo clic en *Crear títulos o créditos* del grupo *Editar película*.

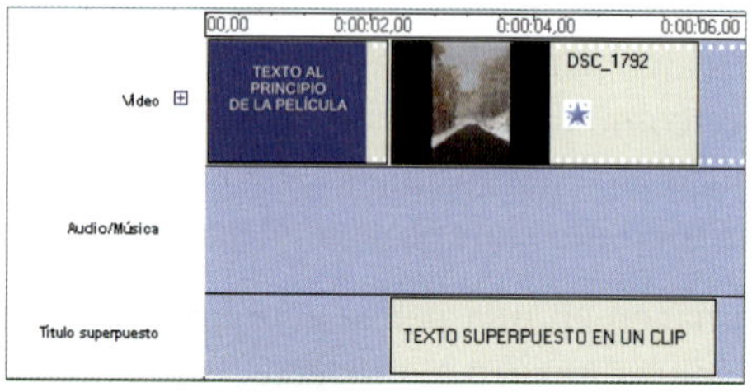

17.15. Texto y créditos.

Cualquiera de las dos opciones nos lleva a una pantalla que ofrece cinco opciones:

- Añadir títulos al principio de la película.
- Añadir títulos antes del clip seleccionado en la línea de tiempo.
- Añadir título en el clip seleccionado en la escala de tiempo.
- Añadir títulos después del clip seleccionado en la línea de tiempo.
- Añadir créditos al final de la película.

Una vez seleccionada la opción deseada, en la siguiente pantalla escribiremos el contenido del texto utilizando uno o los dos campos, título y subtítulo. Se puede terminar haciendo clic en *Listo* o bien continuar haciendo clic en alguna de las siguientes opciones.

Animación del título

Permite elegir el tipo de animación del texto dentro de la pantalla. Las animaciones están divididas en tres grupos:

- **Título de una línea (sin subtítulo).** Dentro de este grupo se encuentran las animaciones que muestran todo el texto simultáneamente en la pantalla. Son ideales para títulos con una sola línea de texto.
- **Título de dos líneas (con subtítulo).** En este grupo están las animaciones que son perfectas para cuando se desea mostrar un título con subtítulo o simplemente un título que esté formado por varias líneas de texto. La animación dentro de este grupo se realiza en dos pasos, primero el contenido del primer cuadro de texto (título) y después el del segundo (subtítulo).
- **Créditos (ideales para el final de la película).** El cuadro de texto se divide en tres. En el cuadro superior, se escribe el título de la película. En el izquierdo, se añaden los nombres de los personajes o los cargos de cada uno de los componentes del rodaje. Y en el cuadro de la derecha, sus nombres.

Las animaciones están pensadas para que el vídeo deje paso a los créditos o bien para que hagan un *scroll* clásico recorriendo la pantalla de abajo a arriba.

Evidentemente, se puede utilizar el tipo de animación que se desee, pero cada uno de los grupos resulta más coherentes para cada uno de los usos para los que fue diseñado. Las animaciones se previsualizan en la ventana de monitor.

Fuente y color del título

Permite cambiar el tipo de fuente, el estilo, el tamaño, la alineación y el nivel de transparencia.

En este punto, es importante hacer hincapié en la elección del color del texto. El procedimiento es sencillo, lo difícil es conseguir un color que tenga el suficiente contraste con el fondo, ya sea fijo o un clip de la película. Es mejor probar con varios antes de darlo por definitivo.

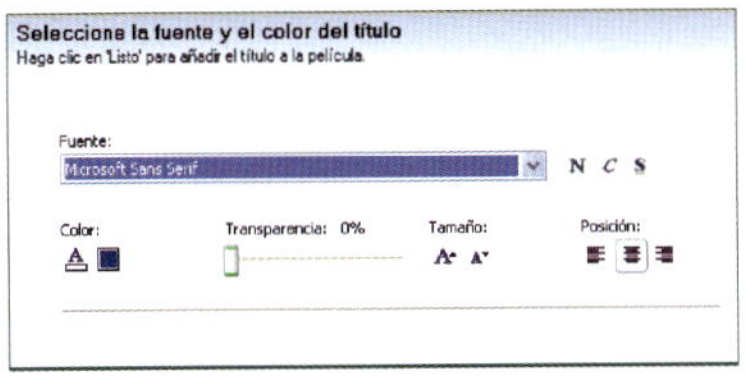

17.16. Fuente y color del título.

Casos prácticos 6

Añadir títulos y créditos

•• Añade a la película el título inicial y los créditos finales.

a) El título es *Y si (La presentación de Sophie)*, pero puede ser un buen momento para cambiarlo y elegir uno que te guste más o que describa mejor el contenido de la película. Debes insertarlo superpuesto en el primer clip. Calcula una duración suficiente para que se lea correctamente.

b) Escribe los créditos finales, que incluyan, entre otros, tu propio nombre en el apartado de postproducción.

Tanto el título como los créditos se pueden realizar mediante imágenes o bien con la opción *Títulos y créditos* tratada en este punto.

Decide también si en los créditos del final de la película hay que añadir música, así como su duración. Por supuesto, el montaje de cada alumno será diferente. Una vez terminados, se pueden poner en común.

Solución ••

a) Título de la película. Abre el proyecto del caso práctico anterior. Al principio de la línea de tiempo, en el primer clip, debes añadir el título superpuesto. Selecciona el primer clip. En el panel de tareas, dentro del grupo *Editar película*, haz clic en crear *Títulos o créditos* y, a continuación, en *Añadir título en el clip seleccionado*. Escribe el texto del título que hayas elegido, cambia el estilo de la fuente y añade alguna animación si lo crees conveniente.

b) Créditos. Selecciona el último clip. Ve al panel de tareas, al grupo editar película, haz clic en crear *Títulos y créditos* y, a continuación, en *Añadir título después del clip seleccionado*. De esta forma, los créditos aparecerán como una o varias pantallas fijas una vez terminado el último clip. Otra opción es hacer clic en *Añadir créditos al final de la película*. Esta segunda opción prepara de manera sencilla un clásico *scroll* para los créditos.

Archivo de proyecto y resultado

Todo el trabajo realizado hasta ahora en esta unidad, se ha almacenado como un proyecto. El archivo de este proyecto almacena los parámetros y las configuraciones que se han aplicado sobre los archivos añadidos al proyecto; es decir, el orden de los clips, las transiciones, los efectos de audio y vídeo, los textos, etc. Lo que no contiene este proyecto son el vídeo y los sonidos en sí.

El archivo de vídeo final sí es un solo archivo, es el resultado del proceso del proyecto.

17.17. Opciones para *Finalizar la película.*

4.6 > Finalizar la película

Finalizar la película es extraer el vídeo y el audio desde los archivos originales, agruparlos según la configuración que se ha definido en Movie Maker y obtener un archivo de vídeo final como resultado.

El siguiente esquema representa el orden de la realización del vídeo, desde la incorporación de los elementos, hasta la obtención del archivo de vídeo final:

En el panel de tareas de película, las opciones que tenemos para *Finalizar la película* son:

- ***Guardar en el equipo.*** En el PC local o en una dirección de red. Se puede seleccionar la calidad y el tamaño de archivo.
- ***Guardar en CD.*** En una unidad de CD grabable o regrabable.
- ***Enviar por correo electrónico.*** Utilizando el programa de correo instalado (Outlook). El archivo debe ser de pequeño tamaño para que se pueda enviar sin problemas de capacidad del servidor de correo.
- ***Enviar al Web.*** Guardarla en un servidor de *hosting* para dejarla compartida en Internet.
- ***Enviar a cámara DV.*** Guardarla en una cinta DV de una videocámara, conectada al puerto FireWire del ordenador.

La finalización de la película se puede llevar a cabo de dos formas: a través del menú *Archivo / Guardar archivo de película,* o bien mediante *Finalizar película* en el panel de tareas de película. En cualquiera de los dos casos, aparecerá un asistente.

Almacenamiento en el PC

Se selecciona un nombre para el archivo y una ubicación dentro del PC o de la red de área local, por ejemplo un disco duro compartido en red.

Se selecciona la calidad y el tamaño de la película, lo que influye también en el tamaño del archivo. Hay que intentar obtener un compromiso entre un nivel de calidad aceptable y, al mismo tiempo, un tamaño de película que no sea excesivo.

Las opciones que se encuentran son:

- ***Mejor calidad para reproducir en mi equipo.*** La configuración de tamaño de imagen y calidad son las óptimas en función de la calidad y el tamaño de los archivos de vídeo y audio que se han importado al proyecto. Suele ser la mejor opción si el vídeo no se va a mover del equipo, ya que mantiene la calidad. No obstante, dependiendo de la duración, puede resultar de un tamaño considerable que sea necesario reducir.

- ***Más adecuado para tamaño de archivo.*** Permite elegir el tamaño de archivo al cual se debe ceñir Movie Maker para codificar la película. Automáticamente seleccionará una relación calidad/tamaño que no exceda el tamaño marcado por el usuario. Es ideal cuando la película se almacenará posteriormente en un medio de almacenamiento externo con capacidad limitada.
- ***Otras opciones.*** Mediante un desplegable se ofrecen una gran cantidad de opciones adecuadas para casi todas las situaciones. Si, por ejemplo, el vídeo se va a reproducir en un Pocket PC o en un teléfono móvil con una pantalla de 320 × 240 píxeles, no tiene sentido codificar el vídeo a 720 × 576.

En cualquiera de las tres opciones, puede observarse en la parte inferior de la ventana información sobre los parámetros:

- ***Tipo de archivo.*** Windows Media Video o AVI.
- ***Velocidad de bits.*** Medida en bits por segundo, Kbits por segundo o Mbits por segundo. Es el tamaño de archivo que ocupa cada segundo de película. Normalmente, a más bits, más calidad.
- ***Tamaño del vídeo.*** Número de puntos de ancho por puntos de alto que tiene la imagen. A más resolución, más calidad.
- ***Relación de aspecto.*** Indica la relación existente entre el ancho y el alto de la imagen. Es importante que se corresponda con las medidas originales de los vídeos importados. Las más comunes son 4:3 y 16:9.
- ***Número de frames.*** Se trata del número de imágenes por segundo que tiene el vídeo. A más imágenes, mayor calidad. Hay dos estándares, 25 fps para Europa (PAL) y 30 fps para Estados Unidos (NTSC).

Tamaño del archivo

En la parte inferior de la ventana que aparece en cualquiera de las tres opciones de *Almacenamiento en el PC*, pero en la parte derecha, se muestra el tamaño que tendrá en archivo resultante, expresado en MB o GB, así como el espacio libre en el disco duro local.

CD grabable

Se selecciona la relación calidad/tamaño del archivo de forma análoga a como hemos visto en el apartado anterior. La única diferencia es que la primera de las opciones se denomina *Más adecuado para CD grabable* y optimiza la calidad de la película para que quepa en un medio grabable. A continuación, Movie Maker graba la película en el CD.

Enviar por correo electrónico

El programa guarda la película en el formato más adecuado, sin dar opciones. Una vez guardada, ofrece dos alternativas adicionales, visualizar la película y guardar una copia en el equipo. Luego, abre un mensaje nuevo en el Outlook (o programa de correo predeterminado) con el archivo de la película adjunto.

Enviar a la web

Hay que modificar el tamaño, y por tanto la calidad, dependiendo de la conexión a Internet disponible. A continuación, el programa guarda la película en un archivo temporal y se conecta con www.microsoft.com para descargarse una lista actualizada de los proveedores disponibles. Se selecciona uno en el que estemos registrados y se envia el archivo.

Enviar a una cámara DV

Con una cámara conectada al equipo, se crea la película, que quedará grabada en la cinta de la cámara en formato digital.

Caso final 7

Finalizar la película

•• Una vez que nuestra película esté perfectamente montada sobre la línea de tiempo de Movie Maker, con todos los efectos, transiciones, sonidos, etc., llega el momento de finalizarla.

Guarda el proyecto por última vez y finaliza la película para obtener un archivo de vídeo que tenga un tamaño inferior a 100 MB. Almacena tu película en el disco duro del ordenador.

Una vez guardada, comprueba desde un reproductor de vídeo (por ejemplo Windows Media) el resultado final de la película.

Solución ••

Primero guarda el proyecto como has estado haciendo durante toda la unidad. De esta forma se conserva el proyecto.

Aunque compilemos ahora un archivo final, es importante que podamos volver al proyecto para posteriores modificaciones, que serán más difíciles de hacer sobre el archivo de resultado; es decir, sobre la película.

Recuerda que los archivos que importaste al principio del proyecto deberán mantenerse en la misma ubicación dentro de tu ordenador cada vez que lo abras en el futuro.

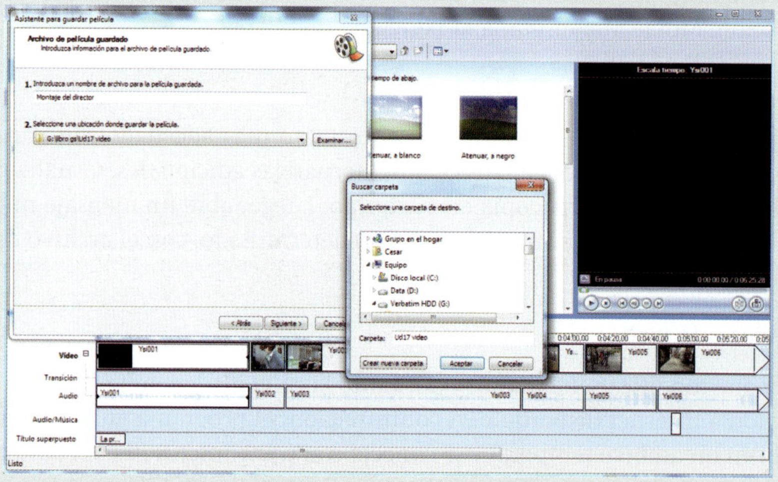

Previsualiza el proyecto desde el principio hasta el final, en la ventana del monitor, para estar seguro de que el resultado final es el deseado; de lo contrario aún puedes modificar el proyecto.

Una vez comprobado en la ventana del monitor que el proyecto funciona según lo previsto, se procede a la finalización del proyecto para obtener un archivo de película.

En el panel de tareas de película, dentro del grupo *Finalizar película*, haz clic en *Guardar en el equipo*. Introduce como nombre de archivo el título que pusiste a la película seguido de la palabra versión y tu nombre. Selecciona la ubicación del disco duro donde deseas guardarlo y haz clic en *Siguiente*.

7

Para que el archivo resultante no tenga un tamaño superior a 100 MB, selecciona un tipo de archivo y comprueba el tamaño que resultaría o bien puedes elegir directamente el tamaño deseado y Movie Maker se encargará de codificarlo.

Haz clic en *Otras opciones* y en el desplegable, selecciona *Vídeo para reproducción local (PAL 2,1 Mbps)*. Comprueba los parámetros en la parte inferior. Se trata de un archivo tipo wmv de 720 x 576 pixeles. La calidad es buena para reproducirlo en tu pantalla o en un proyector y no debería ocupar más de 100 MB.

Si quieres una versión del proyecto para reproducirla en tu móvil, para colgarla o enviarla a través de Internet, selecciona una opción que no sobrepase los 10 MB. Cualquiera de las tres primeras del desplegable está bien para ese cometido.

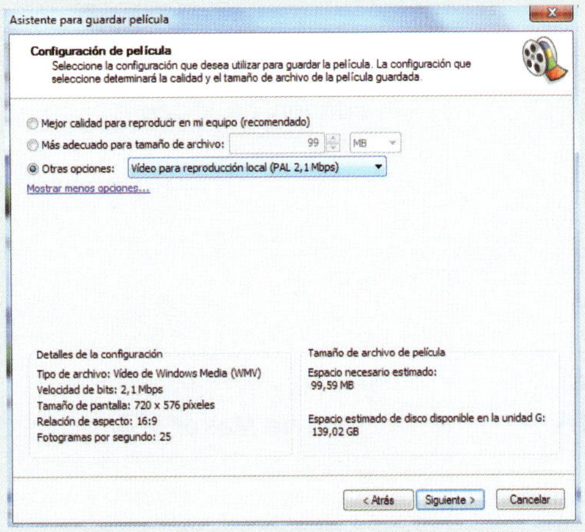

Una vez acabada la codificación del archivo, cierra Movie Maker y reproduce el archivo resultante directamente con el Windows Media Player, tanto en la pantalla de tu ordenador como con un proyector o pizarra digital.

Ideas clave

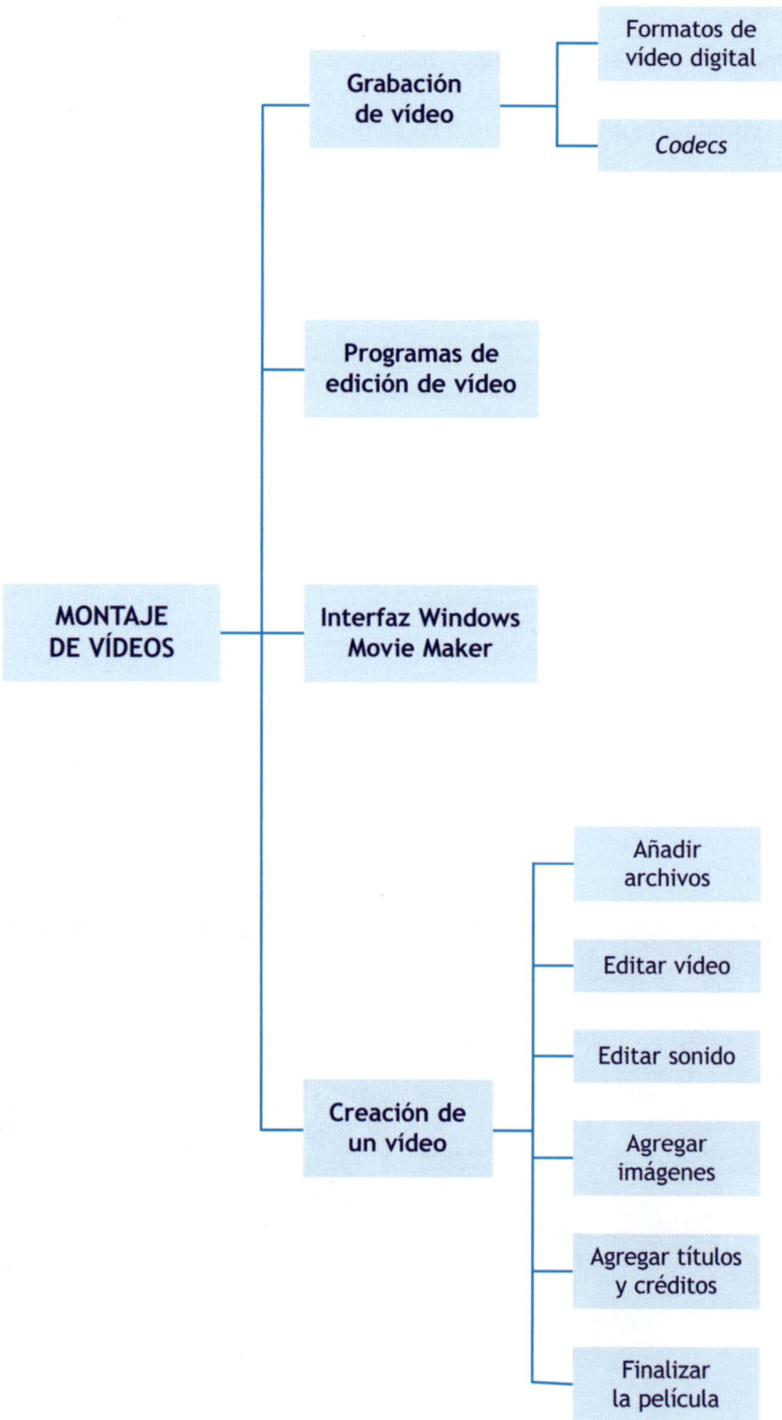
MONTAJE DE VÍDEOS
Grabación de vídeo
Formatos de vídeo digital
Codecs
Programas de edición de vídeo
Interfaz Windows Movie Maker
Creación de un vídeo
Añadir archivos
Editar vídeo
Editar sonido
Agregar imágenes
Agregar títulos y créditos
Finalizar la película

El *lobby* de la cultura insiste en que su modelo de negocio no está obsoleto

Spotify y Netflix, los modelos a seguir por la industria en lugar de criminalizar al usuario

Otro modelo de negocio para la industria cultural es posible. Spotify o Netflix son ejemplos de éxito en Internet a día de hoy, clara muestra de que **para ofrecer un servicio legal y de calidad no es preciso tomar medidas censoras en la Red** como la llamada Ley Sinde o la persecución a los usuarios de P2P. Sin embargo, la adaptación a los nuevos tiempos de la industria lleva un ritmo lento y estos servicios son excepcionales.

Las descargas de contenidos en la Red siguen dando que hablar y las grandes compañías discográficas y del mundo del cine siguen su errático caminar criminalizando a los usuarios y persiguiéndoles en lugar de plantearse alternativas que les permitan generar ingresos en Internet. Buena muestra del **anclaje en tiempos pasados** lo ha dado en nuestro país el grupo de presión de la industria cultural, la Coalición de Creadores.

Hace unos meses, en pleno debate sobre la ya aprobada Ley Sinde, su director, Andrés Dionis, señalaba a las páginas con enlaces externos como objetivo a perseguir ya que **a su parecer el "modelo de negocio no está en crisis"**. "El problema está en que **a la hora de distribuirlo nos lo roban y lo ponen gratis en la Red** a cambio de ganar dinero con la publicidad", afirmaba Dionis. "**No hay un modelo de negocio obsoleto, lo que hay es competencia desleal e ilegal** en el medio de distribución que es Internet", afirmaba.

Este grupo, partidario incluso de endurecer la ley si no funciona la norma antidescargas promovida por la ministra de Cultura, Ángeles González-Sinde, con desconexiones a los usuarios, **prometió que se abrirían "centenares de páginas legales"** una vez entrase en vigor. Su argumento se basa en que "**es imposible competir contra una copia ilícita gratis**". Error. Al menos así lo han demostrado en el mundo servicios como Spotify o Netflix, que conviven con estas webs y triunfan.

Las tarifas planas reducidas de productos culturales son rentables

Sus propuestas pasan por ofrecer contenidos musicales y cinematográficos respectivamente a los usuarios en forma de tarifa plana por unas cuotas. Así, **Spotify ha alcanzado recientemente el millón de usuarios de pago**. También ofrece su servicio de forma gratuita insertando cuñas publicitarias entre canciones. Por su parte, **Netflix** ofrece en Estados Unidos y Canadá un amplio catálogo de más de 100 000 series y películas a sus usuarios. En el territorio norteamericano ya superan los **20 millones de suscriptores** que pagan mensualmente por acceder sin límite al catálogo.

Ahora bien, si Spotify funciona bien en Europa, está encontrando dificultades para entrar en el mercado estadounidense. La situación sucede a la inversa en el caso de Netflix, debido a que los **precios por los derechos de autor, por ejemplo en nuestro país, son hasta dos y tres veces más caros que en otros países de Europa**, lo que haría que las cuotas fuesen muy elevadas y existiría una reticencia en los usuarios a utilizar este servicio al ser demasiado caro.

En definitiva, el ejemplo está ahí y solo rebajar las altas pretensiones de la industria cultural permitirá que esta oferta legal se establezca y triunfe en nuestro territorio. Hasta que esto suceda cualquier intento de criminalizar las descargas por parte de la industria se convertirá en consiguiente fracaso y una **pérdida de tiempo y dinero** al no haberse sabido adaptar a los nuevos tiempos.

Fuente:
http://www.adslzone.net

unidad **18**

Gestión del correo y la agenda electrónica

SUMARIO

- Outlook 2007
- Correo electrónico y configuración
- Contactos
- Calendario
- Tareas
- Notas
- Listas de carpetas
- Sincronización con dispositivos móviles

OBJETIVOS

- Manejar distintas funciones del correo electrónico.
- Gestionar los contactos.
- Gestionar las agenda.
- Administrar las tareas.
- Crear las notas.
- Configurar el correo y la agenda electrónica con el móvil.

1 >> Outlook 2007

El programa Outlook 2007 es un gestor de varias utilidades como son la agenda, el correo electrónico, los contactos, el calendario, etc.

Al abrir Outlook 2007, podemos ver que es la aplicación que menos ha cambiado. La cinta de opciones, que es el elemento más significativo del Office 2007, no aparece hasta que no redactamos un nuevo e-mail, editamos un contacto o creamos una reunión.

Es una herramienta extremadamente útil para los usuarios: permite organizar, gestionar, administrar y unificar la información que nos rodea, tanto en la parte de ocio (correos de familiares y amigos) como en la vida profesional (correos de contactos, gestión de agendas, citas laborales, etc.).

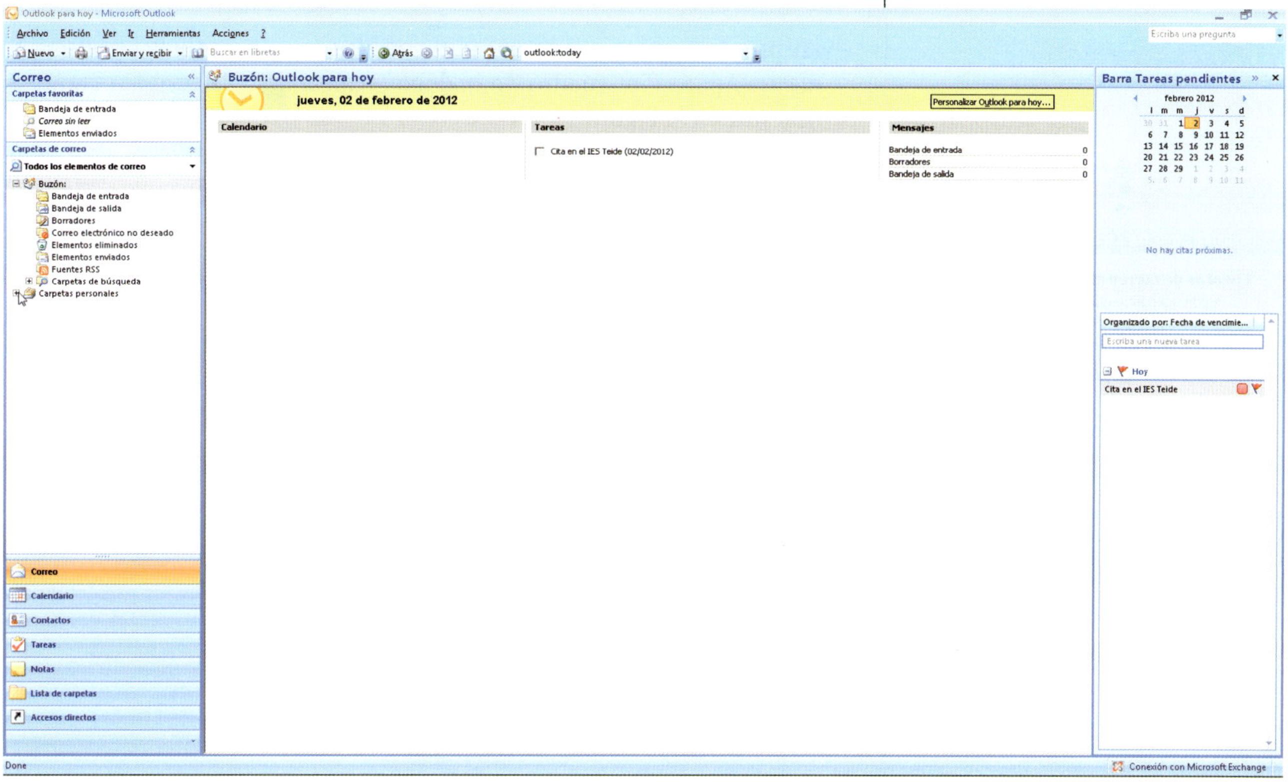

18.1. Pantalla de Outlook 2007.

La parte principal de la pantalla de la aplicación está dividida en tres zonas:

- **Panel de exploración.** Es donde aparecen los objetos más comunes de Outlook 2007 (correo, calendario, contactos, tareas, notas, etc.).
- **Panel de colecciones.** En esta zona aparece el resumen de información del elemento seleccionado en el panel de exploración. Se mostrarán aquí los mensajes de correo electrónico cuando lo seleccionado en el panel de control sean carpetas de correo, como por ejemplo, la bandeja de entrada.
- **Barra de tareas pendientes.** Se sitúa a la derecha de la ventana y nos muestra un resumen con tareas aún no concluidas y un calendario del mes en curso.

2 >> Correo electrónico y configuración

Para utilizar Outlook 2007 como gestor de correo electrónico, hay que crear previamente una nueva cuenta de correo que usaremos de prueba.

Para ello, puedes utilizar cualquier servidor de correo: Hotmail, Gmail, Yahoo, etc. En esta unidad vamos a utilizar una cuenta de correo del servidor Gmail.

Para usar el correo electrónico se necesita un proveedor de servicios de Internet. Al configurar una cuenta y una dirección de correo electrónico, se puede enviar y recibir correo.

Es posible configurar una cuenta de correo electrónico utilizando el asistente de inicio de Outlook 2007 o también desde el menú de herramientas del siguiente modo:

- En primer lugar, se debe hacer clic en *Herramientas / Configuración de la cuenta*. Aparece el cuadro de diálogo *Configuración de la cuenta* como se muestra en la Figura 18.2.
- A continuación, se hace clic en *Nuevo*, de la ficha de *Correo electrónico*. Aparece el cuadro de diálogo *Agregar una nueva cuenta de correo electrónico*.

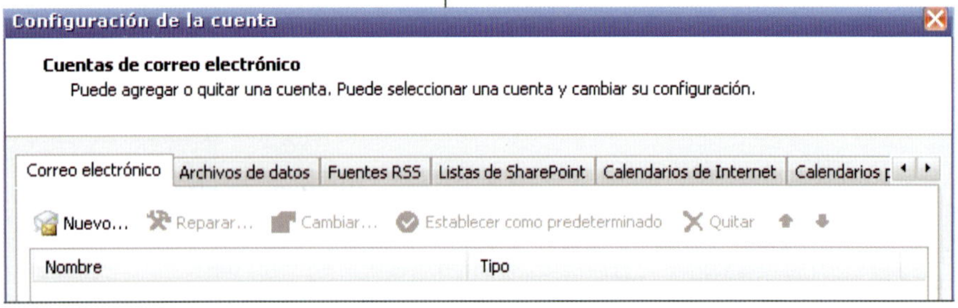

18.2. Cuadro de diálogo de *Configuración de la cuenta*.

Como la cuenta de correo ya existe previamente en el servidor de correo, simplemente hay que introducir el nombre, la dirección de la cuenta de correo y la clave de la cuenta, que es la misma que se utiliza para conectarse desde el proveedor de correo, ya sea Hotmail, Gmail, etc.

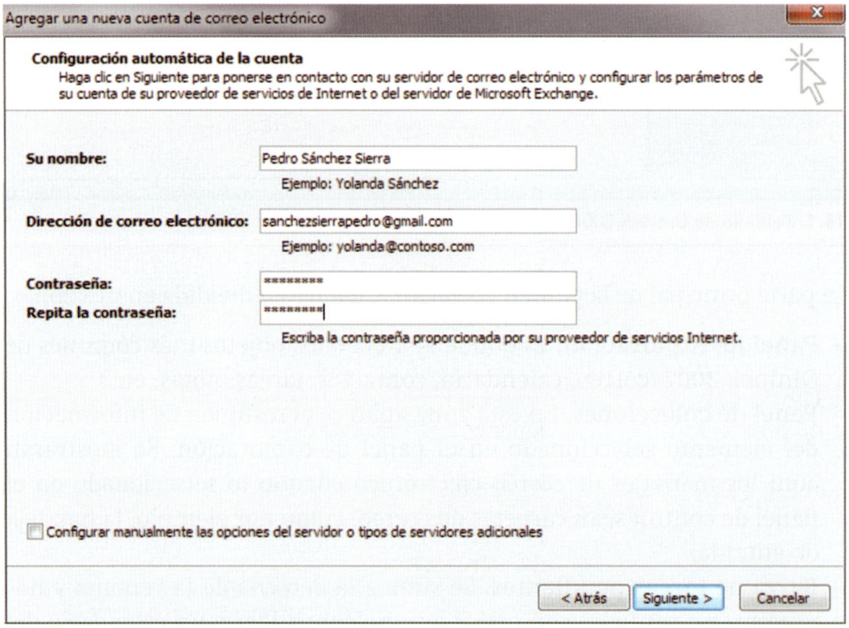

18.3. Cuadro de diálogo *Agregar una nueva cuenta de correo electrónico*.

– Una vez completados los datos, se hace clic en el botón *Siguiente*. Outlook inicia automáticamente una conexión con la red y realiza las siguientes operaciones: establecer conexión de red, buscar configuración de servidor para la cuenta de correo electrónico e iniciar sesión en el servidor.

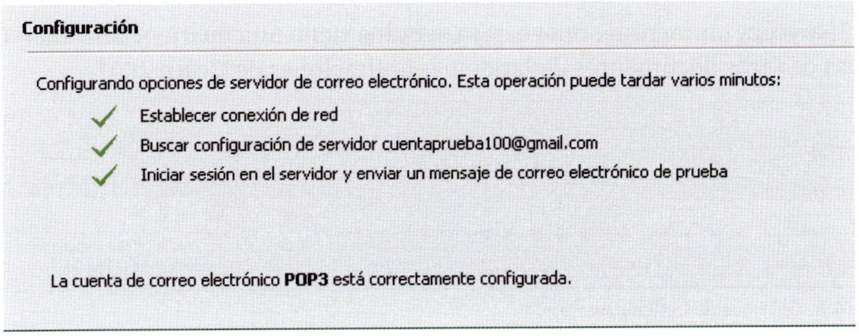

18.4. Configuración de opciones de servidor.

Una vez realizadas estas operaciones, Outlook estará configurado para poder trabajar con esta cuenta de correo. Será posible leer el correo y hacer que este se descargue desde el servidor de correo electrónico hasta el ordenador. Cuando se lee el correo a través de una página web, este está ubicado en el servidor, mientras que si se lee a través de Outlook el correo primero se descarga desde el servidor al ordenador para ser leído desde allí.

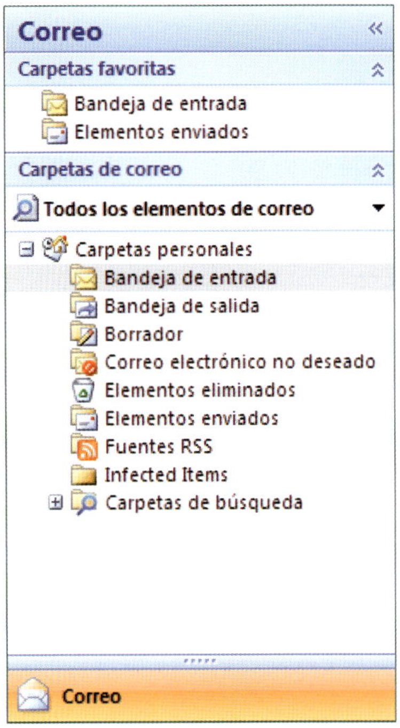

18.5. Carpetas de correo.

2.1 > Carpetas de mensajes

También es posible decidir dónde almacenar los mensajes electrónicos dentro del ordenador, bien al configurar la cuenta o bien después, a través del comando *Opciones* del menú de *Herramientas*. En el panel de exploración se encuentran las carpetas disponibles para el manejo de los mensajes de correo.

Carpetas de mensajes	
Bandeja de entrada	Contiene todos los mensajes recibidos.
Bandeja de salida	Contiene los mensajes que están siendo enviados al destinatario. Una vez han sido entregados, desaparecen de esta carpeta.
Borrador	Aquí se guardan los mensajes para enviar más tarde.
Correo electrónico no deseado	Están los mensajes que nuestro servidor de correo identifica como correo basura: correos masivos, publicitarios, sospechosos de estar infectados, etc. Se denomina también *spam*.
Elementos eliminados	Funciona como una papelera de reciclaje con correos eliminados que se pueden restaurar o eliminar definitivamente.
Elementos enviados	Son los mensajes enviados que han llegado a su destinatario.
Fuentes RSS	Los lectores RSS permiten suscribirse a fuentes RSS y leer contenido o seguir vínculos para obtener información adicional.
Elementos infectados	Son los mensajes que contienen virus o cualquier otro software malicioso para nuestro ordenador.

2.2 > Crear un mensaje electrónico

Para **crear un nuevo mensaje electrónico** se deben seguir estos pasos:

- Hacer clic en *Correo* del panel de exploración.
- Hacer clic en *Nuevo* en la barra de herramientas estándar.

Aparecerá un mensaje nuevo cuya ventana tiene una apariencia similar a las de otros documentos de las demás aplicaciones de Office 2007.

18.6. Opciones de la ficha *Mensaje*.

Como se ve en la Figura 18.6, en la cinta de opciones se encuentran partes clásicas de formatos de texto, etc., y otras más específicas de esta aplicación.

Las opciones de la ficha *Mensaje*, de la cinta de opciones del nuevo mensaje, son las clásicas de cualquier página web que provea un servicio de *email*. Aquí se incluyen varias opciones, desde libreta de direcciones hasta adjuntar archivos en la opción *Incluir*. En la ventana del mensaje debe aparecer el botón *Enviar*. Si no es así, entonces se puede emplear el botón de Office para encontrar esta utilidad.

- Se hace clic en el botón *Para*, y se escribe una dirección de correo electrónico o se agrega desde los contactos.
- Se escriben el asunto y el mensaje.
- Se hace clic en el botón *Enviar*.

Una vez que se han enviado los mensajes, estos van a la *Bandeja de salida*. Hasta que no se haga clic en *Enviar y recibir* de la barra de herramientas estándar, no se enviarán los mensajes.

18.7. Opciones de la barra de las herramientas.

Al enviar y recibir todo, Outlook 2007 se pone en contacto con el servidor de la cuenta de correo (Gmail, Hotmail, etc.), recoge todo el correo que haya en la cuenta y procede a enviar todo el correo saliente a sus respectivos destinatarios.

Actividades propuestas

1·· Instala Outlook 2007 en un ordenador y configúralo de modo que puedas visualizar los mensajes de una cuenta de correo electrónico de un servidor externo.

2·· Configura Outlook 2007 para que envíe y reciba todo el correo automáticamente en el momento en que se inicie la aplicación.

3 >> Contactos

Los contactos de una cuenta de correo de Outlook consisten en un listado de datos de personas.

Una vez instalada la aplicación, la primera vez que se abre, se observa que la lista de contactos de Outlook está vacía, ya que hay que crearla para incluir a los contactos en ella.

3.1 > Crear un contacto

Para **crear un contacto nuevo** se deben seguir los siguientes pasos:

- Hacer clic en *Correo* del panel de exploración.
- Hacer clic en *Nuevo,* en la barra de herramientas estándar. Aparece un cuadro de diálogo como el siguiente para introducir todos los datos del nuevo contacto:

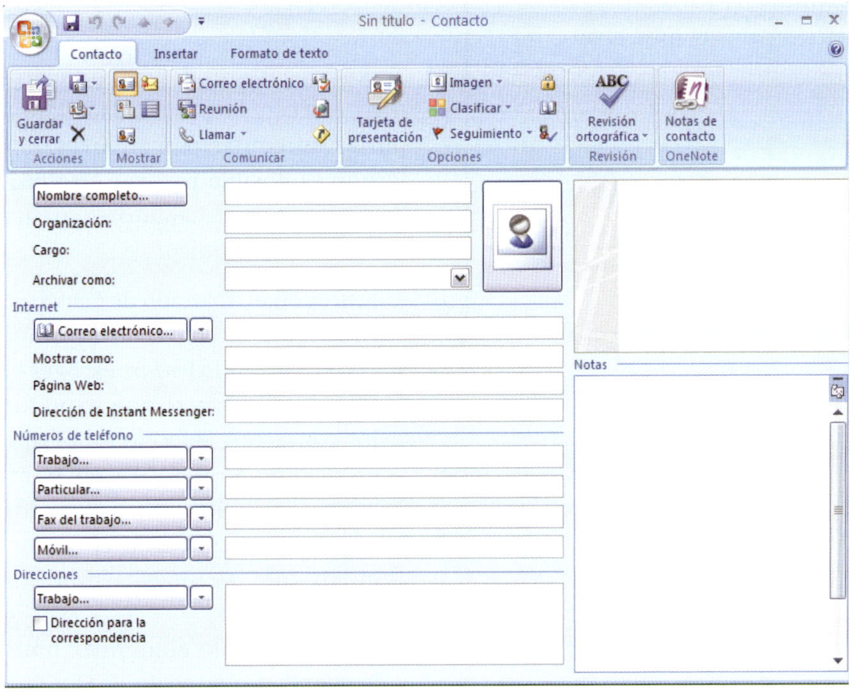

18.8. Nuevo contacto.

Se pueden insertar todo tipo de datos del contacto, desde datos personales (nombre completo, organización, cargo, etc.) hasta dirección de *email*, números de teléfono, distintas direcciones postales, etc.

Es posible también añadir una foto del contacto: simplemente haciendo doble clic en el cuadro de la imagen, se abre la carpeta *Mis imágenes* para seleccionar una fotografía previamente guardada. Igualmente, se puede eliminar la imagen del contacto utilizando el menú contextual que aparece al hacer clic sobre ella con el botón derecho.

Una vez creado un conjunto de contactos, es posible escoger diferentes opciones de visualización: *Tarjetas de visita*, *Tarjetas de visita detallada*, *Lista de teléfonos*, *Por categoría*, *Por organización*, etc.

3.2 > Importar contactos

Otro modo de añadir contactos dentro de Outlook 2007 es mediante una cuenta de correo ya existente que tenga sus propios contactos creados. Esta situación es habitual, pues un usuario de correo electrónico puede utilizar este servicio directamente en la página del servidor de correo (www.gmail.com, www.hotmail.com, etc.) y posteriormente vincular su cuenta de correo a Outlook 2007. Los contactos no se importan directamente desde el servidor de correo al configurar Outlook, sino que es necesario importarlos explícitamente.

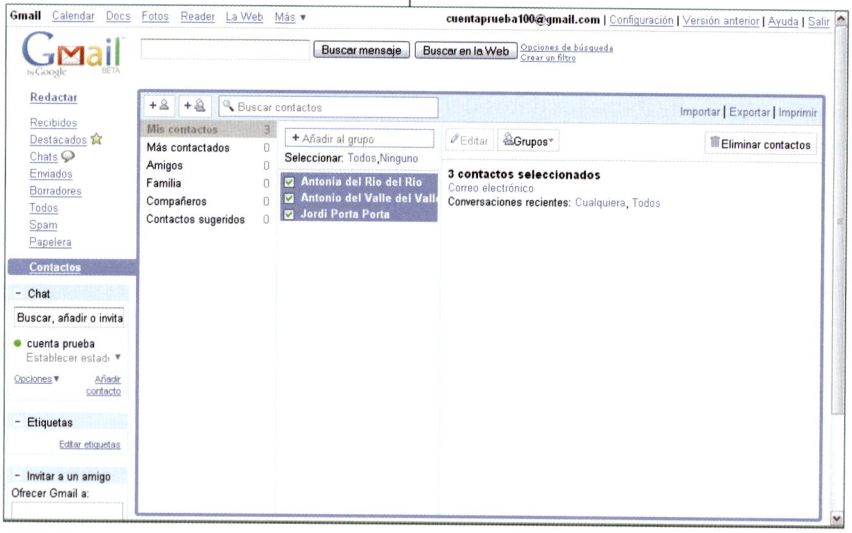

18.9. Contactos de Gmail.

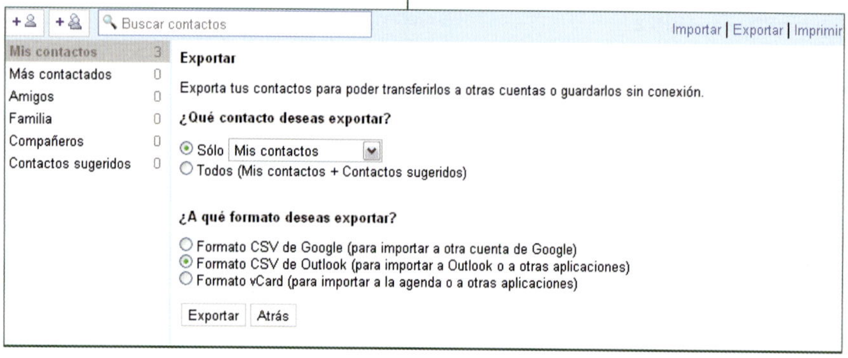

18.10. Opciones para exportar contactos de Gmail.

Para importar contactos desde una cuenta de correo a Outlook 2007, se utiliza un tipo de archivo denominado CSV (*Comma Separated Values*, valores separados por comas) donde se guarda la información de los contactos.

Todos los gestores de correo electrónico ofrecen la posibilidad de exportar sus contactos a archivos, por lo que es posible realizar este procedimiento desde cualquier cuenta de correo electrónico:

- Entrar en el apartado de *Contactos*. Allí figura el comando *Exportar*.
- Hacer clic en *Exportar*. Escoger el tipo de archivo al que exportar los contactos. Seleccionar el tipo CSV como se muestra en la Figura 18.10. De este modo, los contactos se grabarán en un archivo que se podrá importar desde Outlook.
- Una vez creado el archivo, abrir la cuenta de correo desde Outlook 2007. En menú *Archivo* de Outlook 2007, hacer clic en *Importar y exportar*. En el asistente para importar y exportar, elegir las opciones siguientes:
  - *Importar de otro programa o archivo.*
  - *Valores separados por comas (DOS).*
- Aparecerá una ventana de exploración de Windows para seleccionar el archivo previamente creado.
  Hay distintas opciones de importación referidas a los posibles contactos duplicados. Hay que indicarle al asistente dónde se guardan los contactos, aunque, evidentemente, lo recomendable es hacerlo en la carpeta destinada a tal fin: *Contactos*.

Al finalizar este proceso, los contactos de Gmail aparecen ya agregados a Outlook.

De modo análogo, se pueden exportar contactos de Outlook a un servidor de correo siguiendo el procedimiento inverso.

También es posible utilizar directamente el comando *Importar y exportar* de Outlook 2007 para importar contactos a Outlook:

- Se hace clic en *Importar y exportar* del menú *Archivo*. Se selecciona *Importar direcciones y correo de Internet.*
- Como se está llevando a cabo la importación desde Outlook, se selecciona en el siguiente paso la opción *Outlook Express 4.x, 5.x, 6.x o Windows Mail*. Hay que observar que es necesario seleccionar *Importar libreta de direcciones.* La opción de *Importar correo* solo es necesaria si se pretende almacenar también los mensajes en el ordenador.
- A continuación, el asistente preguntará qué hacer con los elementos duplicados.

De este modo, también es posible importar contactos y correo. Igualmente, también se puede importar la configuración de la cuenta de correo.

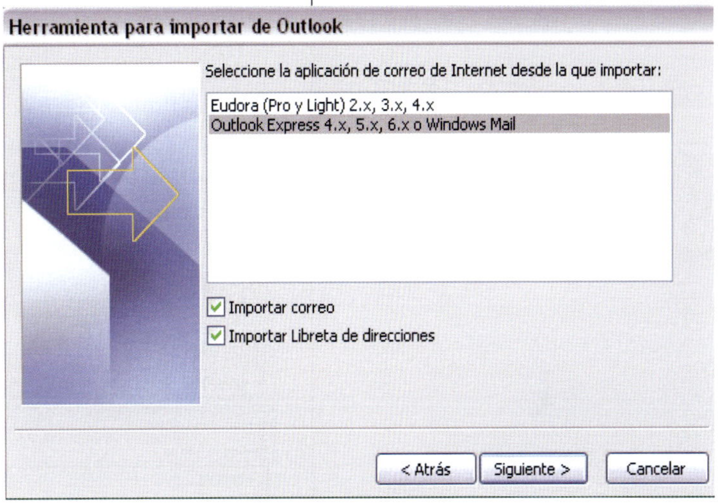

18.11. Herramienta para importar de Outlook.

Casos prácticos 1

Importar contactos

•• Juan se ha comprado un ordenador y ha comenzado a utilizar Outlook 2007. Se da cuenta de que todos sus contactos, de trabajo y personales, los tiene en su cuenta de correo electrónico de Gmail.

¿Cómo puede importar los contactos de su cuenta de correo de Gmail a la lista de contactos de Outlook?

Solución •• Para importar los contactos de la cuenta de Gmail a la cuenta de Outlook 2007:

- Abrir la cuenta de Gmail y exportar los contactos a un archivo. Ir a la página de *Contactos* y seleccionarlos todos. Hacer clic en *Exportar.* Exportarlos, seleccionando tipo de archivo *Formato CSV de Outlook*. Pasarán a un archivo para importar desde Outlook 2007 y que guardaremos en el ordenador. Una vez creado el archivo, abrimos Outlook y procedemos a realizar la importación:
- Abrir Outlook 2007 y, desde el menú *Archivo* de la barra de menús de Outlook, seleccionar *Importar y exportar.* Aparece el asistente para importar y exportar, desde el que se seleccionan las opciones *Importar de otro programa o archivo / Valores separados por comas (DOS).*
- Seleccionar el archivo creado previamente. Existen distintas opciones de importación con respecto a la posibilidad de contactos duplicados. El asistente preguntará dónde colocar los contactos. Seleccionar preferentemente la carpeta de *Contactos.*

Finaliza el asistente. Juan ya tiene sus contactos en Outlook, importados desde su cuenta a través de un archivo CSV.

3.3 > Listas de distribución

Una lista de distribución está formada por una serie de contactos agrupados con el fin de poder enviarles de forma conjunta correos o notas.

Para ***crear una lista de distribución,*** deben seguirse los siguientes pasos:

- Hacer clic en *Contactos* del panel de exploración.
- Hacer clic en *Nuevo* en la barra de herramientas estándar y, a continuación, en *Nueva lista de distribución.* Otra opción es hacer clic con el botón derecho sobre la parte central de la pantalla de Outlook y seleccionar *Nueva lista de distribución.*
- Aparecerá un cuadro de diálogo como el de la Figura 18.12, desde donde se puede dar nombre a la lista de distribución y después agregar contactos.

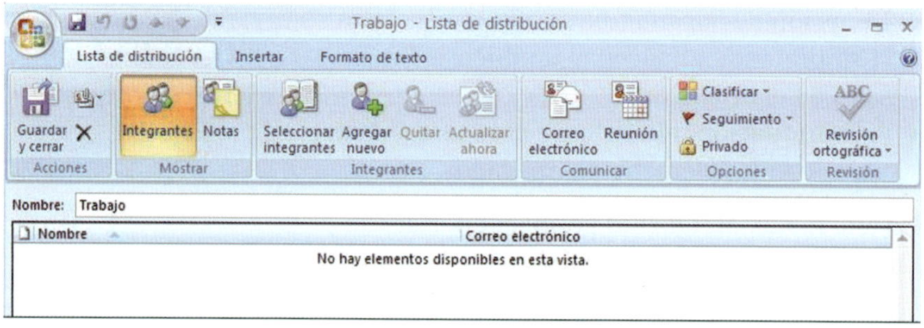

18.12. Añadir integrantes en una nueva lista de distribución.

- En la cinta de opciones, en la ficha *Lista de distribución,* hacer clic en la opción *Integrantes.*
- Aparecerá la ventana *Seleccionar integrantes* de la lista de contactos.

Para agregar estos contactos a la lista de distribución, hay que hacer clic en el botón de *Integrantes,* situado en la parte inferior de la ventana que aparece en la Figura 18.13.

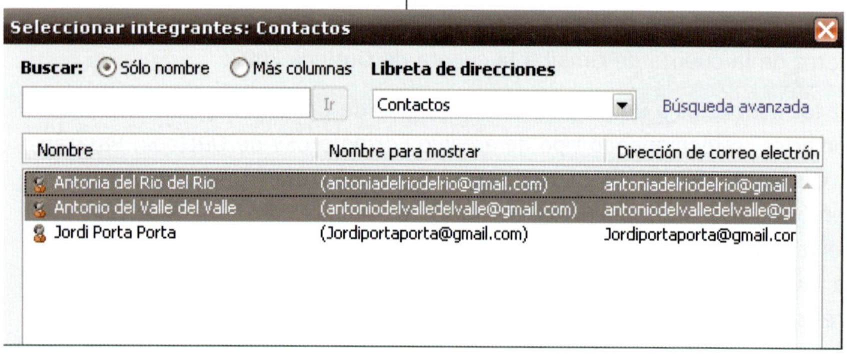

18.13. Seleccionar integrantes: *Contactos.*

Una vez creada la lista de distribución y añadidos los integrantes, es posible enviar notas, correos, etc. a todo el grupo simultáneamente.

Hay que señalar que para añadir los destinatarios en un mensaje nuevo, haciendo clic en el botón *Para*, aparecen todos los contactos y las listas de distribución. Dependiendo de nuestras necesidades, es posible enviar los mensajes a unos destinatarios u otros.

Además, una lista de distribución puede estar compuesta por otras listas de distribución; es decir, una lista puede estar compuesta de contactos y listas. Esta opción hace que el envío de correos electrónicos sea más versátil.

4 >> Calendario

El calendario de Outlook 2007 es otra de las utilidades a las que se le puede sacar mucho rendimiento en cuanto se conoce su funcionalidad.

Como se observa en la Figura 18.14, en el panel de exploración aparece el mes actual. En la parte superior derecha, se puede elegir el tipo de vista que más interese: *Día, Semana, Mes,* etc.

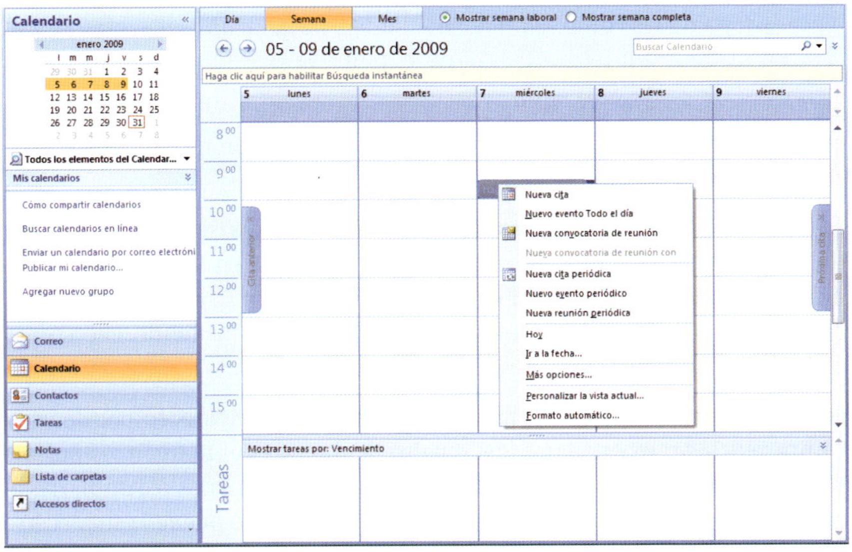

18.14. Vista de *Semana.*

En las distintas vistas, los días aparecen divididos en franjas horarias siguiendo el formato de las agendas. Para realizar cualquier acción sobre una zona del día, hay que hacer clic con el botón derecho sobre la zona elegida del día y, atendiendo al menú contextual que aparece, se puede seleccionar: *Nueva cita, Personalizar la vista actual,* etc. Todo esto hace que Outlook 2007 se convierta en una agenda muy útil.

Para ***crear una nueva cita:***

- Hacer clic en *Calendario* del panel de exploración.
- A continuación, hacer clic con el botón derecho en la hora de comienzo de la cita. Aparecerá un cuadro de diálogo como el de la Figura 18.15 para rellenar todos los datos de la actividad de la nueva cita. Algunas de las opciones a rellenar de la cita nueva son:
  - *Asunto.* Es la descripción de la cita.
  - *Ubicación.* Sitio donde tendrá lugar.

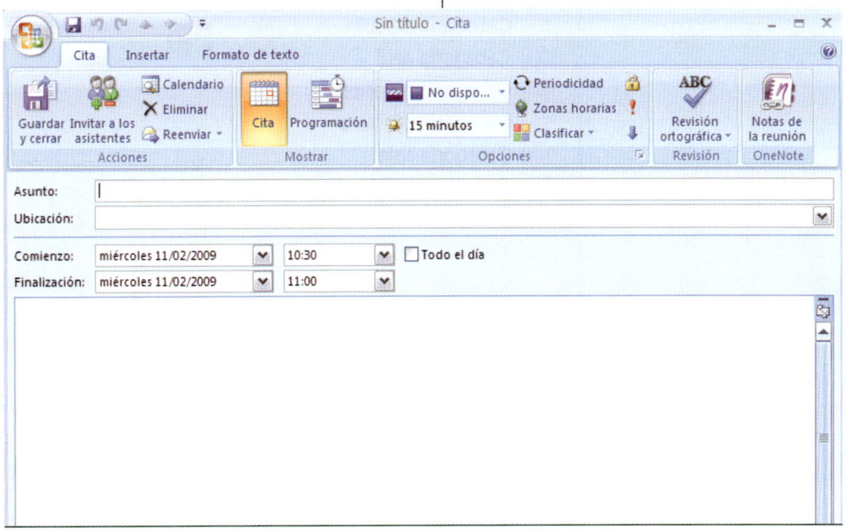

18.15. Nueva cita.

- *Comienzo* y *Finalización*. Es posible controlar fechas y horas de inicio y fin de la actividad.
- El gran cuadro en blanco es para introducir comentarios cuando sean necesarios. Es aconsejable acostumbrarse a comentar estas actividades.

Como sucede con la ventana de correo nuevo, la ventana de las citas nuevas también presenta la cinta de opciones, frente a lo que ocurre con el menú principal de Outlook 2007. Utilizando la cinta de opciones, se pueden establecer propiedades como *Alarma, Periodicidad, Invitar a asistentes*, etc.

Hay que tener en cuenta que, si se invita a asistentes, la cita se convierte en *Reunión*. Una vez que se ha creado la cita, desde la vista de calendario es posible moverla para cambiar la hora y el día o bien modificar su duración, alargando el final o adelantando el inicio.

Como todas las actividades no son igual de importantes, se pueden priorizar utilizando el clasificador de citas que se encuentra en la barra de herramientas estándar al visualizar el calendario. También se pueden establecer prioridades desde la cinta de opciones de la cita o haciendo clic con el botón derecho sobre ella y después en *Clasificar*.

Las categorías de color de la Figura 18.16, son las que aparecen por defecto. Utilizando *Todas las categorías*, del cuadro de diálogo del margen, es posible modificar el nombre de las categorías existentes, eliminarlas o cambiarles el color. Las citas o actividades que se añadan al calendario pueden establecerse como periódicas. Simplemente, basta con hacer clic en el botón de periodicidad 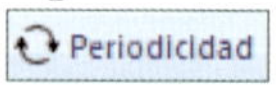

y establecer con qué frecuencia se repetirá la actividad.

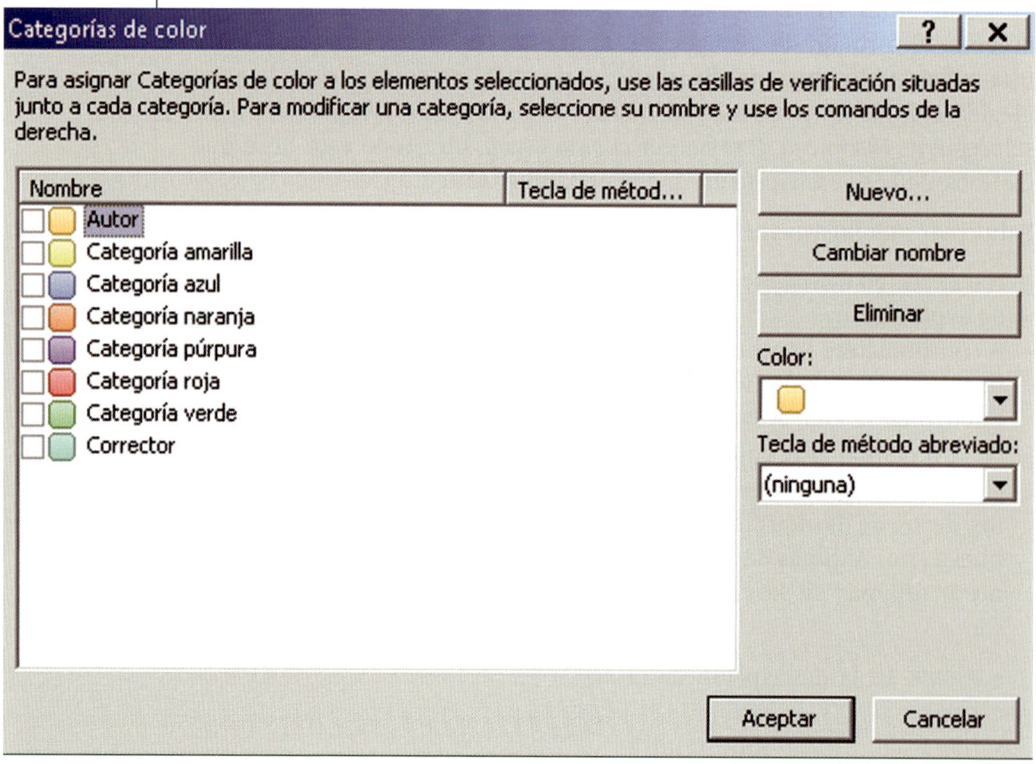

18.16. Categorías de color.

5 >> Tareas

Otro de los objetos del panel de exploración es el botón de *Tareas*. Una tarea en Outlook 2007 es una actividad pendiente a realizar.

Las tareas y el calendario se complementan perfectamente. Se pueden crear tareas desde la vista de calendario y administrarlas desde la pestaña de tareas del panel de exploración.

Hay que distinguir entre reuniones, citas y tareas. Las dos primeras pertenecen al calendario y pueden ser compartidas con otras personas. En cambio, las tareas son actividades personales.

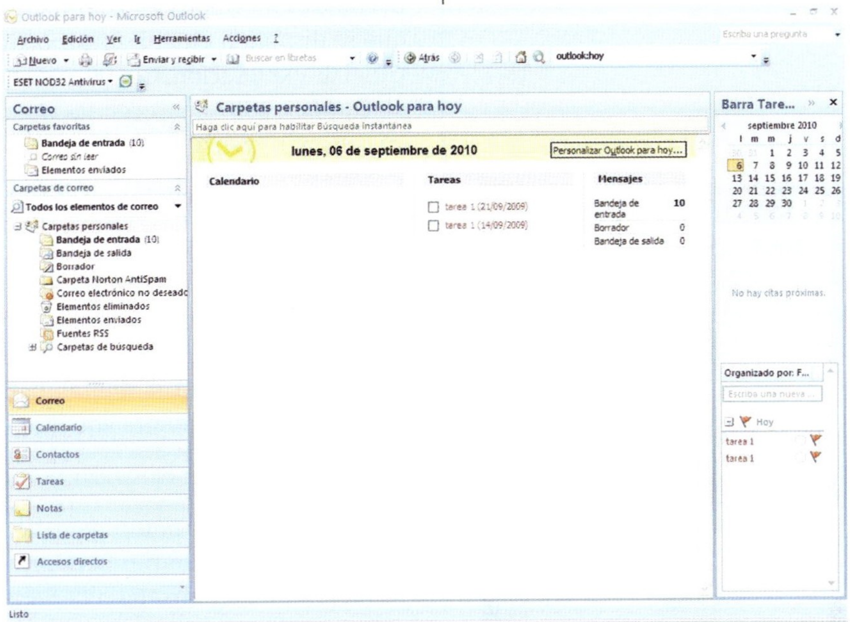

18.17. Apariencia de las tareas de Outlook 2007.

Si se observa Outlook 2007 desde la vista de las tareas, es posible comprobar si hay tareas pendientes en Outlook a través de la barra *Tareas pendientes* a la derecha de la pantalla. En esta parte, aparecen las tareas junto a un calendario.

En la parte central de la pantalla se encuentra la *Lista de tareas pendientes* y, en la tercera sección, a la izquierda del todo, el detalle de la tarea seleccionada. Si se ensancha la parte central, aparecerán más detalles de la tarea.

Para crear una nueva tarea:

- Hacer clic en *Tareas* del panel de exploración. Hacer clic en *Nuevo* de la barra de herramientas estándar.
- También se puede hacer clic con el botón derecho en la *Lista de tareas pendientes* y seleccionar *Nueva tarea.*
- La tercera posibilidad es dando de alta la nueva tarea en el recuadro *Escriba una nueva tarea* de la *Lista de tareas pendientes.*

Como resultado, aparecerá una ventana para rellenar todas las opciones de la nueva tarea.

Al igual que ocurre en el calendario con las citas y reuniones, es posible cambiar la categoría de las tareas. Las tareas se muestran en las vistas *Día* y *Semana* del calendario, pero no en la vista *Mes.*

Desde el *Calendario* de Outlook, también se pueden crear nuevas tareas. En la parte inferior del calendario en las vistas *Día* y *Semana,* aparece un apartado con las tareas del día. Desde aquí se pueden insertar tareas nuevas de forma sencilla, empezando directamente a escribir o haciendo clic con el botón derecho.

Otra función muy potente de Outlook 2007 es la capacidad de visualizar las tareas ordenadas según distintos criterios.

Opciones de una nueva tarea

- *Asunto.* Es el nombre o descripción de la tarea.
- *Inicio.* Fecha de inicio para la tarea, sin hora.
- *Vencimiento.* Fecha de finalización de la tarea. Tampoco tiene hora.
- *Aviso.* Campo para marcar una alarma. Con fecha y hora.
- El cuadro en blanco es para escribir cualquier comentario sobre la tarea.
- *% completado.* Indica el grado de completitud de la actividad.
- *Propietario.* Es el dueño o responsable de la actividad. Por defecto, siempre aparece la palabra *unknown* (desconocido).

6 >> Notas

Las notas, en Outlook 2007, son recordatorios en forma de pequeña ventana que se disponen en el Escritorio. Se encuentran en la pestaña *Notas*, en el panel de exploración. Cuando se selecciona esta pestaña, en la parte central de Outlook 2007 aparecen las notas creadas, que pueden ser visualizadas en distintas vistas.

18.18. Tres notas de ejemplo.

Para **crear una nueva nota:**

- Hacer clic en *Notas* del panel de exploración. Haz clic en *Nuevo* en la barra de herramientas estándar.
- También se puede hacer clic con el botón derecho, en la parte central de Outlook 2007, y seleccionar *Nuevo*. Aparece el típico adhesivo amarillo, esta vez en su forma digital, para introducir el texto necesario para recordar posteriormente aquello por lo que se ha creado la nota.

Las notas se pueden clasificar por categorías. Para ello:

- Hacer clic con el botón derecho sobre una nota y seleccionar *Clasificar*. Como se puede comprobar, hay varias categorías, representadas con colores, para asignárselas a la nota.

Cuando se crean varias notas, estas también se pueden ver en el Escritorio de Windows (o del sistema operativo con el que estemos trabajando). En las notas del Escritorio aparecen el texto de la nota, la fecha y hora de creación y nombre de la nota.

Las notas sobre el Escritorio se comportan como archivos abiertos de una aplicación y pueden ser cerradas.

Una vez que se ha realizado la tarea que indica la nota, esta puede ser eliminada simplemente con seleccionarla y suprimirla en la vista *Notas* de Outlook 2007. Desde el Escritorio no es posible eliminarlas, solo cerrarlas y editarlas.

Las notas también pueden ser enviadas a otras personas para compartir con ellas estos avisos. Simplemente, se hace clic con el botón derecho sobre la nota que se quiere enviar y se selecciona *Reenviar*. Aparecerá una ventana de correo electrónico para enviar a distintas personas o listas de distribución.

Una vez enviada, estará preparada en la bandeja de salida. Recuerda que hay que hacer clic en *Enviar y recibir todo* o pulsar (<F9>) para que los correos salgan hacia sus destinatarios.

Actividades propuestas

3·· Utiliza el calendario de Outlook 2007 para insertar actividades pendientes, como por ejemplo trabajos pendientes de entrega o exámenes, y establece la prioridad para alguna actividad.

4·· Crea nuevas notas para recordar cosas importantes que no debas olvidar y clasifica tus notas por categorías.

7 >> Lista de carpetas

El último objeto que queda por ver de los que aparecen en el panel de exploración antes de los útiles accesos directos es la *Lista de carpetas*. Si se hace clic en la *Lista de carpetas* aparecerán todas las carpetas disponibles en el panel de exploración, donde se podrá seleccionar cualquiera de ellas en función de las necesidades.

Es posible crear carpetas nuevas, asignarles un nombre y decidir qué tipo de elementos van a pertenecer a la carpeta.

Para **crear una carpeta nueva**:

- Hacer clic en *Listas de carpetas* del panel de exploración. Hacer clic en *Nuevo* en la barra de herramientas estándar y, después, en *Carpeta*.
- También se puede hacer clic con el botón derecho sobre *Carpetas personales* y, a continuación, en *Nueva carpeta*.

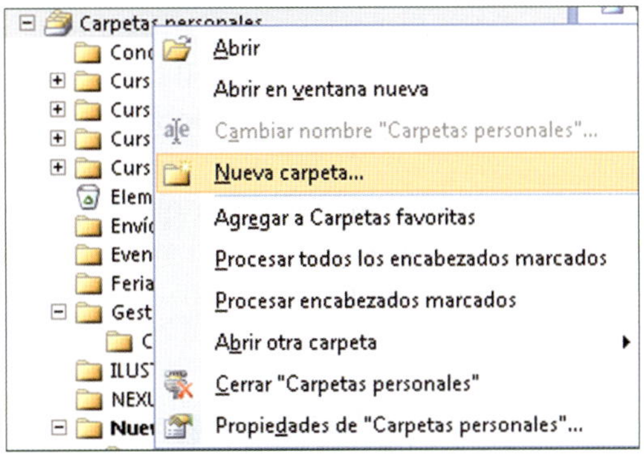

18.19. Nueva carpeta.

Hay que asignar el nombre de la nueva carpeta y elegir el tipo de objetos que se van a guardar en la carpeta nueva, que pueden ser: elementos de calendario, contactos, correo, etc.

Si se selecciona por ejemplo, *Elementos de contacto* entonces esa carpeta se comportará exactamente igual que la carpeta de contactos existente.

La utilidad de esto reside en que es posible tener objetos clasificados en distintos lugares al igual que ocurre con las carpetas de Windows. Se puede disponer de tantas carpetas como sea necesario para clasificar en ellas los archivos.

Es posible tener carpetas con distintos tipos de actividades, con distintos tipos de contactos, etc. Lo más importante a tener en cuenta es que las carpetas nuevas deben incluir tipos de objeto que ya existen en Outlook 2007, es decir, no es posible crear elementos totalmente nuevos.

Actividades propuestas

5·· Crea una nueva carpeta con varias subcarpetas y coloca en ellas información de tus contactos basada en diferentes proyectos de trabajo.

8 >> Sincronización con dispositivos móviles

Outlook 2007 se integra con otros dispositivos tales como teléfonos móviles, permitiendo que lleguen notificaciones de correos electrónicos al móvil y viceversa: para enviar SMS a la lista de contactos de Outlook. Estos servicios no suelen ser gratuitos.

La configuración es sencilla y se puede efectuar en línea, desde el ordenador o directamente desde el dispositivo móvil.

Para configurar las cuentas directamente en el móvil, habrá que consultar la guía de introducción del operador móvil que acompaña a la documentación del dispositivo. También se pueden seguir las instrucciones genéricas indicadas a continuación.

Configuración desde el dispositivo móvil

1. Para empezar:

   - Si en la pantalla del móvil aparece una opción de *Configuración de correo electrónico* o similar, hacer clic en ella.
   - O, por ejemplo, en el caso de una BlackBerry, en la pantalla de configuración de correo electrónico del asistente de configuración (que se inicia automáticamente la primera vez que se pone en marcha el *smartphone*), seleccionar la opción *Deseo crear o agregar una dirección de correo electrónico.*

2. Hacer clic en *Siguiente* y, si es necesario, en *Actualizar ahora*.
3. Si procede, hacer clic en *Crear nueva cuenta*.
4. Para aceptar las condiciones de la licencia, seleccionar *Sí* y a continuación aceptar.
5. Configuración de la dirección de correo electrónico:

   - Si se quiere acceder con el *smartphone* a una dirección de correo electrónico compatible ya existente:
     - Hacer clic en *Agregar cuenta de correo electrónico* o simplemente escribir la dirección de correo electrónico y la contraseña correspondiente.
     - Hacer clic en *Siguiente*.
   - Para crear una nueva dirección de correo electrónico en una BlackBerry (por ejemplo: nombreusuario@operador.blackberry.com) se realizarán las siguientes operaciones:

- Hacer clic en *Crear una dirección de correo electrónico BlackBerry* o bien hacer clic en *Deseo crear una nueva dirección de correo electrónico BlackBerry*.
- A continuación, escribir el nombre de usuario que se quiere que aparezca antes del signo @ en la nueva dirección de correo electrónico BlackBerry.
- Si es necesario, escribir una contraseña para esta dirección.
- Si procede, se selecciona una pregunta secreta.
- Y para finalizar, se indica la respuesta de la pregunta secreta seleccionada y se hace clic en *Siguiente*.

También es posible integrar Outlook 2007 con otras aplicaciones de Office 2007, por ejemplo, se puede combinar correspondencia tomando las direcciones de la libreta de contactos de Outlook 2007, lo que permite enviar correspondencia a los contactos de Outlook.

Otra de las aplicaciones con las que puede integrarse Outlook 2007 es OneNote 2007. Esta aplicación es un recopilador y clasificador de notas para el usuario. Es posible pasarle a OneNote correos electrónicos y contactos para, una vez abierta la aplicación, ordenar esta información según nuestras necesidades.

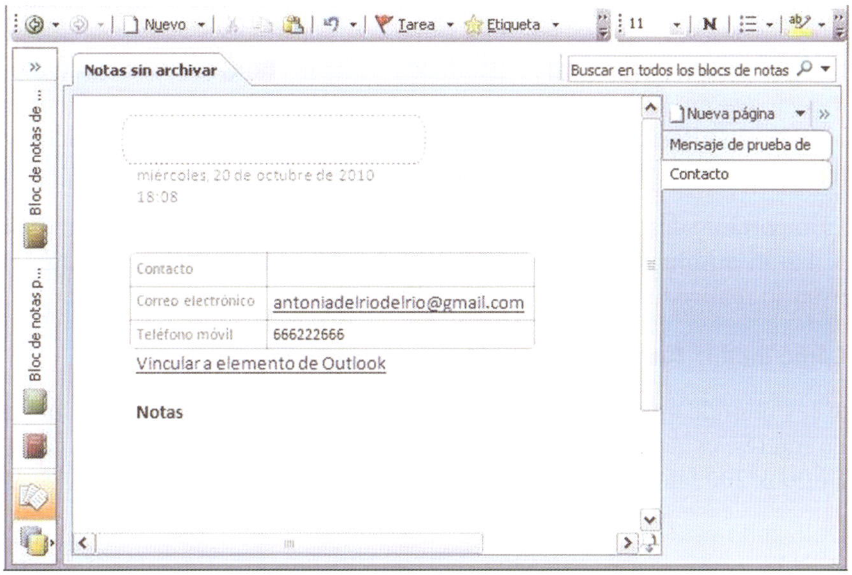

18.20. OneNote 2007.

Para realizar esta operación, hay que seleccionar el objeto que se desea exportar a OneNote y hacer clic en el botón *OneNote* que aparecerá en la barra de herramientas.

Fuentes RSS

Really Simple Syndication (RSS) es un método mediante el cual los editores de contenido dejan disponibles noticias, blogs y otro contenido para los suscriptores. Los lectores RSS, como el que incorpora Office Outlook 2007, permiten suscribirse a fuentes RSS y leer contenido o seguir vínculos para obtener información adicional.

Siempre que se encuentre un vínculo a una fuente o un icono RSS, bastará simplemente con hacer clic en él. Microsoft Office Outlook 2007 se suscribirá automáticamente a dicha fuente RSS y pondrá a disposición del usuario esa información de modo gratuito.

¿Cómo recibir RSS?

Outlook 2007 puede recibir información de los RSS. Se suelen utilizar sobre todo para difundir información actualizada, las últimas noticias y artículos RSS de las páginas web que nos interesen.

Para poder recibir noticias RSS, es necesario:

- Que la página web o blog tenga disponible el servicio RSS. Esto es bastante habitual, sobre todo en los blogs, ya que estos suelen tener habilitadas las RSS por defecto.
- Por otro lado, es necesario un lector RSS (o RSS Reader), que puede ser de diferentes tipos.

Podría ser un lector RSS instalado en el ordenador (un programa o software), el propio navegador web (Internet Explorer o Mozilla), un programa de correo electrónico (como Outlook Express o Mozilla Thunderbird) o un lector *on line* (una página web específica en la que puedes ingresar y ver todos los canales o fuentes RSS juntas).

Una vez se tiene el programa instalado o se ha hecho efectivo el alta en un RSS *on line* en la web, es necesario dar de alta aquellas páginas cuyas noticias resulten de interés. Así, se recibirán directamente las noticias y nuevos artículos de dichas páginas web.

Es importante destacar que cada vez que los artículos se actualicen, también lo harán automáticamente en el lector de RSS, sin necesidad de que el usuario realice ninguna operación adicional.

Cómo incluir fuentes RSS en el correo electrónico

Si se pretende incluir en el correo electrónico las fuentes RSS que resulten de interés, es necesario disponer de un programa gestor de correo como Outlook 2007 de Microsoft o Thunderbird de Mozilla.

Utilizando este sistema, es posible decidir tanto cuándo recibir la información, como el cese inmediato a la suscripción en el momento que se desee. Además, la suscripción es totalmente anónima.

Configurar Outlook 2007 para recibir las fuentes RSS directamente en el correo es muy sencillo.

Primero se deberá configurar una cuenta para recibir fuentes RSS. Para ello se debe ir al menú *Herramientas* y hacer clic en *Cuentas de correo electrónico:*

- A continuación, seleccionar *Agregar una nueva cuenta*.
- Lo siguiente es indicar el tipo de cuenta que se está configurando. En este caso, *Canales RSS y blogs*. Una vez seleccionado el tipo de cuenta, hacer clic en *Siguiente*.

- Ahora se deberá definir el nombre de la cuenta y luego hacer clic en *Siguiente*. Con esto la cuenta ya está configurada y se vuelve a hacer clic en *Siguiente*.
- Con la cuenta ya creada, es posible incluir tantas páginas web como se desee. Ahora hay que indicar la dirección de la fuente RSS que se quiere agregar y copiar la dirección de la fuente RSS. Para ello, se hace clic con el botón derecho del ratón sobre el icono de las RSS y se selecciona *Copiar acceso directo*.
- Hay que incluir la dirección copiada dentro del canal RSS que se ha creado. Para esto, es necesario hacer clic en *Administrar suscripciones* y añadir la cuenta.
- Para terminar, en *URL del canal* se pega la dirección copiada en el paso anterior.

Esto se puede parametrizar desde el *Centro de confianza* de Outlook 2007, donde se encuentran las distintas posibilidades de comportamiento. Para acceder, hay que dirigirse al menú de opciones comom se aprecia en la Figura 18.21.

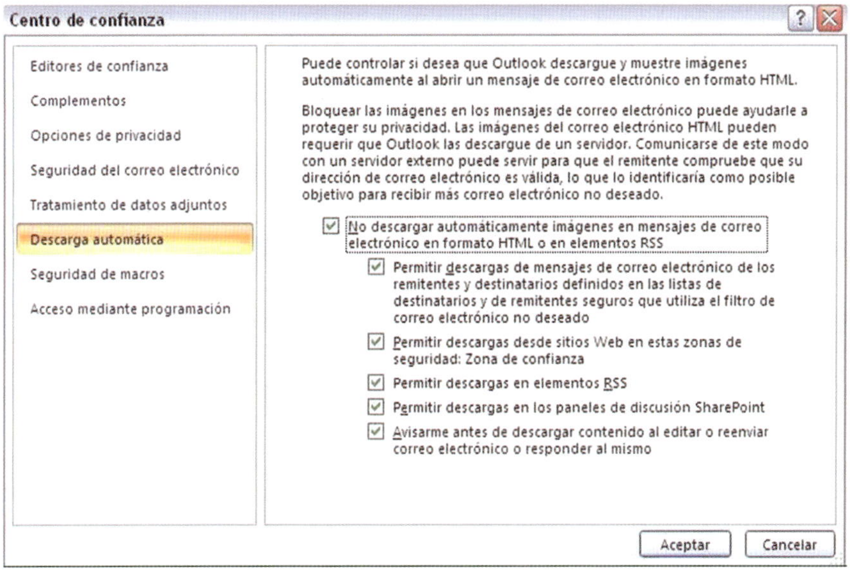

18.21. *Centro de confianza* de Outlook 2007.

Outlook también se integra automáticamente con el antivirus que se tenga instalado en el equipo informático. Cuando se dispone de un antivirus instalado, aparece una opción en el menú *Acciones* que permite analizar los mensajes de la carpeta de entrada o de la ubicación que se considere necesaria.

Actividades propuestas

6·· Realiza una combinación de correspondencia con todos los contactos desde Word 2007.

Instala un antivirus y analiza tu bandeja de entrada.

Caso final 2

Gestión de Outlook 2007

•• Desde una cuenta de correo existente realiza las siguientes tareas en Outlook 2007.

a) Crea un contacto nuevo.
b) Envía un correo al nuevo contacto, con copia oculta a algún otro contacto de tu lista, solicitando confirmación de entrega y lectura del mensaje.
c) Convoca a una reunión a algunos de tus contactos.
d) Crea distintas notas y tareas, categoriza las notas y asigna la tarea nueva a un contacto cualquiera.
e) Crea una lista de distribución nueva y asigna una tarea a la lista.
f) Combina correspondencia con elementos de la lista.

Solución ••

a) Para crear un nuevo contacto se siguen los pasos habituales:

- Abre Outlook 2007.
- Haz clic en *Contactos* en el panel de exploración y crea un nuevo contacto haciendo clic en *Nuevo* en la barra de herramientas estándar. En la ficha de datos que aparece, introduce la información necesaria. Puedes asociarle una imagen al contacto.

b) Para redactar un correo electrónico:

- Haz clic en correo del panel de exploración, después en *Nuevo* en la barra de herramientas estándar. Utilizando el botón *Para,* indica los destinatarios del mensaje electrónico. Incluye al nuevo contacto y a otro contacto, a este segundo en *CCO* (copia oculta).
- Después en la cinta de opciones del mensaje selecciona *Opciones*, marca las casillas de *Solicitar una confirmación de entrega* y *Solicitar una confirmación de lectura*.

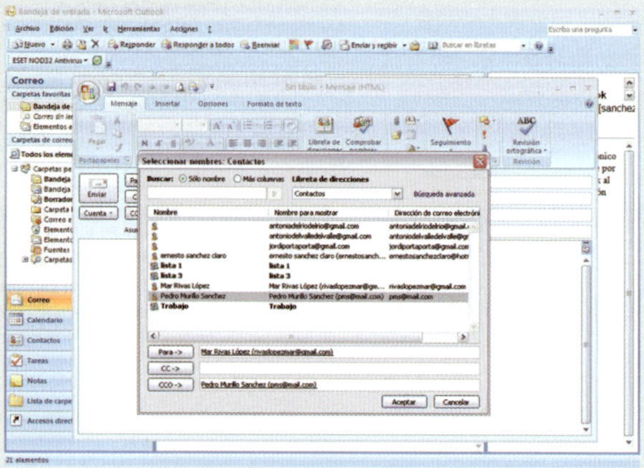

c) Para crear la reunión:

- Haz clic en el panel de exploración en *Calendario*.
- Busca la fecha indicada para la reunión y haz clic con el botón derecho en la hora y día adecuados.
- Selecciona *Nueva convocatoria de reunión*. Aparece un mensaje nuevo preparado para avisar a todos los contactos que se incluyan en la reunión haciendo clic en el botón *Para*.
- Introduce algún contacto en *CCO*. Acepta y, para enviar solo debes hacer clic en el botón *Enviar*.

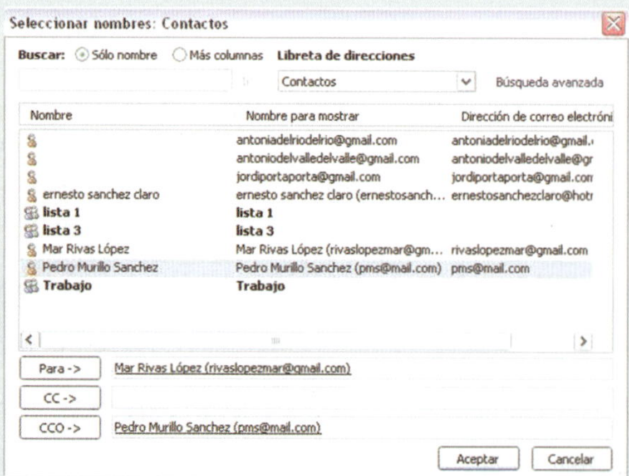

d) Para crear distintas notas:

- Haz clic en *Notas* del panel de exploración. Haz clic con el botón derecho en la parte central de Outlook 2007 y selecciona *Nuevo* (o clic en *Nuevo*, en la barra de herramientas estándar)

2

- Inserta texto en la nota, y una vez creada, clasifícala haciendo clic en el botón derecho sobre la nota, seleccionando clasificar y eligiendo la categoria.
- Puedes enviar esta nota a los contactos. Haz clic con el botón derecho sobre la nota y selecciona reenviar. Aparece una nueva ventana de mensaje en la que debes elegir los contactos necesarios.

e) Para crear una nueva lista de distribución:

- En la ventana de *Contactos*, haz clic con el botón derecho y selecciona *Nueva lista de distribución*. A continuación, aparece la ventana *Listas de distribución nuevas*.
- Asígnale un nombre a la nueva lista, por ejemplo, *Mi lista*.
- Haz clic en *Seleccionar integrantes* de la cinta de opciones. Aparece una ventana con todos tus contactos para que selecciones los que desees que integren la nueva lista.

Observa que también aparecen otras listas, ya que una lista puede contener a otra entre sus integrantes. Esto es muy útil en una empresa si se quieren realizar divisiones por sucursales y a su vez por departamentos.

Para enviar un correo electrónico a la lista de distribución *Mi lista:*

- Haz clic en *Nuevo mensaje*.
- Haz clic en el botón *Para* y selecciona *Mi lista*.
- Envía el mensaje haciendo clic en el botón *Enviar.*

Observa que hemos utilizado la nueva lista, denominada *Mi lista*, como si de un contacto se tratase.

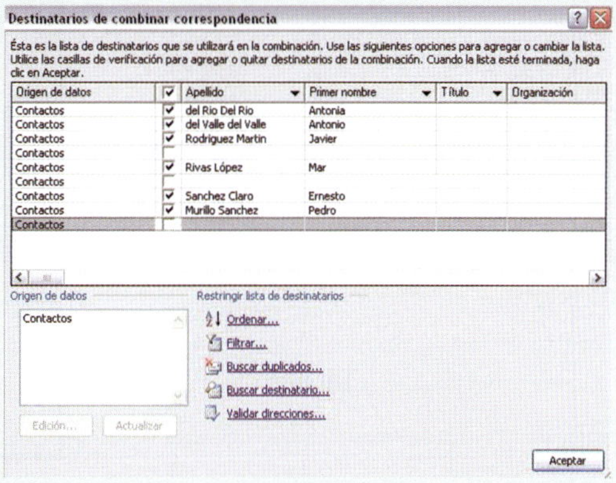

f) Para combinar correspondencia con los elementos de una lista:

- Asegúrate de que la lista de tus contactos tiene completos los datos necesarios para la combinación de correspondencia.
- Abre Word 2007 y ve a la pestaña de *Correspondencia* de la cinta de opciones. Inicia la combinación de correspondencia e inserta los campos adecuados, por ejemplo: *nombre, apellido, dirección, ciudad.*
- Después elige los destinatarios haciendo clic en *Seleccionar destinatarios* y escoge los de Outlook. Aparecerá un cuadro donde se muestran los componentes de tu lista de contactos.
- Incluye los que creas necesarios. Observa en la figura que hay contactos en los que no hay algún campo completo. Estos no deben incluirse pues aparecerían los campos vacíos.
- Haz clic en *Aceptar* una vez que hayas seleccionado los contactos y después haz clic en *Vista previa de resultados*. Aparecen tantas páginas (o cartas) como contactos hayas seleccionado.
- Después simplemente haz clic en *Finalizar y combinar* para poder editar los documentos individualmente, imprimirlos, etc.

Ideas clave

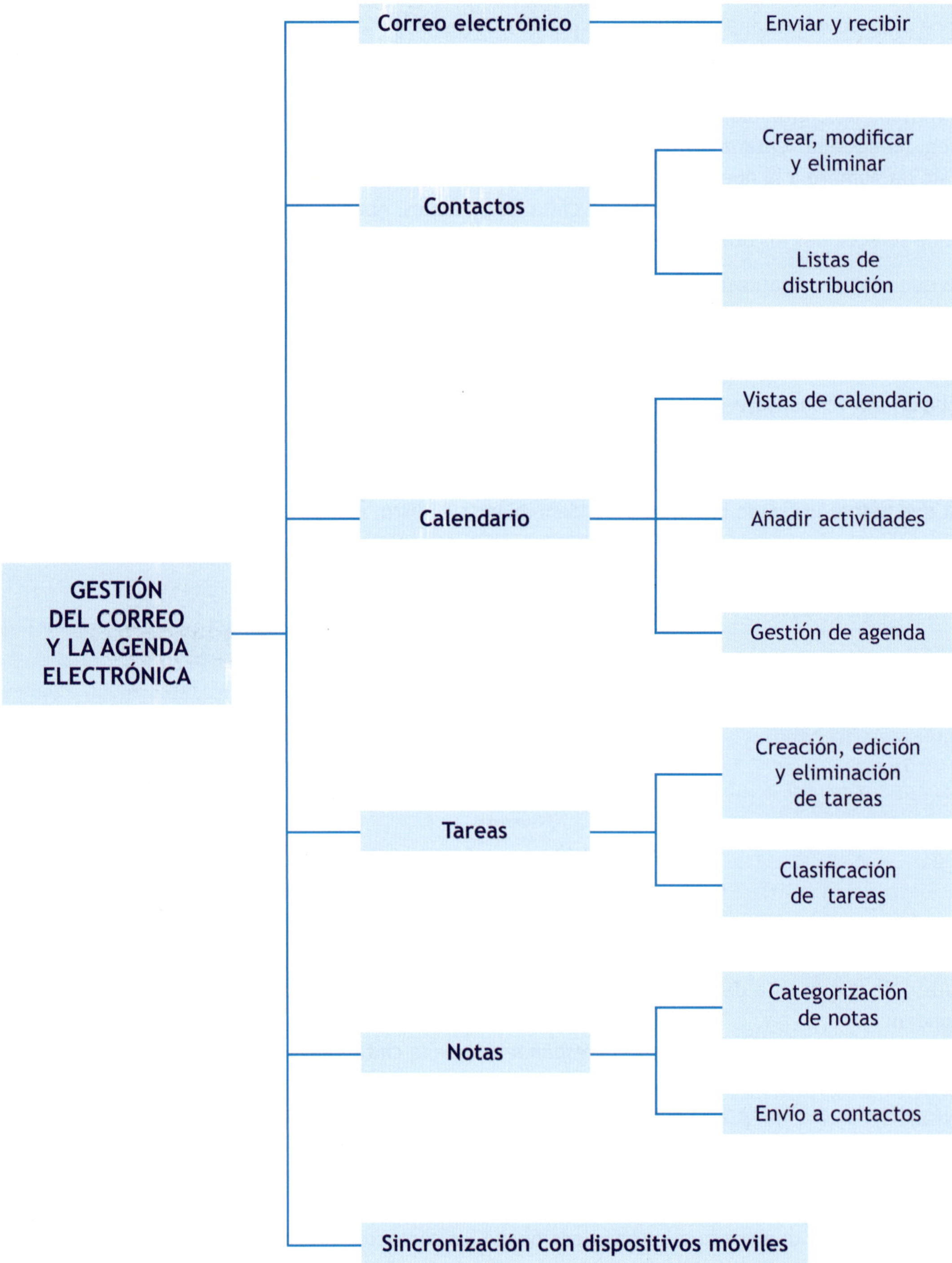
GESTIÓN DEL CORREO Y LA AGENDA ELECTRÓNICA
Correo electrónico
Enviar y recibir
Contactos
Crear, modificar y eliminar
Listas de distribución
Calendario
Vistas de calendario
Añadir actividades
Gestión de agenda
Tareas
Creación, edición y eliminación de tareas
Clasificación de tareas
Notas
Categorización de notas
Envío a contactos
Sincronización con dispositivos móviles

Inicios del correo electrónico

Fue creado por Ray Tomlinson en 1971, aunque no lo consideró un invento importante. Su gran difusión promueve servicios para chequear una cuenta POP desde cualquier navegador.

El texto del primer mensaje enviado por *email* fue algo así como "QWERTYUIOP" (teclas pulsadas al azar en el teclado por razones de pruebas) según su inventor y fue enviado a través de un programa llamado SNDMSG que él escribió. El invento se estaba terminando en 1971 cuando Tomlinson, un ingeniero de la firma Bolt Beranek y Newman, contratada por el gobierno de los Estados Unidos para construir la red Arpanet (la precursora de Internet), tuvo la idea de crear un sistema para enviar y recibir mensajes por la red.

Tomlinson había escrito un programa para que los desarrolladores de la Arpanet se dejaran mensajes en las computadoras que compartían (15 en toda la red nacional). Jugando con otro protocolo para transferir archivos entre las máquinas diseminadas por la red, notó que juntos podían usarse para acceder a todas las casillas de correo.

¿Cómo surge la arroba?

Tomlinson eligió la arroba, que en inglés se lee *at* (en tal lugar), para especificar el destinatario del mensaje: Fulano en tal lugar. Acto seguido, se envió un mensaje a sí mismo y dio inicio a la era del *email*.

Tomlinson, no creyó que su invento fuera a quedar registrado en la historia porque consideraba al *email* como un paso previsible en la informática, no un invento genial.

Actualmente el *email* es un estándar de comunicación, y las cuentas POP (que permiten pasar mensajes de un servidor a una computadora) su lenguaje común.

El uso de cuentas POP requiere de un software para conectarse a un servidor, subir y descargar mensajes. Los principales programas en el mercado son Eudora, Outlook o Thunderbird.

El otro acceso que se ha popularizado es el del *webmail*, que no requiere ningún software especial, sino únicamente un navegador de Internet.

Con el tiempo, el servicio de *email* es uno de los más competitivos para las grandes empresas como Yahoo, Hotmail y Google, principales servicios que ofrecen cuentas de correo gratuito con muy buenas características en la búsqueda de incrementar su número de usuarios inscritos.

Un usuario de Internet siempre inicia su uso de la red al contar con una cuenta de correo personal, ya sea de algún servicio gratuito, así como de correos empresariales o de su institución de estudio. Las empresas utilizan este recurso como parte de su imagen, ya que si el correo impreso en las tarjetas de presentación tiene como dominio el nombre de la empresa, eso le permite crear un cierto estatus a diferencia de si el dominio fuera de una cuenta gratuita en la web.

En conclusión, a pesar de que Tomlinson considero que su invento no era de relevancia histórica, ahora es una gran herramienta de comunicación a nivel mundial.

Referencia: http://www.maestrosdelweb.com/editorial/emailhis/